詳解
戸籍訂正の実務

夫婦・親子関係の訂正を中心として

編集代表

新谷雄彦
takahiko niiya

日本加除出版株式会社

はしがき

　戸籍は，日本国民の親族的身分関係を登録・公証する機能を有する公簿であるということは，既にご承知のとおりです。したがって，戸籍簿に登載されている身分関係は，常に真実のものであると推定されます。

　戸籍に記録（登載）する手段は，通常，届出等に基づくことになります。その届出が真実であることを担保するためには，各届出に証明書又は証人の署名・押印を付して届け出ることとしています。例えば，報告的届出である出生の届出には，医師，助産師等が作成した出生証明書の添付を要求し，創設的届出である婚姻，養子縁組等の届出には，当事者双方及び成人の証人2人以上が署名し，その者の出生の年月日，住所及び本籍を記載した上，印を押した書面（届書）によることとされています。さらに，平成20年5月からは，創設的届出における本人確認の制度の法的整備が図られています。このように，戸籍の記録（登載）に当たっては，証明書や証人の署名等を要求していますから，その記録は真実であるという推定がされることになります。

　ところが，このように慎重な手続の網目をくぐり抜けるような不正な届出，いわゆる虚偽の届出がされることがあります。この虚偽の届出は，本来受理されることはありませんが，何らかの事情により，受理されているのが現実ではないでしょうか。

　このような虚偽の届出に基づく届出により，いったん戸籍に記録されると，それを修正する（真実の記録にする）には，戸籍訂正という方法によることになります。戸籍訂正の方法は，人事訴訟法等の裁判に基づくもの，家庭裁判所の戸籍訂正許可の裁判によるもの，さらに，管轄法務局の長の許可によるもの，そして市区町村長限りの職権によるものと，それぞれ訂正の内容により手段又は方法は異なりますが，いずれも何らかの法的根拠に基づき，戸籍訂正を行うことになります。

　本書は，平成7年に刊行した「戸籍訂正ＡＢＣからＺまで（応用編）」を更に書き改め，コンピュータ戸籍の戸籍訂正を中心に，初歩的なものから応用編的なもの，また，戸籍訂正の基本として市区町村の担当者として覚えて

i

はしがき

おきたいことなど，理論と実践，及び具体的事例を通しての戸籍訂正の方法等から構成されています。

ところで，本書を執筆した一人として，具体的な戸籍訂正の方法，特に戸籍法施行規則付録第25号，いわゆるコンピュータ記録例に疑問を感じたものがあります。具体的には，法定記載例番号203（嫡出子否認の裁判による訂正申請）です。附録第7号（これは，紙戸籍における戸籍記載例です。）では，「父の記載消除」としていますが，コンピュータ記載例は，「【消除事項】父の氏名」としています。「氏名」と記載（記録）するには，血縁上又は法的親子関係がなければならないと考えます（参考記載例番号197が，母の氏名訂正としているのは，母子関係があるからです。）が，嫡出子否認は，父子関係を否認するものですから，紙戸籍の記載例のように，単に「父の記載」とし，この「父の記載」をコンピュータ戸籍に置き換えると「父の記録」となり，「父の記録」という意味は，単に，戸籍に登載していることを表すものであって，血縁上の父子関係がないときまで，戸籍訂正において「父の氏名」とするのはどうかと考えるものです。本書では，父子関係不存在確認の裁判における戸籍訂正記載例においても，法定記載例に示されていると同様，「【消除事項】父の氏名」としています。戸籍法施行規則の改正の際に，この点を考慮していただければと祈念するものです。

本書が，戸籍事務担当者の方々のために少しでも参考になれば幸甚です。

最後に，本書の刊行に際して各別にお世話になった日本加除出版編集部長大野弘氏に感謝の意を表する次第です。

平成25年8月

編集代表 新 谷 雄 彦

執筆者一覧

編集代表 新谷雄彦（公証人／元金沢地方法務局長）
　　　　 須田初男（元前橋地方法務局伊勢崎支局長）
　　　　 渡部良雄（東京法務局民事行政部戸籍課長）

目　次

はじめに ―――――――――――――――――――――――― 1

第1　戸籍訂正の基本 ―――――――――――――――――― 3

1．申請による訂正（原則的訂正） ·· 3
　(1)　戸籍法113条に基づく訂正 ··· 4
　(2)　戸籍法114条に基づく訂正 ··· 4
　(3)　戸籍法116条に基づく訂正 ··· 5
2．職権による訂正（戸籍法24条2項による補充的訂正） ···················· 5
　(1)　職権による訂正・記載についての市区町村における手続 ············· 6
　(2)　職権による訂正・記載についての管轄局における手続 ··············· 7
　　ア　受　付 ··· 7
　　イ　許可・不許可の判断 ·· 7
　　ウ　許可の手続 ·· 9
　　エ　不許可の手続 ·· 9
　　オ　戸籍訂正許可書等発送後の処理 ··· 9
　(3)　職権訂正における訂正すべき対象戸籍の一部が他の管轄局の管
　　　轄に属する場合等の処理 ··· 10
　　ア　取扱いの原則 ·· 10
　　イ　記載の方法 ··· 11
　　　①　許可を受けた市区町村における戸籍訂正記載例 ··················· 11
　　　②　許可書謄本の送付を受けた市区町村における戸籍訂正記載
　　　　　例 ··· 11
　(4)　検察官又は入国管理局からの戸籍法24条3項の通知 ················ 12
　　ア　検察官からの通知 ·· 12
　　イ　入国管理局からの通知 ·· 12

v

ウ　ア又はイの通知を受けた市区町村長の対応 …………………… 13

第2　戸籍の連続性と戸籍記載（記録） ―――――― 15

1．戸籍の連続 ………………………………………………………………… 15
　(1)　身分行為に基づく入籍・除籍による連続 ………………………… 15
　(2)　転籍による連続 …………………………………………………… 18
　(3)　戸籍の改製による連続 …………………………………………… 18
2．入籍，転籍及び改製に伴う移記 ………………………………………… 19
　(1)　婚姻等の新戸籍編製及び入籍に伴う移記 ……………………… 19
　(2)　管外転籍に伴う移記 ……………………………………………… 19
　(3)　戸籍の改製と移記 ………………………………………………… 20
　(4)　その他の移記 ……………………………………………………… 20

第3　戸籍訂正の方法 ―――――――――――――― 21

1．紙戸籍の訂正方法の原則 ……………………………………………… 21
2．コンピュータ戸籍のタイトル及びインデックス ………………………… 21
　(1)　タイトル …………………………………………………………… 23
　(2)　インデックス（項目） ……………………………………………… 23
3．コンピュータ戸籍の訂正方法の原則 …………………………………… 23
　(1)　訂　　正 …………………………………………………………… 24
　(2)　記　　録 …………………………………………………………… 24
　(3)　消　　除 …………………………………………………………… 25
　(4)　移　　記 …………………………………………………………… 25
　(5)　入籍・除籍 ………………………………………………………… 26
　(6)　更　　正 …………………………………………………………… 26
　(7)　追　　完 …………………………………………………………… 26
4．入籍・除籍に伴う訂正の原則（身分事項の消除を中心に） …………… 27
　(1)　戸籍への入籍原因である出生や就籍の記録を消除する場合 ……… 27

(2)　戸籍の入籍・除籍を伴わない者の身分行為（身分事項）を消除
　　する場合 ……………………………………………………………………… 27
　(3)　戸籍の入籍・除籍を伴う者の身分行為が無効となった場合 ………… 27
　(4)　身分行為によって新戸籍を編製した後に，当該身分行為が無効
　　となった場合 ……………………………………………………………… 28
　(5)　昭和23年以後に父から嫡出子出生届がされた子について，母子
　　関係不存在確認の裁判があった場合 …………………………………… 28

第4　戸籍訂正の申出に対する原則的な対応 ─── 29

1．申出に対して留意する点 ……………………………………………… 29
　(1)　電話による申出の対応 ………………………………………………… 29
　(2)　関連する戸籍への訂正の対応 ………………………………………… 29
2．具体的事例と対応 ……………………………………………………… 30
　(1)　戸籍届出と異なった記載 ……………………………………………… 30
　(2)　新戸籍を編製され，又は他の戸籍に入籍する場合の移記誤り ……… 32
　(3)　戸籍の改製に伴う移記誤り …………………………………………… 32
　(4)　親子関係が真実と異なるという申出があった場合 ………………… 33

第5　具体的な処理例 ─── 35

1．出生に関する訂正 ……………………………………………………… 35
　(1)　嫡出否認による訂正 …………………………………………………… 37
　　ア　母の婚姻中に出生し，父母の戸籍に入籍した子について，嫡
　　　出否認の裁判があった場合 …………………………………………… 37
　　イ　父母離婚の際，子の親権者を母と定められた子について，嫡
　　　出否認の裁判があった場合 …………………………………………… 40
　　ウ　父母離婚の際，親権者を母と定められた子が，母の氏を称す
　　　る入籍後，嫡出否認の裁判があった場合 …………………………… 44
　　　(ｱ)　母が離婚により新戸籍を編製しているとき ……………………… 44

　　　　(イ)　母が離婚により復籍しているとき ·· 50
　　エ　母の離婚後300日以内に出生した子について，嫡出否認の裁判があった場合 ·· 50
　　　　(ア)　母が離婚により新戸籍を編製しているとき ································ 50
　　　　(イ)　母が離婚により新戸籍を編製後，管外転籍しているとき ········ 57
　　　　(ウ)　母が離婚により復籍後，他男と夫の氏を称して婚姻しているとき ··· 57
　　　　(エ)　母が離婚により新戸籍を編製後，子が母の氏を称する入籍をしているとき ·· 57
　　　　(オ)　母が離婚により復籍後，子が母の氏を称する入籍をしているとき ··· 67
(2)　親子関係存否確認の裁判による訂正 ··· 67
　　ア　父母双方との親子関係不存在確認の裁判があった場合 ··················· 67
　　　　(ア)　出生により入籍した戸籍に在籍しているとき ······················· 68
　　　　(イ)　出生により入籍した戸籍から自己の氏を称する婚姻をしているとき ··· 71
　　　　　①　実父母が婚姻中のとき ·· 71
　　　　　②　実母が子の祖父母の戸籍に在籍しているとき ··············· 85
　　　　　③　実母が戸籍の筆頭者で，その戸籍が除かれているとき ········ 85
　　　　　④　実母が子の祖父母の戸籍に在籍していたが，夫の氏を称する婚姻をし，除かれているとき ······························· 86
　　イ　父との親子関係不存在確認の裁判があった場合 ····························· 96
　　　　(ア)　父母婚姻中に出生した子の場合 ·· 96
　　　　　①　父母婚姻中の戸籍に在籍しているとき ························· 96
　　　　　②　親権者を母と定めて父母が離婚しているとき ··············· 99
　　　　　③　親権者を母と定めて父母が離婚し，子が母の氏を称する入籍をしているとき ·· 103
　　　　(イ)　父母離婚後300日以内に出生した子の場合 ························· 103
　　　　　①　母が離婚により新戸籍を編製しているとき ················· 103
　　　　　②　母が離婚により復籍しているとき ······························· 110

　　　　　③　母が離婚により新戸籍を編製し，離婚後の戸籍が管外転籍した後，子の出生の届出がされているとき……………………… *113*
　　　ウ　母との親子関係不存在確認の裁判があった場合 ……………… *121*
　　　　(ア)　子は出生により入籍した戸籍に在籍している場合 ………… *121*
　　　　　①　実母が戸籍の筆頭者であるとき……………………………… *121*
　　　　　②　実母が夫の氏を称する婚姻をし，戸籍の筆頭者であった戸籍が除かれているとき……………………………………… *127*
　　　　　③　実母が子の祖父母の戸籍に在籍しているとき …………… *133*
　　　　　④　実母が祖父母の戸籍から夫の氏を称する婚姻をして除かれているとき ………………………………………………… *133*
　　　　　⑤　実母の戸籍が不明のとき ……………………………………… *133*
　　　　(イ)　実夫と戸籍上の母が離婚し，実母と実夫が婚姻している場合 ……………………………………………………………… *141*
　　　　　①　実母の婚姻前の戸籍が実母の婚姻により除かれているとき ……………………………………………………………… *141*
　　　　　②　実母が婚姻前に子の祖父母の戸籍に在籍していたとき …… *147*
　　(3)　父未定の子について，父を定める裁判があった場合 ……………… *147*
　　　ア　母の後夫が父と定められたとき ………………………………… *148*
　　　イ　母の前夫が父と定められたとき ………………………………… *151*
2．認知に関する訂正 ……………………………………………………… *156*
　(1)　認知者及び被認知者とも，認知時の戸籍に変動がない場合 ……… *156*
　(2)　被認知者が父の氏を称する入籍の届出により認知者の戸籍に入籍している場合 …………………………………………………… *161*
　(3)　婚姻後に父が出生届をした，外国人妻の婚姻前の出生子の場合 …… *170*
　(4)　母が他男と婚姻中に出生した子と，実父との認知の裁判があった場合 …………………………………………………………… *173*
3．縁組・離縁に関する訂正 …………………………………………… *179*
　(1)　婚姻の際に氏を改めた者が養子となる縁組により，誤って養子夫婦について新戸籍を編製したため，管轄局の長の許可を得て訂正する場合 …………………………………………………………… *180*

(2) 戸籍の筆頭者の生存配偶者が単身者を養子とした場合に，その者を筆頭とする新戸籍を編製したため，管轄局の長の許可を得て訂正する場合……………………………………………………… 188
　(3) 養子が単身者の場合（縁組後に婚姻した場合を含む）………… 197
　　ア　養子が縁組により養親の戸籍に在るときに縁組無効の裁判があった場合…………………………………………………… 197
　　　(ｱ)　養親の戸籍が縁組後コンピュータ戸籍に改製されているとき………………………………………………………… 197
　　　(ｲ)　養子の実方戸籍が縁組後コンピュータ戸籍に改製されているとき………………………………………………… 205
　　　(ｳ)　養親及び実方戸籍とも縁組後コンピュータ戸籍に改製されているとき………………………………………… 210
　　イ　養子縁組により養親の戸籍に入籍した養子が，婚姻により養親の戸籍から除かれた後に縁組無効の裁判があった場合………… 210
　　　(ｱ)　自己の氏（養親の氏）を称して婚姻しているとき………… 210
　　　(ｲ)　相手方の氏を称して婚姻しているとき……………………… 229
　　　(ｳ)　離婚により戸籍法77条の2の届出により新戸籍を編製した者が養子となり，養親の戸籍に入籍し，分籍しているとき……… 229
　(4) 夫婦が養子となった場合又は夫婦の一方が養子となった場合……… 241
　　ア　夫婦のうち婚姻の際に氏を改めた者のみが養子となった後，縁組無効の裁判があった場合………………………………… 241
　　　(ｱ)　夫婦のうち婚姻の際に氏を改めた者のみが養子となった後，縁組無効の裁判があった場合…………………………… 241
　　　　①　養子が婚姻の際に定めた氏を称している間に縁組無効の裁判があったとき……………………………………… 241
　　　　②-ⅰ　養子が離婚により養親の戸籍に入籍しているときに縁組無効の裁判があったとき………………………… 245
　　　　②-ⅱ　養子が離婚により養親の氏を称して新戸籍を編製した後，縁組無効の裁判があったとき……………… 257
　　　　②-ⅲ　養子が離婚により戸籍法77条の2の届出による新戸

　　　　　　籍を編製した後，縁組無効の裁判があったとき……………*260*
　　イ　夫婦のうち婚姻の際に氏を改めなかった者のみが養子となっ
　　　　た後，縁組無効の裁判があった場合………………………………*260*
　　　(ｱ)　養親夫婦の一方のみとの縁組無効の裁判があったとき ……*261*
　　　(ｲ)　養親夫婦双方との縁組無効の裁判があったとき ……………*270*
　　　　①　縁組前の戸籍が除籍となっているとき……………………*270*
　　　　②　縁組前の戸籍が紙戸籍からコンピュータ戸籍に改製され
　　　　　　ているとき ……………………………………………………*288*
　　　　③　縁組により除籍となっている場合において，縁組無効の
　　　　　　裁判による戸籍訂正申請があったときに，その市区町村長
　　　　　　が法務大臣の指定を受けコンピュータ庁となっているとき ……*294*
　　ウ　夫婦が養子となった後，養子夫婦の一方と養親との縁組無効
　　　　の裁判があった場合………………………………………………*300*
　　　(ｱ)　婚姻の際に氏を改めなかった者であるとき……………………*300*
　　　(ｲ)　婚姻の際に氏を改めた者であるとき …………………………*311*
　　エ　養子夫婦と養親双方との縁組無効の裁判があった場合…………*320*
　　オ　養子夫婦が管外転籍した後に養親双方との縁組無効の裁判が
　　　　あった場合……………………………………………………………*330*
(5)　養子夫婦の新戸籍に縁組前の戸籍に在る子が父母の氏を称する
　　入籍の届出により入籍した後，縁組無効の裁判があった場合 ………*338*
(6)　養子縁組届書が偽造であることの刑事判決が確定し，検察官か
　　ら本籍地市区町村長に戸籍法24条3項の通知があり，戸籍訂正申
　　請をする者がないため，市区町村長が管轄局の長の許可を得て訂
　　正する場合……………………………………………………………*338*
(7)　養子離縁後に縁組無効の裁判があった場合 ………………………*345*
　　ア　養子が離縁により新戸籍を編製しているとき ……………………*345*
　　イ　養子が離縁により実方戸籍に復籍しているとき …………………*354*
　　ウ　養子の実方戸籍が縁組後転籍し，離縁により転籍後の実方戸
　　　　籍に復籍しているとき ………………………………………………*358*
(8)　養親夫婦の一方との離縁にもかかわらず養子を復氏復籍させて

xi

しまった場合……………………………………………………… *365*
　　　ア　養子を実母の戸籍に入籍させたとき……………………… *365*
　　　イ　養子について新戸籍を編製したとき……………………… *372*
　(9)　離縁無効の裁判が確定した場合 ……………………………… *375*
　　　ア　離縁により養子が縁組前の戸籍に復籍しているとき…… *375*
　　　イ　離縁により養子が新戸籍を編製しているとき…………… *381*
　　　ウ　養方戸籍がコンピュータ戸籍に改製されているとき…… *384*
　　　エ　養方戸籍が管外転籍しているとき………………………… *390*
　　　オ　養子が離縁した後，婚姻しているとき…………………… *390*
　　　　(ｱ)-1　離縁により実方戸籍に復籍した後，自己の氏を称して
　　　　　　　婚姻しているとき………………………………………… *390*
　　　　(ｱ)-2　離縁により実方戸籍に復籍した後，相手方の氏を称し
　　　　　　　て婚姻しているとき……………………………………… *411*
　　　　(ｲ)-1　離縁により新戸籍を編製した後，自己の氏を称して婚
　　　　　　　姻しているとき…………………………………………… *411*
　　　　(ｲ)-2　離縁により新戸籍を編製した後，相手方の氏を称して
　　　　　　　婚姻しているとき………………………………………… *422*
　　　カ　養子が離縁により戸籍法73条の2の届出により新戸籍を編製
　　　　　しているとき………………………………………………… *426*
　　　　(ｱ)　離縁復籍した後，戸籍法73条の2の届出をしているとき …… *426*
　　　　(ｲ)　離縁と同時に戸籍法73条の2の届出をしているとき………… *433*
　(10)　養親双方と離縁した後，その一方との離縁無効の裁判があった
　　　場合……………………………………………………………… *437*
　　　ア　養子が離縁により実方戸籍に復籍しているとき………… *437*
　　　イ　養子が離縁により新戸籍を編製しているとき…………… *445*
4．婚姻・離婚に関する訂正………………………………………… *446*
　(1)　婚姻無効の裁判があった場合…………………………………… *446*
　　　ア　婚姻により夫婦について新戸籍を編製しているとき…… *446*
　　　　(ｱ)　夫婦間に子がないとき……………………………………… *446*
　　　　(ｲ)　夫婦間に子があるとき……………………………………… *455*

イ　婚姻前既に戸籍の筆頭者となっているとき………………… *462*
(2) 実方戸籍がコンピュータ戸籍に改製された後，婚姻無効の裁判が
　　あった場合……………………………………………………………… *466*
(3) 実方戸籍が転籍により除籍となった後，婚姻無効の裁判があっ
　　た場合…………………………………………………………………… *470*
(4) 生存配偶者が自己の氏を称する婚姻をした後，婚姻無効の裁判
　　があった場合…………………………………………………………… *473*
　　ア　従前戸籍に回復するとき………………………………………… *473*
　　イ　従前戸籍が除かれているとき…………………………………… *473*
(5) 夫婦について婚姻により新戸籍を編製し，その戸籍に戸籍法62
　　条の届出により子が入籍した後，婚姻無効の裁判があった場合…… *473*
　　ア　母を婚姻無効により実方戸籍に回復した上，母について新戸
　　　籍を編製し，その新戸籍に子を移記するとき………………………… *473*
　　イ　母の従前戸籍を回復した上，その戸籍に子を移記するとき…… *473*
(6) 離婚の上，同一人と再婚した後，前婚及び後婚の双方について
　　婚姻無効の裁判があった場合………………………………………… *474*
　　(ア)-ⅰ　第一の婚姻により夫婦について新戸籍を編製し，離婚
　　　　　により妻が婚姻前の戸籍に復籍後，第二の婚姻により妻
　　　　　が夫の戸籍に入籍しているとき……………………………… *474*
　　(ア)-ⅱ　第一の婚姻により夫婦について新戸籍を編製し，離婚
　　　　　により妻が新戸籍を編製後，第二の婚姻により妻が夫の
　　　　　戸籍に入籍しているとき……………………………………… *479*
　　(ア)-ⅲ　夫が既に戸籍の筆頭者であり，妻が実方戸籍の在籍者
　　　　　である場合において，第一の婚姻により妻が入籍し，離
　　　　　婚により妻が婚姻前の戸籍に復籍後，第二の婚姻により
　　　　　妻が夫の戸籍に入籍しているとき…………………………… *480*
　　(ア)-ⅳ　夫が既に戸籍の筆頭者であり，妻が実方戸籍の在籍者
　　　　　である場合において，第一の婚姻により妻が夫の戸籍に
　　　　　入籍し，離婚により妻が新戸籍を編製後，第二の婚姻に
　　　　　より妻が夫の戸籍に入籍しているとき……………………… *480*

目 次

　　㈎-ⅴ　夫及び妻ともに既に戸籍の筆頭者であり，第一の婚姻により妻が夫の戸籍に入籍し，離婚により妻が新戸籍を編製後，第二の婚姻により妻が夫の戸籍に入籍しているとき ……………………………………………………… *481*

　　㈎-ⅵ　夫及び妻ともに既に戸籍の筆頭者であり，第一の婚姻により妻が夫の戸籍に入籍し，離婚により妻が婚姻前の戸籍に復籍後，第二の婚姻により妻が夫の戸籍に入籍しているとき ……………………………………………………… *481*

　　㈎-ⅶ　夫が実方戸籍の在籍者であり，妻が婚姻前既に戸籍の筆頭者である場合において，第一の婚姻により夫婦で新戸籍を編製し，離婚により妻が婚姻前の戸籍に復籍後（又は新戸籍を編製後），第二の婚姻により妻が夫の戸籍に入籍しているとき ……………………………………………………… *481*

　　㈏-ⅰ　第一の婚姻により夫婦について新戸籍を編製し，離婚により妻が新戸籍を編製後，第二の婚姻により夫が妻の新戸籍に入籍しているとき …………………………………… *482*

　　㈏-ⅱ　夫が既に戸籍の筆頭者であり，第一の婚姻により妻が夫の戸籍に入籍し，離婚により妻が婚姻前の戸籍に復籍後，第二の婚姻により夫婦で新戸籍を編製しているとき …… *494*

　　㈏-ⅲ　夫が既に戸籍の筆頭者であり，第一の婚姻により戸籍の筆頭者であった妻が夫の戸籍に入籍し，離婚により妻が新戸籍を編製後，第二の婚姻により夫が妻の新戸籍に入籍しているとき ……………………………………………………… *494*

　　㈏-ⅳ　夫が既に戸籍の筆頭者であり，第一の婚姻により既に戸籍の筆頭者であった妻が夫の戸籍に入籍し，離婚により妻が婚姻前の戸籍（他に在籍者があったため復籍したもの。）に復籍し，第二の婚姻によりその戸籍に夫が入籍しているとき ……………………………………………………… *495*

⑺　婚姻継続中のまま，戸籍の筆頭に記載されている者が相手方の氏を称する婚姻により相手方戸籍に入籍後，婚姻無効の裁判が

xiv

目次

　　　あった場合 ··· 495
　(8)　婚姻届書が偽造であることの刑事判決が確定し，検察官から本
　　　籍地市区町村長に戸籍法24条3項の通知があり，戸籍訂正申請を
　　　する者がないため，市区町村長が管轄局の長の許可を得て訂正す
　　　る場合 ··· 503
　(9)　協議離婚をした後，婚姻無効の裁判があった場合 ··············· 508
　　　ア　離婚により実方戸籍に復籍しているとき ······················ 508
　　　イ　離婚により新戸籍を編製しているとき ························· 515
　(10)　協議離婚後，離婚無効の裁判があった場合 ······················· 515
　　　ア　離婚により実方戸籍に復籍しているとき ······················ 515
　　　イ　離婚により新戸籍を編製しているとき ························· 522
　　　ウ　親権に服する子の定めをしたとき ······························· 522
　　　エ　離婚により戸籍法77条の2の届出をしているとき ············ 522
　　　　(ア)　離婚により実方戸籍に復籍後に戸籍法77条の2の届出をし
　　　　　　ているとき ··· 523
　　　　(イ)　離婚と同時に戸籍法77条の2の届出をしているとき ········· 528
　　　　(ウ)　離婚により新戸籍を編製した後，戸籍法77条の2の届出を
　　　　　　しているとき ··· 531
　　　オ　離婚後の母の戸籍に子が母の氏を称する入籍の届出により入
　　　　籍しているとき ··· 535
　　　　(ア)　母が離婚により新戸籍を編製し，その新戸籍に子が入籍し
　　　　　　ているとき ··· 535
　　　　(イ)　母が実方戸籍に復籍し，子の入籍届により母子で新戸籍を
　　　　　　編製しているとき ·· 541
　　　　(ウ)　母の戸籍法77条の2の届出をした戸籍に子が入籍している
　　　　　　とき ··· 548
　(11)　協議離婚により妻が新戸籍を編製し，夫が他の市区町村に転籍
　　　した後，離婚無効の裁判があった場合 ······························ 552
　(12)　協議離婚をした夫が再婚後，離婚無効の裁判があった場合 ········ 560
　　　ア　自己の氏を称する婚姻をしているとき ························· 560

xv

イ 相手方の氏を称する婚姻をしているとき ················· 564
5. いくつかの身分関係（身分行為）が絡んだ訂正 ················· 570
(1) 養子縁組等の身分行為後に親子関係不存在確認等の裁判があった場合 ················· 570
　ア 嫡出子出生届により表見上の父母の戸籍に入籍し，養子縁組により養親の戸籍に入籍後，表見上の父母との親子関係不存在確認の裁判があったとき ················· 570
　イ アの縁組後，婚姻をし，その後表見上の父母との親子関係不存在確認の裁判があったとき ················· 586
　ウ イの婚姻後，離婚しているとき ················· 586
(2) 養子縁組無効の裁判があった場合 ················· 586
　ア 養子縁組により養親Aの戸籍に入籍後，転縁組により養親Bの戸籍に入籍し，更に転縁組により養親Cの戸籍に入籍した後，養親A及び養親Bとの縁組の無効が同時にあったとき ················· 586
　イ 英助が養親Aと縁組後，B女と自己の氏を称する婚姻をし，次に養親Cと縁組し，Cの氏で新戸籍を編製後，養親Aとの縁組無効があったとき ················· 600
　ウ 養親Aとの縁組により養親戸籍に入籍したB（英助）が，単身者Cを養子とする縁組によりBにつき新戸籍を編製し，その戸籍にCが入籍した後，Bが養親Dと縁組し，D戸籍に入籍後，BとAとの縁組が無効となったとき ················· 614
(3) 婚姻・離婚の無効の裁判があった場合 ················· 626
　ア 婚姻後，夫婦の一方又は夫婦が養子となる縁組をし，その後，婚姻無効の裁判があったとき ················· 626
　　(ア) 婚姻の際に氏を改めなかった者のみが養子となる縁組をしている場合 ················· 626
　　(イ) 婚姻の際に氏を改めた者のみが養子縁組をしているとき ······· 643
　　(ウ) 夫婦で養子となる縁組をしているとき ················· 654
　イ 離婚後，当事者の一方又は双方がそれぞれ再婚し，その後に離婚無効の裁判があったとき ················· 669

㈦　第一の婚姻において婚姻の際に氏を改めなかった者が第二
　　　の婚姻において相手方の氏を称して再婚しているとき………… *669*
　㈑　離婚により復氏した者が第二の婚姻において相手方の氏を
　　　称して再婚しているとき……………………………………………… *669*
　㈒　離婚により復氏した者が第二の婚姻において自己の氏を称
　　　して再婚しているとき………………………………………………… *682*

はじめに

　戸籍は，日本国民の親族的な身分関係を登録公証するための公簿であり，戸籍の記載は，常に真実の身分関係と合致していることを前提に，戸籍制度は維持されています。

　戸籍の届出に当たっての本人確認制度は，平成15年から通達により運用されていましたが，平成19年の戸籍法改正（平成19年法律第35号，平成20年5月1日施行）により新たに戸籍法27条の2が設けられ，本人確認制度は法制化されました。その第1項は，「市町村長は，届出によつて効力を生ずべき認知，縁組，離縁，婚姻又は離婚の届出（以下この条において「縁組等の届出」という。）が市役所又は町村役場に出頭した者によつてされる場合には，当該出頭した者に対し，法務省令で定めるところにより，当該出頭した者が届出事件の本人（認知にあつては認知する者，民法第797条第1項に規定する縁組にあつては養親となる者及び養子となる者の法定代理人，同法第811条第2項に規定する離縁にあつては養親及び養子の法定代理人となるべき者とする。次項及び第3項について同じ。）であるかどうかの確認をするため，当該出頭した者を特定するために必要な氏名その他の法務省令で定める事項を示す運転免許証その他の資料の提供又はこれらの事項についての説明を求めるものとする。」と規定しています。

　このように，本人確認制度が導入されましたが，虚偽の届出を撲滅するには至っていないのが現状であり，縁組などの届出によって法律的効力を生ずる行為について，戸籍記載後に無効なことが判明する場合があります。また，事務処理上の過誤による戸籍記載もあります。このようなことから，法律上許されない記載がされたり，その記載に錯誤若しくは遺漏が生じる場合があります。さらに，虚偽の出生届により，血縁関係がないにもかかわらず，親子として戸籍に記載されている場合もあります。

　戸籍訂正とは，そのような場合に，法定の手続によって，その記載を訂正することをいい，法定の手続とは，戸籍法113条・114条・116条・24条2項

はじめに

等に基づくことをいいます。

〈参考〉 創設的届出における本人確認（戸籍法27条の2）は，次の書類等により行うこととされています（戸籍法施行規則（以下「戸規」という。）53条の2・11条の2第1項～第3項）。

1 以下の書類は，1枚以上を提示する方法でよいとされています。

　運転免許証，旅券，在留カード，特別永住者証明書，写真の貼り付けられた住民基本台帳カード，戸籍法施行規則別表第1に掲げられている書類（船員手帳，身体障害者手帳，無線従事者免許証，海技免状，小型船舶操縦免許証，宅地建物取引主任者証，航空従事者技能証明書，耐空検査員の証，運航管理者技能検定合格証明書，動力車操縦者運転免許証，猟銃・空気銃所持許可証，教習資格認定証，運転経歴証明書（平成24年4月1日以後に交付されたものに限る。），電気工事士免状，特種電気工事資格者認定証，認定電気工事従事者認定証，療育手帳，戦傷病者手帳，警備業法（昭和47年法律第117号）第23条第4項に規定する合格証明書）

2 以下のイに掲げられている書類のいずれか1枚以上及びロに掲げられている書類のいずれか1枚以上を提示する方法によりますが，ロに掲げられている書類を提示することができないときは，イに掲げられている書類のいずれか2枚以上を提示する方法によります。

　イ　国民健康保険，健康保険，船員保険又は介護保険の被保険者証，共済組合員証，国民年金手帳，国民年金，厚生年金保険若しくは船員保険に係る年金証書，共済年金若しくは恩給の証書，写真の貼り付けられていない住民基本台帳カード，戸籍謄本等の交付を請求する書面に押印した印鑑に係る印鑑登録証明書又はその他市区町村長がこれに準ずるものとして適当と認める書類

　ロ　学生証，法人が発行した身分証明書（国若しくは地方公共団体の機関が発行したものを除く。）若しくは国若しくは地方公共団体の機関が発行した資格証明書（上記1に掲げる書類を除く。）で，写真が貼り付けられたもの又はその他市区町村長がこれらに準ずるものとして適当と認める書類

第1 戸籍訂正の基本

　戸籍訂正は,「申請による訂正」(戸籍法113条・114条・116条等による原則的訂正)と「職権による訂正」(戸籍法24条2項による補充的訂正)とに大別されます。

1. 申請による訂正（原則的訂正）

　戸籍の記載は,主として届出(戸籍法15条)に基づいて行われ,補充的措置として,死亡事項等について職権による記載(戸籍法44条)を行っています。届出に基づいてした記載が,法律上許されないものであること又はその記載に錯誤若しくは遺漏があることを発見した場合には,市区町村長は,遅滞なく届出人又は届出事件の本人にその旨を書面で通知しなければなりません(戸籍法24条1項本文,戸規47条)。また,裁判所その他の官庁,検察官又は吏員がその職務上戸籍の記載に誤りがあることを知ったときは,遅滞なく届出事件の本人の本籍地の市区町村長にその旨を通知しなければならないとされています(戸籍法24条3項)。この通知があった場合も,本籍地の市区町村長は,届出人又は届出事件の本人にその旨を書面で通知しなければなりませんが,他官庁からの通知については,当該官庁からの独自の判断に基づくものもありますから,通知の内容から身分関係に重要な影響が懸念される場合は,戸籍法施行規則82条に基づき,管轄法務局若しくは地方法務局又はその支局(以下「管轄局」という。)を経由して,法務大臣にその指示を求めることができますので,まず管轄局にその疑義の照会,これを処理照会といいますが,この照会をすることになります(具体的通知の事例については後記2の(4)を参照してください)。

　市区町村長から通知を受けた届出人又は届出事件の本人は,戸籍訂正許可の審判又は確定判決を得た上で,戸籍訂正の申請をしなければならないことになります。

　申請による戸籍訂正には,家庭裁判所の許可を得て行う訂正(戸籍法113条・114条)と確定判決によって行う訂正(戸籍法116条)があります。

第1　戸籍訂正の基本

(1)　戸籍法113条に基づく訂正

　戸籍の記載が法律上許されないものであること又はその記載に錯誤若しくは遺漏があることを発見した場合には，利害関係人は，家庭裁判所の許可を得て，戸籍の訂正を申請することができるとされています。

　「法律上許されないものであること」とは，法律上戸籍に記載できない事項について記載されていることをいい，先例の事例は以下のとおりです。

　① 　外国人に関する記載（昭和26年7月23日民事甲1505号回答）
　② 　前科，学事等戸籍記載事項でないものの記載（大正3年12月28日民1125号回答）
　③ 　出生前の胎児認知，直系卑属のない死亡した子の認知（大正3年12月28日民893号回答）
　④ 　偽造変造の届出による記載（大正4年1月16日民1184号回答）
　⑤ 　死亡者又は届出無資格者の届出による記載（昭和22年7月18日民事甲608号回答）

　「戸籍の記載に錯誤若しくは遺漏があること」とは，いずれも戸籍の記載が真実に合致していないことを意味します。そのうち，「錯誤」がある場合とは，記載されている事実と真実との間にそごがある場合であり，事例としては，出生年月日又は出生場所の記載が事実と相違している場合，性別が逆に記載されている場合，生存者についてされた死亡の記載（以上，大正3年12月28日民1125号回答）等が該当します。「遺漏」がある場合とは，戸籍に記載すべき事項の一部の記載が脱漏している場合であり，出生届出に基づいて記載すべき内容である出生年月日や父母との続柄の記載を遺漏したときなどが該当しますが，届出が受理されたにもかかわらず，戸籍に記載すべき事項の全部を遺漏した場合は，「戸籍訂正」が戸籍に記載されている事項が対象となるところから，「戸籍訂正」の概念に該当しませんが，戸籍法44条3項・24条2項の趣旨にかんがみ，管轄局の長の許可（いわゆる職権記載の許可）を受けて記載することとなります。

(2)　戸籍法114条に基づく訂正

　届出によって効力を生ずべき行為について戸籍の記載をした後に，その行

為が無効であることを発見したときは，届出人又は届出事件の本人は，家庭裁判所の許可を得て，戸籍の訂正を申請することができるとされています。

「届出によって効力を生ずべき行為」とは，いわゆる創設的届出に係る行為であり，認知，養子縁組，婚姻等の届出の受理によって実体法上の効力を生じるもののみに限られず，入籍，分籍，氏名の変更等の戸籍法上の効力を生じるものも含まれます。

その行為が「無効」であるとは，その有効要件を欠く場合のうち，取り消し得るにとどまる場合を除き，行為の当初から効力を生ぜず，これを何人に対しても主張できる場合をいい，典型的な事例は，婚姻等について当事者に人違いがあった場合（大正4年1月16日民1184号回答）や届出人が届出時に既に死亡していた（昭和24年11月14日民事甲2651号通達）事例のような創設的届出行為の無効に関する訂正です。

許可審判の申立人及び戸籍訂正の申請人について，戸籍法113条においては，広く利害関係人としていますが，戸籍法114条では，届出人又は届出事件の本人に限定されています。

(3) 戸籍法116条に基づく訂正

ここにいう「確定判決」とは，親子などの身分関係存否確認や協議離婚の無効等の人事訴訟判決又は家事事件手続法277条の規定による合意に相当する審判が該当し，「確定判決」によって戸籍の訂正をすべきときは，訴えを提起した者が，判決が確定した日から1か月以内に，判決の謄本を添付して，戸籍の訂正を申請しなければなりません。

なお，養子縁組，養子離縁，婚姻，離婚の各取消しの裁判が確定した場合は，その効力が将来に向かってのみ効力を生じることから，無効と異なり裁判が確定した旨の報告的届出をすることとなり，当該事項は戸籍訂正の対象とはなりません（民法748条・808条，戸籍法69条・73条・75条・77条）。

2. 職権による訂正（戸籍法24条2項による補充的訂正）

前記1のとおり，戸籍の記載が法律上許されないものであること又はその

第1　戸籍訂正の基本

記載に錯誤若しくは遺漏があることを発見した場合には，原則としては，利害関係人等からの戸籍訂正の申請に基づき戸籍訂正をすることになります。

しかしながら，市区町村長が，①届出人又は届出事件本人にその旨を通知することができないとき，②通知をしても戸籍訂正の申請をする者がいないとき，③戸籍の記載の錯誤又は遺漏が市区町村長の過誤によるものであるとき（実務では，この場合でも，行政的配慮からできるだけ本人へ訂正する旨を文書等で連絡しています。）の各場合については，市区町村長は，管轄局の長の許可を得て，職権で戸籍の訂正をすることができます（戸籍法24条2項）。

また，戸籍の記載の誤りが明白であり，かつ，その内容が軽微で訂正の結果が身分関係に影響を及ぼさない場合は，管轄局の長の許可を得ることなく，市区町村長限りの職権で訂正して差し支えないものとされています（昭和47年5月2日民事甲1766号通達）。これは，訂正の要否及び訂正の内容の判断が容易であり，管轄局の長の審査を経なくても，その訂正処理に過誤が生じるおそれがない場合には，あらかじめ包括的に許可を与え，その都度許可を受けることを要しないものとするのが，事務の迅速処理の要請に合致するからです。

戸籍法24条2項による戸籍訂正の実質的要件であるところの戸籍の記載が「法律上許されないこと」又はその記載に「錯誤」若しくは「遺漏」があることとは，戸籍法113条による訂正の場合と同義であり，戸籍法114条の規定は，申請人の範囲に関する戸籍法113条の特則といえます。したがって，戸籍法113条及び114条の規定に基づき申請によって訂正することができる場合は，前記①から③の要件を満たしていれば，最終的には職権で訂正することができますが，職権による訂正は，申請による訂正の補充的な訂正であることから，記載の誤りが，戸籍上又は届書その他の戸籍関係書類と対比して明白な場合に限り許されるという制約がありますので注意が必要です。また，無効確認などを対象とする戸籍法116条による戸籍訂正事案については対象とはなりません（昭和25年6月10日民事甲1638号回答）。

(1)　職権による訂正・記載についての市区町村における手続

　市区町村長が管轄局の長の戸籍若しくは除籍又は改製原戸籍等の訂正又は

記載の許可を得るときは，各管轄局において定められている戸籍事務取扱準則に基づく戸籍訂正許可申請又は戸籍記載許可申請を管轄局へ提出することを要します。ここでは，戸籍事務取扱準則制定標準（平成16年4月1日民一850号通達，以下「標準準則」という。）22条及び付録第19号書式を参考に挙げておきます。

> ・標準準則22条（職権による戸籍の訂正・記載の許可申請）
> 　法第24条第2項又は第44条第3項若しくは第45条の規定によって戸籍の訂正又は記載の許可を得るときは，付録第19号書式による。

　申請に当たっては，原則として事件本人ごとに申請することになりますが，関連戸籍の訂正を要する事案の場合は，事件本人欄の記載について，関連戸籍を各々特定する内容の別紙を作成しても差し支えありません。
　また，管轄局への申請に当たっては，訂正対象となる戸籍とともに，関連戸籍があれば資料として必ずその謄本及び届書の記載事項証明書等を添付し，正，副2通を提出することになります（標準準則22条，付録第19号書式注意書き）。
　なお，市区町村長限りの職権によって訂正して差し支えない事案においては，標準準則39条，同付録第31号書式と同様に定められている各管轄局の戸籍事務取扱準則の規定に基づく訂正書又は記載書を作成した上，当該訂正書又は記載書に基づき訂正又は記載を行うことになります。

(2) 職権による訂正・記載についての管轄局における手続
　ア　受付
　　市区町村長から許可又は記載の申請がされたときは，管轄局においては，戸籍・国籍事務取扱規程に定められている付録様式の「戸籍訂正許可申請事件簿等受付帳」に所定の事項を記載します。
　イ　許可・不許可の判断
　　職権による戸籍の訂正・記載の許可申請が，前記2本文に記しました，①

第1 戸籍訂正の基本

付録第19号書式（第22条関係）

		戸　籍　訂　正　許　可　申　請 記　　載		受付	平成　年　月　日 第　　　　号	戸籍調査	
						記載	
	○○法務局長 （○○支局） 氏　名　殿		戸発第　号　平成　年　月　日申請 ○○市（町村）長　氏　名　職印			記載調査	
						送付通知	
(1)	事件本人	本　　籍				住民票	
		筆頭者氏名				記載	
(2)		住　　所				通知	
(3)		氏　　名				附　票	
						記載	
		生年月日				通知	
(4)	訂正・記載 の　事　由						
(5)	訂正・記載 の　趣　旨						
(6)	添付書類						

第　　号

平成　年　月　日

○○法務局（○○支局）長　氏　　名　職印

（注）1　本申請には、申請書副本1通を添付する。
　　　2　事件本人が二人以上であるときは、必要に応じ該当欄を区切り記載する。
　　　3　(4)欄には、訂正又は記載を要するに至った錯誤、遺漏又は過誤の事情を簡記する。
　　　4　(5)欄には、訂正又は記載の箇所及び方法を簡明に記載する。

届出人又は届出事件の本人にその旨を通知することができないとき，②通知をしても戸籍訂正の申請をする者がいないとき，③戸籍の記載の錯誤又は遺漏が市区町村長の過誤によるものであるときのいずれによりされたかを確認します（該当しない例；市区町村長の過誤が全く認められない事案で，届出人等に通知をしていない場合等）。

　戸籍訂正の準備としては，①戸籍訂正を要するとされる事項が記載（記録）されている戸籍の関連戸籍を全て取り寄せる，②在籍者の現在戸籍までの流れを確認する，③戸籍訂正の対象となる事項を図表（第2「戸籍の連続性と戸籍記載（記録）」の戸籍の流れ図参照）にまとめる，④許可申請書の過誤内容を確認する。以上①から④により，戸籍記載の誤りが，戸籍上又は届書その他の戸籍関係書類と対比して誤った記載であることが明白な場合は，本書又は他の参考図書の事例を資料として，当該箇所の戸籍訂正の方法を検討するとともに，戸籍全体に関する訂正が必要な場合はその方法を検討し，訂正後も訂正対象戸籍から現在戸籍までの関連がたどれるか（戸籍の連続性が保たれているか。）を確認します。

　　ウ　許可の手続
　戸籍訂正許可の申請について管轄局が許可をする場合は，当該許可申請書の副本末尾に，戸籍・国籍事務取扱規程に定められている付録の書式による記載をし，職印を押印して，当該市区町村長に交付します。
　戸籍訂正後の記載例等を別途示す場合は，別紙を作成して送付された副本と併せて契印するか，別途，許可書を作成することになります。

　　エ　不許可の手続
　戸籍訂正許可の申請について管轄局が不許可とする場合は，その理由及び事後の処理方法をも示さなければなりません（各管轄局の戸籍・国籍事務取扱規程を参照）ので，別途，指示書を作成することになります。

　　オ　戸籍訂正許可書等発送後の処理
　戸籍訂正許可書等発送後の処理については，当該許可申請書と添付された関係資料とともに「戸籍訂正許可申請書類」につづり，戸籍の記載に必要な書類及び市区町村が収集したものの原本は，当該市区町村に返戻しなければなりません。

また，戸籍訂正許可申請を不許可とした場合は，返戻する書類等の写しを保存しなければなりません（各管轄局の戸籍・国籍事務取扱規程を参照）。

(3) 職権訂正における訂正すべき対象戸籍の一部が他の管轄局の管轄に属する場合等の処理
　ア　取扱いの原則
　　戸籍訂正の許可は，訂正を要する戸籍を保管する市区町村の所在地の管轄局によって行われるのが原則です（戸籍法3条）が，戸籍訂正の対象となる関連戸籍が，複数の市区町村にまたがるとき又は他の管轄局に属するときでも，入除籍について表裏一体の関係にあれば，一の許可によって戸籍訂正をすることができます。この場合，一の許可によって他の市区町村長が戸籍訂正を行うときは，送付された許可書謄本により戸籍訂正ができるものとされています（昭和31年4月26日民事甲912号回答）。
　　したがって，入除籍について表裏一体の関係にある関連戸籍の訂正は，管轄外であっても戸籍訂正の許可をすることができることから，市区町村長が戸籍訂正許可の申請をするに当たっては，あらかじめ申請に際し，前記2本文の関連戸籍が管轄外であっても，事務処理の迅速化を図り，戸籍記載の不統一を防止する観点からも，関連戸籍の表示を記載して申請すべきものと解されます。
　　ここにいう入除籍（第2「戸籍の連続性と戸籍記載（記録）」を参照）について表裏一体の関係にある関連戸籍の訂正とは，例えば，訂正の対象となる事項（婚姻や養子縁組等により入籍した際の従前戸籍の本籍，筆頭者の氏名，父母の氏名等の誤記）が，本人の入籍戸籍と従前戸籍又は転籍等により除かれた戸籍にそれぞれ記載されている場合が挙げられます（戸籍実務研究会編「全訂戸籍訂正・追完の手引き」（日本加除出版）13頁）。
　　入除籍について表裏一体の関係にない関連戸籍の訂正については，許可書謄本により訂正することはできませんので，市区町村長は，別に管轄局の長の許可を得る必要があることから（昭和33年9月3日民事甲1820号回答），当該戸籍の本籍地市区町村長へ戸籍法24条1項に基づく通知を行うことが必要となります。

2 職権による訂正（戸籍法24条2項による補充的訂正）

　戸籍実務の取扱いとしては，それぞれの事案に応じてできるだけ関連戸籍の訂正をするべく個別に判断していく必要があります。
　イ　記載の方法
　関連戸籍の訂正を許可書の謄本で行う場合は，許可日に続けて「年月日○県○市長から許可書謄本送付」と許可を受けた市区町村長から許可書謄本の送付を受けたことを示す記載が加えられます。
　具体的事例として，誤記された生年月日について管轄局の長の許可を得てする職権訂正及び許可を受けた市区町村長から許可書謄本の送付を受けた戸籍訂正記載例は，以下のようになります（参考記載例番号192参照）。
　　①　許可を受けた市区町村における戸籍訂正記載例
・紙戸籍の場合
「誤記につき平成弐拾六年五月弐拾弐日許可同月弐拾四日出生の日訂正㊞」
・コンピュータ戸籍の場合

　　　　訂　　正　　　【訂正日】平成２６年５月２４日
　　　　　　　　　　　【訂正事項】生年月日
　　　　　　　　　　　【訂正事由】誤記
　　　　　　　　　　　【許可日】平成２６年５月２２日
　　　　　　　　　　　【従前の記録】
　　　　　　　　　　　　【生年月日】平成２１年７月５日
　　　　　　　　　　　　【出生日】平成２１年７月５日

　　②　許可書謄本の送付を受けた市区町村における戸籍訂正記載例
・紙戸籍の場合
「誤記につき平成弐拾六年五月弐拾弐日許可同月弐拾六日○県○市長から許可書謄本送付出生の日訂正㊞」
・コンピュータ戸籍の場合

　　　　訂　　正　　　【訂正日】平成２６年５月２６日
　　　　　　　　　　　【訂正事項】生年月日
　　　　　　　　　　　【訂正事由】誤記
　　　　　　　　　　　【許可日】平成２６年５月２２日
　　　　　　　　　　　【許可書謄本の送付を受けた日】平成２６年５月２６日
　　　　　　　　　　　【許可を受けた者】○県○市長
　　　　　　　　　　　【従前の記録】
　　　　　　　　　　　　【生年月日】平成２１年７月５日
　　　　　　　　　　　　【出生日】平成２１年７月５日

第1　戸籍訂正の基本

(4) 検察官又は入国管理局からの戸籍法24条3項の通知

　近年，渉外戸籍に関する偽装事件の増加を背景に，検察官又は入国管理局といった機関から，以下のような通知が送付されることがあります。

　ア　検察官からの通知

　検察官は，刑事裁判が確定すると，裁判所の事実認定に基づき，法律上許されない戸籍の記載を是正するため，刑事訴訟法498条2項ただし書の規定に基づき，本籍地市区町村に対して，通知を行います。

　刑事訴訟法498条2項ただし書による通知は，刑事裁判が確定した場合に，その裁判の執行としてされるものであり，通知を受けた市区町村長は，この通知を戸籍法24条3項の通知と同様に取り扱うこととされています。

　しかしながら，事件が嫌疑不十分で不起訴となった場合や，事件の軽重や情状などから起訴猶予となった場合等，刑事裁判の確定判決を経ていない場合であっても，逮捕された容疑者らについての捜査等の過程において，職務上戸籍の記載が法律上許されないものであることが発見された場合にも，戸籍法24条3項の規定に基づき通知が行われている場合があります。この場合には，可能な限り戸籍の記載が虚偽であるとの事実を認定した根拠となる資料（意見書又は供述調書等）を求め，戸籍訂正が可能か否かを判断する必要があります。

　イ　入国管理局からの通知

　出入国管理及び難民認定法（以下「入管法」という。）によれば，日本に上陸しようとする外国人は，一定の在留資格に係る在留資格該当性を有することの審査を受けなければならず（入管法7条1項2号），日本に在留しようとする外国人は，特別の規定がある場合を除き，当該外国人に対する上陸許可若しくは当該外国人が取得し又は変更に係る一定の在留資格を持つ必要がありますが，日本人との婚姻や養子縁組を偽装して一定の在留資格の認定を受ける外国人があり，入国管理局による調査の過程で，戸籍の記載が法律上許されないものであることを発見した場合には，入国管理局から戸籍法24条3項に基づき本籍地市区町村に通知を行っています。しかしながら，入国管理局からの通知は，外国人の「在留資格該当性」や「退去事由該当性」等を審査する過程において発覚した事実に基づいて行われるものであり，身分行為

の法律上の有効性について厳密に審査・認定したものではないため，戸籍の記載を訂正すべきものであるか否かの判断は，民法等の実体法を踏まえて，別途検討する必要があります。

ウ　ア又はイの通知を受けた市区町村長の対応

　ア又はイの通知を受けた市区町村長においては，通知に基づく戸籍訂正の可否について疑義が生じた場合には，戸籍法施行規則82条に基づいて当該通知の処理につき管轄局へ照会を行うことになります。照会を受けた管轄局においては，他の行政機関が通知に至った理由について，供述調書の写し等の資料を取り寄せたり，当該行政機関の担当者に聴取を行ったりするなどの方法により事実確認を行うとともに，必要に応じて追加調査を行うなどして，戸籍訂正の可否につき認定を行うことになります。

　管轄局による審査の結果，戸籍訂正をすべきであると認定された場合には，回答を受けた市区町村長は，届出事件の本人等に戸籍訂正申請の催告を行い（戸籍法24条1項），通知をしても事件本人等から戸籍訂正申請がされないとき，又は通知を行うことができないときには，前記2の(1)「職権による訂正・記載についての市区町村における手続」の原則どおり，管轄局の許可を得て職権により戸籍訂正を行う（戸籍法24条2項）ことになります。一方，戸籍訂正をすべきではないと認定された場合には，回答を受けた市区町村長は，事件本人等に通知を行うことなく，当該通知を管轄局の回答と併せて「戸籍に関する指示・通知・回答書類つづり（準則55条(9)）」につづることになります。

第2 戸籍の連続性と戸籍記載（記録）

　戸籍の記載事項等は，戸籍法13条から24条まで，また，その手続は，戸籍法施行規則20条から52条の2までに規定されています。戸籍の連続性は，人については入籍及び除籍という記載，戸籍については転籍の届出又は分籍の届出によることになります。

　人について身分行為等があったときは，入籍及び除籍という用語を，転籍のときは，転籍後の戸籍には「Ａ市Ｂ町〇番地から転籍届出」と，転籍前の戸籍には「Ｃ市Ｄ町〇番地に転籍届出」という用語を用いた記載手法により，出生等の届出に基づき最初に戸籍へ記載（入籍）した人について，身分行為や転籍等の戸籍の届出に基づく戸籍記載により現在戸籍まで続く戸籍の連続性が保たれています。具体的には，出生の届出により甲戸籍に入籍した者が，身分行為により甲戸籍から除籍され乙戸籍に入籍し，その戸籍がＡ市からＣ市に転籍したことが明確に分かる記載手法により，前後の戸籍のつながりを明確にし，戸籍のつながりが断絶しない仕組みにより，人の出生から死亡までを公証する仕組みになっています。

　この連続を前提にして，戸籍訂正の対象となる各戸籍の事項が特定され，戸籍全部の訂正や一部の訂正がされることとなります。

1. 戸籍の連続

(1) 身分行為に基づく入籍・除籍による連続

　人は，出生届によって初めて戸籍に記載（以下「入籍」という。入籍とは，他の戸籍に入る場合等，又は新たに戸籍に記載される場合等に用いられる用語です。戸籍法18条等，戸規38条）され，最終的には死亡届によって戸籍から除籍（以下「除籍」という。戸籍法23条，戸規40条）されることになりますが，その間に婚姻や養子縁組によって他の戸籍に入籍し，離婚や養子離縁によって除籍され元の戸籍に入籍したり，又は新しい戸籍が編製されて，その戸籍に入籍

第2　戸籍の連続性と戸籍記載（記録）

することになります。

　例えば，甲は，出生の届出によりA戸籍に入籍し，A戸籍から養子縁組によりB戸籍に入籍し，さらに，自己の氏を称する婚姻によりC戸籍を編製しました。この甲をA戸籍からC戸籍までたどるには，どのような記載を見れば分かるかということです。本書をお読みの方は，なんだそんなこと当然じゃないかとお思いでしょうが，全く戸籍を読めない初任者のためと思って，がまんしてください。

　この戸籍の流れを図に示すと，次のようになります。

　なお，本記載例において，出生事項等に「（移記）」と記載していますが，ご承知のように，これは，重要な身分事項（戸規39条1項）を移記したものであることを示したものです（後記2「入籍，転籍及び改製に伴う移記」参照）。

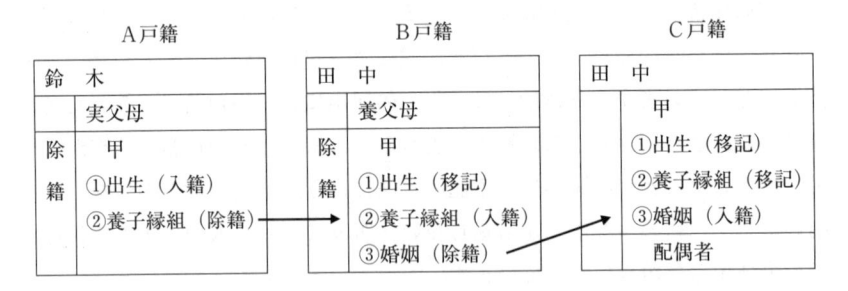

A戸籍		B戸籍		C戸籍	
鈴　木		田　中		田　中	
	実父母		養父母		甲
除籍	甲 ①出生（入籍） ②養子縁組（除籍）	除籍	甲 ①出生（移記） ②養子縁組（入籍） ③婚姻（除籍）		①出生（移記） ②養子縁組（移記） ③婚姻（入籍）
					配偶者

　それぞれの戸籍の戸籍記載例は，次のようになります。入籍及び除籍という用語を用いますので，紙戸籍の記載例を示すことにします。

・A戸籍の甲の身分事項欄（養子縁組による除籍）

　「昭和60年1月10日田中義太郎及び同人妻梅子の養子となる縁組届出（代諾者親権者父母）同月12日東京都千代田区長から送付同区平河町一丁目4番地田中義太郎戸籍に入籍につき除籍㊞」

・B戸籍の甲の身分事項欄（養子縁組による入籍）

　「昭和60年1月10日田中義太郎及び同人妻梅子の養子となる縁組届出（代諾者親権者父母）大阪市北区老松町二丁目6番地鈴木孝助戸籍から入籍㊞」

・B戸籍の甲の身分事項欄（婚姻による除籍）

　「平成24年4月10日佐藤花子と婚姻届出東京都世田谷区世田谷四丁目1

番に夫の氏の新戸籍編製につき除籍㊞」
・C戸籍の甲の身分事項欄（婚姻による入籍）
　「平成24年4月10日佐藤花子と婚姻届出同月12日東京都千代田区長から送付同区平河町一丁目4番地田中義太郎戸籍から入籍㊞」
　このように，戸籍の記載は，戸籍から除かれるとき（除籍されるとき）は「○○戸籍に入籍につき除籍」と，他の戸籍に入るとき（入籍するとき）は「○○戸籍から入籍」とし，除籍される戸籍と入籍する戸籍の関連（つながり）が明確に分かるような手法を用いています。大正3年戸籍法（以下「旧法戸籍」という。）においては，現行戸籍における重要な身分事項の一つである出生事項の移記記載がない場合もありますが，旧戸籍法18条12号は，「他家ヨリ入リテ戸主又ハ家族ト為リタル者ニ付テハ其原籍（筆者注；従前本籍），原籍ノ戸主ノ氏名及ヒ其戸主ト戸主又ハ家族ト為リタル者トノ続柄」を記載すると規定していますので，当該戸籍への入籍事項中には，いわゆる従前戸籍の表示の記載がされていますし，従前の本籍地においても除籍の手続がされています（大正3年戸籍法施行細則附録第4号戸籍記載例番号40・41参照）。このように，旧法施行中から，入籍と除籍という記載の連鎖により人の身分関係を示すことを原則としている戸籍制度の特徴がよく現れています。これぞ先人の知恵というものでしょう。
　なお，コンピュータ戸籍において，紙戸籍の「○○戸籍に入籍につき除籍」に対応するのは「【入籍戸籍】」というインデックス（項目）（第3の2「コンピュータ戸籍のタイトル及びインデックス」参照）を用い，「○○戸籍から入籍」に対応するのは「【従前戸籍】」というインデックス（項目）を用いています。
　戸籍訂正を要する事項によっては，例えば，出生事項が戸籍訂正の対象となったときは，訂正すべき戸籍が，出生届やその後の婚姻届によって入籍した戸籍のみならず，戸籍の改製又は転籍により，改製原戸籍又は除籍となった関連する全ての戸籍に記載されている出生事項が戸籍訂正の対象となります。したがって，戸籍訂正は，一つの戸籍だけではなく，他の関連する全ての戸籍が対象となることに配慮する必要があります。
　なお，除籍という用語は，事件本人を戸籍から除くときに用いますが，事

第2　戸籍の連続性と戸籍記載（記録）

件本人を戸籍から除くことによって，一戸籍内の全員をその戸籍から除いたときは，紙戸籍については，これを戸籍簿から除いて別につづり，除籍簿とする（戸籍法12条1項）としています。この除籍簿につづる戸籍には，右側欄外上部へ「除籍」印（紙戸籍の場合）を押印します（戸規附録8号様式参照）。また，コンピュータ戸籍の場合は「除籍マーク」を表示します（戸規付録26号様式参照）。このように，事件本人（人）に関する除籍と，戸籍全体に関する除籍という二つの意味で用いられます。

(2)　**転籍による連続**

　転籍とは，戸籍の本籍（所在場所）を移動することです。転籍には，管内転籍と管外転籍があります。管内転籍は，同一市区町村内で転籍する場合ですから，戸籍事項欄に転籍後の所在場所を記載（法定記載例番号199）しますので，戸籍は除かれませんが，管外転籍は，一の市区町村から他の市区町村に転籍する場合ですから，本籍地を異にし，従前の本籍地における戸籍は除籍となります。この転籍の場合も，前記のように戸籍記載の工夫により，戸籍の連続性が保たれています。

(3)　**戸籍の改製による連続**

　戸籍の改製とは，従前の規定による様式で編製されていた戸籍を新しい様式に改めるための編製替のことをいいます。

　現行戸籍法の戸籍編製単位は，夫婦及び親子です（戸籍法6条）が，旧法戸籍は，戸主という身分を持つ者を中心として，叔父，叔母や甥，姪等の親族も記載されていました（旧戸籍法9条）。この旧法戸籍から現行戸籍法の夫婦及び親子の戸籍編製単位へ昭和33年4月から3年をかけて全国一斉に改製（以下，改製された戸籍を「昭和改製原戸籍」という。）されました。さらに，平成6年の戸籍法改正により，コンピュータによる戸籍事務を行うことが認められ，戸籍法118条による法務大臣の指定を受けた市区町村長においては，コンピュータ戸籍へ改製（以下，改製された戸籍を「平成改製原戸籍」という。）されています。したがって，前記でも触れましたが，昭和改製原戸籍（旧法戸籍で除籍になったものを含む。）に記載されている事項，平成改製原戸籍（コ

ンピュータ前に除籍になったものを含む。）に記載されている事項，例えば出生事項や婚姻事項が訂正対象になるときは，改製原戸籍等全て関連する戸籍を訂正しなければなりません。

2. 入籍，転籍及び改製に伴う移記

(1) 婚姻等の新戸籍編製及び入籍に伴う移記

　婚姻等の身分行為によって，新戸籍を編製され，又は他の戸籍に入る者については，前記流れ図のB戸籍における出生（移記），C戸籍における出生（移記），縁組（移記）のように，戸籍法施行規則39条に基づき従前の戸籍に記載されている重要な身分事項を移記しなくてはなりません。移記を要する事項は，以下のとおりです。

① 出生に関する事項
② 嫡出でない子について，認知に関する事項
③ 養子について，現に養親子関係の継続するその養子縁組に関する事項
④ 夫婦について，現に婚姻関係の継続するその婚姻に関する事項及び配偶者の国籍に関する事項
⑤ 現に未成年者である者についての親権又は未成年者の後見に関する事項
⑥ 推定相続人の廃除に関する事項でその取消しのないもの
⑦ 日本の国籍の選択の宣言又は外国の国籍の喪失に関する事項
⑧ 名の変更に関する事項
⑨ 性別の取扱いの変更に関する事項

　なお，移記した事項を誤記し，又は移記しなければならない事項を遺漏した場合は，戸籍訂正の対象となります。

(2) 管外転籍に伴う移記

　管外転籍は，一の市区町村から他の市区町村に転籍する場合ですから，転籍時に在籍する者のみを戸籍法施行規則37条に基づき転籍後の戸籍に移記することとなります。

第2　戸籍の連続性と戸籍記載（記録）

(3)　戸籍の改製と移記
　前記のように戸籍の改製とは，従前の規定による様式で編製されていた戸籍を新しい様式に改めるための編製替のことをいい，改製方法は，滅失再製とは異なり改製時に在籍する者のみを改製戸籍に移記することとなります。具体的移記方法は，管外転籍の場合と同様です。

(4)　その他の移記
　縁組又は婚姻の無効その他の事由によって，戸籍の記載を回復すべき場合も，同様な移記方法です（戸規39条2項）。

第3 戸籍訂正の方法

　次に，戸籍訂正をする場合の原則的な方法を，紙戸籍とコンピュータ戸籍に分けて説明します。

1. 紙戸籍の訂正方法の原則

　戸籍の訂正をするには，訂正の趣旨及び事由を記載し，戸籍法施行規則附録第9号様式によって，朱で訂正すべき記載を消さなければならないとしています（戸規44条本文）。具体的には，本籍欄及び筆頭者氏名欄並びに戸籍事項欄に記載されている事項に関しては，訂正の趣旨及び事由を戸籍事項欄に記載した上，訂正の対象になっている事項を朱線を縦に一本引く方法により消除します。また，身分事項欄及び身分事項欄下部全欄（父母（養父母）欄，父母（養父母）との続柄欄，名欄，出生年月日欄及び配偶欄を総称して「身分事項欄下部全欄」といいます。）に記載されている事項に関しては，訂正の趣旨及び事由をその者の身分事項欄に記載した上，訂正の対象になっている事項を，錯誤や誤記が原因の場合は朱線を縦に一本引く方法により，無効な記載の場合は朱線を交差する方法により消除します。

2. コンピュータ戸籍のタイトル及びインデックス

　コンピュータ戸籍の訂正方法の原則に入る前に，コンピュータ戸籍のタイトル及びインデックス（項目）について説明します。

第３　戸籍訂正の方法

タイトルとインデックス（項目）について

	（1の1）　全　部　事　項　証　明
本　　　籍	東京都千代田区平河町一丁目4番地
氏　　　名	甲野　義太郎
戸籍事項 　戸籍編製(注①)	【編製日】平成２２年５月１０日
戸籍に記録されている者	【名】義 太 郎 【生年月日】昭和５８年６月２１日　　　【配偶者区分】夫 【父】甲野幸雄 【母】甲野松子 【続柄】長男
身分事項 　出　　　生(注②)	【出生日】昭和５８年６月２１日 【出生地】東京都千代田区 【届出日】昭和５８年６月２５日 【届出人】父
訂　　　正(注③)	【訂正日】平成２２年９月１６日 【訂正事項】生年月日 【訂正事由】誤記 【許可日】平成２２年９月１２日 【従前の記録】 　　【生年月日】昭和５８年６月１日 　　【出生日】昭和５８年６月１日
婚　　　姻	【婚姻日】平成２２年５月１０日 【配偶者氏名】乙野梅子 【従前戸籍】東京都千代田区平河町一丁目4番地　甲野幸雄

～～～～～～～～～～～～～～～～～～～～～～～～～～～～～～～～

　　　　　　　　　　　　　　　　　　　　　　　　　　　　　以下余白

発行番号０００００１

22

(1) タイトル

　戸籍事項欄の「戸籍編製」(注①)，身分事項欄の「出生」(注②)，身分事項欄の「訂正」(注③) 等をタイトルといいます。タイトルは，事件の種別ごとに付され，その位置により「基本タイトル」と「処理タイトル」に分かれます。

　基本タイトルは，届出，申請，報告等に基づき戸籍事項欄及び身分事項欄に記録する事項に付するタイトルと，戸籍事項欄の編製事項及び消除事項に付するタイトル等の基本的なタイトルのことで，戸籍事項欄の「戸籍編製」(注①)，身分事項欄の「出生」(注②) が該当します。このタイトルは，左端から数えて3文字目から表示されることから，左端タイトルともいいます。

　処理タイトルは，戸籍訂正，追完等により従前の記載の訂正，更正，消除等の記載事項に付して記載する戸籍訂正，追完等の処理を示すタイトルをいいます。このタイトルは，身分事項欄の「訂正」(注③) のように，基本タイトルの下段に，基本タイトルの位置から右に2文字寄せて表示されることから，段落ちタイトルともいいます。

(2) インデックス (項目)

　インデックス (項目) とは，戸籍事項欄の【編製日】，身分事項欄の【出生日】等をいいます。インデックスは，紙の戸籍に記載されていた文章形式の記載例を各要素ごとに分解し，その要素ごとにインデックス (項目) 化した上でインデックス (項目) 名を【出生日】等のように付して，その情報内容を分かりやすく表示しています。

　なお，インデックス (項目) については，平成6年11月16日付け法務省民二第7002号民事局長通達別紙3のファイル仕様書の項目名を参照してください。

3. コンピュータ戸籍の訂正方法の原則

　コンピュータ戸籍は，タイトルを付して記録しますので，訂正についてもタイトルを付して処理することになります。

　戸籍訂正に使用するタイトルは，処理タイトル (前記図参照) と呼ばれ，その主なものは，(1)「訂正」，(2)「記録」，(3)「消除」，(4)「移記」，(5)「入

第3　戸籍訂正の方法

籍」・「除籍」，(6)「更正」，(7)「追完」の種類があります。

　今後の説明の都合上，戸籍事項欄及び身分事項欄の左端3文字目から表示されるものを「左端タイトル」といい，基本タイトルのすぐ下に同タイトルの位置から2文字右に寄せて表示されるタイトルを「段落ちタイトル」として進めます。

　コンピュータ戸籍の訂正の方法は，戸籍法施行規則付録第27号に基づきますが，各処理タイトルを用いる場合を以下に示します。

(1)　訂　正

　各記録事項の訂正については，処理タイトル「訂正」が用いられますが，「本籍氏名」欄，「戸籍事項」欄の記録事項については，「戸籍事項」欄へ入力することになります。「戸籍に記録されている者」欄の【名】・【父】・【母】・【続柄】・【配偶者区分】の記録の訂正は，「身分事項」欄へ左端タイトル「訂正」で表示され，【訂正日】・【訂正事項】・【訂正事由】の表示とともに，戸籍訂正申請による場合は，【裁判確定日】・【申請日】・【申請人】，管轄局による許可による場合は，【裁判確定日】・【申請日】・【申請人】に代えて【許可日】が表示され，訂正された事項は，【従前の記録】として，下段に右へ2文字寄せて表示されます。「戸籍に記録されている者」欄の【生年月日】は出生事項の【出生日】と併せて出生事項の訂正となりますので，「身分事項」欄の記録事項の訂正に含まれます。「身分事項」欄の記録事項の訂正（出生事項中の【出生日】・【出生地】・【届出日】・【届出人】，婚姻事項中の【婚姻日】・【配偶者氏名】・【従前戸籍】）については，「出生」・「婚姻」等のタイトルの下段に右へ2文字寄せた段落ちタイトルで表示されることになります（出生の日の訂正について法定記載例番号202，誤記された生年月日について参考記載例番号192・193参照）。

　なお，【申請人】のインデックスは，事件の本人でない者が申請をした場合に表示されるものです（戸規30条2号）（以下同じ。）。

(2)　記　録

　記録事項に遺漏がある（届出があったにもかかわらず戸籍に記録されていな

い）場合は，例えば，出生事項を全部遺漏した場合は，管轄局による許可を得て記録しますので，基本タイトル「出生」の下へ処理タイトル「記録」が段落ちタイトルで用いられ【記録日】・【記録事由】・【許可日】が表示されます（出生の記録が遺漏している場合について参考記載例番号194）。また，前夫の嫡出推定を受ける子を後夫の嫡出子として後夫の戸籍に入籍させていた場合に前夫との親子関係不存在確認の裁判により戸籍訂正申請があったときは，出生事項に【特記事項】を記録しますが，この場合も段落ちタイトル記録により，【記録日】・【記録事由】・【裁判確定日】及び【記録の内容】（どのような事項を出生事項に追加記録したかを明示するためです。）を表示します。

(3) 消　除

　身分事項に記録されている出生事項や婚姻事項を全部消除する場合は，処理タイトル「消除」が左端タイトルで用いられ，【消除日】・【消除事項】・【消除事由】の表示とともに戸籍訂正申請による場合は，【裁判確定日】・【申請日】・【申請人】，管轄局による許可による場合は，【裁判確定日】・【申請日】・【申請人】に代えて【許可日】が表示され，原則として消除された事項が【従前の記録】として下段に右へ2文字寄せて表示されます（親子関係不存在確認の裁判による場合について法定記載例番号206，養子縁組無効の裁判による場合について同207等参照）。

　なお，日本国籍を有しない者が記録された場合など，戸籍の記載が法律上許されないもの（届出の対象とならないもの）については，【消除事由】を「戸籍の記録全部」と入力し，【従前の記録】は表示しません（出生の記録全部を消除する場合について参考記載例番号195参照）。

(4) 移　記

　身分事項欄に記録されている出生事項や婚姻事項を移記する場合は，処理タイトル「移記」が用いられ【移記日】・【移記事項】（【移記事項】のインデックスは，移記後の戸籍には表示しません。これは，記録した事項の直下に段落ちタイトルとして「移記」と表示しますので，移記した事項が分かるからです。移記前の戸籍は，どの事項を移記したかを明確にするため，このインデックスを表

示します。)・【移記事由】の表示とともに，戸籍訂正申請による場合は，【裁判確定日】・【申請日】・【申請人】，管轄局による許可による場合は，【裁判確定日】・【申請日】・【申請人】に代えて【許可日】が表示されますが，前記のように，移記元戸籍については左端タイトルとして，移記先戸籍については段落ちタイトルで記録することになります。

(5) 入籍・除籍

　嫡出推定が重複し父を定める裁判があった場合や離婚後300日以内に出生した嫡出子について嫡出否認の裁判があった場合は，裁判の性質が形成の裁判ですから，父子関係不存在確認の裁判と異なり，当初の出生届による入籍が否定されないため，子は当初の出生届によって入籍した戸籍から「除籍」し，裁判の結果指定された戸籍へ「入籍」します。この場合のように，訂正の一環として，ある戸籍から「除籍」し，ある戸籍へ「入籍」させる場合は，処理タイトル「除籍」・「入籍」が出生事項の下に左端タイトルとして用いられます（法定記載例番号204・205参照）。

(6) 更　正

　行政区画，土地の名称等の変更があった場合は，処理タイトル「更正」が用いられ，本籍の表示を一戸籍ごとに，更正することになります（戸規付録第28号様式参照）。

(7) 追　完

　既に記録されている事項について追完届があった場合に，その追完届によって記録されている事項を訂正するときは，処理タイトル「訂正」が用いられ，「戸籍に記録されている者」欄の【生年月日】を除く各事項の訂正については左端タイトル（法定記載例番号80参照）で，「身分事項」欄の各事項については，当該タイトルの下に段落ちタイトルで表示されることになります。また，その追完届によって記録するときは，処理タイトル「追完」が用いられ，左端タイトルと段落ちタイトルの区別は処理タイトル「訂正」と同様です。処理タイトル「追完」によって記録された事項は，【記録の内容】

として下段に右へ2文字寄せて表示されます(参考記載例番号14・71・72参照)。具体的表示内容については，本書各論の事例を参照してください。

4. 入籍・除籍に伴う訂正の原則（身分事項の消除を中心に）

(1) 戸籍への入籍原因である出生や就籍の記録を消除する場合

　この場合は，当該戸籍に入籍した者が，その戸籍から消除された状態のままになります（参考記載例番号195，法定記載例番号206参照)。なお，日本国籍を有する者の出生事項については，出生の事実が裁判で判明している場合は，実母からの出生の届出又は本人から出生事項の職権記載の申出を行うことにより，戸籍記載をすることになります。

(2) 戸籍の入籍・除籍を伴わない者の身分行為（身分事項）を消除する場合

　夫婦が養親の場合，養子縁組によっては，夫婦の戸籍の変動はなく，夫婦の身分事項欄へ縁組事項を記録します。この場合，当該縁組が無効となったときの戸籍訂正は，単に，当該縁組事項を消除するのみとなります（縁組無効の場合の養親夫婦の事例について，法定記載例番号208参照)。この事例は，婚姻前既に夫が戸籍の筆頭に記載されている場合に，当該婚姻が無効となった場合の夫についても同様です。

(3) 戸籍の入籍・除籍を伴う者の身分行為が無効となった場合

　単身者が養子になった場合，養子は従前戸籍から除籍され，養親戸籍に入籍します。この場合，当該縁組が無効となったときの戸籍訂正は，養親戸籍に入籍した養子の縁組事項を消除し，従前戸籍の縁組事項を消除した上，同戸籍に養子を回復します（養子縁組無効の場合の養子の事例について，法定記載例番号207・209参照)。回復に当たっては，戸籍法施行規則39条1項各号に掲げる事項のみを記載すれば足り，回復に関する記載は要しません。

　なお，回復すべき戸籍が転籍により除籍となっている場合は，転籍前後の戸籍は同一戸籍とみなしますので，転籍前の縁組による除籍事項を消除するとともに，転籍後の戸籍に回復しますが，出生のタイトルの下に段落ちタイ

トル「記録」で記録し,【記録日】・【記録事由】・【受理者】等を入力します。また,回復すべき戸籍が全員除籍により除籍となっている場合は,除籍(消除された戸籍)の「戸籍事項」欄に,左端タイトル「消除」により戸籍消除事項を消除した上,回復戸籍の「戸籍事項」欄へ左端タイトル「戸籍回復」により【回復日】・【回復事由】等を入力します。

(4) 身分行為によって新戸籍を編製した後に,当該身分行為が無効となった場合

　例えば,婚姻によって新戸籍を編製した後に,婚姻が無効となった場合の戸籍訂正は,夫婦の従前戸籍の身分事項の婚姻事項をそれぞれ消除し(婚姻無効の場合の事例について,法定記載例番号210・211参照),同戸籍の末尾へそれぞれを回復するとともに,新戸籍中夫婦それぞれの婚姻事項を消除した上,同戸籍を消除します(婚姻無効の場合の事例について,法定記載例番号212・213・214参照)。この新戸籍を消除する際は,身分事項欄に記録されている出生事項は消除しません。

　これは,編製された新戸籍の「戸籍事項」欄に記録されている編製年月日により戸籍編製事由が特定されますので,婚姻による編製であれば,その編製事由である婚姻が消除されることにより戸籍全体が消除されたことが判明することから,移記した出生事項等を消除する必要がないことになります。

　なお,婚姻等によって新戸籍を編製した後に,親子関係不存在確認の裁判によって出生事項を消除する場合は,編製事由である婚姻の無効とは異なり,戸籍全体の消除はしないことになります。

(5) 昭和23年以後に父から嫡出子出生届がされた子について,母子関係不存在確認の裁判があった場合

　この場合,その裁判において実母が判明し戸籍が特定されているときは,父からの嫡出子出生届を認知の届出の効力を有する出生届とみなして,子の現在戸籍において母の氏名及び父母との続柄を訂正の上,実母の戸籍へ移記することになります(参考記載例番号196・197参照)。ただし,この訂正方法は,父母の婚姻がなく,かつ,出生当時の母の戸籍に入る場合です。

第4 戸籍訂正の申出に対する原則的な対応

　ここでは，まず初任者の方を対象に，戸籍・除籍に記載されている事項について，誤った記載がされている旨の申出があった場合の取扱いについて，対応の初歩的なこと又は原則的なことについて，触れることにします。

1. 申出に対して留意する点

(1) 電話による申出の対応

　電話による申出の場合は，具体的な戸籍の記載内容が確認できないままで，推測による応対をしますと，誤りの内容が実際とは異なることがあります。申出を受けた戸籍の記載内容が事実と相違するか否かについては，戸籍の原本等を確認した上で対応する必要がありますので，当該戸籍等を申出を受けた市区町村が保管しているときはその市区町村が，当該戸籍等を保管しているのが他の市区町村のときは，問合せ先として，当該戸籍等を保管している市区町村にしていただくよう案内することがよいと考えます。

(2) 関連する戸籍への訂正の対応

　第2の「戸籍の連続性と戸籍記載（記録）」で記述しましたが，戸籍は，主として①入籍・除籍，転籍又は戸籍の改製等による連続と，②それらに伴う戸籍記載の移記という手法により出生から死亡に至るまでの経緯をたどることができるよう仕組まれています。申出の内容を戸籍等と照合した結果，戸籍訂正を要する事項であるとした場合は，戸籍訂正の内容及び訂正方法（記載の方法を含む。）並びに関連する戸籍の範囲を検討することが重要となります。

第4　戸籍訂正の申出に対する原則的な対応

2. 具体的事例と対応

(1) 戸籍届出と異なった記載

　戸籍の記載は，主として届出に基づいてされます（戸籍法15条）。

　届出は，出生又は死亡等の事実についての報告的届出と，民法に基づく婚姻又は養子縁組等の届出及び戸籍法に基づく転籍，入籍等の届出の双方を含む創設的届出に分けられます。いずれの届出についても，届書のとおり戸籍の記載がされていることが，戸籍制度の前提ですから，戸籍の記載が誤っているとの指摘があった場合は，その記載部分が，どの欄のどの部分なのかを確認し，その部分は何の届出によっていつ記載されたかを確認しなくてはなりません。

　戸籍届出と異なった記載かどうかを確認するためには，戸籍簿のみならず，戸籍届書との照合を必要としますので，該当する届書がどこで保存されているかを確認しなければなりません。本籍分の届書は，戸籍記載時の本籍地の管轄局に保存されています（戸規48条2項・49条）ので，特に，戸籍事項欄や身分事項欄の記載によって，戸籍の記載がされた当時の本籍地を確認することが重要となります。

　戸籍又は除籍の記載が，婚姻等の身分行為の届出又は転籍等の戸籍の変動に伴って移記されたものである場合は，移記元の戸籍（従前戸籍）をたどり，必ず届出時の戸籍まで遡らなければ，戸籍に記載された当時の本籍地が特定されず，届書を保存している管轄局が特定されませんので，初任者の方はこの点の注意が必要です。

　届書の保存期間について，若干触れておきます。

　届書の保存は，本籍地の市区町村を管轄する法務局に原則として戸籍法施行規則49条2項の規定により，受理された年度の翌年から27年間保存されていますが，戸籍のコンピュータ化がされた市区町村を管轄する法務局にあっては，戸籍法施行規則79条で準用する戸籍法施行規則49条の2の規定に基づき27年間より短い保存期間としている管轄局もあり，保存期間を5年間としているところがありますので，注意が必要です。また，本籍地以外の非本籍地で届出されている場合は，非本籍地においても，受理後1年間は保存して

いますので，保存期間内であれば，非本籍地の市区町村からも取り寄せは可能です（戸規48条3項）。

　戸籍記載をした当時の本籍地が特定できた場合は，当該届書の保存の有無を管轄局へ電話等により確認し，保存が確認できた場合は，市区町村長の職権により届書の記載事項証明書の請求を行うことになります。

　市区町村において届書の記載事項証明書を確認し，指摘された事項が届書の記載内容と異なり，誤記されたものであると判明した場合は，市区町村長による戸籍記載の誤記ということになります。この場合の戸籍訂正の原則は，戸籍法24条2項の規定に基づき管轄局の長へ戸籍訂正許可申請を行い，許可を受けた後に訂正することになります。しかし，戸籍訂正の内容が，軽微な事項であるときは，昭和47年5月2日付け民事甲第1766号民事局長通達に基づき，市区町村長限りの職権により行うことができます。

　届書の記載事項証明書を確認の結果，戸籍の記載と届書の記載が合っている場合は，市区町村長の過誤ではありませんので，申出人へその旨の連絡をすることになりますが，なお戸籍の記載が真実（事実）と相違するという指摘がされる場合は，当該指摘事項の記載がある全ての戸籍全部事項証明書及び戸籍（除籍）謄本並びに誤記である旨を明らかにする資料とともに，その戸籍のある地を管轄する家庭裁判所（家事226条3号）へ，戸籍法113条の規定に基づく戸籍訂正許可審判の申立てをするように案内することになります。

　届書の保存期間が経過して届書がない場合は，届書の内容が確認できませんので，この場合も，その戸籍のある地を管轄する家庭裁判所へ，戸籍法113条の規定に基づく戸籍訂正許可審判の申立てをするように案内することになります。

　以上をまとめると，次のような流れになります。
① 指摘された事項の戸籍の記載を確認する。
② 戸籍の記載が移記されている事項であれば，関連する全ての戸籍（除籍）を取り寄せる。
③ 管轄局から，届書の記載事項証明書を取り寄せる。
④ 届書の内容と戸籍の記載内容を照合して相違を確認する。
⑤ 届書の内容と戸籍の記載内容が相違する場合は，戸籍法24条2項の手

続へ進む（手続については，各法務局において定めている準則を参照）。
⑥　届書の内容と戸籍の記載内容が相違しない場合で，真実（事実）と相違する場合は，戸籍法113条の規定に基づく戸籍訂正許可審判の申立てを家庭裁判所にする旨を案内する。
⑦　届書の保存がない場合も，戸籍法113条の規定に基づく戸籍訂正許可審判の申立てを家庭裁判所にする旨を案内する。

(2)　新戸籍を編製され，又は他の戸籍に入籍する場合の移記誤り

　人は，婚姻又は養子縁組等の身分行為により，それまで入籍して（記載されて）いた戸籍から，婚姻等の届出により新たに編製される戸籍，又は他の戸籍へ入籍するとともに，出生事項等の重要な身分事項を新たに入籍する戸籍に移記する（戸規39条１項）ことになります。また，管外転籍・分籍等の届出があった場合も同様です。この新戸籍を編製する際は，重要な身分事項を移記しますが，その移記事項の一部を誤って記載（誤記）する場合があります。この場合は，従前戸籍と現在戸籍を照合することによって，誤記されたものかどうかは判明します。誤記されている場合は，前記(1)と同様，戸籍法24条２項の規定に基づき，誤記されている戸籍又は除籍を保存している本籍地の市区町村の管轄局の長へ戸籍訂正許可申請を行い，許可を受けた後に訂正することになりますが，軽微な事項の訂正については，昭和47年５月２日付け民事甲第1766号通達に基づき，市区町村長限りの職権により行うことができます。
　以上をまとめると，次のような流れになります。
①　指摘された事項が入籍に伴う移記事項であることを確認する。
②　従前戸籍と現在戸籍を照合することによって，移記に伴う誤記であるかどうかを確認する。
③　戸籍法24条２項の手続へ進む。

(3)　戸籍の改製に伴う移記誤り
　戸籍の改製は，限られた期間に大量の作業を行うことから，移記事項の確認作業に誤りがあり，「誤記」が発生しやすいことも事実です。改製に伴う

移記事項かどうかは，戸籍事項欄に記載されている改製日以前の記載内容かどうかで判明します。改製に伴う移記事項の誤記である場合は，前記(2)と同様，改製原戸籍と改製戸籍の記載内容を確認して，その結果「誤記」であることが判明した場合は，原則として，戸籍法24条2項の規定に基づき管轄局の長へ戸籍訂正許可申請を行い，許可を受けた後に訂正することになりますが，軽微な事項の訂正については，昭和47年5月2日付け民事甲第1766号通達に基づき，市区町村長限りの職権により行うことができます。

以上をまとめると，次のような流れになります。
① 指摘された事項が改製に伴う移記事項であることを，戸籍事項欄の改製日以前の記載内容であるかどうかによって確認する。
② 改製原戸籍と改製戸籍を照合することによって，移記に伴う誤記であることを確認する。
③ 戸籍法24条2項の手続へ進む。

(4) **親子関係が真実と異なるという申出があった場合**

親子関係は，民法上，嫡出子と嫡出でない子に分けられます。また，父子関係と母子関係とでは，その関係を否定する方法に違いがありますが，各々については，本書各論を参照してください。

なお，参考までに，以下に出生子の称する氏及び入籍する戸籍の一覧表を掲げておきます。この表は，日本人を父母とする場合です。

第4 戸籍訂正の申出に対する原則的な対応

(参考) 出生子の称する氏及び入籍する戸籍

	母婚姻前〜200日	201日〜母離婚	母離婚後〜300日	301日〜
子の種類 (民法772条)	嫡出でない子	推定を受けない嫡出子	推定を受ける嫡出子	嫡出でない子
出生届 (戸籍法49条)	嫡出でない子	嫡出子 又は 嫡出でない子	嫡出子	嫡出でない子
称する氏 (民法790条)	母の氏	父母の氏(嫡出子) 又は 母の氏(嫡出でない子)	父母の氏	離婚時の父母の氏	母の氏
入籍する戸籍 (戸籍法18条)	母の戸籍	父母の戸籍 又は 母の戸籍	父母の戸籍	父母離婚時の戸籍	母の戸籍

◎ 父母婚姻前の嫡出でない子について、その婚姻後戸籍法62条の出生届がされたときは、子は直ちに父母の戸籍に入籍する（昭和23年1月29日民事甲136号通達）。
（戸籍法62条：民法789条2項の規定によって嫡出子となる者について、父が嫡出子出生の届出をしたときは、その届出は、認知の届出の効力を有する。）
● 子の出生前に父母が離婚したときは、離婚の際における父母の氏を称する（民法790条1項ただし書）。
○ 300日とあるのは、母離婚後300日ということである（民法772条2項）。

第5 具体的な処理例

1. 出生に関する訂正

　法律上決定された親子関係に基づき戸籍に記載（記録）された親子関係が真実の親子関係と異なる場合，これを真実の親子関係に訂正するには，戸籍上の親子関係を否定する必要があります。

　父と子との関係は，法律の規定によって決定されますので，これを否定するには必ず確定判決（又は審判）によって否定する必要があり，嫡出否認の裁判，父子関係不存在確認の裁判及び実父に対する認知の裁判等によって行います。

　母と子との関係は，分娩という事実によって発生する（最判昭和37年4月27日民集16巻1247頁）ことから，子が戸籍上の母の分娩した子でないことが確認できれば，母子関係は否定されます。したがって，母子関係不存在確認の裁判又は実母との間の母子関係存在確認の裁判によって行います。

　親子関係を否定する嫡出否認及び親子関係存否確認の裁判の性質については，「嫡出否認の裁判」は，既に発生している嫡出の推定（民法772条）を遡及的に消滅させるという形成的効果を発生させることを目的とする形成訴訟，「親子関係存否確認の裁判」は，戸籍の記載上推定されている身分関係が真実の身分関係と異なる場合に，これを是正し，真実の身分関係を確認するための確認訴訟とされています。

　親子関係を否定する嫡出否認の裁判又は親子関係不存在確認の裁判があった場合，子は嫡出でない子となります。嫡出でない子は，出生時の母の氏を称して（民法790条2項），母の戸籍に入籍する（戸籍法18条2項）ことになっていますので，子が出生により入籍すべき母の戸籍に記載（入籍又は移記）する訂正を行うことになります。

　ところで，父母離婚後300日以内に出生した子については，嫡出否認の裁判があった場合と親子関係不存在確認の裁判があった場合の戸籍訂正の方法

を異にします。嫡出否認の裁判のときは，母の婚姻中の戸籍（母離婚時の戸籍）から母の離婚後の戸籍に入籍させ，母の婚姻中の戸籍から除籍する方法により（昭和24年10月29日民事甲2495回答），親子関係不存在確認の裁判のときは，子を母の婚姻中の戸籍（母離婚時の戸籍）から母の離婚後の戸籍に移記し，母の婚姻中の戸籍から消除する方法によります（参考記載例番号196・197）。

　このように，嫡出否認の裁判があった場合と親子関係不存在確認の裁判があった場合とで戸籍訂正の方法を異にするのは，前述のとおり，嫡出否認の裁判は形成の裁判であり，裁判の確定により初めて父子関係が否定され，裁判が確定するまでは，子は法律上母の夫の嫡出の推定を受けていたものであり，否認されたことによって遡って父子関係が否定されるからです。したがって，嫡出子として母の婚姻中の戸籍に入籍したのは，法律上適正なものであり，嫡出否認によって，母の婚姻中の戸籍から母の離婚後の戸籍に入籍する事由が生じたものであると解されることから，いわゆる入除籍の方法により戸籍訂正の処理が行われることになります。

　一方，親子関係不存在確認の裁判は確認の裁判であり，裁判の確定により父子（又は母子）関係が出生時から存在しなかったことが確認され，出生届により母（又は表見上の母）の婚姻中の戸籍に入籍したのは誤りであったことになるので，出生により子が入籍すべきであった母の戸籍に子の記載を移記し，母（又は表見上の母）の婚姻中の戸籍の子の記載を消除する，いわゆる移記消除の方法により戸籍訂正の処理が行われることになります。

　次に，嫡出でない子の戸籍における父母との続柄欄の記載については，従前は「男」又は「女」と記載していましたが，平成16年11月１日付け民一第3008号通達により，子の父母との続柄は，嫡出でない子も父の認知の有無にかかわらず，母との関係のみにより認定し，母が分娩した嫡出でない子の出生の順に「長男（長女）」，「二男（二女）」等と記載する取扱いになりました。

　したがって，嫡出否認又は親子関係不存在確認の裁判による戸籍訂正申請があり，「父母との続柄」を嫡出子から嫡出でない子に訂正する場合，戸籍法113条による戸籍訂正のように，例えば，「嫡出でない子になった子の父母との続柄は三男とする。」のように具体的に訂正の趣旨が示されるわけでは

1 出生に関する訂正

ありませんから，特段の申出のない限り，戸籍訂正前に記載されている続柄を戸籍訂正後の続柄として記載して差し支えないものと考えます。

(1) 嫡出否認による訂正

　父母の婚姻中に出生した子は，民法772条の規定により嫡出の推定を受け，父母の氏を称して父母の戸籍に入籍します（民法790条1項本文，戸籍法18条1項）。

　嫡出否認の裁判が確定すると，子は母の嫡出でない子となりますから，出生時の母の氏を称して母の戸籍に入籍します（民法790条2項，戸籍法18条2項5）。

　民法772条の嫡出の推定を受ける子について，夫がその推定を否認する（民法774条）裁判（民法775条）があり，戸籍訂正申請があったときの戸籍記載例（法定記載例番号203）は「嫡出子否認の裁判」と示しています。しかし，否認権の行使は「嫡出否認の訴え」によって行う（民法775条）こととされていますので，説明は「嫡出否認の裁判」，戸籍記載例は「嫡出子否認の裁判」として説明することにします。

　ア　母の婚姻中に出生し，父母の戸籍に入籍した子について，嫡出否認の裁判があった場合

　図1-1は，嫡出否認の裁判による戸籍訂正前の子の戸籍です。

　図1-2は，嫡出否認の裁判による戸籍訂正後の子の戸籍です。

　図1の戸籍は，子の出生時の母の戸籍ですから，子についての戸籍訂正による戸籍の変動はありません。

　戸籍訂正の方法は，左端タイトル「消除」により父の氏名を消除し，関連訂正事項として父母との続柄を訂正します。また，本例のように出生届の届出人が父となっているときは，「【届出人】甲野義太郎」と出生事項を段落ちタイトル「訂正」により訂正します（昭和42年3月16日民事甲400号通達）。

　なお，段落ちタイトル「訂正」による場合は，生年月日の訂正を除くほかは，一般的に【訂正事項】の項目（インデックス）は表示しません。どの項目を訂正したかは，【従前の記録】として訂正項目を表示するからです。

第5　具体的な処理例

図1-1　嫡出否認の裁判による戸籍訂正前の子の戸籍

		(1の1)	全 部 事 項 証 明
本　　籍	東京都千代田区平河町一丁目10番地		
氏　　名	甲野　義太郎		

戸籍事項 　　戸籍編製	（編製事項省略）
戸籍に記録されている者	【名】義太郎 【生年月日】平成元年5月20日　　　【配偶者区分】夫 【父】甲野幸雄 【母】甲野松子 【続柄】長男
身分事項 　　出　　生 　　婚　　姻	（出生事項省略） （婚姻事項省略）
戸籍に記録されている者	【名】梅子 【生年月日】平成2年6月10日　　　【配偶者区分】妻 【父】乙野忠治 【母】乙野春子 【続柄】長女
身分事項 　　出　　生 　　婚　　姻	（出生事項省略） （婚姻事項省略）
戸籍に記録されている者	【名】啓太郎 【生年月日】平成34年11月30日 【父】甲野義太郎 【母】甲野梅子 【続柄】長男
身分事項 　　出　　生	【出生日】平成34年11月30日 【出生地】東京都千代田区 【届出日】平成34年12月5日 【届出人】父
	以下余白

発行番号000001

1　出生に関する訂正

図1-2　嫡出否認の裁判による戸籍訂正後の子の戸籍

	(1の1)	全 部 事 項 証 明

本　　籍	東京都千代田区平河町一丁目１０番地
氏　　名	甲野　義太郎

戸籍に記録されている者	【名】啓太郎 【生年月日】平成３４年１１月３０日 【父】 【母】甲野梅子 【続柄】長男
身分事項 　　出　　生	【出生日】平成３４年１１月３０日 【出生地】東京都千代田区 【届出日】平成３４年１２月５日 【届出人】甲野義太郎
訂　　正	【訂正日】平成３５年４月４日 【訂正事由】嫡出子否認の裁判確定 【裁判確定日】平成３５年３月３０日 【申請日】平成３５年４月４日 【申請人】甲野義太郎 【従前の記録】 　　【届出人】父
消　　除	【消除日】平成３５年４月４日 【消除事項】父の氏名 【消除事由】嫡出子否認の裁判確定 【裁判確定日】平成３５年３月３０日 【申請日】平成３５年４月４日 【申請人】甲野義太郎 【関連訂正事項】父母との続柄 【従前の記録】 　　【父】甲野義太郎 　　【父母との続柄】長男
	以下余白

発行番号０００００１

第5　具体的な処理例

イ　父母離婚の際，子の親権者を母と定められた子について，嫡出否認の裁判があった場合

　父母離婚の際，子の親権者を母と定めています（民法819条）が，嫡出否認の裁判により結果的に定める必要がなかったことになりますから，親権者を定めた旨の記録は無効な記録となります。したがって，本例の場合は，戸籍訂正申請書に親権に関する事項を消除する旨を記載してもらい，これに基づき職権によってその記録を消除することになります（昭和26年2月8日民事甲172号回答）ので，親権事項も消除します。

　図2-1は，嫡出否認の裁判による戸籍訂正前の子の戸籍です。

　図2-2は，嫡出否認の裁判による戸籍訂正後の子の戸籍です。

　図2の戸籍は，子の出生時の母の戸籍ですから，戸籍訂正による戸籍の変動はありません。

　戸籍訂正の方法は，左端タイトル「消除」により父の氏名を消除し，関連訂正事項として父母との続柄を訂正します。また，出生事項を段落ちタイトル「訂正」により，出生事項中の届出人の資格を訂正（昭和42年3月16日民事甲400号通達）し，左端タイトル「消除」により親権事項を消除します。

1　出生に関する訂正

図2-1　嫡出否認の裁判による戸籍訂正前の子の戸籍

	（2の1）	全 部 事 項 証 明
本　　籍	東京都千代田区平河町一丁目１０番地	
氏　　名	甲野　義太郎	

戸籍事項　戸籍編製	（編製事項省略）
戸籍に記録されている者	【名】義太郎 【生年月日】平成元年５月２０日 【父】甲野幸雄 【母】甲野松子 【続柄】長男
身分事項 　出　生 　婚　姻 　離　婚	（出生事項省略） （婚姻事項省略） 【離婚日】平成３４年１２月２２日 【配偶者氏名】甲野梅子
戸籍に記録されている者 除　籍	【名】梅子 【生年月日】平成２年６月１０日 【父】乙野忠治 【母】乙野春子 【続柄】長女
身分事項 　出　生 　婚　姻 　離　婚	（出生事項省略） （婚姻事項省略） 【離婚日】平成３４年１２月２２日 【配偶者氏名】甲野義太郎 【新本籍】京都市上京区小山初音町１８番地
戸籍に記録されている者	【名】啓太郎 【生年月日】平成３４年１１月３０日 【父】甲野義太郎 【母】甲野梅子 【続柄】長男
身分事項 　出　生	【出生日】平成３４年１１月３０日 【出生地】東京都千代田区 【届出日】平成３４年１２月５日 【届出人】父

発行番号０００００１　　　　　　　　　　　　　　　　　　　以下次頁

第5　具体的な処理例

	(2の2)	全部事項証明
親　権	【親権者を定めた日】平成３４年１２月２２日 【親権者】母 【届出人】父母	
		以下余白

発行番号０００００１

1　出生に関する訂正

図2-2　嫡出否認の裁判による戸籍訂正後の子の戸籍

	（1の1）	全 部 事 項 証 明
本　　　籍	東京都千代田区平河町一丁目１０番地	
氏　　　名	甲野　義太郎	

戸籍に記録されている者	【名】啓太郎 【生年月日】平成３４年１１月３０日 【父】 【母】甲野梅子 【続柄】長男
身分事項 　　出　　生	【出生日】平成３４年１１月３０日 【出生地】東京都千代田区 【届出日】平成３４年１２月５日 【届出人】甲野義太郎
訂　　正	【訂正日】平成３５年３月３０日 【訂正事由】嫡出子否認の裁判確定 【裁判確定日】平成３５年３月２５日 【申請日】平成３５年３月３０日 【申請人】甲野義太郎 【従前の記録】 　【届出人】父
消　　除	【消除日】平成３５年３月３０日 【消除事項】父の氏名 【消除事由】嫡出子否認の裁判確定 【裁判確定日】平成３５年３月２５日 【申請日】平成３５年３月３０日 【申請人】甲野義太郎 【関連訂正事項】父母との続柄 【従前の記録】 　【父】甲野義太郎 　【父母との続柄】長男
消　　除	【消除日】平成３５年３月３０日 【消除事項】親権事項 【消除事由】嫡出子否認の裁判確定 【従前の記録】 　【親権者を定めた日】平成３４年１２月２２日 　【親権者】母 　【届出人】父母
	以下余白

発行番号０００００１

第5 具体的な処理例

ウ 父母離婚の際，親権者を母と定められた子が，母の氏を称する入籍後，嫡出否認の裁判があった場合

(ｱ) 母が離婚により新戸籍を編製しているとき

戸籍の流れを図で示すと次のようになります。

子の戸籍

甲	野
	義太郎
除籍	梅 子
除籍	啓太郎

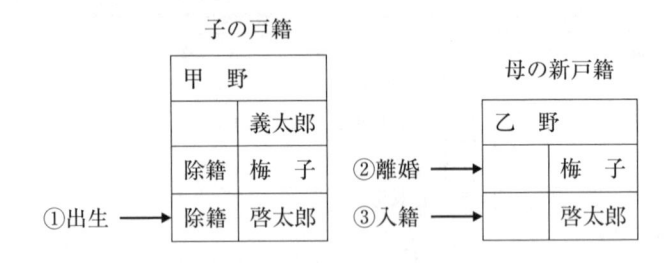

①出生 →
②離婚 →
③入籍 →

母の新戸籍

乙	野
	梅 子
	啓太郎

図3-1は，嫡出否認の裁判による戸籍訂正前の子の戸籍です。

図3-2は，嫡出否認の裁判による戸籍訂正後の子の戸籍です。

図3の戸籍は，子の出生時の母の戸籍ですから，出生による入籍した戸籍に間違いはありません。

戸籍訂正の方法は，左端タイトル「消除」により父の氏名を消除し，関連訂正事項として父母との続柄を訂正します。本例の出生の届出人は，母ですから出生事項の訂正はありません。また，親権者を定めた記録は誤りですから，左端タイトル「消除」により親権事項を消除します。

なお，子の戸籍及び母の戸籍にある母の氏を称する入籍事項は，父母離婚後に子の氏の変更により母の戸籍に入籍したものですから，届出事項に誤りはありませんので，戸籍訂正は要しません。

図4-1は，嫡出否認の裁判による戸籍訂正前の母の戸籍です。

図4-2は，嫡出否認の裁判による戸籍訂正後の母の戸籍です。

戸籍訂正の方法は，左端タイトル「消除」により父の氏名を消除し，関連訂正事項として父母との続柄を訂正し，親権事項を，左端タイトル「消除」により消除します。

1　出生に関する訂正

図3-1　嫡出否認の裁判による戸籍訂正前の子の戸籍

（2の1）　| 全 部 事 項 証 明

本　　籍	東京都千代田区平河町一丁目10番地
氏　　名	甲野　義太郎
戸籍事項 　戸籍編製	（編製事項省略）
戸籍に記録されている者	【名】義太郎 【生年月日】平成元年6月26日 【父】甲野幸雄 【母】甲野松子 【続柄】長男
身分事項 　出　　生 　婚　　姻 　離　　婚	（出生事項省略） （婚姻事項省略） 【離婚日】平成35年3月22日 【配偶者氏名】甲野梅子
戸籍に記録されている者 除　　籍	【名】梅子 【生年月日】平成2年1月8日 【父】乙野忠治 【母】乙野春子 【続柄】長女
身分事項 　出　　生 　婚　　姻 　離　　婚	（出生事項省略） （婚姻事項省略） 【離婚日】平成35年3月22日 【配偶者氏名】甲野義太郎 【新本籍】京都府京都市上京区小山初音町18番地
戸籍に記録されている者 除　　籍	【名】啓太郎 【生年月日】平成34年10月15日 【父】甲野義太郎 【母】甲野梅子 【続柄】長男
身分事項 　出　　生	【出生日】平成34年10月15日 【出生地】東京都港区 【届出日】平成34年10月25日 【届出人】母

発行番号000001　　　　　　　　　　　　　　　　　　　　　　以下次頁

45

第5　具体的な処理例

	（2の2）　全 部 事 項 証 明

親　　権	【親権者を定めた日】平成35年3月22日 【親権者】母 【届出人】父母
入　　籍	【届出日】平成35年4月20日 【除籍事由】母の氏を称する入籍 【届出人】親権者母 【入籍戸籍】京都府京都市上京区小山初音町18番地　乙野梅子

以下余白

発行番号000001

46

1　出生に関する訂正

図3-2　嫡出否認の裁判による戸籍訂正後の子の戸籍

	（1の1）　全 部 事 項 証 明
本　　　籍	東京都千代田区平河町一丁目10番地
氏　　　名	甲野　義太郎

戸籍に記録されている者 除　　籍	【名】啓太郎 【生年月日】平成34年10月15日 【父】 【母】甲野梅子 【続柄】長男
身分事項 　　出　　生	【出生日】平成34年10月15日 【出生地】東京都港区 【届出日】平成34年10月25日 【届出人】母
入　　籍	【届出日】平成35年4月20日 【除籍事由】母の氏を称する入籍 【届出人】親権者母 【入籍戸籍】京都府京都市上京区小山初音町18番地　乙野梅子
消　　除	【消除日】平成35年7月6日 【消除事項】父の氏名 【消除事由】嫡出子否認の裁判確定 【裁判確定日】平成35年7月3日 【申請日】平成35年7月6日 【申請人】甲野義太郎 【関連訂正事項】父母との続柄 【従前の記録】 　　【父】甲野義太郎 　　【父母との続柄】長男
消　　除	【消除日】平成35年7月6日 【消除事項】親権事項 【消除事由】嫡出子否認の裁判確定 【従前の記録】 　　【親権者を定めた日】平成35年3月22日 　　【親権者】母 　　【届出人】父母
	以下余白

発行番号000001

第5　具体的な処理例

図4-1　嫡出否認の裁判による戸籍訂正前の母の戸籍

		（1の1）	全 部 事 項 証 明
本　　籍	京都府京都市上京区小山初音町１８番地		
氏　　名	乙野　梅子		
戸籍事項 　　戸籍編製	【編製日】平成３５年３月２４日		
戸籍に記録されている者	【名】梅子 【生年月日】平成２年１月８日 【父】乙野忠治 【母】乙野春子 【続柄】長女		
身分事項 　　出　　生 　　離　　婚	（出生事項省略） 【離婚日】平成３５年３月２２日 【配偶者氏名】甲野義太郎 【送付を受けた日】平成３５年３月２４日 【受理者】東京都千代田区長 【従前戸籍】東京都千代田区平河町一丁目１０番地　甲野義太郎		
戸籍に記録されている者	【名】啓太郎 【生年月日】平成３４年１０月１５日 【父】甲野義太郎 【母】乙野梅子 【続柄】長男		
身分事項 　　出　　生 　　親　　権 　　入　　籍	【出生日】平成３４年１０月１５日 【出生地】東京都港区 【届出日】平成３４年１０月２５日 【届出人】母 【親権者を定めた日】平成３５年３月２２日 【親権者】母 【届出人】父母 【届出日】平成３５年４月２０日 【入籍事由】母の氏を称する入籍 【届出人】親権者母 【送付を受けた日】平成３５年４月２３日 【受理者】東京都千代田区長 【従前戸籍】東京都千代田区平河町一丁目１０番地　甲野義太郎		
			以下余白

発行番号０００００１

1　出生に関する訂正

図4-2　嫡出否認の裁判による戸籍訂正後の母の戸籍

（1の1）	全 部 事 項 証 明

本　　　籍	京都府京都市上京区小山初音町１８番地
氏　　　名	乙野　梅子

戸籍に記録されている者	【名】啓太郎 【生年月日】平成３４年１０月１５日 【父】 【母】乙野梅子 【続柄】長男
身分事項 　　出　　生	【出生日】平成３４年１０月１５日 【出生地】東京都港区 【届出日】平成３４年１０月２５日 【届出人】母
入　　籍	【届出日】平成３５年４月２０日 【入籍事由】母の氏を称する入籍 【届出人】親権者母 【送付を受けた日】平成３５年４月２３日 【受理者】東京都千代田区長 【従前戸籍】東京都千代田区平河町一丁目１０番地　甲野義太郎
消　　除	【消除日】平成３５年７月９日 【消除事項】父の氏名 【消除事由】嫡出子否認の裁判確定 【裁判確定日】平成３５年７月３日 【申請日】平成３５年７月６日 【申請人】甲野義太郎 【関連訂正事項】父母との続柄 【送付を受けた日】平成３５年７月９日 【受理者】東京都千代田区長 【従前の記録】 　　【父】甲野義太郎 　　【父母との続柄】長男
消　　除	【消除日】平成３５年７月９日 【消除事項】親権事項 【消除事由】嫡出子否認の裁判確定 　　【親権者を定めた日】平成３５年３月２２日 　　【親権者】母 　　【届出人】父母
	以下余白

発行番号０００００１

49

第5 具体的な処理例

　(イ) 母が離婚により復籍しているとき

　母が離婚により復籍後，子の氏変更による入籍の届出があった場合は，母について子の入籍を原因として新戸籍を編製することになります。

　戸籍の流れを図で示すと次のようになります。

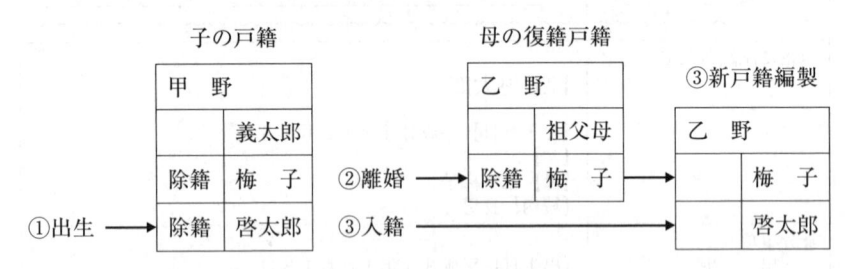

	子の戸籍			母の復籍戸籍			③新戸籍編製	
	甲野			乙野			乙野	
		義太郎			祖父母			梅子
	除籍	梅子	②離婚→	除籍	梅子	→		啓太郎
①出生→	除籍	啓太郎	③入籍					

　子が出生により入籍した戸籍及び子の入籍の届出により母について編製した新戸籍の戸籍訂正の方法は，前記図3-2及び図4-2と同様ですので，それを参照してください。

エ　母の離婚後300日以内に出生した子について，嫡出否認の裁判があった場合

　父母の離婚後300日以内に出生した子は，民法772条の規定により嫡出の推定を受け，父母離婚の際における父母の氏を称して父母離婚の際の戸籍に入籍します（民法790条1項ただし書，戸籍法18条1項）。

　嫡出否認の裁判が確定すると，子は母の嫡出でない子となりますから，出生時の母の氏を称して母の戸籍に入籍します（昭和24年7月6日民事甲1532号回答，民法790条2項，戸籍法18条2項）。

　(ア) 母が離婚により新戸籍を編製しているとき

　戸籍訂正の方法は，子の戸籍の父の氏名を消除し，父母との続柄を訂正の上，離婚により編製した母の戸籍に入籍します（昭和24年10月29日民事甲2495号回答）。

　なお，親権事項の記録がありますが，これは，子の出生前に父母が離婚した場合には，親権は，母が行う（民法819条3項本文）とされていますので，これを明らかにするため，「親権者母」と記録しているものです（昭和36年12月5日民事甲3061号通達，参考記載例番号5参照）。したがって，子は，嫡出

1 出生に関する訂正

否認の裁判により嫡出でない子となりましたが,「親権者母」の記録は誤りではありませんので,消除をする必要はなく,また,戸籍訂正により入籍させる母の戸籍には,親権事項を記録する必要はありません。

戸籍訂正の方法は,左端タイトル「消除」により父の氏名を消除し,父母との続柄を訂正の上,母の離婚による新戸籍に入籍させることになります。

戸籍の流れを図で示すと次のようになります。

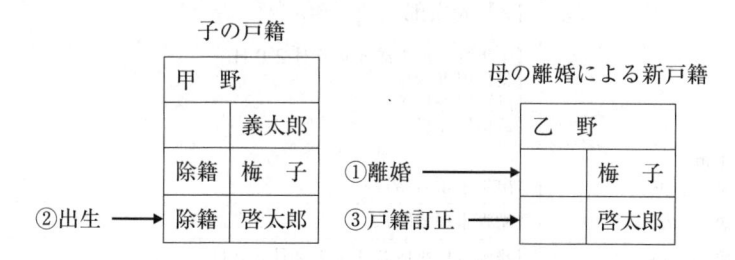

子の戸籍					母の離婚による新戸籍	
甲野					乙野	
	義太郎					
除籍	梅子	①離婚 →			梅子	
②出生 → 除籍	啓太郎	③戸籍訂正 →			啓太郎	

図5-1は,嫡出否認の裁判による戸籍訂正前の子の戸籍です。

図5-2は,嫡出否認の裁判による戸籍訂正後の子の戸籍です。

左端タイトル「消除」により父の氏名を消除し,関連訂正事項として父母との続柄を訂正した上,左端タイトル「除籍」により母の戸籍に入籍させる旨記録し,「戸籍に記録されている者」欄に「除籍マーク」を表示します。

図6-1は,嫡出否認の裁判による戸籍訂正前の母の新戸籍です。

図6-2は,嫡出否認の裁判による戸籍訂正後の母の新戸籍です。

子を戸籍の末尾に左端タイトル「入籍」により記録します。親権事項の記録は要しません。

第5　具体的な処理例

図5-1　嫡出否認の裁判による戸籍訂正前の子の戸籍

(2の1)　｜　全　部　事　項　証　明

本　　　籍	東京都千代田区平河町一丁目10番地
氏　　　名	甲野　義太郎
戸籍事項 　戸籍編製	（編製事項省略）
戸籍に記録されている者	【名】義太郎 【生年月日】平成元年5月20日 【父】甲野幸雄 【母】甲野松子 【続柄】長男
身分事項 　出　　生 　婚　　姻 　離　　婚	（出生事項省略） （婚姻事項省略） 【離婚日】平成34年12月22日 【配偶者氏名】甲野梅子
戸籍に記録されている者 除　　籍	【名】梅子 【生年月日】平成2年1月8日 【父】乙野忠治 【母】乙野春子 【続柄】長女
身分事項 　出　　生 　婚　　姻 　離　　婚	（出生事項省略） （婚姻事項省略） 【離婚日】平成34年12月22日 【配偶者氏名】甲野義太郎 【新本籍】京都府京都市上京区小山初音町18番地
戸籍に記録されている者	【名】啓太郎 【生年月日】平成35年2月1日 【父】甲野義太郎 【母】乙野梅子 【続柄】長男
身分事項 　出　　生	【出生日】平成35年2月1日 【出生地】京都府京都市上京区 【届出日】平成35年2月10日 【届出人】母 【送付を受けた日】平成35年2月14日 【受理者】京都府京都市上京区長

発行番号000001　　　　　　　　　　　　　　　　　　　　以下次頁

1　出生に関する訂正

	（2の2）	全 部 事 項 証 明
親　権	【親権者】母	
		以下余白

発行番号０００００１

図5-2 嫡出否認の裁判による戸籍訂正後の子の戸籍

	（1の1）	全 部 事 項 証 明
本　　　籍	東京都千代田区平河町一丁目10番地	
氏　　　名	甲野　義太郎	

戸籍に記録されている者 　　除　　籍	【名】啓太郎 【生年月日】平成35年2月1日 【父】 【母】乙野梅子 【続柄】長男
身分事項 　　出　　生	【出生日】平成35年2月1日 【出生地】京都府京都市上京区 【届出日】平成35年2月10日 【届出人】母 【送付を受けた日】平成35年2月14日 【受理者】京都府京都市上京区長
親　　権	【親権者】母
消　　除	【消除日】平成35年5月18日 【消除事項】父の氏名 【消除事由】嫡出子否認の裁判確定 【裁判確定日】平成35年5月15日 【申請日】平成35年5月18日 【申請人】甲野義太郎 【関連訂正事項】父母との続柄 【従前の記録】 　　【父】甲野義太郎 　　【父母との続柄】長男
除　　籍	【除籍日】平成35年5月18日 【除籍事由】嫡出子否認の裁判確定 【裁判確定日】平成35年5月15日 【申請日】平成35年5月18日 【申請人】甲野義太郎 【入籍戸籍】京都府京都市上京区小山初音町18番地　乙野梅子
	以下余白

発行番号000001

1　出生に関する訂正

図6-1　嫡出否認の裁判による戸籍訂正前の母の新戸籍

	（1の1） 全 部 事 項 証 明
本　　籍 氏　　名	京都府京都市上京区小山初音町１８番地 乙野　梅子
戸籍事項 　　戸籍編製	【編製日】平成３４年１２月２５日
戸籍に記録されている者	【名】梅子 【生年月日】平成２年１月８日 【父】乙野忠治 【母】乙野春子 【続柄】長女
身分事項 　　出　　生 　　離　　婚	（出生事項省略） 【離婚日】平成３４年１２月２２日 【配偶者氏名】甲野義太郎 【送付を受けた日】平成３４年１２月２５日 【受理者】東京都千代田区長 【従前戸籍】東京都千代田区平河町一丁目１０番地　甲野義太郎
	以下余白

発行番号０００００１

第5　具体的な処理例

図6-2　嫡出否認の裁判による戸籍訂正後の母の新戸籍

	（1の1）　全 部 事 項 証 明
本　　籍	京都府京都市上京区小山初音町１８番地
氏　　名	乙野　梅子

戸籍に記録されている者	【名】啓太郎 【生年月日】平成３５年２月１日 【父】 【母】乙野梅子 【続柄】長男
身分事項 　　出　　生	【出生日】平成３５年２月１日 【出生地】京都府京都市上京区 【届出日】平成３５年２月１０日 【届出人】母 【送付を受けた日】平成３５年２月１４日 【受理者】京都府京都市上京区長
入　　籍	【入籍日】平成３５年５月２１日 【入籍事由】嫡出子否認の裁判確定 【裁判確定日】平成３５年５月１５日 【申請日】平成３５年５月１８日 【申請人】甲野義太郎 【送付を受けた日】平成３５年５月２１日 【受理者】東京都千代田区長 【従前戸籍】東京都千代田区平河町一丁目１０番地　甲野義 　　　　　　太郎
	以下余白

発行番号０００００１

1　出生に関する訂正

参考：母が離婚により実方戸籍に復籍している場合

　母が離婚により実方戸籍に復籍している場合の戸籍訂正の方法は，母について，子の入籍による新戸籍を編製し，その新戸籍に子を入籍させます。

　戸籍の流れを図で示すと次のようになります。

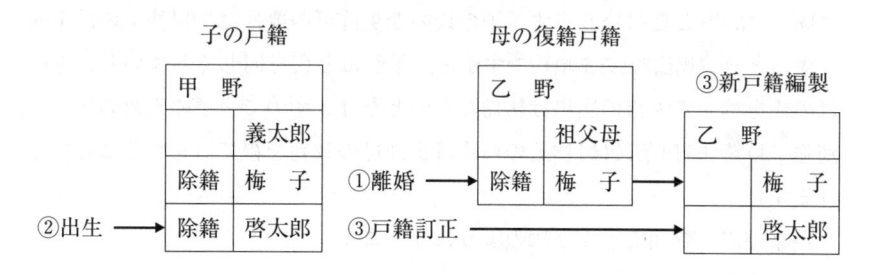

	子の戸籍		母の復籍戸籍		③新戸籍編製
甲　野		乙　野		乙　野	
	義太郎		祖父母		
除籍	梅　子	①離婚　→	除籍	梅　子　→	梅　子
②出生　→ 除籍	啓太郎	③戸籍訂正　→		→	啓太郎

　この戸籍訂正記載例は，前例等を参照してください。

　(イ)　母が離婚により新戸籍を編製後，管外転籍しているとき

　子の出生時の母の戸籍は転籍前の戸籍ですが，転籍は単に戸籍の所在場所を移しただけですから，転籍前の母の氏と，転籍後の母の氏は同一です。したがって，嫡出否認の裁判があった場合は，戸籍訂正により子を母の転籍後の戸籍に入籍させることになります。

　なお，母が離婚により新戸籍を編製後，他男と夫の氏を称して婚姻しているときは，母の氏は子の出生時の氏とは異なりますので，戸籍訂正により母の婚姻により除籍となった離婚による新戸籍を回復の上，回復後の戸籍に子を入籍させることになります（昭和27年12月4日民事甲755号回答）。

　(ウ)　母が離婚により復籍後，他男と夫の氏を称して婚姻しているとき

　母が他男と夫の氏を称して婚姻しているときは，母の氏は子の出生時の氏とは異なりますので，戸籍訂正により母が復籍した実方戸籍の末尾にいったん子を入籍させると同時に，子について従前本籍と同一の場所に新戸籍を編製（戸籍法30条3項）します（昭和33年1月25日民(二)発27号回答，昭和33年8月26日民(二)発412号回答，昭和38年9月12日民事甲2606号回答）。

　(エ)　母が離婚により新戸籍を編製後，子が母の氏を称する入籍をしているとき

　子は，母の氏を称する入籍届により母の戸籍に入籍しましたが，嫡出否認

57

第5　具体的な処理例

の裁判により，子は嫡出でない子となりますから，その子は，出生時の母の氏を称することになります。子の出生当時の母の氏は，離婚後の母の氏です。嫡出否認の裁判があった時点において，子は，母の氏を称する入籍届により母の戸籍に入籍していますが，嫡出否認の裁判の結果，子と母の民法上の氏は同一ということになります。子の氏の変更許可の要件は，民法上の氏を異にするとき（民法791条1項）ですから，子が母と氏を同じくしているときは，母の氏を称する入籍の届出は無効なものとなりますので，子の入籍の届出は，別途，戸籍法114条又は113条の戸籍訂正許可の裁判を得て訂正することになります。

戸籍の流れを図で示すと次のようになります。

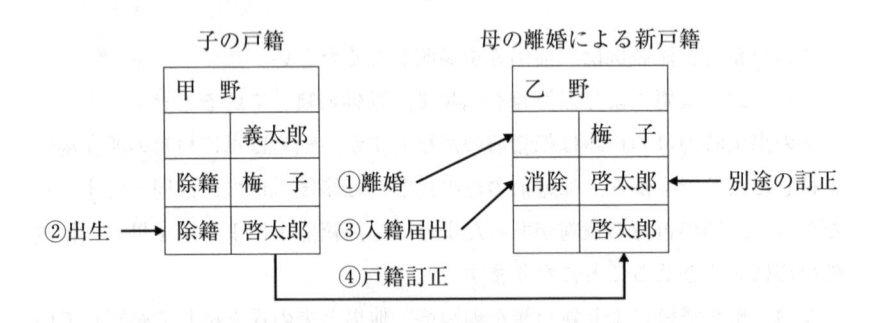

```
            子の戸籍                 母の離婚による新戸籍
           ┌─────────┐              ┌─────────┐
           │  甲 野  │              │  乙 野  │
           ├──┬──────┤              ├────┬────┤
           │  │義太郎│              │    │梅 子│
           ├──┼──────┤   ①離婚      ├────┼────┤
           │除籍│梅 子│─────────→  │消除│啓太郎│ ←── 別途の訂正
           ├──┼──────┤   ③入籍届出  ├────┼────┤
②出生 ──→ │除籍│啓太郎│─────────→  │    │啓太郎│
           └──┴──────┘              └────┴────┘
                      ④戸籍訂正
```

図7-1は，嫡出否認の裁判による戸籍訂正前の子の戸籍です。
図7-2は，嫡出否認の裁判による戸籍訂正後の子の戸籍です。
左端タイトル「消除」により父の氏名を消除し，関連訂正事項として父母との続柄を訂正の上，左端タイトル「除籍」により母の戸籍に入籍させる旨記録します。「戸籍に記録されている者」欄には，既に「除籍マーク」が表示されていますので，この処理は不要です。
図8-1は，嫡出否認の裁判による戸籍訂正前の母の新戸籍です。
図8-2は，嫡出否認の裁判による戸籍訂正後の母の新戸籍です。
戸籍の末尾に，左端タイトル「入籍」により子を記録します。

1　出生に関する訂正

図7-1　嫡出否認の裁判よる戸籍訂正前の子の戸籍

	（2の1）　全 部 事 項 証 明
本　　籍 氏　　名	東京都千代田区平河町一丁目１０番地 甲野　義太郎
戸籍事項 　　戸籍編製	（編製事項省略）
戸籍に記録されている者	【名】義太郎 【生年月日】昭和６２年５月２０日 【父】甲野幸雄 【母】甲野松子 【続柄】長男
身分事項 　　出　　生 　　婚　　姻 　　離　　婚	（出生事項省略） （婚姻事項省略） 【離婚日】平成３０年９月２２日 【配偶者氏名】甲野梅子
戸籍に記録されている者 除　　籍	【名】梅子 【生年月日】昭和６４年１月７日 【父】乙野忠治 【母】乙野春子 【続柄】長女
身分事項 　　出　　生 　　婚　　姻 　　離　　婚	（出生事項省略） （婚姻事項省略） 【離婚日】平成３０年９月２２日 【配偶者氏名】甲野義太郎 【新本籍】京都府京都市上京区小山初音町１８番地
戸籍に記録されている者 除　　籍	【名】啓太郎 【生年月日】平成３１年２月１日 【父】甲野義太郎 【母】乙野梅子 【続柄】長男
身分事項 　　出　　生	【出生日】平成３１年２月１日 【出生地】東京都港区 【届出日】平成３１年２月９日 【届出人】母

発行番号０００００１　　　　　　　　　　　　　　　　　　　　　　　　　　　以下次頁

第5　具体的な処理例

	（2の2）　全部事項証明

親　権 入　籍	【親権者】母 【届出日】平成31年4月10日 【除籍事由】母の氏を称する入籍 【届出人】親権者母 【送付を受けた日】平成31年4月12日 【受理者】京都府京都市上京区長 【入籍戸籍】京都府京都市上京区小山初音町18番地　乙野梅子
	以下余白

発行番号000001

1　出生に関する訂正

図7-2　嫡出否認の裁判よる戸籍訂正後の子の戸籍

		（1の1）	全 部 事 項 証 明
本　　　籍	東京都千代田区平河町一丁目１０番地		
氏　　　名	甲野　義太郎		

戸籍に記録されている者 除　　籍	【名】啓太郎 【生年月日】平成３１年２月１日 【父】 【母】乙野梅子 【続柄】長男
身分事項 　　出　　　生	【出生日】平成３１年２月１日 【出生地】東京都港区 【届出日】平成３１年２月９日 【届出人】母
親　　権	【親権者】母
入　　籍	【届出日】平成３１年４月１０日 【除籍事由】母の氏を称する入籍 【届出人】親権者母 【送付を受けた日】平成３１年４月１２日 【受理者】京都府京都市上京区長 【入籍戸籍】京都府京都市上京区小山初音町１８番地　乙野梅子
消　　除	【消除日】平成３１年１１月２０日 【消除事項】父の氏名 【消除事由】嫡出子否認の裁判確定 【裁判確定日】平成３１年１１月１５日 【申請日】平成３１年１１月２０日 【申請人】甲野義太郎 【関連訂正事項】父母との続柄 【従前の記録】 　　【父】甲野義太郎 　　【父母との続柄】長男
除　　籍	【除籍日】平成３１年１１月２０日 【除籍事由】嫡出子否認の裁判確定 【裁判確定日】平成３１年１１月１５日 【申請日】平成３１年１１月２０日 【申請人】甲野義太郎 【入籍戸籍】京都府京都市上京区小山初音町１８番地　乙野梅子
	以下余白

発行番号０００００１

図8-1　嫡出否認の裁判よる戸籍訂正前の母の新戸籍

（1の1）　全部事項証明

本　　籍	京都府京都市上京区小山初音町１８番地
氏　　名	乙野　梅子
戸籍事項 　　戸籍編製	【編製日】平成３０年９月２４日
戸籍に記録されている者	【名】梅子 【生年月日】昭和６４年１月７日 【父】乙野忠治 【母】乙野春子 【続柄】長女
身分事項 　　出　　生 　　離　　婚	（出生事項省略） 【離婚日】平成３０年９月２２日 【配偶者氏名】甲野義太郎 【送付を受けた日】平成３０年９月２４日 【受理者】東京都千代田区長 【従前戸籍】東京都千代田区平河町一丁目１０番地　甲野義太郎
戸籍に記録されている者	【名】啓太郎 【生年月日】平成３１年２月１日 【父】甲野義太郎 【母】乙野梅子 【続柄】長男
身分事項 　　出　　生 　　親　　権 　　入　　籍	【出生日】平成３１年２月１日 【出生地】東京都港区 【届出日】平成３１年２月９日 【届出人】母 【親権者】母 【届出日】平成３１年４月１０日 【入籍事由】母の氏を称する入籍 【届出人】親権者母 【従前戸籍】東京都千代田区平河町一丁目１０番地　甲野義太郎
	以下余白

発行番号０００００１

1　出生に関する訂正

図8-2　嫡出否認の裁判よる戸籍訂正後の母の新戸籍

	（1の1）	全 部 事 項 証 明
本　　籍	京都府京都市上京区小山初音町１８番地	
氏　　名	乙野　梅子	

戸籍に記録されている者	【名】啓太郎 【生年月日】平成３１年２月１日 【父】甲野義太郎 【母】乙野梅子 【続柄】長男
身分事項 　　出　　生	【出生日】平成３１年２月１日 【出生地】東京都港区 【届出日】平成３１年２月９日 【届出人】母
親　　権	【親権者】母
入　　籍	【届出日】平成３１年４月１０日 【入籍事由】母の氏を称する入籍 【届出人】親権者母 【従前戸籍】東京都千代田区平河町一丁目１０番地　甲野義太郎
戸籍に記録されている者	【名】啓太郎 【生年月日】平成３１年２月１日 【父】 【母】乙野梅子 【続柄】長男
身分事項 　　出　　生	【出生日】平成３１年２月１日 【出生地】東京都港区 【届出日】平成３１年２月９日 【届出人】母
入　　籍	【入籍日】平成３１年１１月２５日 【入籍事由】嫡出子否認の裁判確定 【裁判確定日】平成３１年１１月１５日 【申請日】平成３１年１１月２０日 【申請人】甲野義太郎 【送付を受けた日】平成３１年１１月２５日 【受理者】東京都千代田区長 【従前戸籍】東京都千代田区平河町一丁目１０番地　甲野義太郎
	以下余白

発行番号０００００１

第5　具体的な処理例

参考：母の氏を称する入籍事項の戸籍訂正記載例は，次のようになります。
　　　本例は，戸籍法114条の戸籍訂正許可を得て申請があった場合です。
　　参考図1は，戸籍法114条の戸籍訂正許可の裁判による戸籍訂正後の子の新戸籍です。
　　　左端タイトル「消除」により入籍事項を消除します。
　　参考図2は，戸籍法114条の戸籍訂正許可の裁判による戸籍訂正後の母の新戸籍です。
　　　左端タイトル「消除」により入籍事項を消除し，「戸籍に記録されている者」欄に「消除マーク」を表示します。

1 出生に関する訂正

参考図1　戸籍法114条の戸籍訂正許可の裁判による戸籍訂正後の子の新戸籍

	（1の1）	全 部 事 項 証 明
本　　　　籍	東京都千代田区平河町一丁目１０番地	
氏　　　　名	甲野　義太郎	

戸籍に記録されている者 除　籍	【名】啓太郎 【生年月日】平成３１年２月１日 【父】 【母】乙野梅子 【続柄】長男
身分事項 　出　　生	【出生日】平成３１年２月１日 【出生地】東京都港区 【届出日】平成３１年２月９日 【届出人】母
親　　権	【親権者】母
消　　除	（父の氏名消除事項省略）
除　　籍	（除籍事項省略）
消　　除	【消除日】平成３２年２月１７日 【消除事項】入籍事項 【消除事由】母の氏を称する入籍届出無効につき戸籍訂正許可の裁判確定 【裁判確定日】平成３２年２月１日 【申請日】平成３２年２月１４日 【申請人】母 【送付を受けた日】平成３２年２月１７日 【受理者】京都府京都市上京区長 【従前の記録】 　【届出日】平成３１年４月１０日 　【除籍事由】母の氏を称する入籍 　【届出人】親権者母 　【送付を受けた日】平成３１年４月１２日 　【受理者】京都府京都市上京区長 　【入籍戸籍】京都府京都市上京区小山初音町１８番地 　　乙野梅子
	以下余白

発行番号０００００１

第5　具体的な処理例

参考図2　戸籍法114条の戸籍訂正許可の裁判による戸籍訂正後の母の新戸籍

	（1の1）　全　部　事　項　証　明
本　　　籍	京都府京都市上京区小山初音町１８番地
氏　　　名	乙野　梅子

戸籍に記録されている者 　消　除	【名】啓太郎 【生年月日】平成３１年２月１日 【父】甲野義太郎 【母】乙野梅子 【続柄】長男
身分事項 　　出　　生	【出生日】平成３１年２月１日 【出生地】東京都港区 【届出日】平成３１年２月９日 【届出人】母
親　　権	【親権者】母
消　　除	【消除日】平成３２年２月１４日 【消除事項】入籍事項 【消除事由】母の氏を称する入籍届出無効につき戸籍訂正許可の裁判確定 【裁判確定日】平成３２年２月１日 【申請日】平成３２年２月１４日 【申請人】母 【従前の記録】 　　【届出日】平成３１年４月１０日 　　【入籍事由】母の氏を称する入籍 　　【届出人】親権者母 　　【従前戸籍】東京都千代田区平河町一丁目１０番地　甲野義太郎
戸籍に記録されている者	【名】啓太郎 【生年月日】平成３１年２月１日 【父】 【母】乙野梅子 【続柄】長男
身分事項 　　出　　生 　　入　　籍	（出生事項省略） （入籍事項省略）
	以下余白

発行番号０００００１

(オ) 母が離婚により復籍後，子が母の氏を称する入籍をしているとき

　嫡出否認の裁判により，子は嫡出でない子となりますので，出生により入籍した戸籍から，子の出生時における母の戸籍に入籍させることになります。したがって，母の氏を称する入籍届は，無効な届出となりますので，戸籍法114条又は113条の戸籍訂正許可の裁判を得て，母の氏を称する入籍によって編製した戸籍を消除します。

　戸籍法114条の戸籍訂正許可の裁判による戸籍訂正記載例のうち，身分事項欄にする戸籍訂正記載例は，前記等を参照してください。本例は，子の入籍による母について編製した新戸籍は消除しますので，左上に「除籍マーク」を表示し，除籍とします。

　戸籍の流れを図で示すと次のようになります。

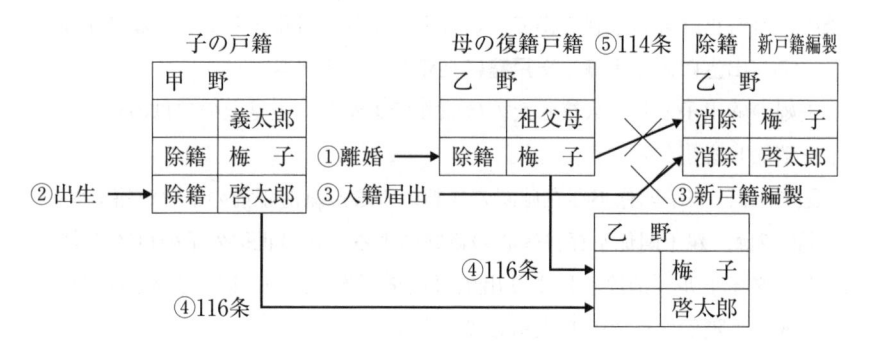

子の戸籍		母の復籍戸籍	⑤114条	除籍	新戸籍編製
甲　野		乙　野		乙　野	
義太郎		祖父母		消除	梅　子
除籍　梅　子	①離婚 →	除籍　梅　子		消除	啓太郎
②出生 → 除籍　啓太郎	③入籍届出		③新戸籍編製		

	乙　野
④116条 →	梅　子
	啓太郎

④116条

　戸籍の流れは，①母は離婚により実方戸籍に復籍し，②子が出生により父母婚姻中の戸籍に入籍し，③母の氏を称する入籍の届出により，母について新戸籍を編製し，母子の新戸籍を編製した後，嫡出否認の裁判があり，④戸籍法116条の戸籍訂正により改めて母子について新戸籍を編製したものです。⑤の戸籍法114条の戸籍訂正により③で編製した新戸籍を消除します。

　なお，嫡出否認の裁判による戸籍訂正記載例は，前記等を参照してください。

(2) 親子関係存否確認の裁判による訂正

　ア　父母双方との親子関係不存在確認の裁判があった場合

　虚偽の出生届により戸籍上の夫婦の嫡出子として記載されている子につい

て，戸籍上の父母双方との親子関係不存在確認の裁判による戸籍法116条による戸籍訂正申請があった場合は，子をその戸籍から消除します。そして，子については，改めて出生届の届出義務者（戸籍法52条）から出生の届出をすることになります。これは，戸籍上の夫婦双方との親子関係が否定されたことから，無効な出生届となったためです。

出生届をする届出義務者がないときは，就籍（戸籍法110条）の手続によって戸籍記載の手続をすることになりますが，親子関係不存在確認の判決書謄本等の記載によって実母の本籍・氏名が明らかなときは，事件本人の申出により，これを資料として市区町村長が管轄局の長の許可を得て職権で戸籍の記載をすることになります（昭和26年12月28日民事甲2483号回答）。

なお，事件本人が婚姻等しているときは，別途，家庭裁判所の戸籍法113条の戸籍訂正許可の裁判を得て，これらの記載を訂正することになります。

　㋐　出生により入籍した戸籍に在籍しているとき

夫婦の嫡出子として入籍したのは誤りですから，表見上の父母の戸籍から子を消除します。

図9-1は，親子関係不存在確認の裁判による戸籍訂正前の子の戸籍です。

図9-2は，親子関係不存在確認の裁判による戸籍訂正後の子の戸籍です。

左端タイトル「消除」により出生事項を消除し，「戸籍に記録されている者」欄に「消除マーク」を表示します。

1　出生に関する訂正

図9-1　親子関係不存在確認の裁判による戸籍訂正前の子の戸籍

	（1の1）	全 部 事 項 証 明
本　　籍	東京都千代田区平河町一丁目１０番地	
氏　　名	甲野　義太郎	
戸籍事項 　戸籍編製	（編製事項省略）	
戸籍に記録されている者	【名】義太郎 【生年月日】昭和４８年６月２６日　　【配偶者区分】夫 【父】甲野幸雄 【母】甲野松子 【続柄】長男	
身分事項 　出　生 　婚　姻	（出生事項省略） （婚姻事項省略）	
戸籍に記録されている者	【名】梅子 【生年月日】昭和４９年１月８日　　【配偶者区分】妻 【父】乙野忠治 【母】乙野春子 【続柄】長女	
身分事項 　出　生 　婚　姻	（出生事項省略） （婚姻事項省略）	
戸籍に記録されている者	【名】啓太郎 【生年月日】平成２１年６月６日 【父】甲野義太郎 【母】甲野梅子 【続柄】長男	
身分事項 　出　生	【出生日】平成２１年６月６日 【出生地】東京都千代田区 【届出日】平成２１年６月１３日 【届出人】父	
		以下余白

発行番号０００００１

第5 具体的な処理例

図9-2 親子関係不存在確認の裁判による戸籍訂正後の子の戸籍

	(1の1)	全 部 事 項 証 明
本　　籍	東京都千代田区平河町一丁目10番地	
氏　　名	甲野　義太郎	

戸籍に記録されている者 　消　　除	【名】啓太郎 【生年月日】平成21年6月6日 【父】甲野義太郎 【母】甲野梅子 【続柄】長男
身分事項 　　消　　除	【消除日】平成30年11月20日 【消除事項】出生事項 【消除事由】甲野義太郎及び同人妻梅子との親子関係不存在 　　　　　　確認の裁判確定 【裁判確定日】平成30年11月10日 【申請日】平成30年11月20日 【申請人】乙川雪子 【従前の記録】 　　【出生日】平成21年6月6日 　　【出生地】東京都千代田区 　　【届出日】平成21年6月13日 　　【届出人】父
	以下余白

発行番号000001

1 出生に関する訂正

　(イ)　出生により入籍した戸籍から自己の氏を称する婚姻をしているとき

　自己の氏を称する婚姻をしている子について，父母双方との親子関係不存在確認の裁判による戸籍訂正により，出生事項が消除されたときは，出生の届出義務者からの出生届によって，子は戸籍に記載されますが，自己の氏を称して婚姻した子が，その出生の届出により，戸籍の在籍者になるのか，あるいは戸籍の筆頭者になるのかによって，婚姻事項等の戸籍訂正の内容に違いがあります。

　①　実父母が婚姻中のとき

　実父母が婚姻中のときは，出生の届出により父母の戸籍の在籍者になります。

　まず，父母双方との親子関係不存在確認の裁判による戸籍訂正記載例を示すことにします。

　出生から婚姻までの戸籍の流れを図で示すと次のようになります。

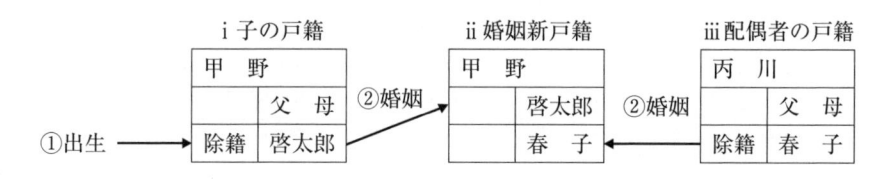

```
        ⅰ 子の戸籍              ⅱ 婚姻新戸籍              ⅲ 配偶者の戸籍
       ┌─────────┐            ┌─────────┐             ┌─────────┐
       │ 甲　野  │            │ 甲　野  │             │ 丙　川  │
       ├────┬────┤  ②婚姻    ├────┬────┤  ②婚姻     ├────┬────┤
       │    │父母│ ────→    │    │啓太郎│ ←────    │    │父母│
①出生→ ├────┼────┤            ├────┼────┤             ├────┼────┤
       │除籍│啓太郎│            │    │春　子│             │除籍│春　子│
       └────┴────┘            └────┴────┘             └────┴────┘
```

　図10-1は，親子関係不存在確認の裁判による戸籍訂正前の子が出生により入籍した戸籍です。

　図10-2は，親子関係不存在確認の裁判による戸籍訂正後の子が出生により入籍した戸籍です。

　左端タイトル「消除」により，まず子の出生事項を消除し，次に，左端タイトル「消除」により，父母の氏名を消除し，関連訂正事項として父母との続柄を訂正し，「戸籍に記録されている者」欄に「消除マーク」を表示します。これにより，父母欄は，空欄となります。婚姻事項については，戸籍訂正の対象ではありませんので，そのままとしておきます。

　図11-1は，親子関係不存在確認の裁判による戸籍訂正前の子の婚姻中の戸籍です。

　図11-2は，親子関係不存在確認の裁判による戸籍訂正後の子の婚姻中の

戸籍です。

　左端タイトル「消除」により，まず子の出生事項を消除し，次に，左端タイトル「消除」により，父母の氏名を消除し，関連訂正事項として父母との続柄を訂正します。出生により入籍した戸籍ではありませんので，「戸籍に記録されている者」欄には「消除マーク」を表示しません。これにより，父母欄は，空欄となります。婚姻事項は，戸籍訂正の対象ではありませんので，そのままとしておきます。

　親子関係不存在確認の裁判による戸籍訂正の処理は，ここまでになります。婚姻事項等の戸籍訂正は，子の出生届がされ実父母の戸籍に記載された後，戸籍法113条の訂正許可の裁判を得て行うことになります。戸籍訂正を要する戸籍を確定するには，戸籍の流れ図を作成して確認することが大切です。

1　出生に関する訂正

図10-1　親子関係不存在確認の裁判による戸籍訂正前の子が出生により入籍した戸籍

	（1の1）　全 部 事 項 証 明
本　　　籍	東京都千代田区平河町一丁目１０番地
氏　　　名	甲野　義太郎
戸籍事項 　戸籍編製	（編製事項省略）
戸籍に記録されている者	【名】義太郎 【生年月日】昭和３５年５月２０日　　【配偶者区分】夫 【父】甲野幸雄 【母】甲野松子 【続柄】長男
身分事項 　出　　生 　婚　　姻	（出生事項省略） （婚姻事項省略）
戸籍に記録されている者	【名】梅子 【生年月日】昭和３７年６月１０日　　【配偶者区分】妻 【父】乙野忠治 【母】乙野春子 【続柄】長女
身分事項 　出　　生 　婚　　姻	（出生事項省略） （婚姻事項省略）
戸籍に記録されている者 　　除　　籍	【名】啓太郎 【生年月日】昭和６２年６月６日 【父】甲野義太郎 【母】甲野梅子 【続柄】長男
身分事項 　出　　生 　婚　　姻	【出生日】昭和６２年６月６日 【出生地】東京都千代田区 【届出日】昭和６２年６月１０日 【届出人】父 【婚姻日】平成２５年３月３日 【配偶者氏名】丙川春子 【新本籍】東京都千代田区平河町一丁目１０番地 【称する氏】夫の氏
	以下余白

発行番号０００００１

第5　具体的な処理例

図10-2　親子関係不存在確認の裁判による戸籍訂正後の子が出生により入籍した戸籍

	（1の1）	全　部　事　項　証　明
本　　籍	東京都千代田区平河町一丁目10番地	
氏　　名	甲野　義太郎	

戸籍に記録されている者 　消　　除 　除　　籍	【名】啓太郎 【生年月日】昭和62年6月6日 【父】 【母】 【続柄】長男
身分事項 　婚　　姻	【婚姻日】平成25年3月3日 【配偶者氏名】丙川春子 【新本籍】東京都千代田区平河町一丁目10番地 【称する氏】夫の氏
消　　除	【消除日】平成28年11月20日 【消除事項】出生事項 【消除事由】甲野義太郎及び同人妻梅子との親子関係不存在 　　　確認の裁判確定 【裁判確定日】平成28年11月10日 【申請日】平成28年11月20日 【申請人】丁山三郎 【従前の記録】 　【出生日】昭和62年6月6日 　【出生地】東京都千代田区 　【届出日】昭和62年6月10日 　【届出人】父
消　　除	【消除日】平成28年11月20日 【消除事項】父母の氏名 【消除事由】甲野義太郎及び同人妻梅子との親子関係不存在 　　　確認の裁判確定 【裁判確定日】平成28年11月10日 【申請日】平成28年11月20日 【申請人】丁山三郎 【関連訂正事項】父母との続柄 【従前の記録】 　【父】甲野義太郎 　【母】甲野梅子 　【父母との続柄】長男
	以下余白

発行番号000001

1 出生に関する訂正

図11-1 親子関係不存在確認の裁判による戸籍訂正前の子の婚姻中の戸籍

	（1の1） 全 部 事 項 証 明
本　　　籍	東京都千代田区平河町一丁目１０番地
氏　　　名	甲野　啓太郎
戸籍事項 　戸籍編製	【編製日】平成２５年３月３日
戸籍に記録されている者	【名】啓太郎 【生年月日】昭和６２年６月６日　　　【配偶者区分】夫 【父】甲野義太郎 【母】甲野梅子 【続柄】長男
身分事項 　出　　生 　婚　　姻	（出生事項省略） ─────────────────── 【婚姻日】平成２５年３月３日 【配偶者氏名】丙川春子 【従前戸籍】東京都千代田区平河町一丁目１０番地　甲野義太郎
戸籍に記録されている者	【名】春子 【生年月日】昭和６３年３月３日　　　【配偶者区分】妻 【父】丙川一夫 【母】丙川秋子 【続柄】長女
身分事項 　出　　生 　婚　　姻	（出生事項省略） ─────────────────── 【婚姻日】平成２５年３月３日 【配偶者氏名】甲野啓太郎 【従前戸籍】東京都中央区築地三丁目５番地　丙川一夫
	以下余白

発行番号０００００１

第5　具体的な処理例

図11-2　親子関係不存在確認の裁判による戸籍訂正後の子の婚姻中の戸籍

（2の1）　全　部　事　項　証　明

本　　　籍	東京都千代田区平河町一丁目１０番地
氏　　　名	甲野　啓太郎
戸籍事項 　戸籍編製	【編製日】平成２５年３月３日
戸籍に記録されている者	【名】啓太郎 【生年月日】昭和６２年６月６日　　　【配偶者区分】夫 【父】 【母】 【続柄】長男
身分事項 　婚　　姻	【婚姻日】平成２５年３月３日 【配偶者氏名】丙川春子 【従前戸籍】東京都千代田区平河町一丁目１０番地　甲野義太郎
消　　除	【消除日】平成２８年１１月２０日 【消除事項】出生事項 【消除事由】甲野義太郎及び同人妻梅子との親子関係不存在確認の裁判確定 【裁判確定日】平成２８年１１月１０日 【申請日】平成２８年１１月２０日 【申請人】丁山三郎 【従前の記録】 　【出生日】昭和６２年６月６日 　【出生地】東京都千代田区 　【届出日】昭和６２年６月１０日 　【届出人】父
消　　除	【消除日】平成２８年１１月２０日 【消除事項】父母の氏名 【消除事由】甲野義太郎及び同人妻梅子との親子関係不存在確認の裁判確定 【裁判確定日】平成２８年１１月１０日 【申請日】平成２８年１１月２０日 【申請人】丁山三郎 【関連訂正事項】父母との続柄 【従前の記録】 　【父】甲野義太郎 　【母】甲野梅子 　【父母との続柄】長男
戸籍に記録されている者	【名】春子 【生年月日】昭和６３年３月３日　　　【配偶者区分】妻

発行番号０００００１　　　　　　　　　　　　　　　　　　　　　　以下次頁

1　出生に関する訂正

(2の2)　全部事項証明

	【父】丙川一夫 【母】丙川秋子 【続柄】長女
身分事項 　出　生	（出生事項省略）
婚　姻	【婚姻日】平成25年3月3日 【配偶者氏名】甲野啓太郎 【従前戸籍】東京都中央区築地三丁目5番地　丙川一夫
	以下余白

発行番号000001

第5　具体的な処理例

戸籍法113条の戸籍訂正許可の裁判を得てする関連戸籍を図で示すと次のようになります。

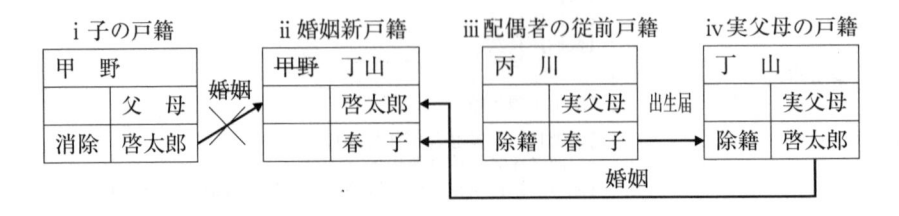

```
ⅰ 子の戸籍          ⅱ 婚姻新戸籍        ⅲ 配偶者の従前戸籍        ⅳ 実父母の戸籍
┌─────────┐  婚姻  ┌─────────┐      ┌─────────┐   出生届  ┌─────────┐
│ 甲 野   │ ×    │ 甲野 丁山│      │ 丙 川    │         │ 丁 山    │
│   父 母 │      │   啓太郎 │      │   実父母 │         │   実父母 │
│消除 啓太郎│      │   春 子 │←─── │除籍 春 子│         │除籍 啓太郎│
└─────────┘      └─────────┘      └─────────┘         └─────────┘
                                        婚姻
```

上記の図を見ると，次のような戸籍訂正許可を必要とすることになるのが，お分かりと思います。

ⅰ戸籍（子の戸籍）は，啓太郎の婚姻事項がありますから，これをⅳ戸籍（実父母の戸籍）に移記する旨の戸籍訂正を必要とします。

ⅱ戸籍（婚姻新戸籍）は，ⅳ戸籍からの出生事項及び父母の氏名を記録し，父母との続柄及び筆頭者の氏を訂正し，啓太郎の婚姻事項は従前戸籍の表示及び春子の婚姻事項は配偶者の氏を訂正する旨の戸籍訂正を必要とします。

ⅲ戸籍（配偶者の従前戸籍）は，春子の婚姻事項中の配偶者の氏を訂正する旨の戸籍訂正を必要とします。

ⅳ戸籍（実父母の戸籍）は，ⅰ戸籍から啓太郎の婚姻事項を移記する旨の戸籍訂正を必要とします。

具体的な戸籍訂正記載例は，次の参考図のようになります。

参考図3は，戸籍法113条の戸籍訂正許可の裁判による戸籍訂正後の子の実父母の戸籍です。

この戸籍に，子が出生により入籍した戸籍上の父母の戸籍から，婚姻事項を移記し，「戸籍に記録されている者」に「除籍マーク」を表示します。

参考図4は，戸籍法113条の戸籍訂正許可の裁判による戸籍訂正後の出生により入籍した子の戸籍です。

左端タイトル「移記」により婚姻事項を，子の実父母の戸籍に移記する旨記録し，同事項を【従前の記録】として，表示します。

参考図5は，戸籍法113条の戸籍訂正許可の裁判による戸籍訂正後の子の婚姻戸籍です。

啓太郎については，出生事項を段落ちタイトル「記録」により記録し，戸籍の筆頭者の氏を訂正します。春子については，婚姻事項中の配偶者の氏名を訂正します。

参考図6は，戸籍法113条の戸籍訂正許可の裁判による戸籍訂正後の子の配偶者の実方戸籍です。

段落ちタイトル「訂正」により婚姻事項中の配偶者の氏名を訂正します。

第5　具体的な処理例

参考図3　戸籍法113条の戸籍訂正許可の裁判による戸籍訂正後の子の実父母の戸籍

		（1の1）	全 部 事 項 証 明
本　　籍	東京都新宿区大久保一丁目11番地		
氏　　名	丁山　三郎		

戸籍に記録されている者 除　　籍	【名】啓太郎 【生年月日】昭和62年6月6日 【父】丁山三郎 【母】丁山竹子 【続柄】長男
身分事項 　　出　　生	【出生日】昭和62年6月6日 【出生地】東京都千代田区 【届出日】平成28年12月12日 【届出人】父
婚　　姻	【婚姻日】平成25年3月3日 【配偶者氏名】丙川春子 【新戸籍】東京都千代田区平河町一丁目10番地 【称する氏】夫の氏
移　　記	【移記日】平成29年2月12日 【移記事由】戸籍訂正許可の裁判確定 【裁判確定日】平成29年2月1日 【申請日】平成29年2月7日 【送付を受けた日】平成29年2月12日 【受理者】東京都千代田区長 【移記前の戸籍】東京都千代田区平河町一丁目10番地　甲野義太郎
	以下余白

発行番号000001

1　出生に関する訂正

参考図4　戸籍法113条の戸籍訂正許可の裁判による戸籍訂正後の出生により入籍した子の戸籍

	（1の1）	全部事項証明

本　　　籍	東京都千代田区平河町一丁目１０番地
氏　　　名	甲野　義太郎

戸籍に記録されている者 　消　　除 　除　　籍	【名】啓太郎 【生年月日】昭和６２年６月６日 【父】 【母】 【続柄】長男
身分事項 　消　　除 　消　　除 　移　　記	（出生事項消除省略） （父母の氏名等消除等省略） 【移記日】平成２９年２月７日 【移記事項】婚姻事項 【移記事由】戸籍訂正許可の裁判確定 【裁判確定日】平成２９年２月１日 【申請日】平成２９年２月７日 【移記後の戸籍】東京都新宿区大久保一丁目１１番地　丁山三郎 【従前の記録】 　　【婚姻日】平成２５年３月３日 　　【配偶者氏名】丙川春子 　　【新本籍】東京都千代田区平河町一丁目１０番地 　　【称する氏】夫の氏

以下余白

発行番号０００００１

第5　具体的な処理例

参考図5　戸籍法113条の戸籍訂正許可の裁判による戸籍訂正後の子の婚姻戸籍

	（2の1）　　全　部　事　項　証　明
本　　　籍	東京都千代田区平河町一丁目１０番地
氏　　　名	丁山　啓太郎
戸籍事項 　戸籍編製 　訂　　正	【編製日】平成２５年３月３日 【訂正日】平成２９年２月７日 【訂正事項】氏 【訂正事由】戸籍訂正許可の裁判確定 【裁判確定日】平成２９年２月１日 【申請日】平成２９年２月７日 【申請人】夫 【従前の記録】 　　　【氏】甲野
戸籍に記録されている者	【名】啓太郎 【生年月日】昭和６２年６月６日　　【配偶者区分】夫 【父】丁山三郎 【母】丁山竹子 【続柄】長男
身分事項 　婚　　姻	【婚姻日】平成２５年３月３日 【配偶者氏名】丙川春子 【従前戸籍】東京都新宿区大久保一丁目１１番地　丁山三郎
訂　　正	【訂正日】平成２９年２月７日 【訂正事由】戸籍訂正許可の裁判確定 【裁判確定日】平成２９年２月１日 【申請日】平成２９年２月７日 【従前の記録】 　　　【従前戸籍】東京都千代田区平河町一丁目１０番地　甲野義太郎
消　　除	（出生事項消除省略）
消　　除	（父母の氏名等消除等省略）
出　　生	【出生日】昭和６２年６月６日 【出生地】東京都千代田区 【届出日】平成２８年１２月１２日 【届出人】父
記　　録	【記録日】平成２９年２月７日 【記録事由】戸籍訂正許可の裁判確定 【裁判確定日】平成２９年２月１日 【申請日】平成２９年２月７日
記　　録	【記録日】平成２９年２月７日 【記録事項】父母の氏名

発行番号０００００１　　　　　　　　　　　　　　　　　　　　　　　　以下次頁

1　出生に関する訂正

（2の2）　全部事項証明

	【記録事由】戸籍訂正許可の裁判確定 【裁判確定日】平成29年2月1日 【申請日】平成29年2月7日 【関連訂正事項】父母との続柄 【従前の記録】 　　【父母との続柄】長男 【記録の内容】 　　【父】丁山三郎 　　【母】丁山竹子
戸籍に記録されている者	【名】春子 【生年月日】昭和63年3月3日　　　【配偶者区分】妻 【父】丙川一夫 【母】丙川秋子 【続柄】長女
身分事項 　出　　生 　婚　　姻 　訂　　正	（出生事項省略） 【婚姻日】平成25年3月3日 【配偶者氏名】丁山啓太郎 【従前戸籍】東京都中央区築地三丁目5番地　丙川一夫 【訂正日】平成29年2月7日 【訂正事由】戸籍訂正許可の裁判確定 【裁判確定日】平成29年2月1日 【申請日】平成29年2月7日 【申請人】夫 【従前の記録】 　　【配偶者氏名】甲野啓太郎
	以下余白

発行番号000001

第5　具体的な処理例

参考図6　戸籍法113条の戸籍訂正許可の裁判による戸籍訂正後の子の配偶者の実方戸籍

	（1の1）　全部事項証明
本　　籍	東京都中央区築地三丁目5番地
氏　　名	丙川　一夫

戸籍に記録されている者 除　籍	【名】春子 【生年月日】昭和63年3月3日 【父】丙川一夫 【母】丙川秋子 【続柄】長女
身分事項 　出　生	（出生事項省略）
婚　姻	【婚姻日】平成25年3月3日 【配偶者氏名】丁山啓太郎 【送付を受けた日】平成25年3月6日 【受理者】東京都千代田区長 【新本籍】東京都千代田区平河町一丁目10番地 【称する氏】夫の氏
訂　正	【訂正日】平成29年2月10日 【訂正事由】戸籍訂正許可の裁判確定 【裁判確定日】平成29年2月1日 【申請日】平成29年2月7日 【申請人】夫 【送付を受けた日】平成29年2月10日 【受理者】東京都千代田区長 【従前の記録】 　　【配偶者氏名】甲野啓太郎
	以下余白

発行番号000001

1 出生に関する訂正

② 実母が子の祖父母の戸籍に在籍しているとき

実母からの出生の届出により母について新戸籍を編製（戸籍法17条）し，その新戸籍に子が入籍します。

戸籍訂正の方法は，前記①の「実父母が婚姻中のとき」と同様の処理となります。

戸籍の流れを図で示すと次のようになります。

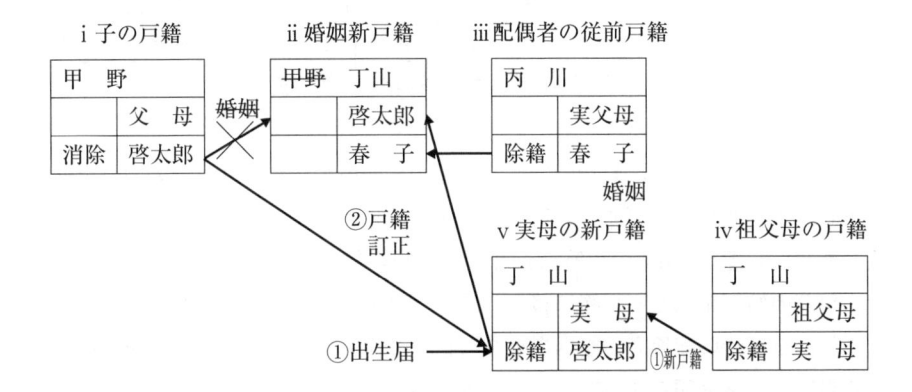

```
     i 子の戸籍          ii 婚姻新戸籍        iii 配偶者の従前戸籍
  ┌─────────────┐    ┌─────────────┐      ┌─────────────┐
  │ 甲　野      │    │ 甲野  丁山  │      │ 丙　川      │
  ├──┬──────────┤婚姻├──┬──────────┤      ├──┬──────────┤
  │  │ 父　母   │×  │  │ 啓太郎   │←──   │  │ 実父母   │
  ├──┼──────────┤    ├──┼──────────┤      ├──┼──────────┤
  │消除│啓太郎  │    │  │ 春　子   │←──  │除籍│春　子   │
  └──┴──────────┘    └──┴──────────┘      └──┴──────────┘
                                                   婚姻
                       ②戸籍
                         訂正      v 実母の新戸籍    iv 祖父母の戸籍
                                   ┌─────────────┐  ┌─────────────┐
                                   │ 丁　山      │  │ 丁　山      │
                                   ├──┬──────────┤  ├──┬──────────┤
                                   │  │ 実　母   │←─│  │ 祖父母   │
                       ①出生届──→├──┼──────────┤  ├──┼──────────┤
                                   │除籍│啓太郎  │①新戸籍│除籍│実　母  │
                                   └──┴──────────┘  └──┴──────────┘
```

まず，出生届の届出義務者である実母からの出生届により，母子で新戸籍を編製します。

次に，戸籍法113条の戸籍訂正許可の裁判を得て，戸籍訂正申請により，i戸籍の婚姻事項をv戸籍に移記し，ii戸籍の夫婦の婚姻事項をそれぞれ訂正し，iii戸籍の配偶者の婚姻事項を訂正します。これらの戸籍訂正記載例は，**参考図3～参考図6**を参照してください。

③ 実母が戸籍の筆頭者で，その戸籍が除かれているとき

実母からの出生の届出により，実母の戸籍を回復の上，回復後の戸籍に子が入籍します。

戸籍訂正の方法は，前記①の「実父母が婚姻中のとき」と同様の処理となります。

なお，実母の回復戸籍は，啓太郎の婚姻事項を移記し，除籍となります。

戸籍の流れを図で示すと次のようになります。

第5　具体的な処理例

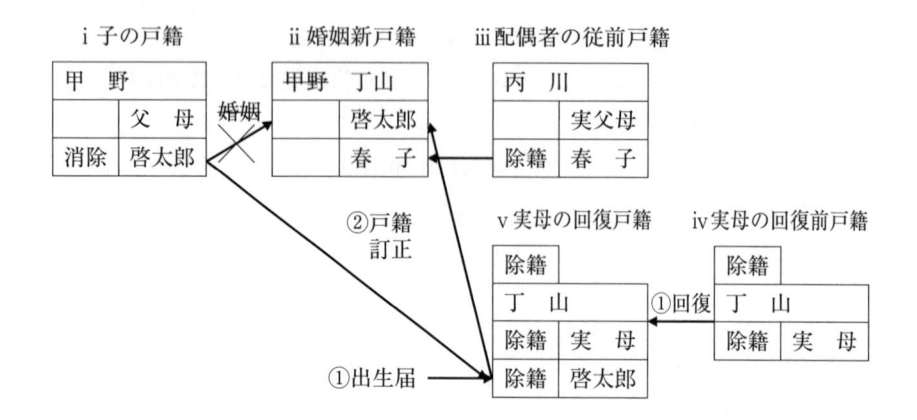

```
   ⅰ 子の戸籍          ⅱ 婚姻新戸籍         ⅲ 配偶者の従前戸籍
┌──┬─────┐      ┌──┬─────┐       ┌──┬─────┐
│甲 野      │      │甲野  丁山 │       │丙  川     │
├──┼─────┤ 婚姻 ├──┼─────┤       ├──┼─────┤
│  │ 父 母 │      │  │ 啓太郎 │       │  │ 実父母 │
├──┼─────┤      ├──┼─────┤       ├──┼─────┤
│消除│ 啓太郎│      │  │ 春 子 │       │除籍│ 春 子 │
└──┴─────┘      └──┴─────┘       └──┴─────┘
                      ②戸籍
                      訂正      ⅴ 実母の回復戸籍    ⅳ 実母の回復前戸籍
                              ┌──┬─────┐    ┌──┬─────┐
                              │除籍      │    │除籍      │
                              ├──┼─────┤    ├──┼─────┤
                              │丁  山    │①回復│丁  山    │
                              ├──┼─────┤←───├──┼─────┤
                              │除籍│ 実 母 │    │除籍│ 実 母 │
                              ├──┼─────┤    └──┴─────┘
                     ①出生届→│除籍│ 啓太郎│
                              └──┴─────┘
```

　まず，出生届の届出義務者である実母からの出生届により，母の除籍を回復し，子を回復後の戸籍に入籍させます。
　次に，戸籍法113条の戸籍訂正許可の裁判を得て，戸籍訂正申請により，ⅰ戸籍の婚姻事項をⅴ戸籍に移記し，ⅱ戸籍の夫婦の婚姻事項をそれぞれ訂正し，ⅲ戸籍の配偶者の婚姻事項を訂正します。これらの戸籍訂正記載例は，**参考図３～参考図６**を参照してください。
　④　実母が子の祖父母の戸籍に在籍していたが，夫の氏を称する婚姻をし，除かれているとき
　親子関係不存在確認の裁判による戸籍訂正の記載例は，前記等を参照してください。ここでは，親子関係不存在確認の裁判による戸籍訂正後の戸籍法113条の戸籍訂正許可の裁判による戸籍訂正の流れを図で示し，関連する戸籍の訂正記載例について説明し，参考図で示すことにします。

1　出生に関する訂正

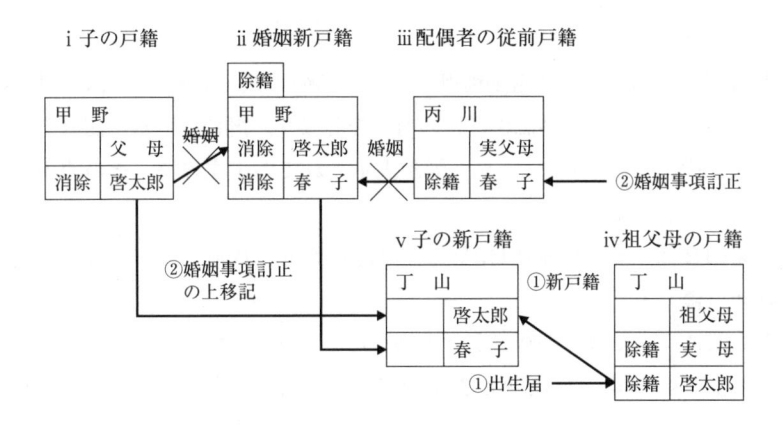

```
        ⅰ子の戸籍        ⅱ婚姻新戸籍     ⅲ配偶者の従前戸籍
                        ┌─────┐
                        │ 除籍 │
     ┌─────┐  婚姻 ├─────┤  婚姻 ┌─────┐
     │ 甲　野 │      │ 甲　野 │      │ 丙　川 │
     ├──┬──┤      ├──┬──┤      ├──┬──┤
     │  │父母│      │消除│啓太郎│      │  │実父母│
     ├──┼──┤×     ├──┼──┤×     ├──┼──┤ ←②婚姻事項訂正
     │消除│啓太郎│      │消除│春　子│      │除籍│春　子│
     └──┴──┘      └──┴──┘      └──┴──┘
                                    ⅴ子の新戸籍     ⅳ祖父母の戸籍
                                    ┌─────┐ ①新戸籍 ┌─────┐
         ②婚姻事項訂正                │ 丁　山 │      │ 丁　山 │
           の上移記                    ├──┬──┤      ├──┬──┤
                                    │  │啓太郎│      │  │祖父母│
                                    ├──┼──┤      ├──┼──┤
                                    │  │春　子│      │除籍│実　母│
                                    └──┴──┘      ├──┼──┤
                                      ①出生届          │除籍│啓太郎│
                                                      └──┴──┘
```

　実母が夫の氏を称する婚姻により子の祖父母の戸籍から除かれている場合において，子の出生の届出がされたときは，実母が除かれている戸籍，すなわち子の祖父母の戸籍の末尾にいったん子を入籍させると同時に，子について従前本籍と同一の場所に新戸籍を編製します。

　親子関係不存在確認の裁判による戸籍訂正と，その後の子の出生の届出の結果，戸籍上の父母の戸籍から婚姻により編製された戸籍と出生の届出により編製された戸籍の二つが存在することになります。しかし，前者の戸籍は，無効な出生届により入籍した戸籍から，婚姻という身分行為の結果編製されたものであり，後者の戸籍は，正当な出生の届出義務者からの出生届により編製されたものです。したがって，後者の戸籍が，戸籍法上の正当な戸籍ということになります。

　このように，身分関係に関わる戸籍訂正の結果，複本籍を生ずるようなことがありますが，最終的には，戸籍法113条の戸籍訂正許可の裁判等による戸籍訂正により正しい戸籍の流れ，いわゆる戸籍の連続性が保たれるような戸籍の整序を行うことになります。

　本例の親子関係不存在確認の裁判による戸籍訂正の方法は，前記と同様ですから，それを参照してください。

　次に，戸籍法113条の戸籍訂正許可の裁判による戸籍訂正の方法は，次のとおりです。

　参考図7は，ⅰの戸籍法113条の戸籍訂正許可の裁判による戸籍訂正後の

子の戸籍です。

　啓太郎の婚姻事項を「婚姻前既に夫が戸籍の筆頭に記載されている場合」に訂正の上，ⅴ戸籍に移記する旨の訂正をします。既に「戸籍に記録されている者」欄には，「消除マーク」等が表示されていますので，その他の処理は必要としません。

　参考図8は，ⅱの戸籍法113条の戸籍訂正許可の裁判による戸籍訂正後の婚姻新戸籍です。

　啓太郎については，婚姻により入籍したことは誤りですから，婚姻事項を消除し，この戸籍から消除しますので，「戸籍に記録されている者」欄に「消除マーク」を表示します。また，春子については，婚姻事項中の配偶者の氏名を訂正の上，ⅴ戸籍に移記する旨記録し，この戸籍から消除しますので，「戸籍に記録されている者」欄に「消除マーク」を表示します。最後に，左上に「除籍マーク」を表示して，戸籍を消除します。

　参考図9は，ⅲの戸籍法113条の戸籍訂正許可の裁判による戸籍訂正後の配偶者の従前戸籍です。

　春子の婚姻事項を「婚姻前既に夫が戸籍の筆頭に記載されている場合」に訂正する旨の訂正をします。

　参考図10は，ⅳの子が出生の届出により入籍した祖父母の戸籍です。

　この戸籍については，戸籍訂正事項はありません。

　参考図11は，ⅴの戸籍法113条の戸籍訂正許可の裁判による戸籍訂正後の子の新戸籍です。

　啓太郎についてはⅰ戸籍から婚姻事項を，春子についてはⅱ戸籍の戸籍訂正後の婚姻事項を，段落ちタイトル「移記」により記録します。

1　出生に関する訂正

参考図7　ｉ戸籍法113条の戸籍訂正許可の裁判による戸籍訂正後の子の戸籍

	（1の1）	全 部 事 項 証 明
本　　　籍	東京都千代田区平河町一丁目10番地	
氏　　　名	甲野　義太郎	

戸籍に記録されている者 　□消　　除□ 　□除　　籍□	【名】啓太郎 【生年月日】昭和62年7月15日 【父】 【母】 【続柄】長男
身分事項 　婚　　姻	【婚姻日】平成25年3月3日 【配偶者氏名】丙川春子
訂　　正	【訂正日】平成29年2月5日 【訂正事由】戸籍訂正許可の裁判確定 【裁判確定日】平成29年1月30日 【申請日】平成29年2月5日 【従前の記録】 　　【新本籍】東京都千代田区平河町一丁目10番地 　　【称する氏】夫の氏
消　　除	（出生事項消除省略）
消　　除	（父母の氏名消除等省略）
移　　記	【移記日】平成29年2月5日 【移記事項】婚姻事項 【移記事由】戸籍訂正許可の裁判確定 【裁判確定日】平成29年1月30日 【申請日】平成29年2月5日 【移記後の戸籍】東京都千代田区永田町二丁目3番地　丁山啓太郎
	以下余白

発行番号000001

89

第5　具体的な処理例

参考図8　ⅱ戸籍法113条の戸籍訂正許可の裁判による戸籍訂正後の婚姻新戸籍

除　　　籍	（2の1）	全　部　事　項　証　明
本　　　籍	東京都千代田区平河町一丁目10番地	
氏　　　名	甲野　啓太郎	
戸籍事項 　戸籍編製 　戸籍消除	【戸籍編製】平成25年3月3日 【消除日】平成29年2月5日	
戸籍に記録されている者 　　消　　除	【名】啓太郎 【生年月日】昭和62年7月15日　　　【配偶者区分】夫 【父】 【母】 【続柄】長男	
身分事項 　　消　　除 　　消　　除 　　消　　除	（出生事項消除省略） （父母の氏名消除等省略） 【消除日】平成29年2月5日 【消除事項】婚姻事項 【消除事由】婚姻による入籍の記録錯誤につき戸籍訂正許可 　　　　　　の裁判確定 【裁判確定日】平成29年1月30日 【申請日】平成29年2月5日 【従前の記録】 　　【婚姻日】平成25年3月3日 　　【配偶者氏名】丙川春子 　　【従前戸籍】東京都千代田区平河町一丁目10番地　甲 　　　　　　　野義太郎	
戸籍に記録されている者 　　消　　除	【名】春子 【生年月日】昭和63年4月10日　　　【配偶者区分】妻 【父】丙川一夫 【母】丙川秋子 【続柄】長女	
身分事項 　　出　　生 　　婚　　姻 　　訂　　正	（出生事項省略） 【婚姻日】平成25年3月3日 【配偶者氏名】丁山啓太郎 【従前戸籍】東京都中央区築地三丁目5番地　丙川一夫 【訂正日】平成29年2月5日 【訂正事由】戸籍訂正許可の裁判確定 【裁判確定日】平成29年1月30日 【申請日】平成29年2月5日	

発行番号000001　　　　　　　　　　　　　　　　　　　　　　　　以下次頁

1　出生に関する訂正

(2の2)　全部事項証明

移　記	【申請人】夫 【従前の記録】 　　【配偶者氏名】甲野啓太郎 【移記日】平成29年2月5日 【移記事項】婚姻事項 【移記事由】戸籍訂正許可の裁判確定 【裁判確定日】平成29年1月30日 【申請日】平成29年2月5日 【申請人】夫 【移記後の戸籍】東京都千代田区永田町二丁目3番地　丁山啓太郎
	以下余白

発行番号000001

第5　具体的な処理例

参考図９　ⅲ戸籍法113条の戸籍訂正許可の裁判による戸籍訂正後の配偶者の従前戸籍

（1の1）	全 部 事 項 証 明

本　　籍	東京都中央区築地三丁目５番地
氏　　名	丙川　一夫

戸籍に記録されている者 除　籍	【名】春子 【生年月日】昭和６３年４月１０日 【父】丙川一夫 【母】丙川秋子 【続柄】長女
身分事項 　出　　生 　婚　　姻 　訂　　正	（出生事項省略） 【婚姻日】平成２５年３月３日 【配偶者氏名】丁山啓太郎 【入籍戸籍】東京都千代田区永田町二丁目３番地　丁山啓太郎 【訂正日】平成２９年２月８日 【訂正事由】戸籍訂正許可の裁判確定 【裁判確定日】平成２９年１月３０日 【申請日】平成２９年２月５日 【申請人】夫 【送付を受けた日】平成２９年２月８日 【受理者】東京都千代田区長 【従前の記録】 　　【配偶者氏名】甲野啓太郎 　　【新本籍】東京都千代田区平河町一丁目１０番地 　　【称する氏】夫の氏
	以下余白

発行番号０００００１

1 出生に関する訂正

参考図10　iv子が出生の届出により入籍した祖父母の戸籍

	(1の1) 　全　部　事　項　証　明
本　　　籍	東京都千代田区永田町二丁目3番地
氏　　　名	丁山　治朗
戸籍事項 　　戸籍改製	（改製事項省略）
戸籍に記録されている者	【名】治朗 【生年月日】昭和7年9月22日　　　　【配偶者区分】夫 【父】丁山初一郎 【母】丁山アキ 【続柄】長男
身分事項 　　出　　生 　　婚　　姻	（出生事項省略） （婚姻事項省略）
戸籍に記録されている者 　除　　籍	【名】竹子 【生年月日】昭和35年4月10日 【父】丁山治朗 【母】丁山冬子 【続柄】二女
身分事項 　　出　　生 　　婚　　姻	（出生事項省略） （婚姻事項省略）
戸籍に記録されている者 　除　　籍	【名】啓太郎 【生年月日】昭和62年7月15日 【父】 【母】丁山竹子 【続柄】長男
身分事項 　　出　　生	【出生日】昭和62年7月15日 【出生地】東京都千代田区 【届出日】平成28年12月28日 【届出人】母 【新本籍】東京都千代田区永田町二丁目3番地
	以下余白

発行番号000001

第5　具体的な処理例

参考図11　ｖ戸籍法113条の戸籍訂正許可の裁判による戸籍訂正後の子の新戸籍

		（2の1）	全 部 事 項 証 明
本　　籍	東京都千代田区永田町二丁目3番地		
氏　　名	丁山　啓太郎		
戸籍事項 　戸籍編製	【編製日】平成28年12月28日		
戸籍に記録されている者	【名】啓太郎 【生年月日】昭和62年7月15日　　【配偶者区分】夫 【父】 【母】丁山竹子 【続柄】長男		
身分事項 　出　　生	【出生日】昭和62年7月15日 【出生地】東京都千代田区 【届出日】平成28年12月28日 【届出人】母 【従前戸籍】東京都千代田区永田町二丁目3番地　丁山治朗		
婚　　姻	【婚姻日】平成25年3月3日 【配偶者氏名】丙川春子		
移　　記	【移記日】平成29年2月5日 【移記事由】戸籍訂正許可の裁判確定 【裁判確定日】平成29年1月30日 【申請日】平成29年2月5日 【移記前の戸籍】東京都千代田区平河町一丁目10番地　甲野義太郎		
戸籍に記録されている者	【名】春子 【生年月日】昭和63年4月10日　　【配偶者区分】妻 【父】丙川一夫 【母】丙川秋子 【続柄】長女		
身分事項 　出　　生	（出生事項省略）		
婚　　姻	【婚姻日】平成25年3月3日 【配偶者氏名】丁山啓太郎 【従前戸籍】東京都中央区築地三丁目5番地　丙川一夫		
移　　記	【移記日】平成29年2月5日 【移記事由】戸籍訂正許可の裁判確定 【裁判確定日】平成29年1月30日 【申請日】平成29年2月5日 【申請人】夫		
発行番号000001			以下次頁

1　出生に関する訂正

	（2の2）	全 部 事 項 証 明
	【移記前の戸籍】東京都千代田区平河町一丁目１０番地　甲野啓太郎	
		以下余白

発行番号０００００１

イ　父との親子関係不存在確認の裁判があった場合

父との親子関係不存在確認の裁判により，子は出生のときから母の嫡出でない子となりますから，出生時の母の氏を称して母の戸籍に入籍することになります（民法790条2項）。

したがって，父との親子関係不存在確認の裁判による戸籍法116条の戸籍訂正申請があった場合は，父の氏名を消除し，父母との続柄を訂正した上で，子を出生当時の母の戸籍に移記することになります。

(ア)　父母婚姻中に出生した子の場合

母が子の出生の当時，戸籍上の父と婚姻中であるときは，子の母の婚姻時の氏，すなわち戸籍上の父の氏を称していますので，戸籍上の父との親子関係が否定されても，在籍している戸籍は，子の出生時の母の称していた氏の戸籍ですから，戸籍訂正による戸籍の変動はありません。

① 父母婚姻中の戸籍に在籍しているとき

前記のように戸籍訂正による戸籍の変動はありません。

図12-1は，親子関係不存在確認の裁判による戸籍訂正前の子の戸籍です。

図12-2は，親子関係不存在確認の裁判による戸籍訂正後の子の戸籍です。

左端タイトル「消除」により父の氏名を消除し，関連訂正事項として父母との続柄を訂正します。

1　出生に関する訂正

図12-1　親子関係不存在確認の裁判による戸籍訂正前の子の戸籍

	（1の1）	全 部 事 項 証 明

本　　　籍	東京都千代田区平河町一丁目１０番地
氏　　　名	甲野　義太郎

戸籍事項 　　戸籍編製	（編製事項省略）
戸籍に記録されている者	【名】義太郎 【生年月日】平成元年５月２０日　　【配偶者区分】夫 【父】甲野幸雄 【母】甲野松子 【続柄】長男
身分事項 　　出　　生 　　婚　　姻	（出生事項省略） （婚姻事項省略）
戸籍に記録されている者	【名】梅子 【生年月日】平成２年６月１０日　　【配偶者区分】妻 【父】乙野忠治 【母】乙野春子 【続柄】長女
身分事項 　　出　　生 　　婚　　姻	（出生事項省略） （婚姻事項省略）
戸籍に記録されている者	【名】啓太郎 【生年月日】平成３０年５月５日 【父】甲野義太郎 【母】甲野梅子 【続柄】長男
身分事項 　　出　　生	【出生日】平成３０年５月５日 【出生地】東京都千代田区 【届出日】平成３０年５月１２日 【届出人】父
	以下余白

発行番号０００００１

第5　具体的な処理例

図12-2　親子関係不存在確認の裁判による戸籍訂正後の子の戸籍

	（1の1）　全　部　事　項　証　明
本　　籍	東京都千代田区平河町一丁目10番地
氏　　名	甲野　義太郎

戸籍に記録されている者	【名】啓太郎 【生年月日】平成30年5月5日 【父】 【母】甲野梅子 【続柄】長男
身分事項 　　出　　生	【出生日】平成30年5月5日 【出生地】東京都千代田区 【届出日】平成30年5月12日 【届出人】甲野義太郎
訂　　正	【訂正日】平成35年11月8日 【訂正事由】甲野義太郎との親子関係不存在確認の裁判確定 【裁判確定日】平成35年11月1日 【申請日】平成35年11月8日 【申請人】甲野義太郎 【従前の記録】 　　【届出人】父
消　　除	【消除日】平成35年11月8日 【消除事項】父の氏名 【消除事由】甲野義太郎との親子関係不存在確認の裁判確定 【裁判確定日】平成35年11月1日 【申請日】平成35年11月8日 【申請人】甲野義太郎 【関連訂正事項】父母との続柄 【従前の記録】 　　【父】甲野義太郎 　　【父母との続柄】長男
	以下余白

発行番号000001

② 親権者を母と定めて父母が離婚しているとき

　父母が，子の親権者を母と定めて離婚していますが，戸籍上の父との親子関係不存在確認の裁判があったときは，子は母の嫡出でない子となり，嫡出でない子の親権者は当然に母がなります。本例は，戸籍上の父と実母が子の親権者を母と定めて離婚しています。嫡出でない子の親権者は当然に母ですから，離婚の際に子の親権者を定めたことは無効になります。したがって，このような親権事項の記録があるときは，親子関係不存在確認の裁判による戸籍訂正申請の際，その訂正申請書に親権者を定める記載を消除する旨を記載してもらい，職権により親権事項を消除します。

　戸籍の流れを図で示すと次のようになります。

	甲　野
	義太郎
除籍	梅　子
①出生 →	啓太郎

　②離婚 →

	乙　野
	梅　子

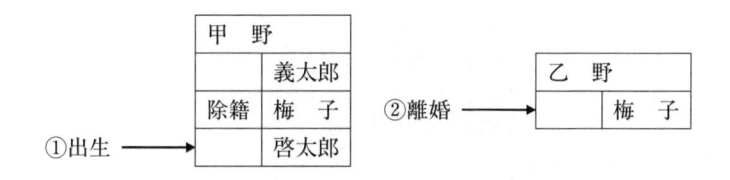

図13-1は，親子関係不存在確認の裁判による戸籍訂正前の子の戸籍です。
図13-2は，親子関係不存在確認の裁判による戸籍訂正後の子の戸籍です。
　左端タイトル「消除」により父の氏名を消除し，関連訂正事項として父母との続柄を訂正し，併せて左端タイトル「消除」により親権事項を消除します。

第5　具体的な処理例

図13-1　親子関係不存在確認の裁判による戸籍訂正前の子の戸籍

（2の1）　全部事項証明

本　　籍	東京都千代田区平河町一丁目10番地
氏　　名	甲野　義太郎
戸籍事項 　戸籍編製	（編製事項省略）
戸籍に記録されている者	【名】義太郎 【生年月日】昭和59年5月20日 【父】甲野幸雄 【母】甲野松子 【続柄】長男
身分事項 　出　　生 　婚　　姻 　離　　婚	（出生事項省略） （婚姻事項省略） 【離婚日】平成30年12月22日 【配偶者氏名】甲野梅子
戸籍に記録されている者 除　　籍	【名】梅子 【生年月日】昭和60年1月8日 【父】乙野忠治 【母】乙野春子 【続柄】長女
身分事項 　出　　生 　婚　　姻 　離　　婚	（出生事項省略） （婚姻事項省略） 【離婚日】平成30年12月22日 【配偶者氏名】甲野義太郎 【新本籍】京都府京都市上京区小山初音町18番地
戸籍に記録されている者	【名】啓太郎 【生年月日】平成30年1月30日 【父】甲野義太郎 【母】甲野梅子 【続柄】長男
身分事項 　出　　生	【出生日】平成30年1月30日 【出生地】東京都港区 【届出日】平成30年2月11日 【届出人】母

発行番号000001　　　　　　　　　　　　　　　　　　以下次頁

1 出生に関する訂正

(2の2) | 全 部 事 項 証 明

親　権	【親権者を定めた日】平成30年12月22日 【親権者】母 【届出人】父母
	以下余白

発行番号000001

図13-2　親子関係不存在確認の裁判による戸籍訂正後の子の戸籍

		（1の1）	全部事項証明
本　　籍	東京都千代田区平河町一丁目１０番地		
氏　　名	甲野　義太郎		

戸籍に記録されている者	【名】啓太郎 【生年月日】平成３０年１月３０日 【父】 【母】甲野梅子 【続柄】長男
身分事項 　　出　　生	【出生日】平成３０年１月３０日 【出生地】東京都港区 【届出日】平成３０年２月１１日 【届出人】母
消　　除	【消除日】平成３１年４月４日 【消除事項】父の氏名 【消除事由】甲野義太郎との親子関係不存在確認の裁判確定 【裁判確定日】平成３１年３月３０日 【申請日】平成３１年４月４日 【申請人】甲野義太郎 【関連訂正事項】父母との続柄 【従前の記録】 　　【父】甲野義太郎 　　【父母との続柄】長男
消　　除	【消除日】平成３１年４月４日 【消除事項】親権事項 【消除事由】甲野義太郎との親子関係不存在確認の裁判確定 【従前の記録】 　　【親権者を定めた日】平成３０年１２月２２日 　　【親権者】母 　　【届出人】父母
	以下余白

発行番号０００００１

③　親権者を母と定めて父母が離婚し，子が母の氏を称する入籍をしているとき

戸籍の流れを図で示すと次のようになります。

甲　野			乙　野	
	義太郎			
除籍	梅　子	②離婚 →		梅　子
①出生 →　除籍	啓太郎	③入籍 →		啓太郎

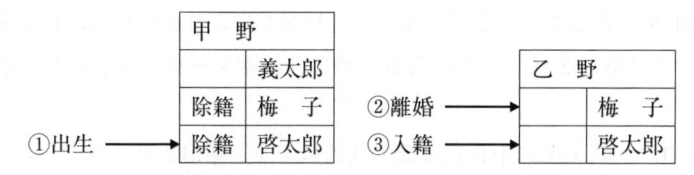

子は，民法791条1項の家庭裁判所の子の氏の変更許可を得て，離婚した母の氏を称する入籍届（戸籍法98条）により，母の戸籍に入籍しています。父との親子関係不存在確認の裁判により，子は嫡出でない子となり，嫡出でない子は出生時の母の氏を称することになりますが，母の婚姻中に出生していますので，子の氏に変動はありません。

次に，母は，離婚により復氏していますので，子と民法上の氏を異にしていますから，子の母の氏を称する入籍届は，有効ということになります。

なお，本例の入籍届は，親権者母がしていますので，その届出は有効であり，戸籍訂正の必要はありません。

戸籍訂正の方法は，子の出生による入籍戸籍は前記②の**図13-2**と同様で，子が入籍した母の戸籍も同様（父の氏名消除，父母との続柄訂正，親権事項消除）です。

(イ)　父母離婚後300日以内に出生した子の場合

父母離婚後300日以内に出生した子について，父との親子関係不存在確認の裁判があったときは，父の氏名を消除し，父母との続柄を訂正した上で，一般的には，子を実母の離婚後の戸籍に移記します。

①　母が離婚により新戸籍を編製しているとき

戸籍の流れを図で示すと次のようになります。

甲　野			乙　野	
	義太郎			
除籍	梅　子	①離婚 →		梅　子
②出生 →　消除	啓太郎	③移記 →		啓太郎

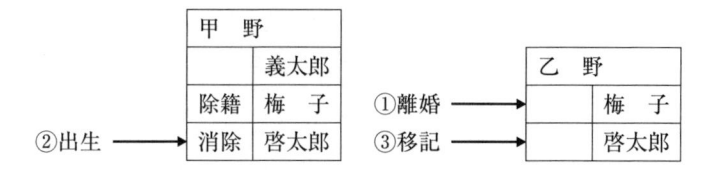

第5　具体的な処理例

図14-1は，親子関係不存在確認の裁判による戸籍訂正前の子の戸籍です。

図14-2は，親子関係不存在確認の裁判による戸籍訂正後の子の戸籍です。

左端タイトル「消除」により父の氏名を消除し，関連訂正事項として父母との続柄を訂正した上，左端タイトル「移記」により母の戸籍に移記する旨記録し，「戸籍に記録されている者」欄に「消除マーク」を表示し，消除します。

図15-1は，親子関係不存在確認の裁判による戸籍訂正前の母の戸籍です。

図15-2は，親子関係不存在確認の裁判による戸籍訂正後の母の戸籍です。

段落ちタイトル「移記」により，出生事項を記録します。

図14-1　親子関係不存在確認の裁判による戸籍訂正前の子の戸籍

（2の1）　　全 部 事 項 証 明

本　　籍	東京都千代田区平河町一丁目10番地
氏　　名	甲野　義太郎
戸籍事項 　戸籍編製	（編製事項省略）
戸籍に記録されている者	【名】義太郎 【生年月日】昭和58年5月20日 【父】甲野幸雄 【母】甲野松子 【続柄】長男
身分事項 　出　　生 　婚　　姻 　離　　婚	（出生事項省略） （婚姻事項省略） 【離婚日】平成29年4月22日 【配偶者氏名】甲野梅子
戸籍に記録されている者 除　籍	【名】梅子 【生年月日】昭和60年1月8日 【父】乙野忠治 【母】乙野春子 【続柄】長女
身分事項 　出　　生 　婚　　姻 　離　　婚	（出生事項省略） （婚姻事項省略） 【離婚日】平成29年4月22日 【配偶者氏名】甲野義太郎 【新本籍】京都府京都市上京区小山初音町18番地
戸籍に記録されている者	【名】啓太郎 【生年月日】平成30年2月1日 【父】甲野義太郎 【母】乙野梅子 【続柄】長男
身分事項 　出　　生	【出生日】平成30年2月1日 【出生地】東京都港区 【届出日】平成30年2月5日

発行番号000001　　　　　　　　　　　　　　　　　　　　　　　　以下次頁

第5　具体的な処理例

	（2の2）	全 部 事 項 証 明
親　　権	【届出人】母 【送付を受けた日】平成30年2月7日 【受理者】東京都港区長 ------------------------------ 【親権者】母	
		以下余白

発行番号000001

1　出生に関する訂正

図14-2　親子関係不存在確認の裁判による戸籍訂正後の子の戸籍

	（1の1）　全部事項証明
本　　籍	東京都千代田区平河町一丁目１０番地
氏　　名	甲野　義太郎

戸籍に記録されている者　　消　除	【名】啓太郎 【生年月日】平成３０年２月１日 【父】 【母】乙野梅子 【続柄】長男
身分事項 　出　　生	【出生日】平成３０年２月１日 【出生地】東京都港区 【届出日】平成３０年２月５日 【届出人】母 【送付を受けた日】平成３０年２月７日 【受理者】東京都港区長
親　　権	【親権者】母
消　　除	【消除日】平成３１年８月１０日 【消除事項】父の氏名 【消除事由】甲野義太郎との親子関係不存在確認の裁判確定 【裁判確定日】平成３１年８月１日 【申請日】平成３１年８月１０日 【申請人】甲野義太郎 【関連訂正事項】父母との続柄 【従前の記録】 　　【父】甲野義太郎 　　【父母との続柄】長男
移　　記	【移記日】平成３１年８月１０日 【移記事項】出生事項 【移記事由】甲野義太郎との親子関係不存在確認の裁判確定 【裁判確定日】平成３１年８月１日 【申請日】平成３１年８月１０日 【申請人】甲野義太郎 【移記後の戸籍】京都府京都市上京区小山初音町１８番地 　　乙野梅子
	以下余白

発行番号０００００１

第5　具体的な処理例

図15-1　親子関係不存在確認の裁判による戸籍訂正前の母の戸籍

		（1の1）	全 部 事 項 証 明
本　　籍	京都府京都市上京区小山初音町１８番地		
氏　　名	乙野　梅子		

戸籍事項 　　戸籍編製	【編製日】平成２９年４月２５日
戸籍に記録されている者	【名】梅子 【生年月日】昭和６０年１月８日 【父】乙野忠治 【母】乙野春子 【続柄】長女
身分事項 　　出　　生 　　離　　婚	（出生事項省略） 【離婚日】平成２９年４月２２日 【配偶者氏名】甲野義太郎 【送付を受けた日】平成２９年４月２５日 【受理者】東京都千代田区長 【従前戸籍】東京都千代田区平河町一丁目１０番地　甲野義太郎
	以下余白

発行番号０００００１

1　出生に関する訂正

図15-2　親子関係不存在確認の裁判による戸籍訂正後の母の戸籍

	（1の1）　全　部　事　項　証　明
本　　籍	京都府京都市上京区小山初音町１８番地
氏　　名	乙野　梅子
戸籍事項 　　戸籍編製	【編製日】平成２９年４月２５日
戸籍に記録されている者	【名】梅子 【生年月日】昭和６０年１月８日 【父】乙野忠治 【母】乙野春子 【続柄】長女
身分事項 　　出　　生 　　離　　婚	（出生事項省略） ------ 【離婚日】平成２９年４月２２日 【配偶者氏名】甲野義太郎 【送付を受けた日】平成２９年４月２５日 【受理者】東京都千代田区長 【従前戸籍】東京都千代田区平河町一丁目１０番地　甲野義太郎
戸籍に記録されている者	【名】啓太郎 【生年月日】平成３０年２月１日 【父】 【母】乙野梅子 【続柄】長男
身分事項 　　出　　生 　　移　　記	【出生日】平成３０年２月１日 【出生地】東京都港区 【届出日】平成３０年２月５日 【届出人】母 【送付を受けた日】平成３０年２月７日 【受理者】東京都港区長 ------ 【移記日】平成３１年８月１５日 【移記事由】甲野義太郎との親子関係不存在確認の裁判確定 【裁判確定日】平成３１年８月１日 【申請日】平成３１年８月１０日 【申請人】甲野義太郎 【送付を受けた日】平成３１年８月１５日 【受理者】東京都千代田区長 【移記前の戸籍】東京都千代田区平河町一丁目１０番地　甲野義太郎
	以下余白

発行番号０００００１

第5 具体的な処理例

② 母が離婚により復籍しているとき

父との親子関係不存在確認の裁判により，子を母の戸籍に移記しますが，母は実方戸籍に復籍していますので，母について新戸籍を編製し，その新戸籍に子を移記することになります。

戸籍の流れを図で示すと次のようになります。

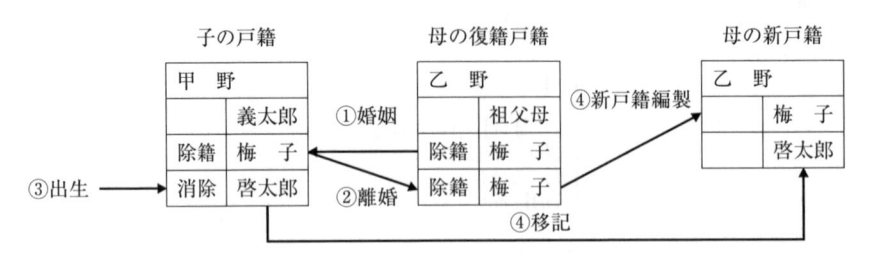

```
        子の戸籍              母の復籍戸籍           母の新戸籍
        ┌──────────┐         ┌──────────┐   ④新戸籍編製  ┌──────────┐
        │ 甲  野   │         │ 乙  野   │ ──────────→  │ 乙  野   │
        │   義太郎 │ ①婚姻   │   祖父母 │              │   梅 子  │
        │除籍 梅 子│ ←────── │除籍 梅 子│              │   啓太郎 │
③出生→ │消除 啓太郎│ ②離婚   │除籍 梅 子│              └──────────┘
        └──────────┘                                      ↑
                                        ④移記 ─────────────┘
```

ここでは，母の復籍戸籍及び母の新戸籍の戸籍訂正記載例を示すこととし，その他の戸籍訂正記載例は，前記を参照してください。

図16は，親子関係不存在確認の裁判による戸籍訂正後の母の復籍戸籍です。

戸籍訂正申請により母について従前本籍と同一の場所に新戸籍を編製する旨記録し，「戸籍に記録されている者」欄に「除籍マーク」を表示します。

図17は，親子関係不存在確認の裁判による戸籍訂正後の母子の新戸籍です。

母については，申請により入籍した旨，子については，段落ちタイトル「移記」により出生により入籍した戸籍から出生事項を移記した旨を記録します。

1　出生に関する訂正

図16　親子関係不存在確認の裁判による戸籍訂正後の母の復籍戸籍

	（1の1）	全 部 事 項 証 明
本　　　籍	京都府京都市上京区小山初音町１８番地	
氏　　　名	乙野　忠治	

戸籍に記録されている者 除　籍	【名】梅子 【生年月日】平成２年１月８日 【父】乙野忠治 【母】乙野春子 【続柄】長女
身分事項 　　出　　生	（出生事項省略）
離　　婚	【離婚日】平成３０年１２月３日 【配偶者氏名】甲野義太郎 【送付を受けた日】平成３０年１２月６日 【受理者】東京都千代田区長 【従前戸籍】東京都千代田区平河町一丁目１０番地　甲野義太郎
子の入籍	【除籍日】平成３２年１２月１２日 【除籍事由】子と甲野義太郎との親子関係不存在確認の裁判による申請 【申請日】平成３２年１２月８日 【申請人】甲野義太郎 【送付を受けた日】平成３２年１２月１２日 【受理者】東京都千代田区長 【新本籍】京都府京都市上京区小山初音町１８番地
	以下余白

発行番号０００００１

111

第5　具体的な処理例

図17　親子関係不存在確認の裁判による戸籍訂正後の母子の新戸籍

（1の1）	全 部 事 項 証 明

本　　　籍	京都府京都市上京区小山初音町１８番地
氏　　　名	乙野　梅子
戸籍事項 　　戸籍編製	【編製日】平成３２年１２月１２日
戸籍に記録されている者	【名】梅子 【生年月日】平成２年１月８日 【父】乙野忠治 【母】乙野春子 【続柄】長女
身分事項 　　出　　生 　　子の入籍	（出生事項省略） 【入籍日】平成３２年１２月１２日 【入籍事由】子と甲野義太郎との親子関係不存在確認の裁判による申請 【申請日】平成３２年１２月８日 【申請人】甲野義太郎 【送付を受けた日】平成３２年１２月１２日 【受理者】東京都千代田区長 【従前戸籍】京都府京都市上京区小山初音町１８番地　乙野忠治
戸籍に記録されている者	【名】啓太郎 【生年月日】平成３１年７月１５日 【父】 【母】乙野梅子 【続柄】長男
身分事項 　　出　　生 　　移　　記	【出生日】平成３１年７月１５日 【出生地】東京都千代田区 【届出日】平成３１年７月２５日 【届出人】母 【移記日】平成３２年１２月１２日 【移記事由】甲野義太郎との親子関係不存在確認の裁判確定 【裁判確定日】平成３２年１１月３０日 【申請日】平成３２年１２月５日 【申請人】甲野義太郎 【送付を受けた日】平成３２年１２月１２日 【受理者】東京都千代田区長 【移記前の戸籍】東京都千代田区平河町一丁目１０番地　甲野義太郎
	以下余白

発行番号０００００１

1 出生に関する訂正

③ 母が離婚により新戸籍を編製し，離婚後の戸籍が管外転籍した後，子の出生の届出がされているとき

父母の婚姻解消又は取消しの日から300日以内に出生した子は，前記にも触れましたが，嫡出の推定を受け，父母の氏を称して父母の戸籍に入籍します。

ところが，父母が離婚し，離婚後その戸籍が管外転籍した後に子が出生した場合，子の出生の届出による子の入籍すべき戸籍は，転籍前の戸籍であるか，転籍後の戸籍であるかの問題があります。

これに関する戸籍の取扱いは，出生子をいったん転籍前の戸籍に入籍させた上，直ちに転籍後の戸籍に入籍させることとしています（昭和38年10月29日民事甲3057号回答）。

この出生子について，父子関係不存在確認の裁判があったときは，子を転籍前の戸籍から母の戸籍に移記し，転籍後の戸籍の子の記録は，入籍錯誤により戸籍の記録を全部消除することになります。

戸籍の流れを図で示すと次のようになります。

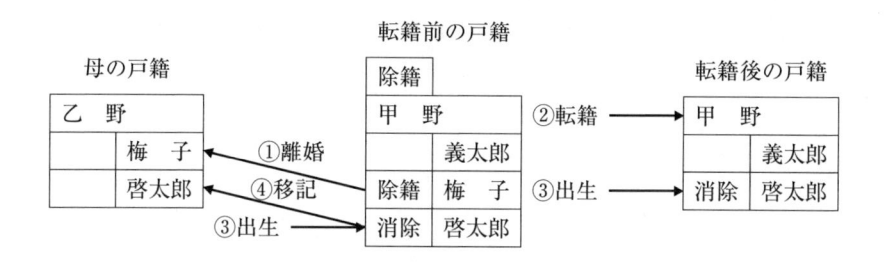

母の戸籍		転籍前の戸籍		転籍後の戸籍
乙　野		除籍		甲　野
梅　子	←①離婚	甲　野	②転籍→	義太郎
啓太郎	←④移記	義太郎		消除　啓太郎
	③出生	除籍　梅　子	③出生→	
		消除　啓太郎		

図18-1は，親子関係不存在確認の裁判による戸籍訂正前の子の転籍前の戸籍です。

図18-2は，親子関係不存在確認の裁判による戸籍訂正後の子の転籍前の戸籍です。

左端タイトル「消除」により父の氏名を消除し，関連訂正事項として父母との続柄を訂正した上，左端タイトル「移記」により母の戸籍に移記する旨記録し，「戸籍に記録されている者」欄に「消除マーク」を表示して，消除します。

第5　具体的な処理例

　図19-1は，親子関係不存在確認の裁判による戸籍訂正前の子の転籍後の戸籍です。

　図19-2は，親子関係不存在確認の裁判による戸籍訂正後の子の転籍後の戸籍です。

　左端タイトル「消除」により戸籍の記録全部を消除する旨記録し，「戸籍に記録されている者」欄に「消除マーク」を表示して，消除します。

　図20は，親子関係不存在確認の裁判による戸籍訂正後の母の戸籍です。

　段落ちタイトル「移記」により出生事項を記録します。従前戸籍の出生事項中には，【入籍戸籍】の項目（インデックス）がありますが，この項目の移記は要しません。

1　出生に関する訂正

図18-1　親子関係不存在確認の裁判による戸籍訂正前の子の転籍前の戸籍

除　　籍	（2の1）　　全　部　事　項　証　明		
本　　籍	東京都千代田区平河町一丁目10番地		
氏　　名	甲野　義太郎		
戸籍事項 　戸籍編製 　転　　籍	（編製事項省略） 【転籍日】平成34年6月25日 【新本籍】群馬県前橋市大手町二丁目10番地 【送付を受けた日】平成34年6月27日 【受理者】群馬県前橋市長		
戸籍に記録されている者	【名】義太郎 【生年月日】平成元年5月20日 【父】甲野幸雄 【母】甲野松子 【続柄】長男		
身分事項 　出　　生 　婚　　姻 　離　　婚	（出生事項省略）		
	（婚姻事項省略）		
	【離婚日】平成34年6月22日 【配偶者氏名】甲野梅子		
戸籍に記録されている者 　　除　　籍	【名】梅子 【生年月日】平成2年6月10日 【父】乙野忠治 【母】乙野春子 【続柄】長女		
身分事項 　出　　生 　婚　　姻 　離　　婚	（出生事項省略）		
	（婚姻事項省略）		
	【離婚日】平成34年6月22日 【配偶者氏名】甲野義太郎 【新本籍】京都府京都市上京区小山初音町18番地		
戸籍に記録されている者 　　除　　籍	【名】啓太郎 【生年月日】平成35年2月1日 【父】甲野義太郎 【母】乙野梅子 【続柄】長男		

発行番号000001　　　　　　　　　　　　　　　　　　　　　　　　　　　　以下次頁

115

第5　具体的な処理例

	（2の2）	全 部 事 項 証 明
身分事項 　　出　　生	【出生日】平成35年2月1日 【出生地】東京都千代田区 【届出日】平成35年2月5日 【届出人】母 【入籍戸籍】群馬県前橋市大手町二丁目10番地　甲野義太郎	
親　　権	【親権者】母	
		以下余白

発行番号000001

図18-2　親子関係不存在確認の裁判による戸籍訂正後の子の転籍前の戸籍

除　　　籍	（1の1）	全 部 事 項 証 明
本　　籍	東京都千代田区平河町一丁目１０番地	
氏　　名	甲野　義太郎	

戸籍に記録されている者 □消　除 □除　籍	【名】啓太郎 【生年月日】平成３５年２月１日　　【父】 【母】乙野梅子 【続柄】長男
身分事項 　出　　生	【出生日】平成３５年２月１日 【出生地】東京都千代田区 【届出日】平成３５年２月５日 【届出人】母 【入籍戸籍】群馬県前橋市大手町二丁目１０番地　甲野義太郎
親　　権	【親権者】母
消　　除	【消除日】平成３５年８月５日 【消除事項】父の氏名 【消除事由】甲野義太郎との親子関係不存在確認の裁判確定 【裁判確定日】平成３５年８月１日 【申請日】平成３５年８月５日 【申請人】甲野義太郎 【関連訂正事項】父母との続柄 【従前の記録】 　　【父】甲野義太郎 　　【父母との続柄】長男
移　　記	【移記日】平成３５年８月５日 【移記事項】出生事項 【移記事由】甲野義太郎との親子関係不存在確認の裁判確定 【裁判確定日】平成３５年８月１日 【申請日】平成３５年８月５日 【申請人】甲野義太郎 【移記後の戸籍】京都府京都市上京区小山初音町１８番地　乙野梅子
	以下余白

発行番号０００００１

図19-1　親子関係不存在確認の裁判による戸籍訂正前の子の転籍後の戸籍

	（1の1）	全 部 事 項 証 明

本　　籍	群馬県前橋市大手町二丁目１０番地
氏　　名	甲野　義太郎

戸籍に記録されている者	【名】啓太郎 【生年月日】平成３５年２月１日 【父】甲野義太郎 【母】乙野梅子 【続柄】長男
身分事項 　出　　生	【出生日】平成３５年２月１日 【出生地】東京都千代田区 【届出日】平成３５年２月５日 【届出人】母 【送付を受けた日】平成３５年２月７日 【受理者】東京都千代田区長 【従前戸籍】東京都千代田区平河町一丁目１０番地　甲野義太郎
親　　権	【親権者】母

以下余白

発行番号０００００１

1　出生に関する訂正

図19-2　親子関係不存在確認の裁判による戸籍訂正後の子の転籍後の戸籍

	(1の1)	全 部 事 項 証 明
本　　　籍	群馬県前橋市大手町二丁目１０番地	
氏　　　名	甲野　義太郎	

戸籍に記録されている者 　消　　除	【名】啓太郎 【生年月日】平成３５年２月１日 【父】甲野義太郎 【母】乙野梅子 【続柄】長男
身分事項 　出　　生	【出生日】平成３５年２月１日 【出生地】東京都千代田区 【届出日】平成３５年２月５日 【届出人】母 【送付を受けた日】平成３５年２月７日 【受理者】東京都千代田区長 【従前戸籍】東京都千代田区平河町一丁目１０番地　甲野義太郎
親　　権	【親権者】母
消　　除	【消除日】平成３５年８月１０日 【消除事項】戸籍の記録全部 【消除事由】甲野義太郎との親子関係不存在確認の裁判確定 【裁判確定日】平成３５年８月１日 【申請日】平成３５年８月５日 【申請人】甲野義太郎 【送付を受けた日】平成３５年８月１０日 【受理者】東京都千代田区長
	以下余白

発行番号０００００１

第5　具体的な処理例

図20　親子関係不存在確認の裁判による戸籍訂正後の母の戸籍

	（1の1）	全 部 事 項 証 明
本　　籍	京都府京都市上京区小山初音町１８番地	
氏　　名	乙野　梅子	

戸籍に記録されている者	【名】啓太郎 【生年月日】平成３５年２月１日 【父】 【母】乙野梅子 【続柄】長男
身分事項 　　出　　生	【出生日】平成３５年２月１日 【出生地】東京都千代田区 【届出日】平成３５年２月５日 【届出人】母
移　　記	【移記日】平成３５年８月１０日 【移記事由】甲野義太郎との親子関係不存在確認の裁判確定 【裁判確定日】平成３５年８月１日 【申請日】平成３５年８月５日 【申請人】甲野義太郎 【送付を受けた日】平成３５年８月１０日 【受理者】東京都千代田区長 【移記前の戸籍】東京都千代田区平河町一丁目１０番地　甲野義太郎
	以下余白

発行番号０００００１

ウ　母との親子関係不存在確認の裁判があった場合

　虚偽の出生届により戸籍上の夫婦の嫡出子として記載されている子について，戸籍上の母との親子関係不存在確認の裁判が確定すると，子は出生のときから実母の嫡出でない子であったことになり，出生時の実母の氏を称して実母の戸籍に入籍することになります（民法790条2項，戸籍法18条2項）。

　親子関係不存在確認の裁判による戸籍法116条の戸籍訂正申請があった場合は，母の氏名及び父母との続柄を訂正した上（判決書謄本等の記載から，戸籍上の父との親子関係が否定されていない限り，父欄の記載を消除することなく，かつ，出生事項の記載も訂正しません。）で，子の記載全部を実母の戸籍に移記します（昭和40年1月7日民事甲4016号通達，昭和57年4月30日民二2972号通達一の1前段）。

　前記通達にある実母の戸籍とは，子と戸籍上の母との親子関係不存在確認の判決書謄本等に母の氏名及びその戸籍が明らかな場合はもちろんのこと，氏名は明らかであるが本籍は不明であっても，関係当事者が実母の本籍を承知しているときは，同様の取扱いをして差し支えないとされています（昭和44年10月28日～30日東京法務局管内ブロック戸籍課長会同決議，戸籍388号38頁）。

　また，「子の記載全部」とは，出生事項のみならず，縁組事項，婚姻事項等の記載全部を含むとされています（戸籍511号68頁）。

　(ｱ)　子は出生により入籍した戸籍に在籍している場合
　①　実母が戸籍の筆頭者であるとき
　実母が既に戸籍の筆頭に記載した者であるときは，その戸籍に子を移記することになります。

　戸籍の流れを図で示すと次のようになります。

甲　野	
	義太郎
	梅　子
消除	啓太郎

→

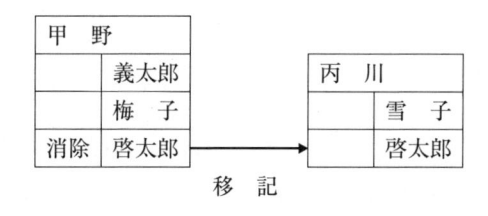

丙　川	
	雪　子
	啓太郎

移　記

　図21-1は，親子関係不存在確認の裁判による戸籍訂正前の子の戸籍です。

第5　具体的な処理例

図21-2は，親子関係不存在確認の裁判による戸籍訂正後の子の戸籍です。
　左端タイトル「訂正」により母の氏名及び父母との続柄を訂正の上，左端タイトル「移記」により母の戸籍に移記する旨記録し，「戸籍に記録されている者」欄に「消除マーク」を表示します。
　図22-1は，親子関係不存在確認の裁判による戸籍訂正前の実母の戸籍です。
　図22-2は，親子関係不存在確認の裁判による戸籍訂正後の実母の戸籍です。
　段落ちタイトル「移記」により出生事項を記録します。

1 出生に関する訂正

図21-1 親子関係不存在確認の裁判による戸籍訂正前の子の戸籍

	（1の1） 全 部 事 項 証 明
本　　　籍	東京都千代田区平河町一丁目１０番地
氏　　　名	甲野　義太郎
戸籍事項 　　戸籍編製	（編製事項省略）
戸籍に記録されている者	【名】義太郎 【生年月日】昭和５５年５月２０日　　【配偶者区分】夫 【父】甲野幸雄 【母】甲野松子 【続柄】長男
身分事項 　　出　　生 　　婚　　姻	（出生事項省略） （婚姻事項省略）
戸籍に記録されている者	【名】梅子 【生年月日】昭和５８年１月１０日　　【配偶者区分】妻 【父】乙野忠治 【母】乙野春子 【続柄】長女
身分事項 　　出　　生 　　婚　　姻	（出生事項省略） （婚姻事項省略）
戸籍に記録されている者	【名】啓太郎 【生年月日】平成２４年２月１日 【父】甲野義太郎 【母】甲野梅子 【続柄】長男
身分事項 　　出　　生	【出生日】平成２４年２月１日 【出生地】東京都千代田区 【届出日】平成２４年２月５日 【届出人】父
	以下余白

発行番号０００００１

第5　具体的な処理例

図21-2　親子関係不存在確認の裁判による戸籍訂正後の子の戸籍

	（1の1）	全 部 事 項 証 明
本　　　籍	東京都千代田区平河町一丁目10番地	
氏　　　名	甲野　義太郎	

戸籍に記録されている者 　　消　　除	【名】啓太郎 【生年月日】平成24年2月1日 【父】甲野義太郎 【母】丙川雪子 【続柄】長男
身分事項 　出　　生	【出生日】平成24年2月1日 【出生地】東京都千代田区 【届出日】平成24年2月5日 【届出人】父
訂　　正	【訂正日】平成31年5月20日 【訂正事項】母の氏名，父母との続柄 【訂正事由】甲野梅子との親子関係不存在確認の裁判確定 【裁判確定日】平成31年5月15日 【申請日】平成31年5月20日 【申請人】丙川雪子 【従前の記録】 　　【母】甲野梅子 　　【父母との続柄】長男
移　　記	【移記日】平成31年5月20日 【移記事項】出生事項 【移記事由】甲野梅子との親子関係不存在確認の裁判確定 【裁判確定日】平成31年5月15日 【申請日】平成31年5月20日 【申請人】丙川雪子 【移記後の戸籍】京都府京都市上京区小山初音町18番地 　　丙川雪子
	以下余白

発行番号000001

図22-1　親子関係不存在確認の裁判による戸籍訂正前の実母の戸籍

	（1の1）	全 部 事 項 証 明
本　　　籍	京都府京都市上京区小山初音町１８番地	
氏　　　名	丙川　雪子	
戸籍事項 　　戸籍改製	（改製事項省略）	
戸籍に記録されている者	【名】雪子 【生年月日】昭和６３年２月２０日 【父】丙川三郎 【母】丙川松子 【続柄】三女	
身分事項 　　出　　生	（出生事項省略）	
		以下余白

発行番号０００００１

第5 具体的な処理例

図22-2 親子関係不存在確認の裁判による戸籍訂正後の実母の戸籍

	（1の1）	全部事項証明
本　　籍	京都府京都市上京区小山初音町１８番地	
氏　　名	丙川　雪子	

戸籍事項 　戸籍改製	（改製事項省略）
戸籍に記録されている者	【名】雪子 【生年月日】昭和６３年２月２０日 【父】丙川三郎 【母】丙川松子 【続柄】三女
身分事項 　出　　生	（出生事項省略）
戸籍に記録されている者	【名】啓太郎 【生年月日】平成２４年２月１日 【父】甲野義太郎 【母】丙川雪子 【続柄】長男
身分事項 　出　　生	【出生日】平成２４年２月１日 【出生地】東京都千代田区 【届出日】平成２４年２月５日 【届出人】父
移　　記	【移記日】平成３１年５月２５日 【移記事由】甲野梅子との親子関係不存在確認の裁判確定 【裁判確定日】平成３１年５月１５日 【申請日】平成３１年５月２０日 【申請人】丙川雪子 【送付を受けた日】平成３１年５月２５日 【受理者】東京都千代田区長 【移記前の戸籍】東京都千代田区平河町一丁目１０番地　甲野義太郎
	以下余白

発行番号０００００１

② 実母が夫の氏を称する婚姻をし，戸籍の筆頭者であった戸籍が除かれているとき

戸籍の流れを図で示すと次のようになります。

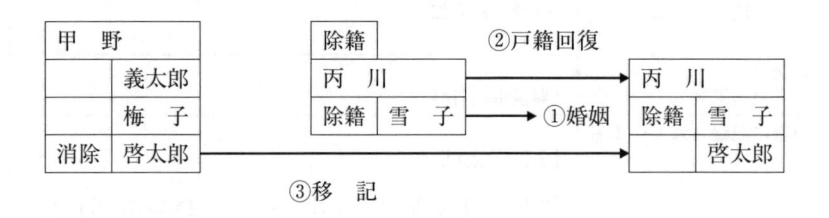

甲　野			除籍		②戸籍回復	丙　川	
	義太郎		丙　川		→		
	梅　子		除籍	雪　子	→①婚姻	除籍	雪　子
消除	啓太郎						啓太郎

③移　記

　親子関係不存在確認の裁判により，嫡出でない子になった子を実母の戸籍に移記しますが，母の戸籍が除かれている場合は，その除籍を回復した上，回復した戸籍に子を移記することになります。

　図23-1は，親子関係不存在確認の裁判による戸籍訂正前の子の戸籍です。

　図23-2は，親子関係不存在確認の裁判による戸籍訂正後の子の戸籍です。

　左端タイトル「訂正」により母の氏名及び父母との続柄を訂正の上，左端タイトル「移記」により母の戸籍に移記する旨記録し，「戸籍に記録されている者」欄に「消除マーク」を表示します。

　図24-1は，親子関係不存在確認の裁判による戸籍訂正前の実母の回復前の戸籍です。

　図24-2は，親子関係不存在確認の裁判による戸籍訂正後の実母の回復する戸籍です。

　戸籍消除事項を消除し，実母は婚姻による除籍された状態で戸籍を回復します。

　図24-3は，親子関係不存在確認の裁判による戸籍訂正後の実母の回復した戸籍です。

　段落ちタイトル「移記」により出生事項を記録します。

第5　具体的な処理例

図23-1　親子関係不存在確認の裁判による戸籍訂正前の子の戸籍

	（1の1）	全 部 事 項 証 明
本　　　籍	東京都千代田区平河町一丁目10番地	
氏　　　名	甲野　義太郎	
戸籍事項 　戸籍編製	（編製事項省略）	
戸籍に記録されている者	【名】義太郎 【生年月日】昭和50年5月20日　　【配偶者区分】夫 【父】甲野幸雄 【母】甲野松子 【続柄】長男	
身分事項 　出　　生 　婚　　姻	（出生事項省略） （婚姻事項省略）	
戸籍に記録されている者	【名】梅子 【生年月日】昭和55年1月10日　　【配偶者区分】妻 【父】乙野忠治 【母】乙野春子 【続柄】長女	
身分事項 　出　　生 　婚　　姻	（出生事項省略） （婚姻事項省略）	
戸籍に記録されている者	【名】啓太郎 【生年月日】平成15年2月1日 【父】甲野義太郎 【母】甲野梅子 【続柄】長男	
身分事項 　出　　生	【出生日】平成15年2月1日 【出生地】東京都千代田区 【届出日】平成15年2月5日 【届出人】父	
	以下余白	

発行番号000001

1　出生に関する訂正

図23-2　親子関係不存在確認の裁判による戸籍訂正後の子の戸籍

	（1の1）	全 部 事 項 証 明
本　　　籍	東京都千代田区平河町一丁目10番地	
氏　　　名	甲野　義太郎	

戸籍に記録されている者　消　除	【名】啓太郎 【生年月日】平成15年2月1日　　【父】甲野義太郎 【母】丁山雪子 【続柄】長男
身分事項 　　出　　生	【出生日】平成15年2月1日 【出生地】東京都千代田区 【届出日】平成15年2月5日 【届出人】父
訂　　正	【訂正日】平成30年5月20日 【訂正事項】母の氏名，父母との続柄 【訂正事由】甲野梅子との親子関係不存在確認の裁判確定 【裁判確定日】平成30年5月15日 【申請日】平成30年5月20日 【申請人】丁山雪子 【従前の記録】 　　【母】甲野梅子 　　【父母との続柄】長男
移　　記	【移記日】平成30年5月20日 【移記事項】出生事項 【移記事由】甲野梅子との親子関係不存在確認の裁判確定 【裁判確定日】平成30年5月15日 【申請日】平成30年5月20日 【申請人】丁山雪子 【移記後の戸籍】京都府京都市上京区小山初音町18番地 　　丙川雪子
	以下余白

発行番号000001

第5　具体的な処理例

図24-1　親子関係不存在確認の裁判による戸籍訂正前の実母の回復前の戸籍

除　　籍	（1の1）	全 部 事 項 証 明
本　　籍	京都府京都市上京区小山初音町１８番地	
氏　　名	丙川　雪子	

戸籍事項 　戸籍改製 　戸籍消除	（改製事項省略） 【消除日】平成２９年６月９日
戸籍に記録されている者 　　除　籍	【名】雪子 【生年月日】昭和６２年１月２０日 【父】丙川三郎 【母】丙川松子 【続柄】三女
身分事項 　出　　生 　婚　　姻	（出生事項省略） 【婚姻日】平成２９年６月６日 【配偶者氏名】丁山春男 【送付を受けた日】平成２９年６月９日 【受理者】群馬県渋川市長 【入籍戸籍】群馬県渋川市渋川２番地　丁山春男
	以下余白

発行番号０００００１

1　出生に関する訂正

図24-2　親子関係不存在確認の裁判による戸籍訂正後の実母の回復する戸籍

除　　籍	（1の1）　全部事項証明
本　　籍	京都府京都市上京区小山初音町１８番地
氏　　名	丙川　雪子
戸籍事項 　　戸籍改製 　　消　　除	（改製事項省略） 【消除日】平成３０年５月２５日 【消除事項】戸籍消除事項 【消除事由】戸籍消除の記録錯誤 【従前の記録】 　　【消除日】平成２９年６月９日
戸籍に記録されている者 除　　籍	【名】雪子 【生年月日】昭和６２年１月２０日 【父】丙川三郎 【母】丙川松子 【続柄】三女
身分事項 　　出　　生 　　婚　　姻	（出生事項省略） 【婚姻日】平成２９年６月６日 【配偶者氏名】丁山春男 【送付を受けた日】平成２９年６月９日 【受理者】群馬県渋川市長 【入籍戸籍】群馬県渋川市渋川２番地　丁山春男
	以下余白

発行番号０００００１

131

第5　具体的な処理例

図24-3　親子関係不存在確認の裁判による戸籍訂正後の実母の回復した戸籍

	（1の1）	全部事項証明
本　　籍	京都府京都市上京区小山初音町１８番地	
氏　　名	丙川　雪子	

戸籍事項　　戸籍改製　　戸籍回復	（改製事項省略） 【回復日】平成３０年５月２５日 【回復事由】戸籍消除の記録錯誤
戸籍に記録されている者 除　　籍	【名】雪子 【生年月日】昭和６２年１月２０日 【父】丙川三郎 【母】丙川松子 【続柄】三女
身分事項 　　出　　生 　　婚　　姻	（出生事項省略） 【婚姻日】平成２９年６月６日 【配偶者氏名】丁山春男 【送付を受けた日】平成２９年６月９日 【受理者】群馬県渋川市長 【入籍戸籍】群馬県渋川市渋川２番地　丁山春男
戸籍に記録されている者	【名】啓太郎 【生年月日】平成１５年２月１日 【父】甲野義太郎 【母】丁山雪子 【続柄】長男
身分事項 　　出　　生 　　移　　記	【出生日】平成１５年２月１日 【出生地】東京都千代田区 【届出日】平成１５年２月５日 【届出人】父 【移記日】平成３０年５月２５日 【移記事由】甲野梅子との親子関係不存在確認の裁判確定 【裁判確定日】平成３０年５月１５日 【申請日】平成３０年５月２０日 【申請人】丁山雪子 【送付を受けた日】平成３０年５月２５日 【受理者】東京都千代田区長 【移記前の戸籍】東京都千代田区平河町一丁目１０番地　甲野義太郎
	以下余白

発行番号０００００１

③　実母が子の祖父母の戸籍に在籍しているとき

　この場合は，親子関係不存在確認の裁判による戸籍訂正申請により母について新戸籍を編製し，その新戸籍に子を移記することになります。

　戸籍訂正記載例は，前記等を参照してください。

　戸籍の流れを図で示すと次のようになります。

甲　野			丙　川				母子の新戸籍	
	義太郎			祖父母		新戸籍編製	丙　川	
	梅　子		除籍	雪　子	→　　→			雪　子
消除	啓太郎	→　　→						啓太郎

移　記

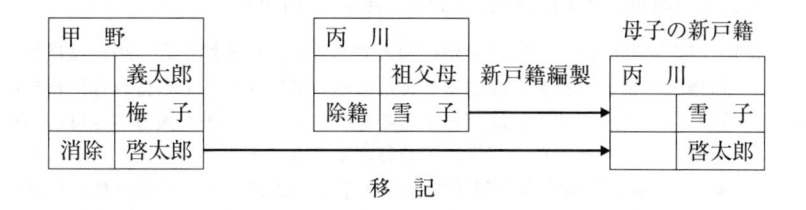

④　実母が祖父母の戸籍から夫の氏を称する婚姻をして除かれているとき

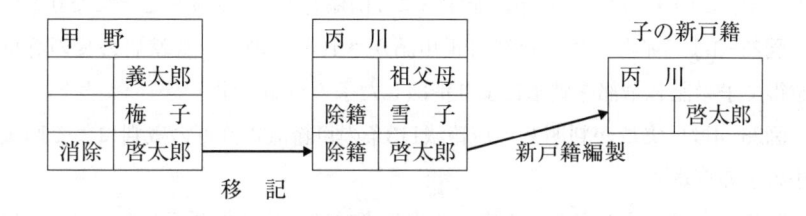

　この場合は，母が除籍された戸籍の末尾にいったん子を移記し，直ちに子について新戸籍を編製することになります。

　なお，母が自己の氏を称する婚姻により除かれているときは，子と母の民法上の氏は同一ですから，婚姻により編製された母の戸籍に子を移記することになります。

　戸籍訂正記載例は，前記等を参照してください。

　戸籍の流れを図で示すと次のようになります。

甲　野			丙　川				子の新戸籍	
	義太郎			祖父母			丙　川	
	梅　子		除籍	雪　子				啓太郎
消除	啓太郎	→　　→	除籍	啓太郎	新戸籍編製			

移　記

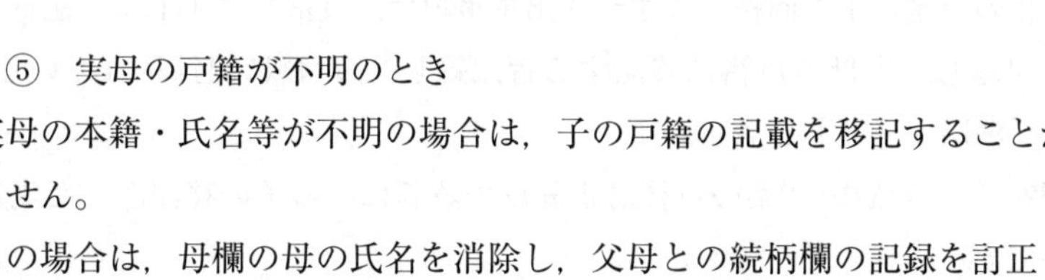

⑤　実母の戸籍が不明のとき

　実母の本籍・氏名等が不明の場合は，子の戸籍の記載を移記することができません。

　この場合は，母欄の母の氏名を消除し，父母との続柄欄の記録を訂正した後，出生届の届出人又は届出事件の事件本人に対して，実母の戸籍に移記す

133

る等の戸籍訂正の申請をすべき旨を通知します。その通知後，相当期間内^(注)に戸籍訂正の申請をする者がないときは，戸籍法24条2項の規定に基づき職権で子の記載を消除することになります。この子の記載を消除した後，実母の戸籍が判明したときは，戸籍法116条又は113条の規定に基づく戸籍訂正の申請により，子を消除された戸籍に回復した上，実母の戸籍に移記することになります（昭和57年4月30日民二2972号通達一の1後段）。

> **(注)**　「相当期間内」とは，「子が外国人であるとの可能性が高い場合は格別，積極的に子の戸籍を消除することにあるのではなく，でき得れば戸籍を消除しないで，一連の戸籍訂正手続の過程において，子が入るべき母の戸籍を明らかにさせてその戸籍に子を移記すべきであるとの考えによるものである。（中略）当事者が母子関係存在確認の裁判を得，又は戸籍訂正許可の審判を得て戸籍訂正申請をするに要する期間と理解すべきであり，それは，かなり長い期間となるであろう。」（戸籍451号解説「昭和57年4月30日付け法務省民二第2972号民事局長通達をめぐって」33頁）。したがって，期間について疑義があるときは，あらかじめ管轄局の助言を受けるのがよいでしょう。

図25-1は，親子関係不存在確認の裁判による戸籍訂正前の子の戸籍です。

図25-2は，親子関係不存在確認の裁判による戸籍訂正後の子の戸籍です。

本例は，実母の戸籍が判明しないため子の記載を実母の戸籍に移記することができない場合ですから，母の氏名を訂正し，父との続柄を訂正したものです。この後，戸籍訂正申請をするよう関係者に催告をすることになります。

図25-3は，催告しても戸籍訂正申請がされないので，管轄局の長の許可を得て子の記載全部を職権により消除した子の戸籍です。

図25-4は，実母が判明し，戸籍法113条の戸籍訂正許可の裁判による回復後の子の戸籍です。

戸籍の末尾に子を回復しますが，出生事項は，段落ちタイトル「記録」により記録し，実母の戸籍に移記する旨記録し，「戸籍に記録されている者」欄に「消除マーク」を表示します。

図26は，戸籍法113条の戸籍訂正許可の裁判による子の移記された実母の戸籍です。

出生事項を段落ちタイトル「移記」により記録します。

図25-1 親子関係不存在確認の裁判による戸籍訂正前の子の戸籍

	（1の1）	全部事項証明
本　　籍	東京都千代田区平河町一丁目１０番地	
氏　　名	甲野　義太郎	

戸籍に記録されている者	【名】啓太郎 【生年月日】平成２０年２月１日 【父】甲野義太郎 【母】甲野梅子 【続柄】長男
身分事項 　　出　　生	【出生日】平成２０年２月１日 【出生地】東京都港区 【届出日】平成２０年２月９日 【届出人】父　　　　　　　　　　　　　　以下余白

発行番号０００００１

第5　具体的な処理例

図25-2　親子関係不存在確認の裁判による戸籍訂正後の子の戸籍

	（1の1）　全 部 事 項 証 明
本　　　籍	東京都千代田区平河町一丁目１０番地
氏　　　名	甲野　義太郎

戸籍に記録されている者	【名】啓太郎 【生年月日】平成２０年２月１日 【父】甲野義太郎 【母】丙川雪子 【続柄】長男
身分事項 　　出　　生	【出生日】平成２０年２月１日 【出生地】東京都港区 【届出日】平成２０年２月９日 【届出人】父
訂　　正	【訂正日】平成３１年５月２０日 【訂正事項】母の氏名，父母との続柄 【訂正事由】甲野梅子との親子関係不存在確認の裁判確定 【裁判確定日】平成３１年５月１５日 【申請日】平成３１年５月２０日 【申請人】甲野梅子 【従前の記録】 　　【母】甲野梅子 　　【父母との続柄】長男
	以下余白

発行番号０００００１

1　出生に関する訂正

図25-3　職権により消除した子の戸籍

	（1の1）　全 部 事 項 証 明
本　　籍	東京都千代田区平河町一丁目10番地
氏　　名	甲野　義太郎

戸籍に記録されている者 　　消　　除	【名】啓太郎 【生年月日】平成20年2月1日 【父】甲野義太郎 【母】丙川雪子 【続柄】長男
身分事項 　訂　　正	【訂正日】平成31年5月20日 【訂正事項】母の氏名，父母との続柄 【訂正事由】甲野梅子との親子関係不存在確認の裁判確定 【裁判確定日】平成31年5月15日 【申請日】平成31年5月20日 【申請人】甲野梅子 【従前の記録】 　【母】甲野梅子 　【父母との続柄】長男
消　　除	【消除日】平成32年6月11日 【消除事項】出生事項 【消除事由】出生による入籍の記録錯誤 【許可日】平成32年6月9日 【従前の記録】 　【出生日】平成20年2月1日 　【出生地】東京都港区 　【届出日】平成20年2月9日 　【届出人】父
	以下余白

発行番号000001

図25-4　戸籍法113条の戸籍訂正許可の裁判による回復後の子の戸籍

	（2の1）	全 部 事 項 証 明
本　　　籍	東京都千代田区平河町一丁目１０番地	
氏　　　名	甲野　義太郎	

戸籍に記録されている者　　消　　除	【名】啓太郎 【生年月日】平成２０年２月１日 【父】甲野義太郎 【母】丙川雪子 【続柄】長男
身分事項 　　訂　　正	【訂正日】平成３１年５月２０日 【訂正事項】母の氏名，父母との続柄 【訂正事由】甲野梅子との親子関係不存在確認の裁判確定 【裁判確定日】平成３１年５月１５日 【申請日】平成３１年５月２０日 【申請人】甲野梅子 【従前の記録】 　　【母】甲野梅子 　　【父母との続柄】長男
消　　除	【消除日】平成３２年６月１１日 【消除事項】出生事項 【消除事由】出生による入籍の記録錯誤 【許可日】平成３２年６月９日 【従前の記録】 　　【出生日】平成２０年２月１日 　　【出生地】東京都港区 　　【届出日】平成２０年２月９日 　　【届出人】父
戸籍に記録されている者　　消　　除	【名】啓太郎 【生年月日】平成２０年２月１日 【父】甲野義太郎 【母】丙川雪子 【続柄】長男
身分事項 　　出　　生	【出生日】平成２０年２月１日 【出生地】東京都港区 【届出日】平成２０年２月９日 【届出人】父
記　　録	【記録日】平成３２年１２月１３日

発行番号０００００１

1　出生に関する訂正

	（2の2）　全部事項証明
移　記	【記録事由】戸籍訂正許可の裁判確定 【裁判確定日】平成32年12月1日 【申請日】平成32年12月13日 【申請人】母
	【移記日】平成32年12月13日 【移記事項】出生事項 【移記事由】戸籍訂正許可の裁判確定 【裁判確定日】平成32年12月1日 【申請日】平成32年12月13日 【申請人】母 【移記後の戸籍】京都府京都市上京区小山初音町18番地 　　　　　　　　丙川雪子
	以下余白

発行番号000001

第5　具体的な処理例

図26　戸籍法113条の戸籍訂正許可の裁判による子の移記された実母の戸籍

	（1の1）　全　部　事　項　証　明
本　　籍	京都府京都市上京区小山初音町１８番地
氏　　名	丙川　雪子
戸籍事項 　戸籍編製	（編製事項省略）
戸籍に記録されている者	【名】雪子 【生年月日】昭和６３年１２月２４日 【父】丙川三郎 【母】丙川松子 【続柄】三女
身分事項 　出　　生	（出生事項省略）
戸籍に記録されている者	【名】啓太郎 【生年月日】平成２０年２月１日 【父】甲野義太郎 【母】丙川雪子 【続柄】長男
身分事項 　出　　生 　移　　記	【出生日】平成２０年２月１日 【出生地】東京都港区 【届出日】平成２０年２月９日 【届出人】父 【移記日】平成３２年１２月１５日 【移記事由】戸籍訂正許可の裁判確定 【裁判確定日】平成３２年１２月１日 【申請日】平成３２年１２月１３日 【申請人】母 【送付を受けた日】平成３２年１２月１５日 【受理者】東京都千代田区長 【従前戸籍】東京都千代田区平河町一丁目１０番地　甲野義太郎
	以下余白

発行番号０００００１

140

1　出生に関する訂正

(イ)　実夫と戸籍上の母が離婚し，実母と実夫が婚姻している場合

　戸籍上の母との親子関係不存在確認の裁判による戸籍訂正申請があった場合は，母の氏名及び父母との続柄を訂正した上，子の記載全部を実母の戸籍に移記することになりますが，実母が実父と婚姻しているときに，親子関係不存在確認の裁判があったときは，子は実父母と同籍していることになります。この場合においても子を実母の戸籍に移記することになります。子が在籍している戸籍は，虚偽の出生届によって入籍したもので，子の出生時の母の氏ではないからです。

　この場合，子が，父母との同籍を希望するときは，戸籍訂正後に父母の氏を称する入籍届（民法791条2項，戸籍法98条1項）をすることにより，同籍することができます。

　　　①　実母の婚姻前の戸籍が実母の婚姻により除かれているとき

　実母の婚姻前の戸籍の筆頭に記載されている者が実母である場合において，他に在籍者がないときは，実母の婚姻によりその戸籍は除籍となります。この場合は，除籍を回復した上，回復後の戸籍に子を移記することになります。

　戸籍の流れを図で示すと次のようになります。

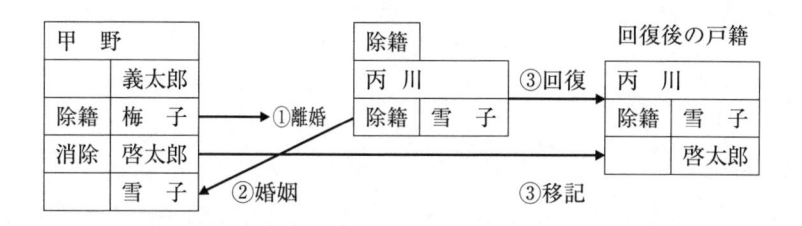

甲　野			除籍		回復後の戸籍
	義太郎		丙　川	③回復	丙　川
除籍	梅　子	①離婚	除籍　雪　子		除籍　雪　子
消除	啓太郎				啓太郎
	雪　子	②婚姻		③移記	

図27-1は，親子関係不存在確認の裁判による戸籍訂正前の子の戸籍です。
図27-2は，親子関係不存在確認の裁判による戸籍訂正後の子の戸籍です。
　左端タイトル「訂正」により母の氏名及び父母との続柄を訂正し，左端タイトル「移記」により実母の戸籍に移記する旨記録し，左端タイトル「消除」により親権事項を消除した上，「戸籍に記録されている者」欄に「消除マーク」を表示します。

　なお，父母との続柄については，親子関係不存在確認の裁判の結果，子が嫡出子となったことから，戸籍訂正後の父母との続柄です。この場合は，戸

籍訂正申請書に「事件本人は，実父母の婚姻により嫡出子の身分を取得し，父母との続柄は長男となります。」との申出事項を記載してもらうのがよいと考えます。

　また，父が前妻との離婚の際，親権者を定めていますが，この親権者を定めた記録は無効な記録となりますので，戸籍訂正申請書に「親権に関する事項を消除する。」旨を記載してもらい，これに基づき職権でその記録を消除することができます（昭和26年2月8日民事甲172号回答）。

　図28は，親子関係不存在確認の裁判による戸籍訂正により回復した母の戸籍です（除籍を回復する戸籍消除事項の消除の記載例は，他の事例を参照してください。）。

　この回復した母の戸籍に段落ちタイトル「移記」により出生事項を記録します。

図27-1　親子関係不存在確認の裁判による戸籍訂正前の子の戸籍

		（2の1）	全 部 事 項 証 明
本　　　籍	東京都千代田区平河町一丁目１０番地		
氏　　　名	甲野　義太郎		
戸籍事項 　　戸籍編製	（編製事項省略）		
戸籍に記録されている者	【名】義太郎 【生年月日】昭和５５年５月２０日　　　【配偶者区分】夫 【父】甲野幸雄 【母】甲野松子 【続柄】長男		
身分事項 　　出　　生 　　婚　　姻 　　離　　婚 　　婚　　姻	（出生事項省略） （乙野梅子との婚姻事項省略） （梅子との離婚事項省略） （丙川雪子との婚姻事項省略）		
戸籍に記録されている者 除　　籍	【名】梅子 【生年月日】昭和５６年６月１０日 【父】乙野忠治 【母】乙野春子 【続柄】長女		
身分事項 　　出　　生 　　婚　　姻 　　離　　婚	（出生事項省略） （婚姻事項省略） （離婚事項省略）		
戸籍に記録されている者	【名】啓太郎 【生年月日】平成２４年２月１日 【父】甲野義太郎 【母】甲野梅子 【続柄】長男		
身分事項 　　出　　生	【出生日】平成２４年２月１日 【出生地】東京都千代田区 【届出日】平成２４年２月８日 【届出人】父		

発行番号０００００１　　　　　　　　　　　　　　　　　　　　　　　　　　　以下次頁

第5 具体的な処理例

		(2の2) 全 部 事 項 証 明
親　　権		【親権者を定めた日】平成27年2月8日 【親権者】父 【届出人】父母
戸籍に記録されている者		【名】雪子 【生年月日】昭和62年5月20日　　【配偶者区分】妻 【父】丙川三郎 【母】丙川松子 【続柄】長女
身分事項 　　出　　生 　　婚　　姻		（出生事項省略） 【婚姻日】平成27年5月1日 【配偶者氏名】甲野義太郎 【従前戸籍】京都府京都市上京区小山初音町18番地　丙川雪子
		以下余白

発行番号000001

144

1　出生に関する訂正

図27-2　親子関係不存在確認の裁判による戸籍訂正後の子の戸籍

		（1の1）　全部事項証明
本　　籍		東京都千代田区平河町一丁目１０番地
氏　　名		甲野　義太郎

戸籍に記録されている者 消　除	【名】啓太郎 【生年月日】平成２４年２月１日 【父】甲野義太郎 【母】甲野雪子 【続柄】長男
身分事項 　出　　生	【出生日】平成２４年２月１日 【出生地】東京都千代田区 【届出日】平成２４年２月８日 【届出人】父
訂　　正	【訂正日】平成２７年１０月５日 【訂正事項】母の氏名，父母との続柄 【訂正事由】甲野梅子との親子関係不存在確認の裁判確定 【裁判確定日】平成２７年１０月１日 【申請日】平成２７年１０月５日 【申請人】甲野雪子 【従前の記録】 　【母】甲野梅子 　【父母との続柄】長男
消　　除	【消除日】平成２７年１０月５日 【消除事項】親権事項 【消除事由】甲野梅子との親子関係不存在確認の裁判確定 【従前の記録】 　【親権者を定めた日】平成２７年２月８日 　【親権者】父 　【届出人】父母
移　　記	【移記日】平成２７年１０月５日 【移記事項】出生事項 【移記事由】甲野梅子との親子関係不存在確認の裁判確定 【裁判確定日】平成２７年１０月１日 【申請日】平成２７年１０月５日 【申請人】甲野雪子 【移記後の戸籍】京都府京都市上京区小山初音町１８番地 　丙川雪子

以下余白

発行番号０００００１

第5　具体的な処理例

図28　親子関係不存在確認の裁判による戸籍訂正により回復した母の戸籍

(1の1)	全 部 事 項 証 明

本　　　籍	京都府京都市上京区小山初音町１８番地
氏　　　名	丙川　雪子

戸籍事項 　　戸籍編製 　　戸籍回復	（編製事項省略） 【回復日】平成２７年１０月９日 【回復事由】戸籍消除の記録錯誤

戸籍に記録されている者 除　　籍	【名】雪子 【生年月日】昭和６２年５月２０日 【父】丙川三郎 【母】丙川松子 【続柄】長女

身分事項 　　出　　生 　　婚　　姻	（出生事項省略） 【婚姻日】平成２７年５月１日 【配偶者氏名】甲野義太郎 【送付を受けた日】平成２７年５月６日 【受理者】東京都千代田区長 【入籍戸籍】東京都千代田区平河町一丁目１０番地　甲野義太郎

戸籍に記録されている者	【名】啓太郎 【生年月日】平成２４年２月１日 【父】甲野義太郎 【母】甲野雪子 【続柄】長男

身分事項 　　出　　生 　　移　　記	【出生日】平成２４年２月１日 【出生地】東京都千代田区 【届出日】平成２４年２月８日 【届出人】父 【移記日】平成２７年１０月９日 【移記事由】甲野梅子との親子関係不存在確認の裁判確定 【裁判確定日】平成２７年１０月１日 【申請日】平成２７年１０月５日 【申請人】甲野雪子 【送付を受けた日】平成２７年１０月９日 【受理者】東京都千代田区長 【移記前の戸籍】東京都千代田区平河町一丁目１０番地　甲野義太郎

以下余白

発行番号０００００１

② 実母が婚姻前に子の祖父母の戸籍に在籍していたとき

　実母の婚姻前の戸籍は，実母の父母，すなわち，子の祖父母の戸籍に在籍し，婚姻により除籍となっているときは，子をその戸籍の末尾にいったん入籍させると同時に，子について新戸籍を編製することになります。

　なお，戸籍訂正記載例については，前例等を参照してください。

　戸籍の流れを図で示すと次のようになります。

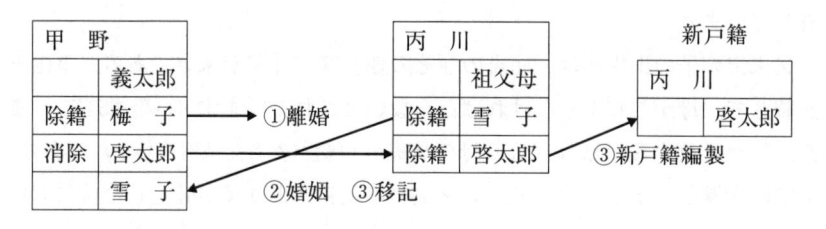

甲　野			丙　川			新戸籍	
	義太郎			祖父母		丙　川	
除籍	梅　子	→①離婚	除籍	雪　子	↗		啓太郎
消除	啓太郎		除籍	啓太郎		③新戸籍編製	
	雪　子	←②婚姻　③移記					

(3) 父未定の子について，父を定める裁判があった場合

　婚姻関係にある男女から生まれた子の父性の推定については，民法772条に規定しています。「妻が婚姻中に懐胎した子は，夫の子と推定する。」とし（民法772条1項），これを受けて，懐胎時期の推定を「婚姻の成立の日から200日を経過した後又は婚姻の解消若しくは取消しの日から300日以内に生まれた子は，婚姻中に懐胎したものと推定する。」（同条2項）としています。

　ところで，民法は，離婚した女性が再婚をするには，「前婚の解消又は取消しの日から6箇月を経過した後でなければ，再婚をすることができない」と規定しています（民法733条1項）。この期間を再婚禁止期間又は待婚期間といいます。これは，再婚した女性が出産した場合，民法772条の規定によって父性を推定した場合，前夫・後夫のいずれからも嫡出の推定を受けること（嫡出推定の重複）を防止するための規定です。

　例えば，待婚期間中の女性の婚姻の届出を誤って受理した場合には，婚姻成立の日から200日を経過した後，かつ，前婚の解消又は取消しの日から300日以内に子が出生することも起こり得ます。このような出生子は，民法772条2項の規定により，母の前婚の夫及び後婚の夫双方の嫡出子の推定を受けることになり，いずれが子の父であるかが定まらないことになります（昭和

26年1月23日民事甲51号回答,昭和39年9月5日民事甲2901号回答)。

　このような場合は,子,母,母の後夫又は前夫の申立て(人事訴訟法43条)により裁判所が一切の事情を審査して,その子の父を定めることとしています(民法773条)が,父が定められるまでの間は,この出生子の父は未定となり,この出生子を,いわゆる「父未定の子」といいます。

　また,この父未定の子は,嫡出でない子ではなく,生来の嫡出子の身分を有しています。

　父未定の子の出生届は,届書の「その他」欄に「父が未定である」事由を記載して,母がこれをしなければならないとされています(戸籍法54条)。また,子が入籍する戸籍は,母と母の後夫の戸籍(参考記載例番号6)であり,父欄は空欄とします。そして,父を定める裁判により父が確定した後において,これに基づく戸籍訂正申請により,「戸籍に記録されている者」欄に,父の氏名を記録し,父母との続柄の訂正を行います。

　　ア　母の後夫が父と定められたとき
　母の後夫を父と定める裁判によるときは,子の戸籍に変動はありませんので,子の入籍戸籍のみ戸籍訂正をすれば足ります。

　図29-1は,父を定める裁判による戸籍訂正前の子の戸籍です。

　図29-2は,父を定める裁判による戸籍訂正後の子の戸籍です。

　左端タイトル「記録」により,「戸籍に記録されている者」欄に父の氏名を記録し,関連訂正事項として父母との続柄を訂正します。

　また,出生事項中の「【特記事項】父未定」の記録は不要となりますので,段落ちタイトル「訂正」により出生事項を訂正します。

1　出生に関する訂正

図29-1　父を定める裁判による戸籍訂正前の子の戸籍

	(1の1)	全部事項証明
本　　　籍	東京都千代田区平河町一丁目１０番地	
氏　　　名	甲野　義太郎	
戸籍事項 　　戸籍編製	（編製事項省略）	
戸籍に記録されている者	【名】義太郎 【生年月日】平成元年５月２０日　　　【配偶者区分】夫 【父】甲野幸雄 【母】甲野松子 【続柄】長男	
身分事項 　　出　　生 　　婚　　姻	（出生事項省略） （婚姻事項省略）	
戸籍に記録されている者	【名】梅子 【生年月日】平成２年６月１０日　　　【配偶者区分】妻 【父】乙野忠治 【母】乙野春子 【続柄】長女	
身分事項 　　出　　生 　　婚　　姻	（出生事項省略） （婚姻事項省略）	
戸籍に記録されている者	【名】啓太郎 【生年月日】平成２８年１１月１日 【父】 【母】甲野梅子 【続柄】長男	
身分事項 　　出　　生	【出生日】平成２８年１１月１日 【出生地】東京都千代田区 【届出日】平成２８年１１月９日 【届出人】母 【特記事項】父未定	
		以下余白

発行番号０００００１

図29-2 父を定める裁判による戸籍訂正後の子の戸籍

	（1の1）　全 部 事 項 証 明
本　　籍	東京都千代田区平河町一丁目１０番地
氏　　名	甲野 義太郎

戸籍に記録されている者	【名】啓太郎 【生年月日】平成２８年１１月１日 【父】甲野義太郎 【母】甲野梅子 【続柄】長男
身分事項 　　出　　生	【出生日】平成２８年１１月１日 【出生地】東京都千代田区 【届出日】平成２８年１１月９日 【届出人】母
訂　　正	【訂正日】平成２９年４月９日 【訂正事由】父を甲野義太郎と定める裁判確定 【裁判確定日】平成２９年４月６日 【申請日】平成２９年４月９日 【申請人】甲野義太郎 【従前の記録】 　　【特記事項】父未定
記　　録	【記録日】平成２９年４月９日 【記録事項】父の氏名 【記録事由】父を甲野義太郎と定める裁判確定 【裁判確定日】平成２９年４月６日 【申請日】平成２９年４月９日 【申請人】甲野義太郎 【関連訂正事項】父母との続柄 【従前の記録】 　　【父母との続柄】長男 【記録の内容】 　　【父】甲野義太郎
	以下余白

発行番号０００００１

1　出生に関する訂正

イ　母の前夫が父と定められたとき

　母の前夫を父と定める裁判によるときの戸籍訂正は，入籍・除籍の訂正方法によりますので，子を母の後夫の戸籍から母の前夫（母離婚時）の戸籍に入籍させることになります。

　図30-1は，父を定める裁判による戸籍訂正前の子の戸籍です。

　図30-2は，父を定める裁判による戸籍訂正後の子の戸籍です。

　子は，母の前夫（母離婚時）の戸籍に入籍することになりますので，左端タイトル「除籍」により除籍し，「戸籍に記録されている者」欄に「除籍マーク」を表示します。

　なお，出生事項中の「【特記事項】父未定」の項目は，子を母の前夫の戸籍に移記するに当たっての移記事項ではないため，母の後夫を父と定められた事例（前事例ア参照）と違い，訂正する必要はないと考えます（法定記載例番号205）。

　図31-1は，父を定める裁判による戸籍訂正前の母の前夫（母離婚時）の戸籍です。

　図31-2は，父を定める裁判による戸籍訂正後の母の前夫（母離婚時）の戸籍です。

　子は，母の後夫の戸籍から入籍することになりますので，左端タイトル「入籍」により戸籍の記録をすることになります。

　なお，出生事項の次の身分事項として親権事項の記録がありますが，これは，父を定める裁判により，母の前夫との離婚後300日以内に出生した嫡出子ですから，子の出生前に父母が離婚した場合，親権は母が行うこととされています（民法819条3項）ので，その旨の記録です（参考記載例番号5）。この場合は，戸籍訂正申請書に「父母は平成年月日離婚につき親権者は母である。」と記載してもらうことにより，明確にしておけばよいと考えます。

図30-1　父を定める裁判による戸籍訂正前の子の戸籍

		(1の1)	全 部 事 項 証 明
本　　　籍	東京都千代田区平河町一丁目10番地		
氏　　　名	甲野　義太郎		
戸籍事項 　戸籍編製	（編製事項省略）
戸籍に記録されている者	【名】義太郎 【生年月日】平成元年5月20日　　　【配偶者区分】夫 【父】甲野幸雄 【母】甲野松子 【続柄】長男
身分事項 　出　　生 　婚　　姻	（出生事項省略） （婚姻事項省略）
戸籍に記録されている者	【名】梅子 【生年月日】平成2年1月8日　　　【配偶者区分】妻 【父】乙野忠治 【母】乙野春子 【続柄】長女
身分事項 　出　　生 　婚　　姻	（出生事項省略） （婚姻事項省略）
戸籍に記録されている者	【名】啓太郎 【生年月日】平成28年11月1日 【父】 【母】甲野梅子 【続柄】長男
身分事項 　出　　生	【出生日】平成28年11月1日 【出生地】東京都千代田区 【届出日】平成28年11月9日 【届出人】母 【特記事項】父未定
	以下余白

発行番号000001

1　出生に関する訂正

図30-2　父を定める裁判による戸籍訂正後の子の戸籍

		（1の1）	全 部 事 項 証 明
本　　籍	東京都千代田区平河町一丁目10番地		
氏　　名	甲野　義太郎		

戸籍に記録されている者 　　除　　籍	【名】啓太郎 【生年月日】平成28年11月1日 【父】 【母】甲野梅子 【続柄】長男
身分事項 　　出　　生	【出生日】平成28年11月1日 【出生地】東京都千代田区 【届出日】平成28年11月9日 【届出人】母 【特記事項】父未定
除　　籍	【除籍日】平成29年4月9日 【除籍事由】父を丙川春男と定める裁判確定 【裁判確定日】平成29年4月6日 【申請日】平成29年4月9日 【申請人】丙川春男 【入籍戸籍】群馬県高崎市東町2番地　丙川春男
	以下余白

発行番号000001

第5　具体的な処理例

図31-1　父を定める裁判による戸籍訂正前の母の前夫の母の離婚時の戸籍

	（1の1）	全部事項証明
本　　　籍	群馬県高崎市東町2番地	
氏　　　名	丙川　春男	

戸籍事項 　戸籍編製	（編製事項省略）
戸籍に記録されている者	【名】春男 【生年月日】昭和60年3月25日 【父】丙川正夫 【母】丙川和子 【続柄】長男
身分事項 　出　　生 　婚　　姻 　離　　婚	（出生事項省略） （婚姻事項省略） （離婚事項省略）
戸籍に記録されている者 　　除　　籍	【名】梅子 【生年月日】平成2年1月8日 【父】乙野忠治 【母】乙野春子 【続柄】長女
身分事項 　出　　生 　婚　　姻 　離　　婚	（出生事項省略） （婚姻事項省略） （離婚事項省略）
	以下余白

発行番号000001

1　出生に関する訂正

図31-2　父を定める裁判による戸籍訂正後の母の前夫の母離婚時の戸籍

（1の1）　全部事項証明

本　　籍	群馬県高崎市東町2番地
氏　　名	丙川　春男

戸籍に記録されている者	【名】啓太郎 【生年月日】平成28年11月1日 【父】丙川春男 【母】甲野梅子 【続柄】長男
身分事項 　出　　生	【出生日】平成28年11月1日 【出生地】東京都千代田区 【届出日】平成28年11月9日 【届出人】母
親　　権 　入　　籍	【親権者】母 【入籍日】平成29年4月11日 【入籍事由】父を丙川春男と定める裁判確定 【裁判確定日】平成29年4月6日 【申請日】平成29年4月9日 【申請人】丙川春男 【送付を受けた日】平成29年4月11日 【受理者】東京都千代田区長 【従前戸籍】東京都千代田区平河町一丁目10番地　甲野義太郎

以下余白

発行番号000001

155

2. 認知に関する訂正

　認知の無効原因は，①認知者と被認知者との間に血縁上の親子関係がない場合，②認知者が意思能力を欠いている場合又は届出が認知者の意思によらない場合，③死亡した被認知者を認知したところ，その子には直系卑属がなかった場合等があり，認知を無効とする戸籍訂正の方法は，戸籍法116条，114条及び113条によりますが，それぞれの場合について，どの方法による訂正手続をするのかについて，次に説明することにします。

　戸籍法116条による場合は，前記①の場合です。①については，当然無効とする説と当該認知を無効とする裁判によって遡及的に無効となるいわゆる形成無効とする説がありますが，判例は，後者の立場を採っています（大審院大正11年３月27日判決民集１巻137頁）。前記②及び③の場合は，認知は当然無効と解されていますので，訴えをもって主張する必要はなく，別の訴訟においても主張することもできます。したがって，②及び③の場合は，戸籍法114条又は同法113条によることができます。

　認知無効の裁判があった場合は，認知者については認知事項を消除し，被認知者については認知事項及び父の氏名を消除します。

(1)　認知者及び被認知者とも，認知時の戸籍に変動がない場合
　図32-1は，認知無効の裁判による戸籍訂正前の認知者の戸籍です。
　図32-2は，認知無効の裁判による戸籍訂正後の認知者の戸籍です。
　左端タイトル「消除」により認知事項を消除します。認知者の認知事項を消除するに際しては，「【消除事項】何某を認知無効の裁判確定」と具体的に被認知者の氏名を記録することに注意を要します。
　図33-1は，認知無効の裁判による戸籍訂正前の被認知者の戸籍です。
　図33-2は，認知無効の裁判による戸籍訂正後の被認知者の戸籍です。
　左端タイトル「消除」により認知事項及び父の氏名を消除します。認知事項と父の氏名の消除は，図のように個別に消除することになります。

2　認知に関する訂正

図32-1　認知無効の裁判による戸籍訂正前の認知者の戸籍

	（1の1）	全 部 事 項 証 明
本　　籍	東京都千代田区平河町一丁目10番地	
氏　　名	甲野　義太郎	
戸籍事項 　　戸籍改製	（改製事項省略）	
戸籍に記録されている者	【名】義太郎 【生年月日】昭和60年6月26日 【父】甲野幸雄 【母】甲野松子 【続柄】長男	
身分事項 　　出　　生 　　認　　知	（出生事項省略） 【認知日】平成28年5月1日 【認知した子の氏名】丙川啓太郎 【認知した子の戸籍】京都府京都市上京区小山初音町18番地　丙川雪子 【送付を受けた日】平成28年5月6日 【受理者】京都府京都市上京区長	
		以下余白

発行番号000001

第5　具体的な処理例

図32-2　認知無効の裁判による戸籍訂正後の認知者の戸籍

	（1の1）　全 部 事 項 証 明
本　　　籍	東京都千代田区平河町一丁目１０番地
氏　　　名	甲野　義太郎
戸籍事項 　戸籍改製	（改製事項省略）
戸籍に記録されている者	【名】義太郎 【生年月日】昭和６０年６月２６日 【父】甲野幸雄 【母】甲野松子 【続柄】長男
身分事項 　出　　生 　消　　除	（出生事項省略） ------ 【消除日】平成２９年２月１５日 【消除事項】認知事項 【消除事由】丙川啓太郎を認知無効の裁判確定 【裁判確定日】平成２９年２月８日 【申請日】平成２９年２月１５日 【従前の記録】 　【認知日】平成２８年５月１日 　【認知した子の氏名】丙川啓太郎 　【認知した子の戸籍】京都府京都市上京区小山初音町１８番地　丙川雪子 　【送付を受けた日】平成２８年５月６日 　【受理者】京都府京都市上京区長
	以下余白

発行番号０００００１

2　認知に関する訂正

図33-1　認知無効の裁判による戸籍訂正前の被認知者の戸籍

(1の1)	全 部 事 項 証 明
本　　籍	京都府京都市上京区小山初音町１８番地
氏　　名	丙川　雪子
戸籍事項 　　戸籍編製	【編製日】平成２８年２月７日
戸籍に記録されている者	【名】雪子 【生年月日】昭和６３年１月２０日 【父】丙川三郎 【母】丙川松子 【続柄】三女
身分事項 　　出　　生 　　子の出生	（出生事項省略） 【入籍日】平成２８年２月７日 【入籍事由】子の出生届出 【従前戸籍】京都府京都市上京区小山初音町１８番地　丙川三郎
戸籍に記録されている者	【名】啓太郎 【生年月日】平成２８年２月１日 【父】甲野義太郎 【母】丙川雪子 【続柄】長男
身分事項 　　出　　生 　　認　　知	【出生日】平成２８年２月１日 【出生地】東京都港区 【届出日】平成２８年２月５日 【届出人】母 【送付を受けた日】平成２８年２月７日 【受理者】東京都港区長 【認知日】平成２８年５月１日 【認知者氏名】甲野義太郎 【認知者の戸籍】東京都千代田区平河町一丁目１０番地　甲野義太郎
	以下余白

発行番号０００００１

第5　具体的な処理例

図33-2　認知無効の裁判による戸籍訂正後の被認知者の戸籍

	（1の1）	全 部 事 項 証 明
本　　籍	京都府京都市上京区小山初音町１８番地	
氏　　名	丙川　雪子	

戸籍に記録されている者	【名】啓太郎 【生年月日】平成２８年２月１日 【父】 【母】丙川雪子 【続柄】長男
身分事項 　出　　生	【出生日】平成２８年２月１日 【出生地】東京都港区 【届出日】平成２８年２月５日 【届出人】母 【送付を受けた日】平成２８年２月７日 【受理者】東京都港区長
消　　除	【消除日】平成２９年２月１７日 【消除事項】認知事項 【消除事由】認知無効の裁判確定 【裁判確定日】平成２９年２月８日 【申請日】平成２９年２月１５日 【申請人】甲野義太郎 【送付を受けた日】平成２９年２月１７日 【受理者】東京都千代田区長 【従前の記録】 　　【認知日】平成２８年５月１日 　　【認知者氏名】甲野義太郎 　　【認知者の戸籍】東京都千代田区平河町一丁目１０番地 　　　　甲野義太郎
消　　除	【消除日】平成２９年２月１７日 【消除事項】父の氏名 【消除事由】認知無効の裁判確定 【裁判確定日】平成２９年２月８日 【申請日】平成２９年２月１５日 【申請人】甲野義太郎 【送付を受けた日】平成２９年２月１７日 【受理者】東京都千代田区長 【従前の記録】 　　【父】甲野義太郎
	以下余白

発行番号０００００１

2 認知に関する訂正

(2) 被認知者が父の氏を称する入籍の届出により認知者の戸籍に入籍している場合

被認知者は父の氏を称する入籍の届出により認知者の戸籍に入籍していますが，認知の届出の効果として父の戸籍に入籍したものではなく，父の氏を称する入籍届という別個の戸籍法上の届出によるものです。したがって，この入籍事項は，認知無効の裁判による戸籍訂正の範囲には含まれませんから，別途，戸籍法114条又は113条の戸籍訂正許可の裁判を得て訂正することになります。

戸籍の流れを図で示すと次のようになります。

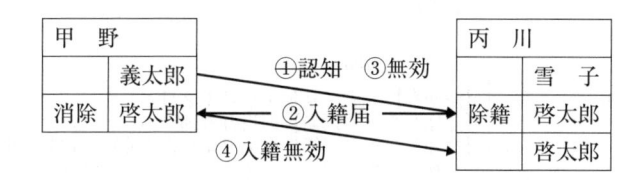

	甲　野				丙　川	
	義太郎	①認知　③無効			雪　子
消除	啓太郎	←②入籍届→		除籍	啓太郎
		④入籍無効			啓太郎

啓太郎は，①義太郎に認知され，②義太郎の戸籍に入籍届により入籍し，③義太郎の認知無効の裁判により認知事項が消除され，④入籍届出無効の家庭裁判所の戸籍訂正許可の裁判により実母の戸籍に回復する旨の流れ図です。

図34-1は，認知無効の裁判による戸籍訂正前の認知者の戸籍です。

図34-2は，認知無効の裁判による戸籍訂正後の認知者の戸籍です。

左端タイトル「消除」により，義太郎については啓太郎を認知する認知事項を，啓太郎については認知事項及び父の氏名をそれぞれ消除します。

なお，認知者の戸籍訂正記載例は，**図32-2**を参照してください。

図35-1は，認知無効の裁判による戸籍訂正前の被認知者の戸籍です。

図35-2は，認知無効の裁判による戸籍訂正後の被認知者の戸籍です。

左端タイトル「消除」により認知事項及び父の氏名を消除します。

認知無効の裁判による戸籍訂正処理はここまでです。父の氏を称する入籍事項を消除するには，別途，戸籍訂正許可の裁判を得てすることになります。

第5　具体的な処理例

図34-1　認知無効の裁判による戸籍訂正前の認知者の戸籍

	（1の1）	全 部 事 項 証 明
本　　　籍	東京都千代田区平河町一丁目１０番地	
氏　　　名	甲野　義太郎	

戸籍事項 　戸籍改製	（改製事項省略）
戸籍に記録されている者	【名】義太郎 【生年月日】昭和６２年６月２６日 【父】甲野幸雄 【母】甲野松子 【続柄】長男
身分事項 　出　　生 　認　　知	（出生事項省略） 【認知日】平成２９年１０月１２日 【認知した子の氏名】丙川啓太郎 【認知した子の戸籍】京都府京都市上京区小山初音町１８番地　丙川雪子
戸籍に記録されている者	【名】啓太郎 【生年月日】平成２９年６月１５日 【父】甲野義太郎 【母】丙川雪子 【続柄】長男
身分事項 　出　　生 　認　　知 　入　　籍	【出生日】平成２９年６月１５日 【出生地】東京都港区 【届出日】平成２９年６月２０日 【届出人】母 【認知日】平成２９年１０月１２日 【認知者氏名】甲野義太郎 【認知者の戸籍】東京都千代田区平河町一丁目１０番地　甲野義太郎 【送付を受けた日】平成２９年１０月１４日 【受理者】東京都千代田区長 【届出日】平成２９年１２月１０日 【入籍事由】父の氏を称する入籍 【届出人】親権者母 【送付を受けた日】平成２９年１２月１３日 【受理者】京都府京都市上京区長 【従前戸籍】京都府京都市上京区小山初音町１８番地　丙川雪子
	以下余白

発行番号０００００１

2　認知に関する訂正

図34-2　認知無効の裁判による戸籍訂正後の認知者の戸籍

（1の1）　　全部事項証明

本　　籍	東京都千代田区平河町一丁目１０番地
氏　　名	甲野　義太郎

戸籍に記録されている者	【名】啓太郎 【生年月日】平成２９年６月１５日 【父】 【母】丙川雪子 【続柄】長男
身分事項 　出　　生	【出生日】平成２９年６月１５日 【出生地】東京都港区 【届出日】平成２９年６月２０日 【届出人】母
入　　籍	【届出日】平成２９年１２月１０日 【入籍事由】父の氏を称する入籍 【届出人】親権者母 【送付を受けた日】平成２９年１２月１３日 【受理者】京都府京都市上京区長 【従前戸籍】京都府京都市上京区小山初音町１８番地　丙川雪子
消　　除	【消除日】平成３１年２月１０日 【消除事項】認知事項 【消除事由】認知無効の裁判確定 【裁判確定日】平成３１年２月２日 【申請日】平成３１年２月１０日 【申請人】母 【従前の記録】 　　【認知日】平成２９年１０月１２日 　　【認知者氏名】甲野義太郎 　　【認知者の戸籍】東京都千代田区平河町一丁目１０番地　甲野義太郎 　　【送付を受けた日】平成２９年１０月１３日 　　【受理者】東京都千代田区長
消　　除	【消除日】平成３１年２月１０日 【消除事項】父の氏名 【消除事由】認知無効の裁判確定 【裁判確定日】平成３１年２月２日 【申請日】平成３１年２月１０日 【申請人】母 【従前の記録】 　　【父】甲野義太郎
	以下余白

発行番号０００００１

第5　具体的な処理例

図35-1　認知無効の裁判による戸籍訂正前の被認知者の戸籍

（1の1）	全 部 事 項 証 明

本　　　籍	京都府京都市上京区小山初音町１８番地
氏　　　名	丙川　雪子
戸籍事項 　　戸籍編製	【編製日】平成２９年６月２０日
戸籍に記録されている者	【名】雪子 【生年月日】昭和６３年１月２０日 【父】丙川三郎 【母】丙川松子 【続柄】三女
身分事項 　　出　　生 　　子の出生	（出生事項省略） （入籍事項省略）
戸籍に記録されている者 　除　　籍	【名】啓太郎 【生年月日】平成２９年６月１５日 【父】甲野義太郎 【母】丙川雪子 【続柄】長男
身分事項 　　出　　生 　　認　　知 　　入　　籍	【出生日】平成２９年６月１５日 【出生地】東京都港区 【届出日】平成２９年６月２０日 【届出人】母 【認知日】平成２９年１０月１２日 【認知者氏名】甲野義太郎 【認知者の戸籍】東京都千代田区平河町一丁目１０番地　甲野義太郎 【届出日】平成２９年１２月１０日 【除籍事由】父の氏を称する入籍 【届出人】親権者母 【入籍戸籍】東京都千代田区平河町一丁目１０番地　甲野義太郎
	以下余白

発行番号０００００１

2　認知に関する訂正

図35-2　認知無効の裁判による戸籍訂正後の被認知者の戸籍

		（2の1）	全部事項証明
本　　籍	京都府京都市上京区小山初音町１８番地		
氏　　名	丙川　雪子		
戸籍事項 　　戸籍編製	【編製日】平成２９年６月２０日		
戸籍に記録されている者	【名】雪子 【生年月日】昭和６３年１月２０日 【父】丙川三郎 【母】丙川松子 【続柄】三女		
身分事項 　　出　　生 　　子の出生	（出生事項省略） （入籍事項省略）		
戸籍に記録されている者 　除　　籍	【名】啓太郎 【生年月日】平成２９年６月１５日 【父】 【母】丙川雪子 【続柄】長男		
身分事項 　　出　　生 　　入　　籍 　　消　　除	【出生日】平成２９年６月１５日 【出生地】東京都港区 【届出日】平成２９年６月２０日 【届出人】母 【届出日】平成２９年１２月１０日 【除籍事由】父の氏を称する入籍 【届出人】親権者母 【入籍戸籍】東京都千代田区平河町一丁目１０番地　甲野義太郎 【消除日】平成３１年２月１２日 【消除事項】認知事項 【消除事由】認知無効の裁判確定 【裁判確定日】平成３１年２月２日 【申請日】平成３１年２月１０日 【申請人】母 【送付を受けた日】平成３１年２月１２日 【受理者】東京都千代田区長 【従前の記録】 　　【認知日】平成２９年１０月１２日		

発行番号０００００１　　　　　　　　　　　　　　　　　　　　　以下次頁

第5　具体的な処理例

| | | (2の2) | 全 部 事 項 証 明 |

| 消　　除 | 【認知者氏名】甲野義太郎
【認知者の戸籍】東京都千代田区平河町一丁目１０番地　甲野義太郎
【消除日】平成３１年２月１２日
【消除事項】父の氏名
【消除事由】認知無効の裁判確定
【裁判確定日】平成３１年２月２日
【申請日】平成３１年２月１０日
【申請人】母
【送付を受けた日】平成３１年２月１２日
【受理者】東京都千代田区長
【従前の記録】
　　【父】甲野義太郎 |
| | 以下余白 |

発行番号０００００１

参考までに，次に，戸籍法114条の戸籍訂正許可の裁判による戸籍訂正記載例を示すことにします。

　参考図12は，戸籍訂正許可の裁判による戸籍訂正後の認知者の戸籍です。

　左端タイトル「消除」により入籍事項を消除し，「戸籍に記録されている者」欄に「消除マーク」を表示します。

　参考図13は，戸籍訂正許可の裁判による戸籍訂正後の被認知者の戸籍です。

　左端タイトル「消除」により入籍事項を消除し，末尾に被認知者を回復します。

第5　具体的な処理例

参考図12　戸籍法114条の戸籍訂正許可の裁判による戸籍訂正後の認知者の戸籍

	（1の1）	全　部　事　項　証　明
本　　籍	東京都千代田区平河町一丁目１０番地	
氏　　名	甲野　義太郎	

戸籍に記録されている者 ［消　　除］	【名】啓太郎 【生年月日】平成２９年６月１５日 【父】 【母】丙川雪子 【続柄】長男
身分事項 　　出　　生	【出生日】平成２９年６月１５日 【出生地】東京都港区 【届出日】平成２９年６月２０日 【届出人】母
消　　除	（認知事項消除省略）
消　　除	（父の氏名消除省略）
消　　除	【消除日】平成３１年４月１４日 【消除事項】入籍事項 【消除事由】父の氏を称する入籍届出無効につき戸籍訂正許可の裁判確定 【裁判確定日】平成３１年４月２日 【申請日】平成３１年４月１１日 【申請人】母 【送付を受けた日】平成３１年４月１４日 【受理者】京都府京都市上京区長 【従前の記録】 　　【届出日】平成２９年１２月１０日 　　【入籍事由】父の氏を称する入籍 　　【届出人】親権者母 　　【送付を受けた日】平成２９年１２月１３日 　　【受理者】京都府京都市上京区長 　　【従前戸籍】京都府京都市上京区小山初音町１８番地 　　　　丙川雪子
	以下余白

発行番号０００００１

2　認知に関する訂正

参考図13　戸籍法114条の戸籍訂正許可の裁判による戸籍訂正後の被認知者の戸籍

		(1の1)	全 部 事 項 証 明
本　　　籍	京都府京都市上京区小山初音町１８番地		
氏　　　名	丙川　雪子		

戸籍に記録されている者 除　　籍	【名】啓太郎 【生年月日】平成２９年６月１５日 【父】 【母】丙川雪子 【続柄】長男
身分事項 　　出　　　生	【出生日】平成２９年６月１５日 【出生地】東京都港区 【届出日】平成２９年６月２０日 【届出人】母
消　　　除	（認知事項消除省略）
消　　　除	（父の氏名消除省略）
消　　　除	【消除日】平成３１年４月１１日 【消除事項】入籍事項 【消除事由】父の氏を称する入籍届出無効につき戸籍訂正許可の裁判確定 【裁判確定日】平成３１年４月２日 【申請日】平成３１年４月１１日 【申請人】母 【従前の記録】 　【届出日】平成２９年１２月１０日 　【除籍事由】父の氏を称する入籍 　【届出人】親権者母 　【入籍戸籍】東京都千代田区平河町一丁目１０番地　甲野義太郎
戸籍に記録されている者	【名】啓太郎 【生年月日】平成２９年６月１５日 【父】 【母】丙川雪子 【続柄】長男
身分事項 　　出　　　生	【出生日】平成２９年６月１５日 【出生地】東京都港区 【届出日】平成２９年６月２０日 【届出人】母
	以下余白

発行番号０００００１

(3) **婚姻後に父が出生届をした，外国人妻の婚姻前の出生子の場合**

　民法789条2項の規定（認知準正）によって嫡出子となるべき者について，父が嫡出子出生の届出をしたときは，その届出は認知の届出の効力を有するとされています（戸籍法62条）。

　子は，外国人ですから戸籍に記録されませんが，認知をした父の戸籍には，認知の届出の効力を有する出生届をした旨が記録されます。

　本例の認知無効の裁判があった場合，被認知者については戸籍の編製がされていませんので，認知者の戸籍についてのみ戸籍訂正をすることになり，認知者の認知事項を消除します。

　図36-1は，認知無効の裁判による戸籍訂正前の認知者の戸籍です。

　図36-2は，認知無効の裁判による戸籍訂正後の認知者の戸籍です。

　左端タイトル「消除」により認知事項を消除します。

2 認知に関する訂正

図36-1　認知無効の裁判による戸籍訂正前の認知者の戸籍

(1の1)	全 部 事 項 証 明

本　　　籍	東京都千代田区平河町一丁目１０番地
氏　　　名	甲野　義太郎
戸籍事項 　　戸籍編製	【編製日】平成２８年６月２日
戸籍に記録されている者	【名】義太郎 【生年月日】昭和６３年６月２６日　　【配偶者区分】夫 【父】甲野幸雄 【母】甲野松子 【続柄】長男
身分事項 　　出　　生 　　婚　　姻 　　認　　知	（出生事項省略） 【婚姻日】平成２８年６月２日 【配偶者氏名】ファンデンボッシュ，ヘレン 【配偶者の国籍】アメリカ合衆国 【配偶者の生年月日】西暦１９９０年８月６日 【届出日】平成２８年６月２日 【届出の性質】認知届出の効力を有する出生届出 【認知した子の氏名】ファンデンボッシュ，ケイコ 【認知した子の国籍】アメリカ合衆国 【認知した子の生年月日】西暦２０１６年５月２０日 【認知した子の母の氏名】ファンデンボッシュ，ヘレン
	以下余白

発行番号０００００１

171

第5　具体的な処理例

図36-2　認知無効の裁判による戸籍訂正後の認知者の戸籍

	（1の1）　全部事項証明
本　　　籍 氏　　　名	東京都千代田区平河町一丁目１０番地 甲野　義太郎
戸籍事項 　　戸籍編製	【編製日】平成２８年６月２日
戸籍に記録されている者	【名】義太郎 【生年月日】昭和６３年６月２６日　　【配偶者区分】夫 【父】甲野幸雄 【母】甲野松子 【続柄】長男
身分事項 　　出　　生 　　婚　　姻 　　消　　除	（出生事項省略） 【婚姻日】平成２８年６月２日 【配偶者氏名】ファンデンボッシュ，ヘレン 【配偶者の国籍】アメリカ合衆国 【配偶者の生年月日】西暦１９９０年８月６日 【消除日】平成３０年１１月３０日 【消除事項】認知事項 【消除事由】ファンデンボッシュ，ケイコを認知無効の裁判 　　　　　　確定 【裁判確定日】平成３０年１１月２５日 【申請日】平成３０年１１月３０日 【従前の記録】 　　【届出日】平成２８年６月２日 　　【届出の性質】認知届出の効力を有する出生届出 　　【認知した子の氏名】ファンデンボッシュ，ケイコ 　　【認知した子の国籍】アメリカ合衆国 　　【認知した子の生年月日】西暦２０１６年５月２０日 　　【認知した子の母の氏名】ファンデンボッシュ，ヘレン
	以下余白

発行番号０００００１

2　認知に関する訂正

(4)　母が他男と婚姻中に出生した子と，実父との認知の裁判があった場合

　民法772条の規定により母の夫の嫡出子としての推定を受ける子については，嫡出否認の裁判（同条の推定規定が排除される場合は親子関係不存在確認の裁判）が確定した後でなければ，たとえその子の事実上の父であったとしても，任意認知はもちろん認知の訴えも許されないと解されています（明治32年3月24日民刑2180号回答，大正7年7月4日民1296号回答，大正5年4月29日大審院判決，昭和13年10月31日東京高裁判決）。

　もっとも，妻が夫との婚姻継続中に出生した子の場合であっても，その懐胎期間中に夫婦間に性的関係を持つ機会がなかったことが明らかであるなどの事情が存する場合（例えば，事実上の離婚又は夫の生死不明若しくは海外への長期出張による不在等）には，子は実質的には民法772条の嫡出の推定を受けない嫡出子に当たるとされています（最判昭和44年5月29日民集23巻6号1064頁）から，子から事実上の父に対して認知の訴えを提起することができるものと解されています（昭和41年3月14日民事甲655号回答）。

　認知の訴えは，裁判が確定することによって父と子の法律上の親子関係が発生しますので，確定判決に基づく届出（戸籍法63条）は，いわゆる報告的届出に属します。

　ところで，戸籍の記録から婚姻中の父母の嫡出推定を受ける子について，裁判による認知届がされたときに，直ちに認知の記録ができるかという問題があります。

　被認知者の戸籍（図37-1）をみるとお分かりのように，子は嫡出子として戸籍に記録されていますので，その嫡出性を否認しなければ，認知の記録はできないということになります。

　そのためには，まず，裁判による認知の記録ができるように戸籍の整序をし（以下「1次処理」という。），次いで，認知の記録（以下「2次処理」という。）をします。1次処理では，「父の氏名」を消除し，「父母との続柄」を訂正します。

　図37-1は，認知の裁判による戸籍訂正前の被認知者の戸籍です。

　図37-2は，認知の裁判による戸籍訂正（1次処理）後の被認知者の戸籍です。

173

第5　具体的な処理例

　左端タイトル「消除」により父の氏名を消除し，関連訂正事項として父母との続柄を訂正します。この処理により父欄を空欄にします（注①）。また，関連訂正事項として父母との続柄を訂正しましたが，戸籍訂正後の父母との続柄は，嫡出でない子としての続柄となります。

　図37-3は，認知の裁判による2次処理後の被認知者の戸籍です。

　親権者母からの認知届に基づき認知事項を記録します（注②）。この記録は，通常の裁判による認知届に基づく記録例と同様になります。

　図38は，裁判認知による認知事項を記録する認知者（父）の戸籍です。

　裁判による認知の届出があった旨を記録します。

2 認知に関する訂正

図37-1　認知の裁判による戸籍訂正前の被認知者の戸籍

	（1の1）　　全 部 事 項 証 明
本　　　籍	東京都千代田区平河町一丁目１０番地
氏　　　名	甲野　義太郎
戸籍事項 　　戸籍編製	（編製事項省略）
戸籍に記録されている者	【名】義太郎 【生年月日】昭和５８年６月２６日　　【配偶者区分】夫 【父】甲野幸雄 【母】甲野松子 【続柄】長男
身分事項 　　出　　生 　　婚　　姻	（出生事項省略） （婚姻事項省略）
戸籍に記録されている者	【名】梅子 【生年月日】昭和５９年１月８日　　【配偶者区分】妻 【父】乙野忠治 【母】乙野春子 【続柄】長女
身分事項 　　出　　生 　　婚　　姻	（出生事項省略） （婚姻事項省略）
戸籍に記録されている者	【名】啓太郎 【生年月日】平成２５年６月６日 【父】甲野義太郎 【母】甲野梅子 【続柄】長男
身分事項 　　出　　生	【出生日】平成２５年６月６日 【出生地】東京都千代田区 【届出日】平成２５年６月１３日 【届出人】母
	以下余白

発行番号０００００１

175

第5 具体的な処理例

図37-2 認知の裁判による戸籍訂正（１次処理）後の被認知者の戸籍

	（1の1）	全部事項証明
本　　　籍	東京都千代田区平河町一丁目１０番地	
氏　　　名	甲野　義太郎	

戸籍に記録されている者	【名】啓太郎 【生年月日】平成２５年６月６日 【父】　① 【母】甲野梅子 【続柄】長男　①
身分事項 　　出　　生	【出生日】平成２５年６月６日 【出生地】東京都千代田区 【届出日】平成２５年６月１３日 【届出人】母
①消　　除	【消除日】平成２９年４月１５日 【消除事項】父の氏名 【消除事由】群馬県渋川市渋川２番地丁川一郎認知の裁判確定 【裁判確定日】平成２９年４月４日 【申請日】平成２９年４月１５日 【申請人】母 【関連訂正事項】父母との続柄 【従前の記録】 　　　【父】甲野義太郎 　　　【父母との続柄】長男
	以下余白

発行番号０００００１

2 認知に関する訂正

図37-3 認知の裁判による２次処理後の被認知者の戸籍

		（1の1）	全 部 事 項 証 明
本　　　籍	東京都千代田区平河町一丁目１０番地		
氏　　　名	甲野　義太郎		

戸籍に記録されている者	【名】啓太郎 【生年月日】平成２５年６月６日 【父】丁川一郎② 【母】甲野梅子 【続柄】長男
身分事項 　　出　　生	【出生日】平成２５年６月６日 【出生地】東京都千代田区 【届出日】平成２５年６月１３日 【届出人】母
①消　　除	【消除日】平成２９年４月１５日 【消除事項】父の氏名 【消除事由】群馬県渋川市渋川２番地丁川一郎認知の裁判確定 【裁判確定日】平成２９年４月４日 【申請日】平成２９年４月１５日 【申請人】母 【関連訂正事項】父母との続柄 【従前の記録】 　　【父】甲野義太郎 　　【父母との続柄】長男
②認　　知	【認知の裁判確定日】平成２９年４月４日 【認知者氏名】丁川一郎 【認知者の戸籍】群馬県渋川市渋川２番地　丁川一郎 【届出日】平成２９年４月１５日 【届出人】親権者母
	以下余白

発行番号０００００１

第5　具体的な処理例

図38　認知の裁判による認知者の戸籍

		(1の1)	全 部 事 項 証 明
本　　籍	群馬県渋川市渋川2番地		
氏　　名	丁川　一郎		
戸籍事項 　　戸籍改製	（改製事項省略）
戸籍に記録されている者	【名】一郎 【生年月日】昭和60年5月5日 【父】丁川英一 【母】丁川冬子 【続柄】長男
身分事項 　　出　　生 　　認　　知	（出生事項省略） 【認知の裁判確定日】平成29年4月4日 【認知した子の氏名】甲野啓太郎 【認知した子の戸籍】東京都千代田区平河町一丁目10番地 　　甲野義太郎 【届出日】平成29年4月15日 【届出人】親権者母 【送付を受けた日】平成29年4月20日 【受理者】東京都千代田区長
	以下余白

発行番号000001

178

3. 縁組・離縁に関する訂正

　民法802条は，縁組の無効原因として，①人違いその他の事由によって当事者間に縁組をする意思がないとき，②当事者が縁組の届出をしないときとしています。②は，縁組の不成立ということになりますから，無効原因は，①に限られるものと解されます。

　次のような縁組は，無効とされています。

- 当事者の不知の間に届出がされたものは無効です（大判明治38年12月5日民録11輯1629頁）。現在では，戸籍法の一部を改正する法律（平成19年法律第35号）により戸籍の届出における本人確認等の取扱いが法制化され，平成20年5月1日から施行されていますから，当事者の不知の間に届出がされたとしても，窓口に出頭しなかった届出人に対して市区町村長は，縁組の届出がされ，受理した旨の通知を発出していますので，養親となる者が知らない間に，全く見ず知らずの者が自分の養子となる縁組の届出をしているとしても，いち早くこれを知ることができ，縁組無効の戸籍訂正手続をすることができます。

- たとえ養子縁組の届出自体について当事者間に意思の一致があったとしても，それは単に他の目的のための便法としてされたに過ぎず，真に養親子関係の創設を欲する効果意思を有しなかったものも無効です（最判昭和23年12月23日民集2巻493頁等）。最近では，消費者金融からの借金を繰り返すため，知人同士で縁組・離縁を繰り返し，氏や本籍を変更する事案が頻発していますが，これらは，真に養親子関係の創設を欲する効果意思を有しない縁組ということになります。このような事案は，今後も繰り返されることも考えられます。特に，養子縁組・離縁を繰り返している者について，養子縁組の無効の裁判があった場合の戸籍訂正は，訂正すべき戸籍数が10ないし20戸籍にわたるときもあり，その数だけの市区町村にかかわるものもありますので，大変面倒な訂正になります。

　近年，前記のような養子縁組制度本来の目的を逸脱し，縁組意思のないまま，氏を変更することを目的とする成年同士の養子縁組の届出がされ，戸籍に不実の記載がされるという事案が発生していることから，不実の記

179

第5　具体的な処理例

載がされることを未然に防止するための措置が講ぜられました。この防止策の具体的な取扱いは，平成22年12月27日付け法務省民一第3200号民事局長通達及び同日付け法務省民一第3201号通知を参照してください。
● その他，心神喪失の常況にある意思能力を有しない者がした縁組も無効です（大判大正6年12月20日民録23輯2178頁）し，養子が15歳未満である場合に，正当な代諾権を有する者の代諾がないものも無効です（これについては，正当な代諾権者からの追完の届出で有効にすることができ（昭和30年8月1日民事甲1602号通達），また，15歳に達した養子自ら追認することで有効にすることができます（最判昭和27年10月3日民集6巻753頁））。

(1)　婚姻の際に氏を改めた者が養子となる縁組により，誤って養子夫婦について新戸籍を編製したため，管轄局の長の許可を得て訂正する場合

　婚姻の際に氏を改めた者が養子となった場合は，その者は婚姻の際に定めた氏を称すべき間は，養親の氏を称しないことになります（民法810条ただし書）。この婚姻の際に定めた氏を称すべき間とは，婚姻の継続中はもとより配偶者の死亡により婚姻が解消しても，養親の氏を称することなく，引き続き配偶者又は配偶者であった者の氏を称するとしています（昭和62年10月1日民二5000号通達第1の3参照）。
　したがって，この場合の訂正方法は，養子縁組により新戸籍を編製したことは誤りですから，この新戸籍を消除し，婚姻による新戸籍が除籍となっていますので，除籍となった原因のある養子縁組事項を訂正等した上，婚姻による新戸籍を回復することになります。
　この訂正は，届出人による申請ではなく，市区町村長の処理の誤りですから，監督局の長の許可を得てすることになります。
　戸籍の流れを図で示すと次のようになります。

180

3　縁組・離縁に関する訂正

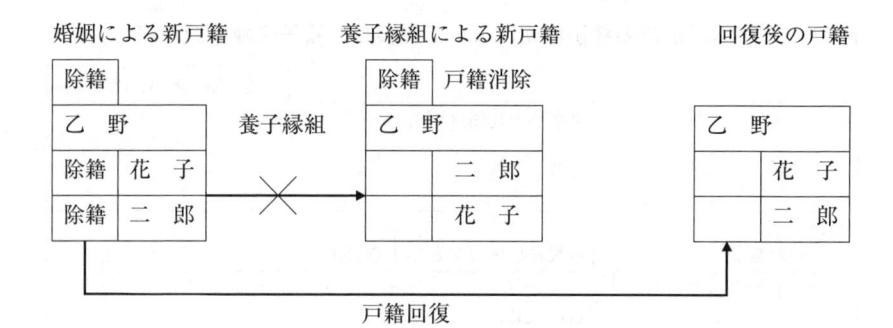

婚姻による新戸籍		養子縁組による新戸籍		回復後の戸籍
除籍　乙　野	養子縁組 → ✕	除籍　戸籍消除　乙　野		乙　野
除籍　花　子			二　郎		花　子
除籍　二　郎			花　子		二　郎

戸籍回復

図39-1は，戸籍訂正前の養子縁組によって編製した養子夫婦の新戸籍です。

図39-2は，戸籍訂正後の養子縁組によって編製した養子夫婦の新戸籍です。

この場合の訂正方法は，戸籍事項欄に「【特記事項】新戸籍編製の記録誤記につき平成年月日許可」と記録し，左上に「除籍マーク」を表示します。

図40-1は，戸籍訂正前の婚姻によって編製した夫婦の新戸籍です。

図40-2は，戸籍訂正後（戸籍回復前）の婚姻によって編製した夫婦の新戸籍です。

妻については，配偶者の縁組事項を消除します。夫については，縁組事項を，養子が相手方（妻）の氏を称する婚姻をしている場合に訂正し，養父氏名及び養父母との続柄を記録します。また，戸籍事項欄の戸籍消除事項を消除し，戸籍を回復します。

図40-3は，戸籍訂正後（戸籍回復後）の婚姻によって編製した夫婦の新戸籍です。

回復後の身分事項欄には，回復の旨の記録は要しません。訂正後の記録事項を移記することになります。

第5　具体的な処理例

図39-1　戸籍訂正前の養子縁組によって編製した養子夫婦の新戸籍

		（1の1）	全 部 事 項 証 明

本　　　籍	東京都千代田区平河町一丁目4番地
氏　　　名	乙野　二郎

戸籍事項 　　戸籍編製	【編製日】平成28年10月1日

戸籍に記録されている者	【名】二郎
	【生年月日】昭和61年5月10日　　　【配偶者区分】夫 【父】甲野英吉 【母】甲野秋子 【続柄】二男 【養父】乙野義男 【続柄】養子

身分事項 　　出　　生 　　婚　　姻 　　養子縁組	（出生事項省略） 【婚姻日】平成28年4月10日 【配偶者氏名】乙野花子 【従前戸籍】東京都葛飾区高砂一丁目17番　甲野英吉 【縁組日】平成28年10月1日 【養父氏名】乙野義男 【養親の戸籍】東京都千代田区平河町一丁目4番地　乙野義男 【従前戸籍】東京都千代田区平河町一丁目4番地　乙野花子

戸籍に記録されている者	【名】花子
	【生年月日】昭和63年4月20日　　　【配偶者区分】妻 【父】乙野義男 【母】乙野冬子 【続柄】長女

身分事項 　　出　　生 　　婚　　姻 　　配偶者の縁組	（出生事項省略） 【婚姻日】平成28年4月10日 【配偶者氏名】甲野二郎 【従前戸籍】東京都千代田区平河町一丁目4番地　乙野義男 【入籍日】平成28年10月1日 【入籍事由】夫の縁組 【従前戸籍】東京都千代田区平河町一丁目4番地　乙野花子

	以下余白

発行番号000001

182

図39-2　戸籍訂正後の養子縁組によって編製した養子夫婦の新戸籍

除　　籍	（1の1）	全部事項証明
本　　籍	東京都千代田区平河町一丁目4番地	
氏　　名	乙野　二郎	

戸籍事項 　戸籍編製 　戸籍消除	【編製日】平成28年10月1日 【消除日】平成28年11月10日 【特記事項】新戸籍編製の記録誤記につき平成28年11月8日許可
戸籍に記録されている者	【名】二郎 【生年月日】昭和61年5月10日　　【配偶者区分】夫 【父】甲野英吉 【母】甲野秋子 【続柄】二男 【養父】乙野義男 【続柄】養子
身分事項 　出　　生 　婚　　姻 　養子縁組	（出生事項省略） 【婚姻日】平成28年4月10日 【配偶者氏名】乙野花子 【従前戸籍】東京都葛飾区高砂一丁目17番　甲野英吉 【縁組日】平成28年10月1日 【養父氏名】乙野義男 【養親の戸籍】東京都千代田区平河町一丁目4番地　乙野義男 【従前戸籍】東京都千代田区平河町一丁目4番地　乙野花子
戸籍に記録されている者	【名】花子 【生年月日】昭和63年4月20日　　【配偶者区分】妻 【父】乙野義男 【母】乙野冬子 【続柄】長女
身分事項 　出　　生 　婚　　姻 　配偶者の縁組	（出生事項省略） 【婚姻日】平成28年4月10日 【配偶者氏名】甲野二郎 【従前戸籍】東京都千代田区平河町一丁目4番地　乙野義男 【入籍日】平成28年10月1日 【入籍事由】夫の縁組 【従前戸籍】東京都千代田区平河町一丁目4番地　乙野花子
	以下余白

発行番号000001

第5　具体的な処理例

図40-1　戸籍訂正前の婚姻によって編製した夫婦の新戸籍

除　　籍	（1の1）　全部事項証明
本　　籍	東京都千代田区平河町一丁目4番地
氏　　名	乙野　花子

戸籍事項	
戸籍編製	【編製日】平成28年4月10日
戸籍消除	【消除日】平成28年10月1日

戸籍に記録されている者	【名】花子
除　　籍	【生年月日】昭和63年4月20日　　【配偶者区分】妻 【父】乙野義男 【母】乙野冬子 【続柄】長女

身分事項	
出　生	（出生事項省略）
婚　姻	【婚姻日】平成28年4月10日 【配偶者氏名】甲野二郎 【従前戸籍】東京都千代田区平河町一丁目4番地　乙野義男
配偶者の縁組	【除籍日】平成28年10月1日 【除籍事由】夫の縁組 【新本籍】東京都千代田区平河町一丁目4番地

戸籍に記録されている者	【名】二郎
除　　籍	【生年月日】昭和61年5月10日　　【配偶者区分】夫 【父】甲野英吉 【母】甲野秋子 【続柄】二男

身分事項	
出　生	（出生事項省略）
婚　姻	【婚姻日】平成28年4月10日 【配偶者氏名】乙野花子 【従前戸籍】東京都葛飾区高砂一丁目17番　甲野英吉
養子縁組	【縁組日】平成28年10月1日 【養父氏名】乙野義男 【養親の戸籍】東京都千代田区平河町一丁目4番地　乙野義男 【新本籍】東京都千代田区平河町一丁目4番地

以下余白

発行番号000001

3 縁組・離縁に関する訂正

図40-2 戸籍訂正後（回復前）の婚姻によって編製した夫婦の新戸籍

除　　籍	（2の1）　　全 部 事 項 証 明
本　　　籍	東京都千代田区平河町一丁目4番地
氏　　　名	乙野　花子

戸籍事項 　戸籍編製 　消　　除	【編製日】平成28年4月10日 【消除日】平成28年11月10日 【消除事項】戸籍消除事項 【従前の記録】 　　【消除日】平成28年10月1日
戸籍に記録されている者 　　除　　籍	【名】花子 【生年月日】昭和63年4月20日　　【配偶者区分】妻 【父】乙野義男 【母】乙野冬子 【続柄】長女
身分事項 　出　　生 　婚　　姻 　消　　除	（出生事項省略） 【婚姻日】平成28年4月10日 【配偶者氏名】甲野二郎 【従前戸籍】東京都千代田区平河町一丁目4番地　乙野義男 【消除日】平成28年11月10日 【消除事項】配偶者の縁組事項 【消除事由】誤記 【許可日】平成28年11月8日 【従前の記録】 　　【除籍日】平成28年10月1日 　　【除籍事由】夫の縁組 　　【新本籍】東京都千代田区平河町一丁目4番地
戸籍に記録されている者 　　除　　籍	【名】二郎 【生年月日】昭和61年5月10日　　【配偶者区分】夫 【父】甲野英吉 【母】甲野秋子 【続柄】二男 【養父】乙野義男 【続柄】養子
身分事項 　出　　生 　婚　　姻	（出生事項省略） 【婚姻日】平成28年4月10日 【配偶者氏名】乙野花子 【従前戸籍】東京都葛飾区高砂一丁目17番　甲野英吉

発行番号000001　　　　　　　　　　　　　　　　　　　　　　　　　　以下次頁

185

第5　具体的な処理例

		(2の2)	全 部 事 項 証 明

養子縁組	【縁組日】平成28年10月1日 【養父氏名】乙野義男 【養親の戸籍】東京都千代田区平河町一丁目4番地　乙野義男
訂　　　正	【訂正日】平成28年11月10日 【訂正事由】新戸籍編製による除籍の記録誤記 【許可日】平成28年11月8日 【従前の記録】 　　【新本籍】東京都千代田区平河町一丁目4番地
記　　　録	【記録日】平成28年11月10日 【記録事項】養父氏名，養父母との続柄 【記録事由】記録遺漏 【許可日】平成28年11月8日 【記録の内容】 　　【養父】乙野義男 　　【養父母との続柄】養子
	以下余白

発行番号000001

3 縁組・離縁に関する訂正

図40-3 戸籍訂正後（回復後）の婚姻によって編製した夫婦の新戸籍

	（1の1）	全 部 事 項 証 明
本　　　籍	東京都千代田区平河町一丁目4番地	
氏　　　名	乙野　花子	

戸籍事項　　戸籍編製　　戸籍回復	【編製日】平成28年10月1日 【回復日】平成28年11月10日 【回復事由】戸籍消除の記録誤記 【許可日】平成28年11月8日
戸籍に記録されている者	【名】花子 【生年月日】昭和63年4月20日　　【配偶者区分】妻 【父】乙野義男 【母】乙野冬子 【続柄】長女
身分事項 　　出　　生 　　婚　　姻	（出生事項省略） 【婚姻日】平成28年4月10日 【配偶者氏名】甲野二郎 【従前戸籍】東京都千代田区平河町一丁目4番地　乙野義男
戸籍に記録されている者	【名】二郎 【生年月日】昭和61年5月10日　　【配偶者区分】夫 【父】甲野英吉 【母】甲野秋子 【続柄】二男 【養父】乙野義男 【続柄】養子
身分事項 　　出　　生 　　婚　　姻 　　養子縁組	（出生事項省略） 【婚姻日】平成28年4月10日 【配偶者氏名】乙野花子 【従前戸籍】東京都葛飾区高砂一丁目17番　甲野英吉 【縁組日】平成28年10月1日 【養父氏名】乙野義男 【養親の戸籍】東京都千代田区平河町一丁目4番地　乙野義男
	以下余白

発行番号000001

第5 具体的な処理例

(2) 戸籍の筆頭者の生存配偶者が単身者を養子とした場合に，その者を筆頭とする新戸籍を編製したため，管轄局の長の許可を得て訂正する場合

　戸籍の筆頭者の生存配偶者が単身者を養子としても，その者については新戸籍を編製することなく，単に身分事項欄に縁組事項を記載することになります。本例は，この処理を誤り，新戸籍を編製したものです。この場合は，戸籍訂正により前記(1)と同様，養子縁組による新戸籍を消除し，養親（生存配偶者）を従前戸籍の末尾（本例は，従前戸籍が除籍となっていない場合です。従前戸籍が除籍となっている場合は，前記(1)の図40を参考にしてください。）に回復した上，養子を養親の戸籍に入籍させることになります。

　このような場合は，管轄局の長の許可を得て訂正することになります。

　戸籍の流れを図で示すと次のようになります。

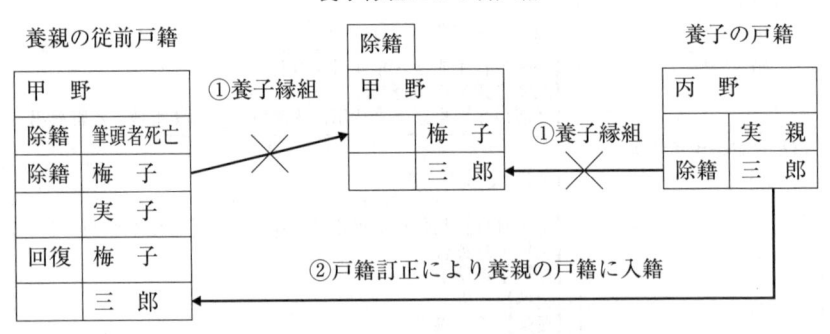

養子縁組による新戸籍

| 養親の従前戸籍 | | 養子の戸籍 |

甲　野		甲　野		丙　野
除籍	筆頭者死亡	梅　子		実　親
除籍	梅　子	三　郎	除籍	三　郎
	実　子			
回復	梅　子			
	三　郎			

①養子縁組　　　①養子縁組
②戸籍訂正により養親の戸籍に入籍

　図41-1は，戸籍訂正前の養子縁組によって編製した養親子の新戸籍です。
　図41-2は，戸籍訂正後の養子縁組によって編製した養親子の新戸籍です。
　前記(1)と同様，新戸籍の戸籍事項欄に戸籍消除事項を記録するのみで足り，この記録をした上，左上に「除籍マーク」を表示します。
　図42-1は，戸籍訂正前の養親の戸籍です。
　図42-2は，戸籍訂正後の養親の戸籍です。
　回復後の戸籍の身分事項欄には，訂正後の縁組事項を記録することになりますから，【新本籍】を【従前の記録】として表示します（【新本籍】のインデックスは，紙戸籍の記載では「東京都千代田区平河町一丁目四番地に新戸籍編製につき除籍㊞」となりますので，この記載を消去します。）。

3　縁組・離縁に関する訂正

　養子については記録遺漏になりますから,【許可日】と【記録日】のインデックスを用います。紙戸籍の記載は,「平成弐拾八年拾壱月拾日甲野梅子の養子となる縁組届出大阪市北区老松町二丁目六番地丙野時男戸籍から入籍同年拾弐月六日許可同月八日記載㊞」となります。
　図43-1は,戸籍訂正前の養子の実方戸籍です。
　図43-2は,戸籍訂正後の養子の実方戸籍です。
　入籍戸籍の表示が誤記ですから,これを訂正します。

第5　具体的な処理例

図41-1　戸籍訂正前の養子縁組によって編製した養親子の新戸籍

	（1の1）	全 部 事 項 証 明
本　　籍	東京都千代田区平河町一丁目4番地	
氏　　名	甲野　梅子	
戸籍事項 　　戸籍編製	【編製日】平成28年11月10日	
戸籍に記録されている者	【名】梅子 【生年月日】昭和31年1月8日 【父】乙野忠治 【母】乙野春子 【続柄】長女	
身分事項 　　出　　生 　　養子縁組	（出生事項省略） 【縁組日】平成28年11月10日 【養子氏名】丙野三郎 【従前戸籍】東京都千代田区平河町一丁目4番地　甲野義太郎	
戸籍に記録されている者	【名】三郎 【生年月日】平成8年12月1日 【父】丙野時男 【母】丙野英子 【続柄】三男 【養母】甲野梅子 【続柄】養子	
身分事項 　　出　　生 　　養子縁組	（出生事項省略） 【縁組日】平成28年11月10日 【養母氏名】甲野梅子 【従前戸籍】大阪府大阪市北区老松町二丁目6番地　丙野時男	
		以下余白

発行番号000001

図41-2 戸籍訂正後の養子縁組によって編製した養親子の新戸籍

除　　　籍	（1の1）	全　部　事　項　証　明
本　　籍　　東京都千代田区平河町一丁目4番地		
氏　　名　　甲野　梅子		

戸籍事項	
戸籍編製 戸籍消除	【編製日】平成28年11月10日 【消除日】平成28年12月8日 【特記事項】新戸籍編製の記録誤記につき平成28年12月6日許可

戸籍に記録されている者	【名】梅子
	【生年月日】昭和31年1月8日 【父】乙野忠治 【母】乙野春子 【続柄】長女

身分事項	
出　　生	（出生事項省略）
養子縁組	【縁組日】平成28年11月10日 【養子氏名】丙野三郎 【従前戸籍】東京都千代田区平河町一丁目4番地　甲野義太郎

戸籍に記録されている者	【名】三郎
	【生年月日】平成8年12月1日 【父】丙野時男 【母】丙野英子 【続柄】三男 【養母】甲野梅子 【続柄】養子

身分事項	
出　　生	（出生事項省略）
養子縁組	【縁組日】平成28年11月10日 【養母氏名】甲野梅子 【従前戸籍】大阪府大阪市北区老松町二丁目6番地　丙野時男

以下余白

発行番号000001

第5　具体的な処理例

図42-1　戸籍訂正前の養親の戸籍

	（1の1）　　全 部 事 項 証 明
本　　籍	東京都千代田区平河町一丁目4番地
氏　　名	甲野　義太郎
戸籍事項 　戸籍改製	（改製事項省略）
戸籍に記録されている者 　除　籍	【名】義太郎 【生年月日】昭和27年6月26日 【父】甲野幸雄 【母】甲野松子 【続柄】長男
戸籍に記録されている者 　除　籍	【名】梅子 【生年月日】昭和31年1月8日 【父】乙野忠治 【母】乙野春子 【続柄】長女
身分事項 　出　　生 　養子縁組	（出生事項省略） 【縁組日】平成28年11月10日 【養子氏名】丙野三郎 【新本籍】東京都千代田区平河町一丁目4番地
戸籍に記録されている者	【名】啓二郎 【生年月日】平成元年2月15日 【父】甲野義太郎 【母】甲野梅子 【続柄】二男
身分事項 　出　　生	（出生事項省略）
	以下余白

発行番号000001

図42-2　戸籍訂正後の養親の戸籍

	（2の1）　全部事項証明
本　　　籍	東京都千代田区平河町一丁目4番地
氏　　　名	甲野　義太郎
戸籍事項 　　戸籍改製	（改製事項省略）
戸籍に記録されている者 除　　籍	【名】義太郎 【生年月日】昭和27年6月26日 【父】甲野幸雄 【母】甲野松子 【続柄】長男
戸籍に記録されている者 除　　籍	【名】梅子 【生年月日】昭和31年1月8日 【父】乙野忠治 【母】乙野春子 【続柄】長女
身分事項 　　出　　生 　　養子縁組 　　訂　　正	（出生事項省略） 【縁組日】平成28年11月10日 【養子氏名】丙野三郎 【訂正日】平成28年12月8日 【訂正事由】記録誤記 【許可日】平成28年12月6日 【従前の記録】 　　【新本籍】東京都千代田区平河町一丁目4番地
戸籍に記録されている者	【名】啓二郎 【生年月日】平成元年2月15日 【父】甲野義太郎 【母】甲野梅子 【続柄】二男
身分事項 　　出　　生	（出生事項省略）
戸籍に記録されている者	【名】梅子 【生年月日】昭和31年1月8日 【父】乙野忠治
発行番号000001	以下次頁

第5　具体的な処理例

	(2の2)　　全　部　事　項　証　明
	【母】乙野春子 【続柄】長女
身分事項 　　出　　生 　　養子縁組	（出生事項省略） 【縁組日】平成28年11月10日 【養子氏名】丙野三郎
戸籍に記録されている者	【名】三郎 【生年月日】平成8年12月1日 【父】丙野時男 【母】丙野英子 【続柄】三男 【養母】甲野梅子 【続柄】養子
身分事項 　　出　　生 　　養子縁組	（出生事項省略） 【縁組日】平成28年11月10日 【養母氏名】甲野梅子 【許可日】平成28年12月6日 【従前戸籍】大阪府大阪市北区老松町二丁目6番地　丙野時男 【記録日】平成28年12月8日
	以下余白

発行番号000001

3 縁組・離縁に関する訂正

図43-1　戸籍訂正前の養子の実方戸籍

		(1の1)	全部事項証明
本　　籍	大阪市北区老松町二丁目6番地		
氏　　名	丙野　時男		

戸籍に記録されている者　　除籍	【名】三郎 【生年月日】平成8年12月1日 【父】丙野時男 【母】丙野英子 【続柄】三男
身分事項 　　出　生 　　養子縁組	(出生事項省略) 【縁組日】平成28年11月10日 【養母氏名】甲野梅子 【送付を受けた日】平成28年11月13日 【受理者】東京都千代田区長 【入籍戸籍】東京都千代田区平河町一丁目4番地　甲野梅子

以下余白

発行番号000001

第5　具体的な処理例

図43-2　戸籍訂正後の養子の実方戸籍

	（1の1）	全 部 事 項 証 明

本　　籍	大阪市北区老松町二丁目6番地
氏　　名	丙野　時男

戸籍に記録されている者 除　　籍	【名】三郎 【生年月日】平成8年12月1日 【父】丙野時男 【母】丙野英子 【続柄】三男
身分事項 　　出　　生	（出生事項省略）
養子縁組	【縁組日】平成28年11月10日 【養母氏名】甲野梅子 【送付を受けた日】平成28年11月13日 【受理者】東京都千代田区長 【入籍戸籍】東京都千代田区平河町一丁目4番地　甲野義太郎
訂　　正	【訂正日】平成28年12月10日 【訂正事由】記録誤記 【許可日】平成28年12月6日 【許可書謄本の送付を受けた日】平成28年12月10日 【許可を受けた者】東京都千代田区長 【従前の記録】 　　【入籍戸籍】東京都千代田区平河町一丁目4番地　甲野梅子
	以下余白

発行番号000001

(3) 養子が単身者の場合（縁組後に婚姻した場合を含む）
　ア　養子が縁組により養親の戸籍に在るときに縁組無効の裁判があった場合
　　㋐　養親の戸籍が縁組後コンピュータ戸籍に改製されているとき

　縁組無効の裁判が確定すると，その縁組は当初からなかったものとなりますので，養親戸籍の訂正は，養親及び縁組により入籍した養子のそれぞれの身分事項欄の縁組事項を消除した上，養子についてはその戸籍から消除します。この場合，養親戸籍が，紙戸籍からコンピュータ戸籍に改製されているときは，養子についてはコンピュータ戸籍も同様の訂正をします（養親については，養子縁組事項は移記されないためです（戸規39条1項3号参照）。）。また，養子の縁組前（実方）の戸籍については，養子となった者の縁組事項を消除した上，その戸籍の末尾にその者を回復します。回復に当たっては，回復に関する事項の記載は要しないことになります。

　戸籍の流れを図で示すと次のようになります。

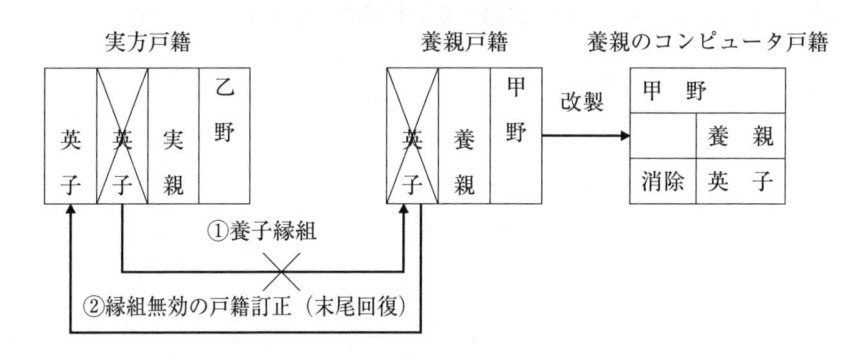

```
   実方戸籍              養親戸籍           養親のコンピュータ戸籍
 ┌──┬──┬──┬──┐    ┌──┬──┬──┐          ┌──┬──────┐
 │英 │英 │実 │乙 │    │英 │養 │甲 │  改製    │甲　　野　　│
 │子 │子 │親 │野 │    │子 │親 │野 │ ────→   ├──┬──────┤
 │　 │✕ │　 │　 │    │✕ │　 │　 │          │　 │　 養親　│
 └──┴──┴──┴──┘    └──┴──┴──┘          ├──┼──────┤
   ↑    ↑                ↑                   │消除│ 英子  │
   │    └──①養子縁組────┘                   └──┴──────┘
   │              ✕
   └──②縁組無効の戸籍訂正（末尾回復）
```

　図44-1は，縁組無効の裁判による戸籍訂正前のコンピュータ戸籍に改製された養親の戸籍です。

　図44-2は，縁組無効の裁判による戸籍訂正後のコンピュータ戸籍に改製された養親の戸籍です。

　養親については，養子縁組事項は，新戸籍（改製戸籍）を編製する際には移記事項とされていません（戸規39条1項3号）ので，何らの訂正を要しません。

養子については，縁組事項を消除し，「戸籍に記録されている者」欄に「消除マーク」を表示します。

図45-1は，縁組無効の裁判による戸籍訂正前の養親の紙戸籍（改製原戸籍）です。

図45-2は，縁組無効の裁判による戸籍訂正後の養親の紙戸籍（改製原戸籍）です。

養親及び養子のそれぞれの縁組事項を消除します。消除は，朱線を交差する方法によります。養子については，名欄及び養父欄を朱線を交差して消除します。この場合，養父欄から名欄に掛けて一度に消除する方法でも差し支えないものと考えます。

図46-1は，縁組無効の裁判による戸籍訂正前の養子の実方戸籍です。

図46-2は，縁組無効の裁判による戸籍訂正後の養子の実方戸籍です。

養子縁組により除籍となっていますので，当該縁組事項を消除して，末尾に回復することになります。回復に当たっては，重要な身分事項（戸規39条1項）を移記すれば足り，回復に関する記載は要しません。

3　縁組・離縁に関する訂正

図44-1　縁組無効の裁判による戸籍訂正前の養親のコンピュータ戸籍

（1の1）	全 部 事 項 証 明

本　　籍	東京都千代田区平河町一丁目4番地
氏　　名	甲野　義太郎
戸籍事項 　　戸籍改製	（改製事項省略）
戸籍に記録されている者	【名】義太郎 【生年月日】昭和41年6月26日 【父】甲野幸雄 【母】甲野松子 【続柄】長男
身分事項 　　出　生	（出生事項省略）
戸籍に記録されている者	【名】英子 【生年月日】平成7年4月20日 【父】乙野英吉 【母】乙野春子 【続柄】二女 【養父】甲野義太郎 【続柄】養女
身分事項 　　出　生 　　養子縁組	（出生事項省略） 【縁組日】平成26年10月1日 【養父氏名】甲野義太郎 【従前戸籍】東京都葛飾区高砂一丁目17番地　乙野英吉
	以下余白

発行番号000001

第5 具体的な処理例

図44-2 縁組無効の裁判による戸籍訂正後の養親のコンピュータ戸籍

	（1の1） 全 部 事 項 証 明
本　　　　籍 氏　　　　名	東京都千代田区平河町一丁目4番地 甲野　義太郎
戸籍事項 　戸籍改製	（改製事項省略）
戸籍に記録されている者	【名】義太郎 【生年月日】昭和41年6月26日 【父】甲野幸雄 【母】甲野松子 【続柄】長男
身分事項 　出　　生	（出生事項省略）
戸籍に記録されている者 　　消　　除	【名】英子 【生年月日】平成7年4月20日 【父】乙野英吉 【母】乙野春子 【続柄】二女 【養父】甲野義太郎 【続柄】養女
身分事項 　出　　生 　消　　除	（出生事項省略） 【消除日】平成28年3月19日 【消除事項】縁組事項 【消除事由】養父甲野義太郎との養子縁組無効の裁判確定 【裁判確定日】平成28年3月8日 【申請日】平成28年3月19日 【申請人】養父　甲野義太郎 【従前の記録】 　　【縁組日】平成26年10月1日 　　【養父氏名】甲野義太郎 　　【従前戸籍】東京都葛飾区高砂一丁目17番地　乙野英吉
	以下余白

発行番号000001

200

3 縁組・離縁に関する訂正

図45-1 縁組無効の裁判による戸籍訂正前の養親の紙戸籍（改製原戸籍）

改製原戸籍	平成六年法務省令第五十一号附則第二条第一項による改製につき平成 年 月 日消除㊞

本籍	東京都千代田区平河町一丁目四番地	氏名	甲野義太郎

編製事項（省略）	

出生事項（省略） 平成弐拾六年拾月壱日乙野英子を養子とする縁組届出㊞	父 甲野幸雄 母 松子 長男 義太郎 出生 昭和四拾壱年六月弐拾六日

出生事項（省略） 平成弐拾六年拾月壱日甲野義太郎の養子となる縁組届出東京都葛飾区高砂一丁目十七番地乙野英吉戸籍から入籍㊞	父 乙野英吉 母 春子 養父 甲野義太郎 養女 二女 英子 出生 平成七年四月弐拾日

	父 母
	出生

201

第5 具体的な処理例

図45-2 縁組無効の裁判による戸籍訂正後の養親の紙戸籍（改製原戸籍）

改製原戸籍	平成六年法務省令第五十一号附則第二条第一項による改製につき平成年月日消除㊞

| 本籍 | 東京都千代田区平河町一丁目四番地 | 氏名 | 甲野 義太郎 |

編製事項（省略）

出生事項（省略）
平成弐拾六年拾月壱日乙野英子を養子とする縁組届出㊞
平成弐拾八年参月八日養子英子との養子縁組無効の裁判確定同月拾九日申請縁組の記載消除㊞

父 甲野幸雄
母 松子
長男
義太郎
出生 昭和四拾壱年六月弐拾六日

出生事項（省略）
平成弐拾六年拾月壱日甲野義太郎の養子となる縁組届出東京都葛飾区高砂一丁目十七番地乙野英吉戸籍から入籍㊞
平成弐拾八年参月八日養父甲野義太郎との養子縁組無効の裁判確定同月拾九日養父申請消除㊞

父 乙野英吉
母 春子
二女
養父 甲野義太郎
英子
出生 平成七年四月弐拾日
父
母

出生

202

3 縁組・離縁に関する訂正

図46-1　縁組無効の裁判による戸籍訂正前の養子の実方戸籍

本籍	東京都葛飾区高砂一丁目十七番地	氏名	乙　野　英　吉

	父	乙　野　英　吉	二
出生事項（省略） 平成弐拾六年拾月壱日甲野義太郎の養子となる縁組届出同月参日受 京都千代田区長から送付同区平河町一丁目四番地甲野義太郎戸籍に入籍につき除籍㊞	母	春　子	女
		菜　子	
	生出	平成七年四月弐拾日	
	父		
	母		
	生出		

203

第5　具体的な処理例

図46-2　縁組無効の裁判による戸籍訂正後の養子の実方戸籍

本籍	東京都葛飾区高砂一丁目十七番地	氏名	乙野英吉

出生事項（省略）平成拾六年拾月壱日甲野義太郎の養子となる縁組届出同月参日東京都千代田区長から送付同区神田町六丁目四番地甲野義太郎戸籍に入籍につき除籍㊞平成拾八年参月八日養父甲野義太郎との養子縁組無効の裁判確定同月拾九日養父申請同月弐拾弐日東京都千代田区長から送付縁組の記載消除㊞	父　乙野英吉 母　　　春子　二女 ~~英子~~ 出生　平成七年四月弐拾日
出生事項（省略）	父　乙野英吉 母　　　春子　二女 英　子 出生　平成七年四月弐拾日

204

3 縁組・離縁に関する訂正

(イ) 養子の実方戸籍が縁組後コンピュータ戸籍に改製されているとき

養親戸籍の訂正方法は，前記(ア)の図45-2と同様の処理になります。養子については，縁組前（実方）の戸籍が紙戸籍からコンピュータ戸籍に改製されています。この場合は，従前戸籍（改製原戸籍）の縁組事項を消除する処理（戸籍記載）において，コンピュータ戸籍に回復する旨を記載し，コンピュータ戸籍に直接回復することになります。この取扱いは，従前戸籍が管外転籍しているときも同様です。

戸籍の流れを図で示すと次のようになります。

実方戸籍		実方のコンピュータ戸籍	養親戸籍

①養子縁組
②縁組無効の戸籍訂正
（コンピュータ戸籍の末尾に回復）

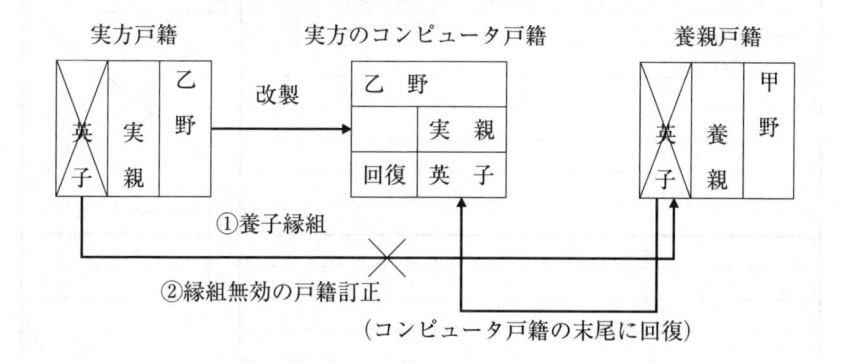

図47-1は，縁組無効の裁判による戸籍訂正前の実方の紙戸籍（改製原戸籍）です。

図47-2は，縁組無効の裁判による戸籍訂正後の実方の紙戸籍（改製原戸籍）です。

縁組事項を消除した上，実方のコンピュータ戸籍に回復する旨の訂正記載をすることになります。この場合は，末尾に回復をしませんので，注意を要します。

図48-1は，縁組無効の裁判による戸籍訂正前の実方の戸籍（コンピュータ戸籍）です。

図48-2は，縁組無効の裁判による戸籍訂正後の実方の戸籍（コンピュータ戸籍）です。

コンピュータ戸籍の末尾に回復するに当たっては，重要な身分事項（戸規39条1項）を移記すれば足り，回復に関する記載は要しません。

第5　具体的な処理例

図47-1　縁組無効の裁判による戸籍訂正前の実方の紙戸籍（改製原戸籍）

改製原戸籍	平成六年法務省令第五十一号附則第二条第一項による改製につき平成年月日消除㊞

本籍	東京都葛飾区高砂一丁目十七番地	氏名	乙野　英吉

出生事項（省略）

平成弐拾六年拾月壱日甲野義太郎の養子となる縁組届出同月参日東京都千代田区長から送付同区平河町一丁目四番地甲野義太郎戸籍に入籍につき除籍㊞

父	乙野　英吉	二
母	春子	女

英子

生出　平成七年四月弐拾日

| 父 | |
| 母 | |

生出

3 縁組・離縁に関する訂正

図47-2　縁組無効の裁判による戸籍訂正後の実方の紙戸籍（改製原戸籍）

改製原戸籍	平成六年法務省令第五十一号附則第二条第一項による改製につき平成年月日消除㊞

本籍	東京都葛飾区高砂一丁目十七番地	氏名	乙野英吉

出生事項（省略）	父	乙野英吉	二女
~~平成弐拾六年拾月壱日甲野義太郎の養子となる縁組届出同月参日東京都千代田区長から送付同区平河町六丁目四番地甲野義太郎戸籍に入籍につき本籍除籍㊞~~	母	春子	
平成弐拾八年参月八日養父甲野義太郎との縁組無効の裁判確定同月拾九日養父申請同月弐拾弐日東京都千代田区長から送付縁組の記載消除東京都葛飾区高砂一丁目十七番地乙野英吉戸籍に回復㊞		英子	
	出生	平成七年四月弐拾日	
	父		
	母		
	出生		

207

第5　具体的な処理例

図48-1　縁組無効の裁判による戸籍訂正前の実方のコンピュータ戸籍

		（1の1）	全 部 事 項 証 明
本　　籍	東京都葛飾区高砂一丁目17番地		
氏　　名	乙野　英吉		

戸籍事項 　　戸籍改製	【改製日】平成年月日 【改製事由】平成6年法務省令第51号附則第2条第1項による改製
戸籍に記録されている者	【名】英吉 【生年月日】昭和45年3月6日　　　【配偶者区分】夫 【父】乙野英作 【母】乙野花子 【続柄】長男
身分事項 　　出　　生 　　婚　　姻	（出生事項省略） （婚姻事項省略）
戸籍に記録されている者	（省略）

以下余白

発行番号000001

208

3 縁組・離縁に関する訂正

図48-2 縁組無効の裁判による戸籍訂正後の実方のコンピュータ戸籍

	(1の1)	全部事項証明
本　　籍	東京都葛飾区高砂一丁目17番地	
氏　　名	乙野　英吉	

戸籍事項 戸籍改製	【改製日】平成年月日 【改製事由】平成6年法務省令第51号附則第2条第1項による改製
戸籍に記録されている者	【名】英吉 【生年月日】昭和45年3月6日　　【配偶者区分】夫 【父】乙野英作 【母】乙野花子 【続柄】長男
身分事項 　出　　生 　婚　　姻	(出生事項省略) (婚姻事項省略)
戸籍に記録されている者	(省略)

〜〜〜〜〜〜〜〜〜〜〜〜〜〜〜〜〜〜〜〜〜〜〜〜〜〜〜〜〜

戸籍に記録されている者	【名】英子 【生年月日】平成7年4月20日 【父】乙野英吉 【母】乙野春子 【続柄】二女
身分事項 　出　　生 　記　　録	(出生事項省略) 【記録日】平成28年3月22日 【記録事由】申請 【送付を受けた日】平成28年3月22日 【受理者】東京都千代田区長
	以下余白

発行番号000001

第5　具体的な処理例

(ウ)　養親及び実方戸籍とも縁組後コンピュータ戸籍に改製されているとき

訂正方法は，前記(ア)及び(イ)の事例を併せたものになります。

戸籍の流れを図で示すと次のようになります。

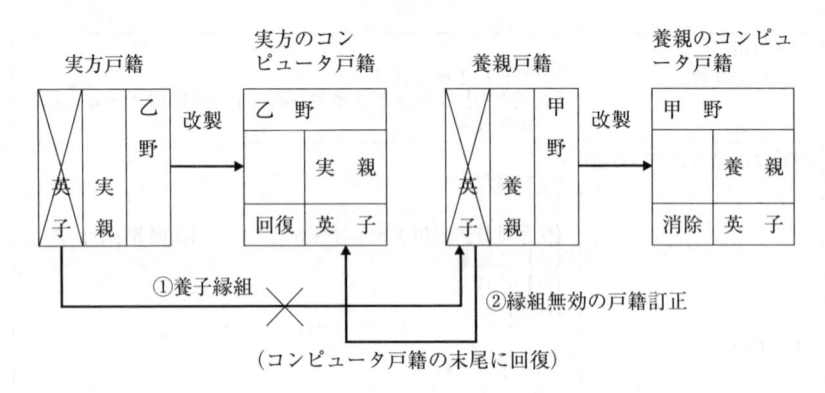

```
     実方戸籍              実方のコン            養親戸籍            養親のコンピュー
                         ピュータ戸籍                               タ戸籍
    ┌──┬──┐           ┌──┬──┐         ┌──┬──┐          ┌──┬──┐
    │乙 │           │乙野│           │甲 │            │甲野│
    │野 │    改製    ├──┤    改製    │野 │    改製    ├──┤
    │ ×実│────→   │ 実親│   ×───   │×養│────→   │ 養親│
    │英 親│           ├──┤           │英 親│           ├──┤
    │子  │           │回復│英子│     │子  │           │消除│英子│
    └──┴──┘           └──┴──┘         └──┴──┘          └──┴──┘
         ↑①養子縁組            ↑                ↑②縁組無効の戸籍訂正
                （コンピュータ戸籍の末尾に回復）
```

それぞれの戸籍の訂正記載例は，前記図44から図48までを参考としてください。

イ　養子縁組により養親の戸籍に入籍した養子が，婚姻により養親の戸籍から除かれた後に縁組無効の裁判があった場合

養子縁組により養親の戸籍に入籍した養子が，婚姻により養親の戸籍から除かれた後，縁組無効の裁判があった場合の訂正方法については，ⅰ自己の氏（養親の氏）を称して婚姻しているときと，ⅱ相手方の氏を称して婚姻しているときに分けて説明することにします。

(ア)　自己の氏（養親の氏）を称して婚姻しているとき

養子縁組後に婚姻している場合において，縁組無効の裁判による戸籍訂正の反射的効果として，養子の婚姻事項の一部，例えば，本事例では，婚姻事項中の【従前戸籍】の表示が異なりますから，これを訂正する必要があり，その訂正をすることができるかという訂正の範囲の問題があります。この婚姻という身分行為は，養子縁組の付随的行為ではなく，別途の身分行為ですから，たとえ縁組無効の訂正によって婚姻事項の一部に訂正を生じたとしても，その訂正をすることはできません。この場合は，別途の戸籍訂正手続によることになります。したがって，本事例の戸籍訂正の範囲は，養親につい

3 縁組・離縁に関する訂正

ては，当該縁組事項を消除すること，養子については，養親戸籍にある縁組事項を消除し，その戸籍から消除すること及び実方（従前）の戸籍の従前の身分事項欄の縁組事項を消除し，その戸籍の末尾に回復させること並びに婚姻後の戸籍中の縁組事項を消除することになります。

養子は，縁組後に自己の氏を称する婚姻をしていますので，婚姻の際に称していた氏（養親の氏）を実方の氏に，また，婚姻前の戸籍の表示を実方の戸籍に，さらに，配偶者については，夫の氏を訂正する必要があります。これらの訂正をするには，別途，戸籍法113条の戸籍訂正許可を必要とします。

なお，当事者が戸籍法113条の戸籍訂正許可の裁判を得て戸籍訂正申請をしない場合は，別途，戸籍法24条2項の管轄局の長の許可を得て訂正することになります。この場合，市区町村長は，事件本人に戸籍訂正申請をするよう，催告をすることになります。催告等については，本書総論部分をお読みください。

戸籍の流れを図で示すと次のようになります。

実方戸籍		養親戸籍		婚姻後の戸籍
乙野		甲野	②婚姻	甲野 乙野
実親	①縁組	養親	✕	二郎
除籍 二郎	✕ →	除籍 二郎		秋子
回復 二郎				

③縁組無効の戸籍訂正　　戸籍法113条の訂正（ⅲ戸籍の氏訂正等）

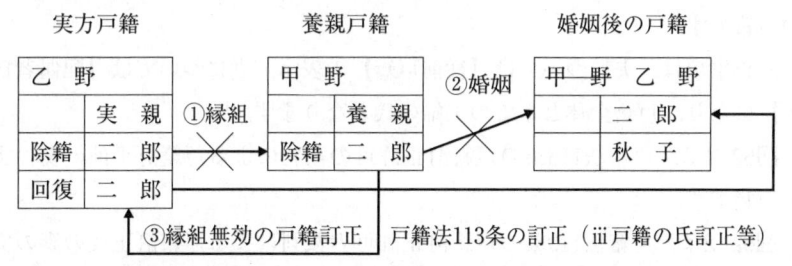

図49-1は，縁組無効の裁判による戸籍訂正前の養親戸籍です。

図49-2は，縁組無効の裁判による戸籍訂正後の養親戸籍です。

養親及び養子の縁組事項を消除し，養子については，「戸籍に記録されている者」欄に「消除マーク」を表示します。

なお，婚姻事項の訂正は，別途戸籍法113条の家庭裁判所の戸籍訂正許可の裁判を得てすることになります。

図49-3は，戸籍法113条の戸籍訂正許可の裁判による戸籍訂正後の養親戸籍です。

養子の婚姻事項を実方戸籍に移記し，婚姻事項を消除します。

図50-1は，縁組無効の裁判による戸籍訂正前の実方戸籍です。

図50-2は，縁組無効の裁判による戸籍訂正後の実方戸籍です。

養子縁組事項を消除し，戸籍の末尾に事件本人を回復します。婚姻事項等の移記は，別途，戸籍法113条の戸籍訂正許可の裁判を得てすることになります。

図50-3は，戸籍法113条の戸籍訂正許可の裁判による戸籍訂正後の実方戸籍です。

回復後の身分事項欄に婚姻事項を移記し，「戸籍に記録されている者」欄に「除籍マーク」を表示します。

図51-1は，縁組無効の裁判による戸籍訂正前の婚姻後の戸籍です。

図51-2は，縁組無効の裁判による戸籍訂正後の婚姻後の戸籍です。

養子の縁組事項のみを消除します。夫婦の婚姻事項の訂正（移記等）は，別途，家庭裁判所の戸籍法113条の戸籍訂正許可の裁判を得て行うことになります。

図51-3は，戸籍法113条の戸籍訂正許可の裁判による戸籍訂正後の婚姻後の戸籍です。

訂正事項は，夫については【従前戸籍】の表示，妻については【配偶者氏名】になり，戸籍全体としての夫婦の氏となります。

図52-1は，戸籍法113条の戸籍訂正許可の裁判による戸籍訂正前の妻の実方戸籍です。

図52-2は，戸籍法113条の戸籍訂正許可の裁判による戸籍訂正後の妻の実方戸籍です。

婚姻事項中の【配偶者氏名】を訂正します。

本事例の場合，事件本人が婚姻事項の移記及び訂正等の戸籍訂正申請をしないときは，戸籍法24条2項の管轄局の長の許可を得て訂正することになると説明しましたが，どの市区町村長が戸籍訂正許可の申請をすることになるかという問題があります。著者としては，養子縁組無効の裁判による戸籍訂正申請を受理した，本籍地市区町村長が行うことが一番分かりやすいのではないかと考えます。その市区町村長が，関連戸籍を添付し，許可を求め，関係市区町村に許可書謄本を送付して，一連の訂正をすることが望ましいと考えます。

3 縁組・離縁に関する訂正

図49-1 縁組無効の裁判による戸籍訂正前の養親戸籍

	(1の1)	全 部 事 項 証 明
本　　　籍	東京都千代田区平河町一丁目4番地	
氏　　　名	甲野　義太郎	
戸籍事項 　　戸籍編製	（編製事項省略）	
戸籍に記録されている者	【名】義太郎 【生年月日】昭和31年6月26日 【父】甲野幸雄 【母】甲野松子	
身分事項 　　出　　生 　　養子縁組	（出生事項省略） 【縁組日】平成26年1月10日 【養子氏名】乙野二郎	
戸籍に記録されている者 　除　　籍	【名】二郎 【生年月日】昭和62年2月15日 【父】乙野英助 【母】乙野花代 【続柄】二男 【養父】甲野義太郎 【続柄】養子	
身分事項 　　出　　生 　　養子縁組 　　婚　　姻	（出生事項省略） 【縁組日】平成26年1月10日 【養父氏名】甲野義太郎 【従前戸籍】大阪府大阪市北区老松町二丁目6番地　乙野英助 【婚姻日】平成27年4月10日 【配偶者氏名】丙山秋子 【新本籍】東京都千代田区平河町一丁目4番地 【称する氏】夫の氏	
		以下余白

発行番号000001

213

第5　具体的な処理例

図49-2　縁組無効の裁判による戸籍訂正後の養親戸籍

	（2の1）　全　部　事　項　証　明
本　　籍	東京都千代田区平河町一丁目4番地
氏　　名	甲野　義太郎
戸籍事項 　　戸籍編製	（編製事項省略）
戸籍に記録されている者	【名】義太郎 【生年月日】昭和31年6月26日 【父】甲野幸雄 【母】甲野松子
身分事項 　　出　　生 　　消　　除	（出生事項省略） 【消除日】平成28年4月28日 【消除事項】縁組事項 【消除事由】養子二郎との養子縁組無効の裁判確定 【裁判確定日】平成28年4月18日 【申請日】平成28年4月28日 【従前の記録】 　　【縁組日】平成26年1月10日 　　【養子氏名】乙野二郎
戸籍に記録されている者 　消　　除 　除　　籍	【名】二郎 【生年月日】昭和62年2月15日 【父】乙野英助 【母】乙野花代 【続柄】二男 【養父】甲野義太郎 【続柄】養子
身分事項 　　出　　生 　　婚　　姻 　　消　　除	（出生事項省略） 【婚姻日】平成27年4月10日 【配偶者氏名】丙山秋子 【新本籍】東京都千代田区平河町一丁目4番地 【称する氏】夫の氏 【消除日】平成28年4月28日 【消除事項】縁組事項 【消除事由】養父甲野義太郎との養子縁組無効の裁判確定 【裁判確定日】平成28年4月18日 【申請日】平成28年4月28日 【申請人】養父　甲野義太郎

発行番号000001　　　　　　　　　　　　　　　　　　　以下次頁

214

3　縁組・離縁に関する訂正

| | (2の2) | 全 部 事 項 証 明 |

| | 【従前の記録】
　【縁組日】平成26年1月10日
　【養父氏名】甲野義太郎
　【従前戸籍】大阪府大阪市北区老松町二丁目6番地　乙野英助 |
| | 以下余白 |

発行番号000001

第5　具体的な処理例

図49-3　戸籍法113条の戸籍訂正許可の裁判による戸籍訂正後の養親戸籍

	（2の1）　全部事項証明
本　　籍	東京都千代田区平河町一丁目4番地
氏　　名	甲野　義太郎
戸籍事項 　戸籍編製	（編製事項省略）
戸籍に記録されている者	【名】義太郎 【生年月日】昭和31年6月26日 【父】甲野幸雄 【母】甲野松子
身分事項 　出　　生 　消　　除	（出生事項省略） 【消除日】平成28年4月28日 【消除事項】縁組事項 【消除事由】養子二郎との養子縁組無効の裁判確定 【裁判確定日】平成28年4月18日 【申請日】平成28年4月28日 【従前の記録】 　　【縁組日】平成26年1月10日 　　【養子氏名】乙野二郎
戸籍に記録されている者 　消　除 　除　籍	【名】二郎 【生年月日】昭和62年2月15日 【父】乙野英助 【母】乙野花代 【続柄】二男 【養父】甲野義太郎 【続柄】養子
身分事項 　出　　生 　消　　除	（出生事項省略） 【消除日】平成28年4月28日 【消除事項】縁組事項 【消除事由】養父甲野義太郎との養子縁組無効の裁判確定 【裁判確定日】平成28年4月18日 【申請日】平成28年4月28日 【申請人】養父　甲野義太郎 【従前の記録】 　　【縁組日】平成26年1月10日 　　【養父氏名】甲野義太郎 　　【従前戸籍】大阪府大阪市北区老松町二丁目6番地　乙野英助

発行番号000001　　　　　　　　　　　　　　　　　　　　　　以下次頁

3　縁組・離縁に関する訂正

(2の2) | 全部事項証明

移　記	【移記日】平成28年6月14日 【移記事項】婚姻事項 【移記事由】戸籍訂正許可の裁判確定 【裁判確定日】平成28年6月2日 【申請日】平成28年6月14日 【移記後の戸籍】大阪府大阪市北区老松町二丁目6番地　乙野英助 【従前の記録】 　　【婚姻日】平成27年4月10日 　　【配偶者氏名】丙山秋子 　　【新本籍】東京都千代田区平河町一丁目4番地 　　【称する氏】夫の氏
	以下余白

発行番号000001

217

第5　具体的な処理例

図50-1　縁組無効の裁判による戸籍訂正前の実方戸籍

	（1の1）	全 部 事 項 証 明
本　　籍	大阪府大阪市北区老松町二丁目6番地	
氏　　名	乙野　英助	

戸籍事項	
戸籍改製	（改製事項省略）

戸籍に記録されている者	

〜〜〜〜〜〜〜〜〜〜〜〜〜〜〜〜〜〜〜〜〜〜〜〜〜〜〜

戸籍に記録されている者	【名】二郎
除　　籍	【生年月日】昭和62年2月15日 【父】乙野英助 【母】乙野花代 【続柄】二男
身分事項 　出　生 　養子縁組	（出生事項省略） 【縁組日】平成26年1月10日 【養父氏名】甲野義太郎 【送付を受けた日】平成26年1月14日 【受理者】東京都千代田区長 【入籍戸籍】東京都千代田区平河町一丁目4番地　甲野義太郎
	以下余白

発行番号000001

218

3 縁組・離縁に関する訂正

図50-2 縁組無効の裁判による戸籍訂正後の実方戸籍

	(1の1) 全 部 事 項 証 明
本　　　籍	大阪府大阪市北区老松町二丁目6番地
氏　　　名	乙野　英助
戸籍事項 　戸籍改製	（改製事項省略）
戸籍に記録されている者	

戸籍に記録されている者 除　　籍	【名】二郎 【生年月日】昭和62年2月15日 【父】乙野英助 【母】乙野花代 【続柄】二男
身分事項 　出　　生 　消　　除	（出生事項省略） 【消除日】平成28年5月2日 【消除事項】縁組事項 【消除事由】養父甲野義太郎との養子縁組無効の裁判確定 【裁判確定日】平成28年4月18日 【申請日】平成28年4月28日 【申請人】養父　甲野義太郎 【送付を受けた日】平成28年5月2日 【受理者】東京都千代田区長 【従前の記録】 　　【縁組日】平成26年1月10日 　　【養父氏名】甲野義太郎 　　【送付を受けた日】平成26年1月14日 　　【受理者】東京都千代田区長 　　【入籍戸籍】東京都千代田区平河町一丁目4番地　甲野義太郎
戸籍に記録されている者	【名】二郎 【生年月日】昭和62年2月15日 【父】乙野英助 【母】乙野花代 【続柄】二男
身分事項 　出　　生	（出生事項省略）
	以下余白

発行番号000001

第5　具体的な処理例

図50-3　戸籍法113条の戸籍訂正許可の裁判による戸籍訂正後の実方戸籍

	（2の1）	全 部 事 項 証 明
本　　　籍	大阪府大阪市北区老松町二丁目6番地	
氏　　　名	乙野　英助	

戸籍事項	
戸籍改製	（改製事項省略）

戸籍に記録されている者	〜〜〜〜〜〜〜〜〜〜〜〜〜〜〜〜〜〜〜〜〜〜

戸籍に記録されている者 　除　　籍	【名】二郎 【生年月日】昭和62年2月15日 【父】乙野英助 【母】乙野花代 【続柄】二男
身分事項 　出　　生 　消　　除	（出生事項省略） 【消除日】平成28年5月2日 【消除事項】縁組事項 【消除事由】養父甲野義太郎との養子縁組無効の裁判確定 【裁判確定日】平成28年4月18日 【申請日】平成28年4月28日 【申請人】養父　甲野義太郎 【送付を受けた日】平成28年5月2日 【受理者】東京都千代田区長 【従前の記録】 　【縁組日】平成26年1月10日 　【養父氏名】甲野義太郎 　【送付を受けた日】平成26年1月14日 　【受理者】東京都千代田区長 　【入籍戸籍】東京都千代田区平河町一丁目4番地　甲野義太郎
戸籍に記録されている者 　除　　籍	【名】二郎 【生年月日】昭和62年2月15日 【父】乙野英助 【母】乙野花代 【続柄】二男
身分事項 　出　　生 　婚　　姻	（出生事項省略） 【婚姻日】平成27年4月10日 【配偶者氏名】丙山秋子

発行番号000001　　　　　　　　　　　　　　　　　　　　　　　以下次頁

(2の2) | 全部事項証明

移 記	【新本籍】東京都千代田区平河町一丁目4番地 【称する氏】夫の氏 --- 【移記日】平成28年6月17日 【移記事由】戸籍訂正許可の裁判確定 【裁判確定日】平成28年6月2日 【申請日】平成28年6月14日 【送付を受けた日】平成28年6月17日 【受理者】東京都千代田区長 【移記前の戸籍】東京都千代田区平河町一丁目4番地　甲野義太郎
	以下余白

発行番号000001

第5　具体的な処理例

図51-1　縁組無効の裁判による戸籍訂正前の婚姻後の戸籍

	（1の1）　全 部 事 項 証 明
本　　　籍	東京都千代田区平河町一丁目4番地
氏　　　名	甲野　二郎
戸籍事項 　戸籍編製	【編製日】平成27年4月10日
戸籍に記録されている者	【名】二郎 【生年月日】昭和62年2月15日　　【配偶者区分】夫 【父】乙野英助 【母】乙野花代 【続柄】二男 【養父】甲野義太郎 【続柄】養子
身分事項 　出　　生 　養子縁組 　婚　　姻	（出生事項省略） 【縁組日】平成26年1月10日 【養父氏名】甲野義太郎 【従前戸籍】大阪府大阪市北区老松町二丁目6番地　乙野英助 【婚姻日】平成27年4月10日 【配偶者氏名】丙山秋子 【従前戸籍】東京都千代田区平河町一丁目4番地　甲野義太郎
戸籍に記録されている者	【名】秋子 【生年月日】昭和62年10月20日　【配偶者区分】妻 【父】丙山大輔 【母】丙山ゆり 【続柄】二女
身分事項 　出　　生 　婚　　姻	（出生事項省略） 【婚姻日】平成27年4月10日 【配偶者氏名】甲野二郎 【従前戸籍】京都府京都市上京区小山初音町6番地　丙山大輔
	以下余白

発行番号000001

3 縁組・離縁に関する訂正

図51-2 縁組無効の裁判による戸籍訂正後の婚姻後の戸籍

	（2の1） 全部事項証明
本　　　籍	東京都千代田区平河町一丁目4番地
氏　　　名	甲野　二郎
戸籍事項 　　戸籍編製	【編製日】平成27年4月10日
戸籍に記録されている者	【名】二郎 【生年月日】昭和62年2月15日　　【配偶者区分】夫 【父】乙野英助 【母】乙野花代 【続柄】二男
身分事項 　　出　　生	（出生事項省略）
婚　　姻	【婚姻日】平成27年4月10日 【配偶者氏名】丙山秋子 【従前戸籍】東京都千代田区平河町一丁目4番地　甲野義太郎
消　　除	【消除日】平成28年4月28日 【消除事項】縁組事項 【消除事由】養父甲野義太郎との養子縁組無効の裁判確定 【裁判確定日】平成28年4月18日 【申請日】平成28年4月28日 【申請人】養父　甲野義太郎 【従前の記録】 　　【縁組日】平成26年1月10日 　　【養父氏名】甲野義太郎 　　【従前戸籍】大阪府大阪市北区老松町二丁目6番地　乙野英助
消　　除	【消除日】平成28年4月28日 【消除事項】養父の記録，養父母との続柄 【消除事由】養父甲野義太郎との養子縁組無効の裁判確定 【裁判確定日】平成28年4月18日 【申請日】平成28年4月28日 【申請人】養父　甲野義太郎 【従前の記録】 　　【養父】甲野義太郎 　　【養父母との続柄】養子
戸籍に記録されている者	【名】秋子 【生年月日】昭和62年10月20日　　【配偶者区分】妻 【父】丙山大輔

発行番号000001　　　　　　　　　　　　　　　　　　　　　　以下次頁

223

第5　具体的な処理例

	(2の2)	全 部 事 項 証 明
	【母】丙山ゆり 【続柄】二女	
身分事項 　出　　生	（出生事項省略）	
婚　　姻	【婚姻日】平成27年4月10日 【配偶者氏名】甲野二郎 【従前戸籍】京都府京都市上京区小山初音町6番地　丙山大輔	
	以下余白	

発行番号000001

3　縁組・離縁に関する訂正

図51-3　戸籍法113条の戸籍訂正許可の裁判による戸籍訂正後の婚姻後の戸籍

(2の1)　全部事項証明

本　　籍	東京都千代田区平河町一丁目4番地
氏　　名	乙野　二郎
戸籍事項 　戸籍編製 　訂　　正	【編製日】平成27年4月10日 【訂正日】平成28年6月14日 【訂正事項】氏 【訂正事由】戸籍訂正許可の裁判確定 【裁判確定日】平成28年6月2日 【申請日】平成28年6月14日 【申請人】夫 【従前の記録】 　　【氏】甲野
戸籍に記録されている者	【名】二郎 【生年月日】昭和62年2月15日　　【配偶者区分】夫 【父】乙野英助 【母】乙野花代 【続柄】二男
身分事項 　出　　生 　婚　　姻 　訂　　正 　消　　除	(出生事項省略) 【婚姻日】平成27年4月10日 【配偶者氏名】丙山秋子 【従前戸籍】大阪府大阪市北区老松町二丁目6番地　乙野英助 【訂正日】平成28年6月14日 【訂正事由】戸籍訂正許可の裁判確定 【裁判確定日】平成28年6月2日 【申請日】平成28年6月14日 【従前の記録】 　　【従前戸籍】東京都千代田区平河町一丁目4番地　甲野義太郎 【消除日】平成28年4月28日 【消除事項】縁組事項 【消除事由】養父甲野義太郎との養子縁組無効の裁判確定 【裁判確定日】平成28年4月18日 【申請日】平成28年4月28日 【申請人】養父　甲野義太郎 【従前の記録】 　　【縁組日】平成26年1月10日 　　【養父氏名】甲野義太郎 　　【従前戸籍】大阪府大阪市北区老松町二丁目6番地　乙

発行番号000001　　　　　　　　　　　　　　　　　　　　　　　　以下次頁

第5　具体的な処理例

	（2の2）	全部事項証明

	野英助
消　　除	【消除日】平成28年4月28日 【消除事項】養父の記録，養父母との続柄 【消除事由】養父甲野義太郎との養子縁組無効の裁判確定 【裁判確定日】平成28年4月18日 【申請日】平成28年4月28日 【申請人】養父　甲野義太郎 【従前の記録】 　　【養父】甲野義太郎 　　【養父母との続柄】養子
戸籍に記録されている者	【名】秋子 【生年月日】昭和62年10月20日　【配偶者区分】妻 【父】丙山大輔 【母】丙山ゆり 【続柄】二女
身分事項 　出　　生 　婚　　姻	（出生事項省略） 【婚姻日】平成27年4月10日 【配偶者氏名】乙野二郎 【従前戸籍】京都府京都市上京区小山初音町6番地　丙山大輔
訂　　正	【訂正日】平成28年6月14日 【訂正事由】戸籍訂正許可の裁判確定 【裁判確定日】平成28年6月2日 【申請日】平成28年6月14日 【申請人】夫 【従前の記録】 　　【配偶者氏名】甲野二郎
	以下余白

発行番号000001

226

3　縁組・離縁に関する訂正

図52-1　戸籍法113条の戸籍訂正許可の裁判による戸籍訂正前の妻の実方戸籍

	（1の1）　全部事項証明
本　　籍	京都府京都市上京区小山初音町6番地
氏　　名	丙山　大輔
戸籍事項 　戸籍改製	（改製事項省略）
戸籍に記録されている者	

戸籍に記録されている者 除　籍	【名】秋子 【生年月日】昭和62年10月20日 【父】丙山大輔 【母】丙山ゆり 【続柄】二女
身分事項 　出　　生 　婚　　姻	（出生事項省略） 【婚姻日】平成27年4月10日 【配偶者氏名】甲野二郎 【送付を受けた日】平成27年4月14日 【受理者】東京都千代田区長 【新本籍】東京都千代田区平河町一丁目4番地 【称する氏】夫の氏

　　　　　　　　　　　　　　　　　　　　　　　　　　　以下余白

発行番号000001

227

第5　具体的な処理例

図52-2　戸籍法113条の戸籍訂正許可の裁判による戸籍訂正後の妻の実方戸籍

		（1の1）	全 部 事 項 証 明
本　　　籍	京都府京都市上京区小山初音町6番地		
氏　　　名	丙山　大輔		
戸籍事項 　　戸籍改製	（改製事項省略）		
戸籍に記録されている者			

戸籍に記録されている者 除　　籍	【名】秋子 【生年月日】昭和62年10月20日 【父】丙山大輔 【母】丙山ゆり 【続柄】二女
身分事項 　　出　　生	（出生事項省略）
婚　　姻	【婚姻日】平成27年4月10日 【配偶者氏名】乙野二郎 【送付を受けた日】平成27年4月14日 【受理者】東京都千代田区長 【新本籍】東京都千代田区平河町一丁目4番地 【称する氏】夫の氏
訂　　正	【訂正日】平成28年6月17日 【訂正事由】戸籍訂正許可の裁判確定 【裁判確定日】平成28年6月2日 【申請日】平成28年6月14日 【申請人】夫 【送付を受けた日】平成28年6月17日 【受理者】東京都千代田区長 【従前の記録】 　　【配偶者氏名】甲野二郎
	以下余白

発行番号000001

3 縁組・離縁に関する訂正

(イ) 相手方の氏を称して婚姻しているとき

　養子縁組により養親の戸籍に入籍した後，相手方の氏を称して婚姻しているときの，養子縁組無効の裁判による戸籍訂正は，養子を養親の戸籍から消除し，養子を従前戸籍（実方戸籍）の末尾に回復することになります。したがって，本事例の養子縁組無効の裁判による戸籍訂正の範囲は，養親戸籍の養親及び養子の縁組事項の消除，実方戸籍の縁組事項を消除し，養子を同戸籍の末尾に回復し，婚姻後の戸籍の縁組事項を消除するまでとなります。

　婚姻事項の移記，夫婦の新戸籍中の婚姻事項及び従前戸籍の婚姻事項の訂正等は，別途，戸籍法113条の許可を得て訂正することになります。

　戸籍の流れを図で示すと次のようになります。

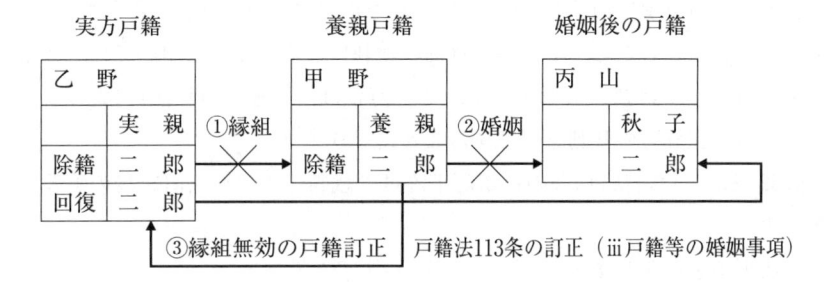

実方戸籍		養親戸籍		婚姻後の戸籍
乙　野	①縁組	甲　野	②婚姻	丙　山
実　親	✕→	養　親	✕→	秋　子
除籍　二　郎		除籍　二　郎		二　郎
回復　二　郎				

　　　　　　　③縁組無効の戸籍訂正　　戸籍法113条の訂正（ⅲ戸籍等の婚姻事項）

　この戸籍訂正方法は，前例を参照してください。

(ウ) 離婚により戸籍法77条の2の届出により新戸籍を編製した者が養子となり，養親の戸籍に入籍し，分籍しているとき

　この場合の戸籍訂正の範囲は，各戸籍の縁組事項を消除し，縁組により除籍となった英子の戸籍法77条の2の届出により編製した新戸籍を回復するまでになります。本事例の分籍は無効となりますが，縁組無効の裁判による戸籍訂正の範囲ではありませんので，そのままとしておきます。分籍は，成年に達した者が，自己の意思で従前の戸籍から分かれて単独の新戸籍を編製することを目的とする戸籍法上の行為ですから，養子縁組無効の裁判による戸籍訂正により分籍事項を消除することはできません。

　なお，本事例の養親の戸籍訂正記載例は，前事例を参照してください。

　戸籍の流れを図で示すと次のようになります。

第5　具体的な処理例

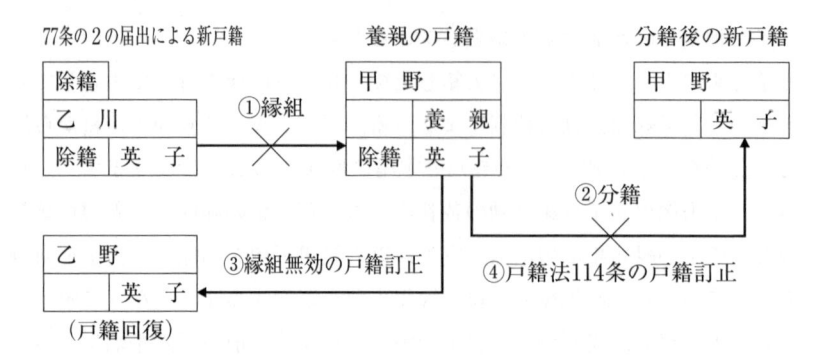

```
77条の2の届出による新戸籍        養親の戸籍              分籍後の新戸籍
┌─────────┐                ┌─────────┐           ┌─────────┐
│ 除籍    │                │ 甲 野   │           │ 甲 野   │
├────┬────┤  ①縁組        ├────┬────┤           ├────┬────┤
│ 乙 川   │ ────×───→   │    │養親 │           │    │英子 │
├────┼────┤                ├────┼────┤           └────┴────┘
│除籍│英子 │                │除籍│英子 │              ↑
└────┴────┘                └────┴────┘              │
                                      │②分籍        │
                                      └──────×──────┘
┌─────────┐                                
│ 乙 野   │   ③縁組無効の戸籍訂正   ④戸籍法114条の戸籍訂正
├────┬────┤ ←────────
│    │英子 │
└────┴────┘
（戸籍回復）
```

図53-1は，縁組無効の裁判による戸籍訂正前の養親戸籍です。

図53-2は，縁組無効の裁判による戸籍訂正後の養親戸籍です。

養子の縁組事項を消除し，「戸籍に記録されている者」欄に「消除マーク」を表示します。しかし，この縁組無効の裁判による戸籍訂正申請では，分籍事項の訂正までは及びませんので，この訂正は，別途，戸籍法114条の家庭裁判所の訂正許可の裁判を得てすることになります。

図53-3は，戸籍法114条の戸籍訂正許可の裁判による戸籍訂正後の養親戸籍です。

分籍事項を消除します。

図54-1は，縁組無効の裁判による戸籍訂正前の分籍戸籍です。

図54-2は，縁組無効の裁判による戸籍訂正後の分籍戸籍です。

養子の縁組事項を消除し，「戸籍に記録されている者」欄の養父の記録とその続柄を消除します。この消除の記録は，それぞれ別個の処理になります。**図53-2**の処理は，養父の記録とその続柄を消除していませんが，これは，事件本人がその戸籍から消除されるため，養父の記録等を消除する必要はないからです（「戸籍に記録されている者」欄に「消除マーク」を表示することにより，戸籍に記録されている者がその戸籍から消除されたことになるからです。紙戸籍では，名欄と養父母欄に朱線交差をしますが，それと同様の効果と考えます。）。

図54-3は，戸籍法114条の戸籍訂正許可の裁判による戸籍訂正後の分籍戸籍です。

分籍事項を消除し，「戸籍に記録されている者」欄に「消除マーク」を，

左上に「除籍マーク」を表示します。

　図55-1は，縁組無効の裁判による戸籍訂正前の戸籍法77条の2の戸籍です。

　図55-2は，縁組無効の裁判による戸籍訂正後の戸籍法77条の2の戸籍です。

　養子縁組により除籍となっていますので，縁組無効の裁判による戸籍訂正申請により，縁組事項を消除し，戸籍を回復することになります。

　図55-3は，戸籍回復後の戸籍法77条の2の戸籍です。

　回復後の戸籍には，戸籍法77条の2の届出により編製した当時の身分事項を記録することになります。通常は，回復後の身分事項欄には，重要な身分事項を記録（移記）すれば足りるとしていますが，本事例の場合は，この原則の例外となります。すなわち，重要な身分事項は，出生事項のみとなり，戸籍の連続性が失われるからです。したがって，本例の回復する身分事項は，出生事項及び離婚事項並びに氏の変更事項（戸籍法77条の2の届出事項）となります。

第5　具体的な処理例

図53-1　縁組無効の裁判による戸籍訂正前の養親戸籍

	（1の1）	全 部 事 項 証 明
本　　　籍	東京都千代田区平河町一丁目4番地	
氏　　　名	甲野　義太郎	
戸籍事項 　　戸籍編製	（編製事項省略）	
戸籍に記録されている者		

戸籍に記録されている者 　　　除　　籍	【名】英子 【生年月日】昭和60年4月25日 【父】乙野英助 【母】乙野花代 【続柄】長女 【養父】甲野義太郎 【続柄】養女
身分事項 　　出　　生 　　養子縁組 　　分　　籍	（出生事項省略） 【縁組日】平成27年2月1日 【養父氏名】甲野義太郎 【従前戸籍】京都府京都市上京区小山初音町20番地　乙川英子 【分籍日】平成27年4月10日 【新本籍】東京都千代田区平河町一丁目4番地
	以下余白

発行番号000001

232

3 縁組・離縁に関する訂正

図53-2　縁組無効の裁判による戸籍訂正後の養親戸籍

	（1の1）	全 部 事 項 証 明
本　　籍	東京都千代田区平河町一丁目4番地	
氏　　名	甲野　義太郎	
戸籍事項 　　戸籍編製	（編製事項省略）	
戸籍に記録されている者		

戸籍に記録されている者 　消　　除　 　除　　籍	【名】英子 【生年月日】昭和60年4月25日 【父】乙野英助 【母】乙野花代 【続柄】長女 【養父】甲野義太郎 【続柄】養女
身分事項 　出　　生 　分　　籍 　消　　除	（出生事項省略） 【分籍日】平成27年4月10日 【新本籍】東京都千代田区平河町一丁目4番地 【消除日】平成28年4月28日 【消除事項】縁組事項 【消除事由】養父甲野義太郎との養子縁組無効の裁判確定 【裁判確定日】平成28年4月18日 【申請日】平成28年4月28日 【申請人】養父　甲野義太郎 【従前の記録】 　【縁組日】平成27年2月1日 　【養父氏名】甲野義太郎 　【従前戸籍】京都府京都市上京区小山初音町20番地 　　乙川英子
	以下余白

発行番号000001

233

第5　具体的な処理例

図53-3　戸籍法114条の戸籍訂正許可の裁判による戸籍訂正後の養親戸籍

	（1の1）	全部事項証明
本　　籍	東京都千代田区平河町一丁目4番地	
氏　　名	甲野　義太郎	
戸籍事項 　　戸籍編製	（編製事項省略）	
戸籍に記録されている者		

〰〰〰〰〰〰〰〰〰〰〰〰〰〰〰〰〰〰〰〰〰〰〰〰〰〰〰〰〰〰〰〰〰

戸籍に記録されている者 　消　　除　 　除　　籍	【名】英子 【生年月日】昭和60年4月25日 【父】乙野英助 【母】乙野花代 【続柄】長女 【養父】甲野義太郎 【続柄】養女
身分事項 　出　　生	（出生事項省略）
消　　除	【消除日】平成28年4月28日 【消除事項】縁組事項 【消除事由】養父甲野義太郎との養子縁組無効の裁判確定 【裁判確定日】平成28年4月18日 【申請日】平成28年4月28日 【申請人】養父　甲野義太郎 【従前の記録】 　　【縁組日】平成27年2月1日 　　【養父氏名】甲野義太郎 　　【従前戸籍】京都府京都市上京区小山初音町20番地 　　　乙川英子
消　　除	【消除日】平成28年7月2日 【消除事項】分籍事項 【消除事由】分籍無効の裁判確定 【裁判確定日】平成28年6月17日 【申請日】平成28年7月2日 【従前の記録】 　　【分籍日】平成27年4月10日 　　【新本籍】東京都千代田区平河町一丁目4番地
	以下余白

発行番号000001

234

3 縁組・離縁に関する訂正

図54-1 縁組無効の裁判による戸籍訂正前の分籍戸籍

	(1の1) 全 部 事 項 証 明
本　　　籍 氏　　　名	東京都千代田区平河町一丁目4番地 甲野　英子
戸籍事項 　戸籍編製	【編製日】平成27年4月10日
戸籍に記録されている者	【名】英子 【生年月日】昭和60年4月25日 【父】乙野英助 【母】乙野花代 【続柄】長女 【養父】甲野義太郎 【続柄】養女
身分事項 　出　　生	(出生事項省略)
養子縁組	【縁組日】平成27年2月1日 【養父氏名】甲野義太郎 【従前戸籍】京都府京都市上京区小山初音町20番地　乙川英子
分　　籍	【分籍日】平成27年4月10日 【従前戸籍】東京都千代田区平河町一丁目4番地　甲野義太郎
	以下余白
発行番号000001	

235

第5　具体的な処理例

図54-2　縁組無効の裁判による戸籍訂正後の分籍戸籍

(1の1)	全 部 事 項 証 明

本　　　籍	東京都千代田区平河町一丁目4番地
氏　　　名	甲野　英子
戸籍事項 　　戸籍編製	【編製日】平成27年4月10日
戸籍に記録されている者	【名】英子 【生年月日】昭和60年4月25日 【父】乙野英助 【母】乙野花代 【続柄】長女
身分事項 　　出　　生	（出生事項省略）
分　　籍	【分籍日】平成27年4月10日 【従前戸籍】東京都千代田区平河町一丁目4番地　甲野義太郎
消　　除	【消除日】平成28年4月28日 【消除事項】縁組事項 【消除事由】養父甲野義太郎との養子縁組無効の裁判確定 【裁判確定日】平成28年4月18日 【申請日】平成28年4月28日 【申請人】養父　甲野義太郎 【従前の記録】 　　【縁組日】平成27年2月1日 　　【養父氏名】甲野義太郎 　　【従前戸籍】京都府京都市上京区小山初音町20番地　乙川英子
消　　除	【消除日】平成28年4月28日 【消除事項】養父の記録，養父母との続柄 【消除事由】養父甲野義太郎との養子縁組無効の裁判確定 【裁判確定日】平成28年4月18日 【申請日】平成28年4月28日 【申請人】養父　甲野義太郎 【従前の記録】 　　【養父】甲野義太郎 　　【養父母との続柄】養女
	以下余白

発行番号000001

3 縁組・離縁に関する訂正

図54-3 戸籍法114条の戸籍訂正許可の裁判による戸籍訂正後の分籍戸籍

除　　籍	（1の1）	全部事項証明
本　　籍	東京都千代田区平河町一丁目4番地	
氏　　名	甲野　英子	

戸籍事項	
戸籍編製	【編製日】平成27年4月10日
戸籍消除	【消除日】平成28年7月2日

戸籍に記録されている者	【名】英子
消　除	【生年月日】昭和60年4月25日 【父】乙野英助 【母】乙野花代 【続柄】長女

身分事項	
出　生	（出生事項省略）
消　除	【消除日】平成28年4月28日 【消除事項】縁組事項 【消除事由】養父甲野義太郎との養子縁組無効の裁判確定 【裁判確定日】平成28年4月18日 【申請日】平成28年4月28日 【申請人】養父　甲野義太郎 【従前の記録】 　【縁組日】平成27年2月1日 　【養父氏名】甲野義太郎 　【従前戸籍】京都府京都市上京区小山初音町20番地　乙川英子
消　除	【消除日】平成28年4月28日 【消除事項】養父の記録，養父母との続柄 【消除事由】養父甲野義太郎との養子縁組無効の裁判確定 【裁判確定日】平成28年4月18日 【申請日】平成28年4月28日 【申請人】養父　甲野義太郎 【従前の記録】 　【養父】甲野義太郎 　【養父母との続柄】養女
消　除	【消除日】平成28年7月2日 【消除事項】分籍事項 【消除事由】分籍無効の裁判確定 【裁判確定日】平成28年6月17日 【申請日】平成28年7月2日 【従前の記録】 　【分籍日】平成27年4月10日 　【従前戸籍】東京都千代田区平河町一丁目4番地　甲野義太郎
	以下余白

発行番号000001

第5　具体的な処理例

図55-1　縁組無効の裁判による戸籍訂正前の戸籍法77条の2の戸籍

除　　　籍	（1の1）	全部事項証明
本　　籍	京都府京都市上京区小山初音町20番地	
氏　　名	乙川　英子	

戸籍事項	
氏の変更	【氏の変更日】平成26年4月8日 【氏変更の事由】戸籍法77条の2の届出
戸籍編製	【編製日】平成26年4月10日
戸籍消除	【消除日】平成27年2月5日

戸籍に記録されている者	【名】英子
除　籍	【生年月日】昭和60年4月25日 【父】乙野英助 【母】乙野花代 【続柄】長女

身分事項	
出　　生	（出生事項省略）
離　　婚	【離婚日】平成26年4月8日 【配偶者氏名】乙川一郎
氏の変更	【氏の変更日】平成26年4月8日 【氏変更の事由】戸籍法77条の2の届出 【送付を受けた日】平成26年4月10日 【受理者】大阪府大阪市北区長 【従前戸籍】大阪府大阪市北区老松町二丁目6番地　乙川一郎
養子縁組	【縁組日】平成27年2月1日 【養父氏名】甲野義太郎 【送付を受けた日】平成27年2月5日 【受理者】東京都千代田区長 【入籍戸籍】東京都千代田区平河町一丁目4番地　甲野義太郎
	以下余白

発行番号000001

3 　縁組・離縁に関する訂正

図55-2　縁組無効の裁判による戸籍訂正後の戸籍法77条の2の戸籍

除　　籍	（1の1）	全部事項証明
本　　籍	京都府京都市上京区小山初音町２０番地	
氏　　名	乙川　英子	

戸籍事項	
氏の変更	【氏の変更日】平成２６年４月８日 【氏変更の事由】戸籍法７７条の２の届出
戸籍編製	【編製日】平成２６年４月１０日
消　　除	【消除日】平成２８年５月２日 【消除事項】戸籍消除事項 【消除事由】戸籍消除の記録錯誤 【従前の記録】 　　【消除日】平成２７年２月５日

戸籍に記録されている者	
除　　籍	【名】英子 【生年月日】昭和６０年４月２５日 【父】乙野英助 【母】乙野花代 【続柄】長女

身分事項	
出　　生	（出生事項省略）
離　　婚	【離婚日】平成２６年４月８日 【配偶者氏名】乙川一郎
氏の変更	【氏の変更日】平成２６年４月８日 【氏変更の事由】戸籍法７７条の２の届出 【送付を受けた日】平成２６年４月１０日 【受理者】大阪府大阪市北区長 【従前戸籍】大阪府大阪市北区老松町二丁目６番地　乙川一郎
消　　除	【消除日】平成２８年５月２日 【消除事項】縁組事項 【消除事由】養父甲野義太郎との養子縁組無効の裁判確定 【裁判確定日】平成２８年４月１８日 【申請日】平成２８年４月２８日 【申請人】養父　甲野義太郎 【送付を受けた日】平成２８年５月２日 【受理者】東京都千代田区長 【従前の記録】 　　【縁組日】平成２７年２月１日 　　【養父氏名】甲野義太郎 　　【送付を受けた日】平成２７年２月５日 　　【受理者】東京都千代田区長 　　【入籍戸籍】東京都千代田区平河町一丁目４番地　甲野義太郎
	以下余白

発行番号０００００１

第5　具体的な処理例

図55-3　縁組無効の裁判による戸籍回復後の戸籍法77条の2の戸籍

	（1の1）	全 部 事 項 証 明
本　　　籍	京都府京都巾上京区小山初音町２０番地	
氏　　　名	乙川　英子	

戸籍事項	
氏の変更	【氏の変更日】平成２６年４月８日 【氏変更の事由】戸籍法７７条の２の届出
戸籍編製	【編製日】平成２６年４月１０日
戸籍回復	【回復日】平成２８年５月２日 【回復事由】戸籍消除の記録錯誤

戸籍に記録されている者	
	【名】英子
	【生年月日】昭和６０年４月２５日 【父】乙野英助 【母】乙野花代 【続柄】長女

身分事項	
出　　生	（出生事項省略）
離　　婚	【離婚日】平成２６年４月８日 【配偶者氏名】乙川一郎
氏の変更	【氏の変更日】平成２６年４月８日 【氏変更の事由】戸籍法７７条の２の届出 【送付を受けた日】平成２６年４月１０日 【受理者】大阪府大阪市北区長 【従前戸籍】大阪府大阪市北区老松町二丁目６番地　乙川一郎

以下余白

発行番号０００００１

(4) 夫婦が養子となった場合又は夫婦の一方が養子となった場合
　ア　夫婦のうち婚姻の際に氏を改めた者のみが養子となった後，縁組無効の裁判があった場合

　夫婦が養子となる場合又は婚姻の際に氏を改めなかった者が養子となる縁組の届出があった場合には，夫婦について新戸籍を編製することになります（平成２年10月５日民二4400号通達）。夫婦のうち婚姻の際に氏を改めた者のみが養子となった場合は，その者の身分事項欄に養子縁組事項を記載するのみになり，戸籍の変動はありません。したがって，養子縁組の形態又は縁組無効の裁判の内容により，それぞれ訂正方法を異にすることになりますので，適正な処理が求められます。

　では，養子縁組の形態とその縁組が無効になった場合の訂正方法等について，以下に説明することにします。

　　㋐　夫婦のうち婚姻の際に氏を改めた者のみが養子となった後，縁組無効の裁判があった場合

　婚姻の際に氏を改めた者が養子となった場合は，その者は婚姻の際に定めた氏を称すべき間は，養親の氏を称しません（民法810条ただし書）。この婚姻の際に定めた氏を称すべき間とは，婚姻の継続中はもとより配偶者の死亡により婚姻が解消しても，養親の氏を称することなく，引き続き配偶者又は配偶者であった者の氏を称するとしています（昭和62年10月１日民二5000号通達第１の３参照）ので，縁組が無効となった場合，養子については，現在の身分関係がどのようになっているかを確認する必要があります。現在の身分関係がどのようになっているかによって訂正方法を異にするからです。

　　①　養子が婚姻の際に定めた氏を称している間に縁組無効の裁判があったとき

　この場合は，養親及び養子の両事件本人ともに縁組による戸籍の変動はありませんので，養親については身分事項欄中の縁組事項を消除し，養子については戸籍に記録されている者欄の養父の記録，養父母との続柄及び身分事項欄中の縁組事項を消除することになります。養親についての訂正記載例は，前事例を参考としてください。

　図56-1は，縁組無効の裁判による戸籍訂正前の養子の戸籍です。

第5　具体的な処理例

図56-2は，縁組無効の裁判による戸籍訂正後の養子の戸籍です。
この記載例は，**図54-2**の事例と同様です。

図56-1　縁組無効の裁判による戸籍訂正前の養子の戸籍

	（1の1）	全 部 事 項 証 明
本　　　籍	東京都千代田区永田町二丁目3番地	
氏　　　名	乙川　一郎	
戸籍事項 　　戸籍編製	（編製事項省略）	
戸籍に記録されている者	【名】一郎 【生年月日】昭和56年8月19日　　【配偶者区分】夫 【父】乙川英吉 【母】乙川冬子 【続柄】長男	
身分事項 　　出　　生 　　婚　　姻	（出生事項省略） （婚姻事項省略）	
戸籍に記録されている者	【名】英子 【生年月日】昭和57年4月4日　　【配偶者区分】妻 【父】丙山春吉 【母】丙山花子 【続柄】二女 【養父】甲野義太郎 【続柄】養女	
身分事項 　　出　　生 　　婚　　姻 　　養子縁組	（出生事項省略） （婚姻事項省略） 【縁組日】平成28年3月1日 【養父氏名】甲野義太郎 【養親の戸籍】東京都千代田区平河町一丁目4番地　甲野義太郎	
	以下余白	

発行番号000001

第5　具体的な処理例

図56-2　縁組無効の裁判による戸籍訂正後の養子の戸籍

（1の1）	全 部 事 項 証 明

本　　　籍	東京都千代田区永田町二丁目3番地
氏　　　名	乙川　一郎

戸籍事項 　　戸籍編製	（編製事項省略）
戸籍に記録されている者	【名】一郎 【生年月日】昭和56年8月19日　　【配偶者区分】夫 【父】乙川英吉 【母】乙川冬子 【続柄】長男
身分事項 　　出　　生 　　婚　　姻	（出生事項省略） （婚姻事項省略）
戸籍に記録されている者	【名】英子 【生年月日】昭和57年4月4日　　【配偶者区分】妻 【父】丙山春吉 【母】丙山花子 【続柄】二女
身分事項 　　出　　生 　　婚　　姻 　　消　　除 　　消　　除	（出生事項省略） （婚姻事項省略） 【消除日】平成29年1月22日 【消除事項】縁組事項 【消除事由】養父甲野義太郎との養子縁組無効の裁判確定 【裁判確定日】平成29年1月13日 【申請日】平成29年1月22日 【従前の記録】 　【縁組日】平成28年3月1日 　【養父氏名】甲野義太郎 　【養親の戸籍】東京都千代田区平河町一丁目4番地　甲野義太郎 【消除日】平成29年1月22日 【消除事項】養父の記録，養父母との続柄 【消除事由】養父甲野義太郎との養子縁組無効の裁判確定 【裁判確定日】平成29年1月13日 【申請日】平成29年1月22日 【従前の記録】 　【養父】甲野義太郎 　【養父母との続柄】養女
	以下余白

発行番号000001

3 縁組・離縁に関する訂正

②-ⅰ 養子が離婚により養親の戸籍に入籍しているときに縁組無効の裁判があったとき

　婚姻の際に氏を改めた者は、離婚により婚姻前の氏に復することになります（民法767条1項）が、養子縁組という身分行為がありますので、この場合、離婚により復する氏は養親の氏となり、離婚により養親の戸籍に入籍します（昭和40年9月14日～15日香川県連合戸籍協議会決議⑥）。

　本事例の縁組無効の裁判による戸籍訂正の範囲は、婚姻による戸籍の英子の身分事項欄中の縁組事項を消除し、養親の戸籍に離婚により入籍した英子の縁組事項を消除するまでの処理になります。

　英子を離婚により実方戸籍に復籍させるには、別途、戸籍法113条の戸籍訂正許可の裁判を得てすることになります。

　戸籍の流れを図で示すと次のようになります。

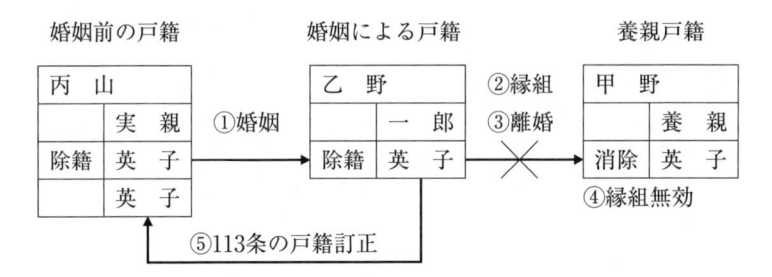

```
   婚姻前の戸籍            婚姻による戸籍              養親戸籍
  ┌─────────┐         ┌─────────┐          ┌─────────┐
  │ 丙　山  │         │ 乙　野  │  ②縁組  │ 甲　野  │
  ├────┬────┤         ├────┬────┤  ③離縁  ├────┬────┤
  │    │実 親│ ①婚姻  │    │一 郎│          │    │養 親│
  ├────┼────┤────────>├────┼────┤    ×    ├────┼────┤
  │除籍│英 子│         │除籍│英 子│          │消除│英 子│
  ├────┼────┤         └────┴────┘          └────┴────┘
  │    │英 子│                                  ④縁組無効
  └────┴────┘
       ↑
       └──────⑤113条の戸籍訂正──────┘
```

　図57-1は、縁組無効の裁判による戸籍訂正前の養親戸籍です。

　図57-2は、縁組無効の裁判による戸籍訂正後の養親戸籍です。

　縁組事項を消除し、縁組無効の裁判による戸籍訂正ではこの戸籍からは消除できないため、養父の記録と養父母との続柄を消除します。この縁組事項と養父の記録及び養父母との続柄の消除は、別々の処理によりすることになります。

　図57-3は、戸籍法113条の戸籍訂正許可の裁判による戸籍訂正後の養親戸籍です。

　離婚により入籍すべき実方戸籍に離婚事項を移記する旨を記録し、「戸籍に記録されている者」欄に「消除マーク」を表示します。

　図58-1は、縁組無効の裁判による戸籍訂正前の婚姻戸籍です。

第5　具体的な処理例

図58-2は，縁組無効の裁判による戸籍訂正後の婚姻戸籍です。

上記図57-2と同様の訂正方法となります。

図58-3は，戸籍法113条の戸籍訂正許可の裁判による戸籍訂正後の婚姻戸籍です。

離婚事項中，【入籍戸籍】の表示が錯誤ですから，段落ちタイトル「訂正」により【入籍戸籍】の表示を訂正することになります。

図59-1は，戸籍法113条の戸籍訂正許可の裁判による戸籍訂正前の実方戸籍です。

図59-2は，戸籍法113条の戸籍訂正許可の裁判による戸籍訂正後の実方戸籍です。

戸籍の末尾に離婚復籍の旨を記録するため，離婚事項を養親戸籍から移記することになります。

図57-1　縁組無効の裁判による戸籍訂正前の養親戸籍

		(1の1)	全 部 事 項 証 明
本　　籍	東京都千代田区平河町一丁目4番地		
氏　　名	甲野　義太郎		

戸籍事項	
戸籍編製	（編製事項省略）

戸籍に記録されている者	

戸籍に記録されている者	【名】英子 【生年月日】昭和60年4月25日 【父】丙山英吉 【母】丙山花代 【続柄】長女 【養父】甲野義太郎 【続柄】養女
身分事項 　出　　生	（出生事項省略）
養子縁組	【縁組日】平成27年2月1日 【養父氏名】甲野義太郎 【養親の戸籍】東京都千代田区平河町一丁目4番地　甲野義太郎
離　　婚	【離婚日】平成28年2月5日 【配偶者氏名】乙野一郎 【従前戸籍】東京都千代田区永田町二丁目3番地　乙野一郎
	以下余白

発行番号000001

第5　具体的な処理例

図57-2　縁組無効の裁判による戸籍訂正後の養親戸籍

		（1の1）	全　部　事　項　証　明
本　　籍	東京都千代田区平河町一丁目4番地		
氏　　名	甲野　義太郎		

戸籍事項 戸籍編製	（編製事項省略）
戸籍に記録されている者	

戸籍に記録されている者	【名】英子 【生年月日】昭和60年4月25日 【父】丙山英吉 【母】丙山花代 【続柄】長女
身分事項 　出　　生	（出生事項省略）
離　　婚	【離婚日】平成28年2月5日 【配偶者氏名】乙野一郎 【従前戸籍】東京都千代田区永田町二丁目3番地　乙野一郎
消　　除	【消除日】平成28年12月20日 【消除事項】縁組事項 【消除事由】養父甲野義太郎との養子縁組無効の裁判確定 【裁判確定日】平成28年12月1日 【申請日】平成28年12月20日 【申請人】養父　甲野義太郎 【従前の記録】 　【縁組日】平成27年2月1日 　【養父氏名】甲野義太郎 　【養親の戸籍】東京都千代田区平河町一丁目4番地　甲野義太郎
消　　除	【消除日】平成28年12月20日 【消除事項】養父の記録，養父母との続柄 【消除事由】養父甲野義太郎との養子縁組無効の裁判確定 【裁判確定日】平成28年12月1日 【申請日】平成28年12月20日 【申請人】養父　甲野義太郎 【従前の記録】 　【養父】甲野義太郎 　【養父母との続柄】養女
	以下余白

発行番号000001

3 縁組・離縁に関する訂正

図57-3　戸籍法113条の戸籍訂正許可の裁判による戸籍訂正後の養親戸籍

（2の1）　　全 部 事 項 証 明

本　　　籍	東京都千代田区平河町一丁目4番地
氏　　　名	甲野　義太郎
戸籍事項 　戸籍編製	（編製事項省略）
戸籍に記録されている者	

戸籍に記録されている者 　　消　　除	【名】英子 【生年月日】昭和60年4月25日 【父】丙山英吉 【母】丙山花代 【続柄】長女
身分事項 　出　　生	（出生事項省略）
消　　除	【消除日】平成28年12月20日 【消除事項】縁組事項 【消除事由】養父甲野義太郎との養子縁組無効の裁判確定 【裁判確定日】平成28年12月1日 【申請日】平成28年12月20日 【申請人】養父　甲野義太郎 【従前の記録】 　【縁組日】平成27年2月1日 　【養父氏名】甲野義太郎 　【養親の戸籍】東京都千代田区平河町一丁目4番地　甲野義太郎
消　　除	【消除日】平成28年12月20日 【消除事項】養父の記録，養父母との続柄 【消除事由】養父甲野義太郎との養子縁組無効の裁判確定 【裁判確定日】平成28年12月1日 【申請日】平成28年12月20日 【申請人】養父　甲野義太郎 【従前の記録】 　【養父】甲野義太郎 　【養父母との続柄】養女
移　　記	【移記日】平成29年2月20日 【移記事項】離婚事項 【移記事由】錯誤につき戸籍訂正許可の裁判確定 【裁判確定日】平成29年2月5日 【申請日】平成29年2月20日 【移記後の戸籍】東京都中央区築地一丁目17番地　丙山英吉

発行番号000001　　　　　　　　　　　　　　　　　　　以下次頁

第5　具体的な処理例

	(2の2)	全 部 事 項 証 明
	【従前の記録】 　【離婚日】平成28年2月5日 　【配偶者氏名】乙野一郎 　【従前戸籍】東京都千代田区永田町二丁目3番地　乙野一郎	
		以下余白

発行番号000001

3　縁組・離縁に関する訂正

図58-1　縁組無効の裁判による戸籍訂正前の婚姻戸籍

	（1の1）	全 部 事 項 証 明
本　　籍	東京都千代田区永田町二丁目3番地	
氏　　名	乙野　一郎	

戸籍事項	
戸籍編製	（編製事項省略）

戸籍に記録されている者　　　除　籍	【名】英子 【生年月日】昭和60年4月25日 【父】丙山英吉 【母】丙山花代 【続柄】長女 【養父】甲野義太郎 【続柄】養女
身分事項 　出　　生	（出生事項省略）
婚　　姻	（婚姻事項省略）
養子縁組	【縁組日】平成27年2月1日 【養父氏名】甲野義太郎 【養親の戸籍】東京都千代田区平河町一丁目4番地　甲野義太郎
離　　婚	【離婚日】平成28年2月5日 【配偶者氏名】乙野一郎 【入籍戸籍】東京都千代田区平河町一丁目4番地　甲野義太郎
	以下余白

発行番号000001

251

第5　具体的な処理例

図58-2　縁組無効の裁判による戸籍訂正後の婚姻戸籍

（1の1）	全 部 事 項 証 明

本　　　籍	東京都千代田区永田町二丁目3番地
氏　　　名	乙野　一郎

戸籍事項	
戸籍編製	（編製事項省略）

戸籍に記録されている者	【名】英子
除　籍	【生年月日】昭和60年4月25日 【父】丙山英吉 【母】丙山花代 【続柄】長女

身分事項	
出　　生	（出生事項省略）
婚　　姻	（婚姻事項省略）
離　　婚	【離婚日】平成28年2月5日 【配偶者氏名】乙野一郎 【入籍戸籍】東京都千代田区平河町一丁目4番地　甲野義太郎
消　　除	【消除日】平成28年12月20日 【消除事項】縁組事項 【消除事由】養父甲野義太郎との養子縁組無効の裁判確定 【裁判確定日】平成28年12月1日 【申請日】平成28年12月20日 【申請人】養父　甲野義太郎 【従前の記録】 　【縁組日】平成27年2月1日 　【養父氏名】甲野義太郎 　【養親の戸籍】東京都千代田区平河町一丁目4番地　甲野義太郎
消　　除	【消除日】平成28年12月20日 【消除事項】養父の記録，養父母との続柄 【消除事由】養父甲野義太郎との養子縁組無効の裁判確定 【裁判確定日】平成28年12月1日 【申請日】平成28年12月20日 【申請人】養父　甲野義太郎 【従前の記録】 　【養父】甲野義太郎 　【養父母との続柄】養女
	以下余白

発行番号000001

3　縁組・離縁に関する訂正

図58-3　戸籍法113条の戸籍訂正許可の裁判による戸籍訂正後の婚姻戸籍

(2の1)　全部事項証明

本　　　籍	東京都千代田区永田町二丁目3番地
氏　　　名	乙野　一郎

戸籍事項	
戸籍編製	(編製事項省略)

戸籍に記録されている者　　除　籍	【名】英子 【生年月日】昭和60年4月25日 【父】丙山英吉 【母】丙山花代 【続柄】長女
身分事項 　　出　生	(出生事項省略)
婚　姻	(婚姻事項省略)
離　婚	【離婚日】平成28年2月5日 【配偶者氏名】乙野一郎 【入籍戸籍】東京都中央区築地一丁目17番地　丙山英吉
訂　正	【訂正日】平成29年2月20日 【訂正事由】届出錯誤につき戸籍訂正許可の裁判確定 【裁判確定日】平成29年2月5日 【申請日】平成29年2月20日 【従前の記録】 　　【入籍戸籍】東京都千代田区平河町一丁目4番地　甲野 　　義太郎
消　除	【消除日】平成28年12月20日 【消除事項】縁組事項 【消除事由】養父甲野義太郎との養子縁組無効の裁判確定 【裁判確定日】平成28年12月1日 【申請日】平成28年12月20日 【申請人】養父　甲野義太郎 【従前の記録】 　　【縁組日】平成27年2月1日 　　【養父氏名】甲野義太郎 　　【養親の戸籍】東京都千代田区平河町一丁目4番地　甲 　　野義太郎
消　除	【消除日】平成28年12月20日 【消除事項】養父の記録，養父母との続柄 【消除事由】養父甲野義太郎との養子縁組無効の裁判確定 【裁判確定日】平成28年12月1日 【申請日】平成28年12月20日

発行番号000001　　　　　　　　　　　　　　　　　　　　　　以下次頁

第5　具体的な処理例

	(2の2)	全 部 事 項 証 明
	【申請人】養父　甲野義太郎 【従前の記録】 　【養父】甲野義太郎 　【養父母との続柄】養女	
		以下余白

発行番号０００００１

図59-1 戸籍法113条の戸籍訂正許可の裁判による戸籍訂正前の実方戸籍

	(1の1)	全 部 事 項 証 明
本　　　籍	東京都中央区築地一丁目17番地	
氏　　　名	丙山　英吉	

戸籍事項	
戸籍編製	（編製事項省略）

戸籍に記録されている者	【名】英子
除　　籍	【生年月日】昭和60年4月25日 【父】丙山英吉 【母】丙山花代 【続柄】長女
身分事項	
出　　生	（出生事項省略）
婚　　姻	（婚姻事項省略）

以下余白

発行番号000001

第5　具体的な処理例

図59-2　戸籍法113条の戸籍訂正許可の裁判による戸籍訂正後の実方戸籍

		（1の1）	全部事項証明
本　　籍	東京都中央区築地一丁目17番地		
氏　　名	丙山　英吉		

戸籍事項 　戸籍編製	（編製事項省略）

戸籍に記録されている者 除　　籍	【名】英子 【生年月日】昭和60年4月25日 【父】丙山英吉 【母】丙山花代 【続柄】長女
身分事項 　出　生 　婚　姻	（出生事項省略） （婚姻事項省略）
戸籍に記録されている者	【名】英子 【生年月日】昭和60年4月25日 【父】丙山英吉 【母】丙山花代 【続柄】長女
身分事項 　出　生 　離　婚 　移　記	（出生事項省略） 【離婚日】平成28年2月5日 【配偶者氏名】乙野一郎 【従前戸籍】東京都千代田区永田町二丁目3番地　乙野一郎 【移記日】平成29年2月23日 【移記事由】錯誤につき戸籍訂正許可の裁判確定 【裁判確定日】平成29年2月5日 【申請日】平成29年2月20日 【送付を受けた日】平成29年2月23日 【受理者】東京都千代田区長 【移記前の戸籍】東京都千代田区平河町一丁目4番地　甲野義太郎
	以下余白

発行番号000001

②-ⅱ 養子が離婚により養親の氏を称して新戸籍を編製した後，縁組無効の裁判があったとき

　婚姻中に養子縁組をし，その後離婚する場合は，その復する氏は養親の氏になります。この場合，前事例のように養親の戸籍に入籍することもできますし，本事例のように新戸籍を編製することもできます（平成6年4月4日民二2437号回答）。

　この場合は，養親については，その身分事項欄の養子縁組事項を，養子については，婚姻戸籍及び離婚による新戸籍の「戸籍に記録されている者」欄の養父の記録，養父母との続柄及び身分事項欄中の縁組事項をそれぞれ消除することになります（これらの訂正記載例は，前事例等を参考としてください。）。また，離婚による新戸籍の氏は，養親の氏ですから，これを婚姻前の氏（丙山）に訂正する必要がありますが，この訂正は，戸籍法113条の戸籍訂正許可の裁判を得てすることになります。

　戸籍の流れを図で示すと次のようになります。

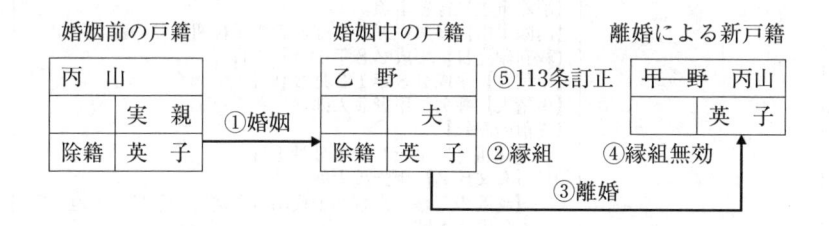

婚姻前の戸籍		婚姻中の戸籍		離婚による新戸籍
丙　山		乙　野	⑤113条訂正	甲─野　丙山
実　親	①婚姻	夫		英　子
除籍　英　子	→	除籍　英　子	②縁組　④縁組無効	↑
			③離婚	

　図60-1は，戸籍法113条の戸籍訂正許可の裁判による戸籍訂正前の離婚による新戸籍です。

　図60-2は，戸籍法113条の戸籍訂正許可の裁判による戸籍訂正後の離婚による新戸籍です。

　氏を訂正する場合は，戸籍事項欄で訂正することになります。

第5　具体的な処理例

図60-1　戸籍法113条の戸籍訂正許可の裁判による戸籍訂正前の新戸籍

	（1の1）	全部事項証明
本　　籍	東京都千代田区永田町二丁目3番地	
氏　　名	甲野　英子	
戸籍事項 　戸籍編製	【編製日】平成28年2月5日	
戸籍に記録されている者	【名】英子 【生年月日】昭和60年4月25日 【父】丙山英吉 【母】丙山花代 【続柄】長女	
身分事項 　出　　生	（出生事項省略）	
離　　婚	【離婚日】平成28年2月5日 【配偶者氏名】乙野一郎 【従前戸籍】東京都千代田区永田町二丁目3番地　乙野一郎	
消　　除	【消除日】平成28年12月20日 【消除事項】縁組事項 【消除事由】養父甲野義太郎との養子縁組無効の裁判確定 【裁判確定日】平成28年12月1日 【申請日】平成28年12月20日 【申請人】養父　甲野義太郎 【従前の記録】 　【縁組日】平成27年2月1日 　【養父氏名】甲野義太郎 　【養親の戸籍】東京都千代田区平河町一丁目4番地　甲野義太郎	
消　　除	【消除日】平成28年12月20日 【消除事項】養父の記録，養父母との続柄 【消除事由】養父甲野義太郎との養子縁組無効の裁判確定 【裁判確定日】平成28年12月1日 【申請日】平成28年12月20日 【申請人】養父　甲野義太郎 【従前の記録】 　【養父】甲野義太郎 　【養父母との続柄】養女	
		以下余白

発行番号000001

図60-2　戸籍法113条の戸籍訂正許可の裁判による戸籍訂正後の新戸籍

	（1の1）	全部事項証明
本　　籍	東京都千代田区永田町二丁目3番地	
氏　　名	丙山　英子	
戸籍事項 　戸籍編製 　訂　　正	【編製日】平成28年2月5日 【訂正日】平成29年2月20日 【訂正事項】氏 【訂正事由】錯誤につき戸籍訂正許可の裁判確定 【裁判確定日】平成29年2月5日 【申請日】平成29年2月20日 【従前の記録】 　　【氏】甲野	
戸籍に記録されている者	【名】英子 【生年月日】昭和60年4月25日 【父】丙山英吉 【母】丙山花代 【続柄】長女	
身分事項 　出　　生	（出生事項省略）	
離　　婚	【離婚日】平成28年2月5日 【配偶者氏名】乙野一郎 【従前戸籍】東京都千代田区永田町二丁目3番地　乙野一郎	
消　　除	【消除日】平成28年12月20日 【消除事項】縁組事項 【消除事由】養父甲野義太郎との養子縁組無効の裁判確定 【裁判確定日】平成28年12月1日 【申請日】平成28年12月20日 【申請人】養父　甲野義太郎 【従前の記録】 　　【縁組日】平成27年2月1日 　　【養父氏名】甲野義太郎 　　【養親の戸籍】東京都千代田区平河町一丁目4番地　甲野義太郎	
消　　除	【消除日】平成28年12月20日 【消除事項】養父の記録，養父母との続柄 【消除事由】養父甲野義太郎との養子縁組無効の裁判確定 【裁判確定日】平成28年12月1日 【申請日】平成28年12月20日 【申請人】養父　甲野義太郎 【従前の記録】 　　【養父】甲野義太郎 　　【養父母との続柄】養女	
		以下余白

発行番号000001

②-ⅲ　養子が離婚により戸籍法77条の2の届出による新戸籍を編製した後，縁組無効の裁判があったとき

　この場合は，養親については，その身分事項欄の養子縁組事項を，養子については，婚姻中の戸籍及び戸籍法77条の2の届出による新戸籍中の「戸籍に記録されている者」欄の養父の記録，養父母との続柄及び身分事項欄中の養子縁組事項をそれぞれ消除することになります。

　これらの戸籍訂正記載例は，ここでは省略しますので，前事例等を参考としてください。

　戸籍の流れを図で示すと次のようになります。

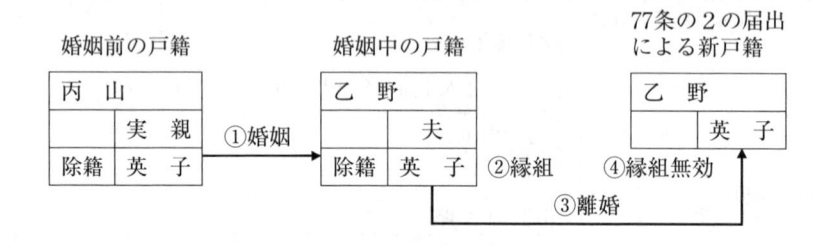

```
　婚姻前の戸籍　　　　　婚姻中の戸籍　　　　77条の2の届出
　　　　　　　　　　　　　　　　　　　　　　による新戸籍
┌─────────┐　　　　┌─────────┐　　　　┌─────────┐
│　丙　山　　　　│　　　　│　乙　野　　　　│　　　　│　乙　野　　　　│
├────┬────┤　　　　├────┬────┤　　　　├────┬────┤
│　　　│実　親│①婚姻 │　　　│　夫　│　　　　│　　　│英　子│
├────┼────┤───→├────┼────┤　　　　├────┼────┤
│除籍　│英　子│　　　　│除籍　│英　子│②縁組 ④縁組無効　↑
└────┴────┘　　　　└────┴────┘　　　　└─────────┘
　　　　　　　　　　　　　　　　　　　　　③離婚
```

イ　夫婦のうち婚姻の際に氏を改めなかった者のみが養子となった後，縁組無効の裁判があった場合

　配偶者のある者が縁組をするには，その配偶者の同意を得なければならないとされています（民法796条本文）。夫婦が共同で縁組するかどうかは，当事者の選択に委ねられているのです。これは，養親となる者が夫婦であるとき，又は養子となる者が夫婦であるときのいずれも同じです。夫婦のうち婚姻の際に氏を改めなかった者が配偶者の同意を得て養子となった場合は，縁組の効力として，養子は，養親の氏を称することになります（民法810条本文）。夫婦が養子となる場合又は婚姻の際に氏を改めなかった者が養子となる縁組届があった場合は，夫婦について新戸籍を編製することになります（平成2年10月5日民二4400号通達）。ここでは，養親が夫婦で，養子が婚姻の際に氏を改めなかった者である場合において，養親の一方との縁組が無効となった場合と養親双方との縁組が無効となった場合の二つに分けて説明することにします。

3 縁組・離縁に関する訂正

(ア) 養親夫婦の一方のみとの縁組無効の裁判があったとき

養子縁組の効果により養親の氏により夫婦について新戸籍を編製した後,養親の一方のみとの縁組が無効になった場合であっても,養子と他の一方の養親との縁組が継続していますので,その養親の氏(縁組が無効となった養親の配偶者の氏)を称していますから,その氏で新戸籍を編製したことになり,養子が縁組により新戸籍を編製したことは間違いではありません。したがって,この場合の訂正方法は,縁組が無効となった養親については縁組事項全部を消除し,他の一方の養親及び養子については縁組事項の一部を訂正する処理をすることになります。

図61-1 養父のみとの縁組無効の裁判による戸籍訂正前の養親の改製原戸籍(縁組後コンピュータ戸籍に改製されたため原戸籍となっているため)です。

図61-2 養父のみとの縁組無効の裁判による戸籍訂正後の養親の改製原戸籍(縁組後コンピュータ戸籍に改製されたため原戸籍となっているため)です。

養親の戸籍がコンピュータ戸籍に改製又は転籍等により除籍となっているときは,改製戸籍又は転籍戸籍には,縁組事項の記載がありません(養親については,縁組事項は移記事項ではないためです(戸規39条1項3号)。)ので,縁組事項の記載のある戸籍で訂正することになります。本事例は,縁組事項の記載のある戸籍が,改製原戸籍ですから,その戸籍の縁組事項を訂正することになります。

養父については,縁組事項を全部消除する訂正になります。養母については,単独で養子をした縁組事項の記載に訂正することになりますので,本事例のように括弧書きで縁組事項を書き直す訂正になります。

図62-1 養父のみとの縁組無効の裁判による戸籍訂正前の養子夫婦の除籍(縁組により除籍となっているため)です。

図62-2 養父のみとの縁組無効の裁判による戸籍訂正後の養子夫婦の除籍(縁組により除籍となっているため)です。

養子については,夫婦の一方との養子縁組の記載に訂正することになりますので,「同人妻」という記載を「同籍」と訂正することになります。

図63-1 養父のみとの縁組無効の裁判による戸籍訂正前の養子のコンピュータ戸籍(縁組による新戸籍編製地がコンピュータ化庁)です。

第5 具体的な処理例

図63-2 養父のみとの縁組無効の裁判による戸籍訂正後の養子のコンピュータ戸籍(縁組による新戸籍編製地がコンピュータ化庁)です。

コンピュータ戸籍も同様に,夫婦の一方の養子となる縁組事項に訂正します。

3 縁組・離縁に関する訂正

図61-1 縁組無効の裁判による戸籍訂正前の養親の紙戸籍（改製原戸籍）

改製原戸籍	平成六年法務省令第五十一号附則第二条第一項による改製につき平成年月日消除㊞		
本籍	東京都千代田区平河町一丁目四番地	氏名	甲野 義太郎

編製事項（省略）	

出生事項（省略）	父	甲野幸雄	長男
婚姻事項（省略）	母	松子	
平成弐拾六年弐月拾九日妻とともに大阪市北区老松町二丁目六番地（新本籍東京都世田谷区世田谷三丁目十五番地）乙川英助を養子とする縁組届出㊞	夫	義太郎	
	出生	昭和参拾壱年六月弐拾六日	

出生事項（省略）	父	乙野忠治	長女
婚姻事項（省略）	母	春子	
平成弐拾六年弐月拾九日夫とともに乙川英助を養子とする縁組届出㊞	妻	梅子	
	出生	昭和参拾四年壱月八日	

	父		
	母		
	出生		

263

第5 具体的な処理例

図61-2 縁組無効の裁判による戸籍訂正後の養親の紙戸籍（改製原戸籍）

改製原戸籍	平成六年法務省令第五十一号附則第二条第一項による改製につき平成年月日消除㊞

本籍	東京都千代田区平河町一丁目四番地	氏名	甲野義太郎

編製事項（省略）

		父	甲野幸雄	長男
出生事項（省略）		母	松子	
婚姻事項（省略）				
平成拾六年弐月拾九日妻とともに大阪市北区老松町二丁目六番地（新本籍東京都世田谷区世田谷二丁目八番地）乙川英助を養子とする縁組届出㊞		夫	義太郎	
平成弐拾九年壱月弐拾八日養子英助との養子縁組無効の裁判確定同年弐月九日申請縁組の記載消除㊞				
		出生	昭和参拾壱年六月弐拾六日	

		父	乙野忠治	長女
出生事項（省略）		母	春子	
婚姻事項（省略）				
平成拾六年弐月拾九日夫とともに乙川英助を養子とする縁組届出㊞		妻	梅子	
平成弐拾九年壱月弐拾八日夫と養子英助との養子縁組無効の裁判確定同年弐月九日夫申請縁組事項を「平成拾六年弐月拾九日大阪市北区老松町二丁目六番地（新本籍東京都世田谷区世田谷三丁目十五番地）乙川英助を養子とする縁組届出」と訂正㊞				
		出生	昭和参拾四年壱月八日	

		父		
		母		
		出生		

264

3 縁組・離縁に関する訂正

図62-1 縁組無効の裁判による戸籍訂正前の養子夫婦の戸籍

本籍	大阪市北区老松町二丁目六番地	氏名	乙川英助

| 編製事項（省略） | |
| 平成弐拾六年弐月弐拾弐日消除㊞ | |

出生事項（省略）	父	乙川英吉	二男
婚姻事項（省略）	母	花子	
平成拾六年弐月拾九日東京都千代田区平河町一丁目四番地申野義太郎同人妻梅子の養子となる縁組届出同月弐拾弐日同区長から送付東京都世田谷区世田谷三丁目十五番地に新戸籍編製につき除籍㊞	夫	英助（×）	
	出生	昭和六拾壱年九月弐拾日	

出生事項（省略）	父	丙山一郎	長女
婚姻事項（省略）	母	春子	
平成弐拾六年弐月弐拾弐日夫とともに除籍㊞	妻	竹子（×）	
	出生	昭和六拾弐年五月弐日	

	父		
	母		
	出生		

265

第5 具体的な処理例

図62-2 縁組無効の裁判による戸籍訂正後の養子夫婦の戸籍

除籍

本籍	大阪市北区老松町二丁目六番地	氏名	乙川英助

| 編製事項（省略） | |
| 平成弐拾六年弐月弐拾弐日消除㊞ | |

出生事項（省略）	父	乙川英吉	二男
婚姻事項（省略）	母	花子	
平成弐拾六年弐月拾九日東京都千代田区平河町一丁目四番地甲野義太郎同人妻梅子の養子となる縁組届出同月弐拾弐日同区長から送付東京都世田谷区世田谷二丁目十五番地に新戸籍編製につき除籍㊞ 平成弐拾九年壱月弐拾日養父甲野義太郎との養子縁組無効の裁判確定同年弐月九日養父申請同月拾弐日東京都千代田区長から送付縁組事項訂正㊞	夫	英　助（×）	
	出生	昭和六拾壱年九月弐拾日	

出生事項（省略）	父	丙山一郎	長女
婚姻事項（省略）	母	春子	
平成弐拾六年弐月弐拾弐日夫とともに除籍㊞	妻	竹　子（×）	
	出生	昭和六拾弐年五月弐日	
	父		
	母		
	出生		

3 縁組・離縁に関する訂正

図63-1 養父のみとの縁組無効の裁判による戸籍訂正前の養子のコンピュータ戸籍

	（1の1）	全 部 事 項 証 明
本　　　籍	東京都世田谷区世田谷二丁目１５番地	
氏　　　名	甲野　英助	

戸籍事項	
戸籍編製	【編製日】平成２６年２月２１日

戸籍に記録されている者	【名】英助 【生年月日】昭和６１年９月２０日　　【配偶者区分】夫 【父】乙川英吉 【母】乙川花子 【続柄】二男 【養父】甲野義太郎 【養母】甲野梅子 【続柄】養子
身分事項 　出　　生 　婚　　姻 　養子縁組	 （出生事項省略） （婚姻事項省略） 【縁組日】平成２６年２月１９日 【養父氏名】甲野義太郎 【養母氏名】甲野梅子 【養親の戸籍】東京都千代田区平河町一丁目４番地　甲野義太郎 【送付を受けた日】平成２６年２月２１日 【受理者】東京都千代田区長 【従前戸籍】大阪府大阪市北区老松町二丁目６番地　乙川英助

戸籍に記録されている者	【名】竹子 【生年月日】昭和６２年５月２日　　【配偶者区分】妻 【父】丙山一郎 【母】丙山春子 【続柄】長女
身分事項 　出　　生 　婚　　姻 　配偶者の縁組	 （出生事項省略） （婚姻事項省略） 【入籍日】平成２６年２月２１日 【入籍事由】夫の縁組 【従前戸籍】大阪府大阪市北区老松町二丁目６番地　乙川英助
	以下余白

発行番号０００００１

第5　具体的な処理例

図63-2　養父のみとの縁組無効の裁判による戸籍訂正後の養子のコンピュータ戸籍

	（2の1）	全 部 事 項 証 明
本　　　籍	東京都世田谷区世田谷二丁目15番地	
氏　　　名	甲野　英助	
戸籍事項 　戸籍編製	【編製日】平成26年2月21日	
戸籍に記録されている者	【名】英助 【生年月日】昭和61年9月20日　　　【配偶者区分】夫 【父】乙川英吉 【母】乙川花子 【続柄】二男 【養母】甲野梅子 【続柄】養子	
身分事項 　出　　生 　婚　　姻 　養子縁組	（出生事項省略） （婚姻事項省略） 【縁組日】平成26年2月19日 【養母氏名】甲野梅子 【養親の戸籍】東京都千代田区平河町一丁目4番地　甲野義太郎 【送付を受けた日】平成26年2月21日 【受理者】東京都千代田区長 【従前戸籍】大阪府大阪市北区老松町二丁目6番地　乙川英助	
訂　　正	【訂正日】平成29年2月12日 【訂正事由】養父甲野義太郎との養子縁組無効の裁判確定 【裁判確定日】平成29年1月28日 【申請日】平成29年2月9日 【申請人】養父　甲野義太郎 【送付を受けた日】平成29年2月12日 【受理者】東京都千代田区長 【従前の記録】 　　【養父氏名】甲野義太郎	
消　　除	【消除日】平成29年2月12日 【消除事項】養父の記録 【消除事由】養父甲野義太郎との養子縁組無効の裁判確定 【裁判確定日】平成29年1月28日 【申請日】平成29年2月9日 【申請人】養父　甲野義太郎 【送付を受けた日】平成29年2月12日 【受理者】東京都千代田区長 【従前の記録】	

発行番号000001　　　　　　　　　　　　　　　　　　　　　　　　　　以下次頁

	(2の2)	全 部 事 項 証 明
	【養父】甲野義太郎	
戸籍に記録されている者	【名】竹子 【生年月日】昭和62年5月2日　　【配偶者区分】妻 【父】丙山一郎 【母】丙山春子 【続柄】長女	
身分事項 　　出　　生 　　婚　　姻 　　配偶者の縁組	(出生事項省略) (婚姻事項省略) 【入籍日】平成26年2月21日 【入籍事由】夫の縁組 【従前戸籍】大阪府大阪市北区老松町二丁目6番地　乙川英助	
		以下余白

発行番号000001

第5　具体的な処理例

(イ)　養親夫婦双方との縁組無効の裁判があったとき

養親夫婦双方との縁組が無効となった場合は，養子の縁組前の戸籍が，ⅰ除籍となっているときと，ⅱ除籍となっていないときで，その訂正方法を異にすることになります。

①　縁組前の戸籍が除籍となっているとき

養子縁組により新戸籍を編製した養子の縁組前の戸籍が，養子縁組等により除籍となっているときとは，下記図1のように除籍となったとき，又は図2のように，子が父母の氏を称する入籍により除籍となったときです。この場合は，いずれも縁組前の戸籍を回復することになります（図1及び図2のⅲ戸籍）。

図2の場合，夫婦間の子をⅲの戸籍訂正後の回復戸籍に子を回復する訂正は，戸籍法114条又は同法113条の家庭裁判所の戸籍訂正許可の裁判を得てすることになります。

本事例は，図2の例により戸籍を回復し，子をその回復戸籍に回復するまでの記載例を示すことにします。

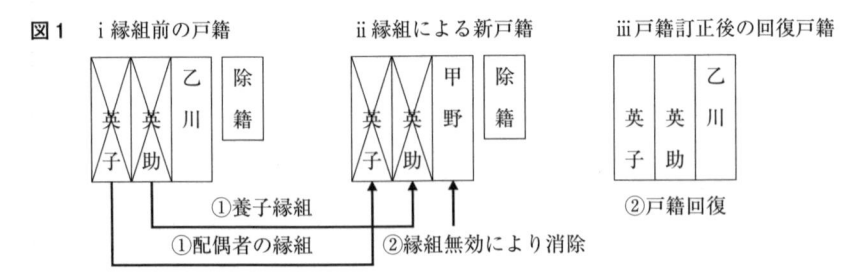

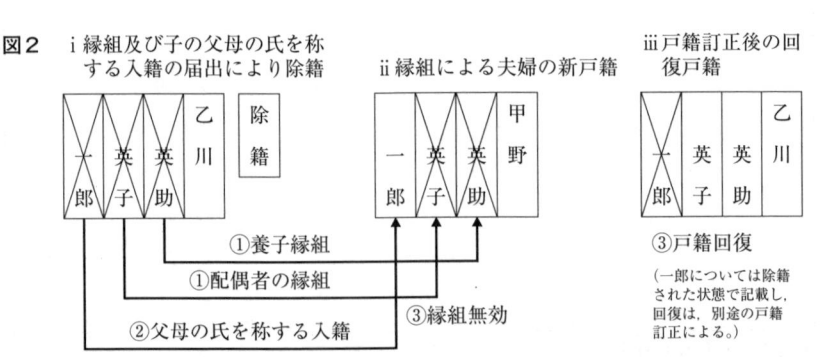

図1　ⅰ縁組前の戸籍　　　ⅱ縁組による新戸籍　　　ⅲ戸籍訂正後の回復戸籍

①養子縁組
①配偶者の縁組　　②縁組無効により消除　　②戸籍回復

図2　ⅰ縁組及び子の父母の氏を称する入籍の届出により除籍　　ⅱ縁組による夫婦の新戸籍　　ⅲ戸籍訂正後の回復戸籍

①養子縁組
①配偶者の縁組
②父母の氏を称する入籍　　③縁組無効　　③戸籍回復

（一郎については除籍された状態で記載し，回復は，別途の戸籍訂正による。）

270

図64-1は，養父母双方との縁組無効の裁判による戸籍訂正前の養子夫婦の新戸籍です。

　図64-2は，養父母双方との縁組無効の裁判による戸籍訂正後の養子夫婦の新戸籍です。

　養父母双方との養子縁組無効の裁判による戸籍訂正申請により，養子英助については縁組事項を消除し，その妻英子については配偶者の縁組による入籍事項を消除した上，それぞれ「戸籍に記録されている者」欄に「消除マーク」を表示します。この場合，英子については，【申請人】を単に「甲野義太郎」「甲野梅子」と記録します。英子にとっては，養父母ではないからです。

　また，夫婦の子の一郎については，別途，戸籍法114条又は同法113条の戸籍訂正許可の裁判を得て訂正することになりますので，戸籍消除はしないことになります。

　図64-3は，戸籍法114条の戸籍訂正許可の裁判による戸籍訂正後の養子夫婦の新戸籍です。

　父の養子縁組が無効となりましたので，父母の氏を称する入籍の届出も無効となりますから，本事例は家庭裁判所の戸籍法114条の戸籍訂正許可の裁判を得て訂正したものです。入籍事項を消除し，「戸籍に記録されている者」欄に「消除マーク」を，左上に「除籍マーク」を表示します。

　図65-1は，養父母双方との縁組無効の裁判による戸籍訂正前の縁組前の養子夫婦の戸籍です。

　図65-2は，養父母双方との縁組無効の裁判による戸籍訂正後の縁組前の養子夫婦の戸籍です。

　養父母双方との養子縁組無効の裁判による戸籍訂正申請により，養子英助については縁組事項を消除し，その妻英子については配偶者の縁組による除籍事項を消除した上，戸籍消除の記録錯誤を事由として戸籍を回復します。

　図65-3は，養父母双方との縁組無効の裁判による戸籍訂正により回復した養子夫婦の戸籍です。

　回復後の戸籍には，「戸籍事項」欄に「【回復事由】戸籍消除の記録錯誤」を記録し，夫婦については，重要な身分事項を移記することになります。ま

た，夫婦間の子については，除籍のまま回復することになります。

　図65-4は，戸籍法114条の戸籍訂正許可の裁判により子の入籍事項を消除した夫婦の回復前の戸籍です。

　父母の氏を称する入籍事項を消除し，**図65-3**の回復戸籍の末尾に回復することになります。

　図65-5は，戸籍法114条の戸籍訂正許可の裁判により子の入籍事項を消除した夫婦の回復後の戸籍です。

　父母の氏を称する入籍事項を消除し，子を末尾に回復します。

　図66-1は，縁組無効の裁判による戸籍訂正前の養親の戸籍です。

　図66-2は，縁組無効の裁判による戸籍訂正後の養親の戸籍です。

　養親それぞれの縁組事項を消除します。

3 縁組・離縁に関する訂正

図64-1 養父母双方との縁組無効の裁判による戸籍訂正前の養子夫婦の新戸籍

	（2の1）	全部事項証明
本　　籍	東京都千代田区平河町二丁目１０番地	
氏　　名	甲野　英助	

戸籍事項	
戸籍編製	【編製日】平成２６年１０月１日

戸籍に記録されている者	【名】英助
	【生年月日】昭和５１年５月１０日　　【配偶者区分】夫 【父】乙川英吉 【母】乙川秋子 【続柄】二男 【養父】甲野義太郎 【養母】甲野梅子 【続柄】養子

身分事項	
出　生	（出生事項省略）
婚　姻	（婚姻事項省略）
養子縁組	【縁組日】平成２６年１０月１日 【養父氏名】甲野義太郎 【養母氏名】甲野梅子 【養親の戸籍】東京都千代田区平河町一丁目４番地　甲野義太郎 【従前戸籍】東京都千代田区平河町二丁目１０番地　乙川英助

戸籍に記録されている者	【名】英子
	【生年月日】昭和５４年８月１０日　　【配偶者区分】妻 【父】丙山二郎 【母】丙山冬子 【続柄】長女

身分事項	
出　生	（出生事項省略）
婚　姻	（婚姻事項省略）
配偶者の縁組	【入籍日】平成２６年１０月１日 【入籍事由】夫の縁組 【従前戸籍】東京都千代田区平河町二丁目１０番地　乙川英助

戸籍に記録されている者	【名】一郎

発行番号０００００１　　　　　　　　　　　　　　　　　　　　以下次頁

第5　具体的な処理例

	(2の2)	全 部 事 項 証 明
	【生年月日】平成18年4月20日 【父】甲野英助 【母】甲野英子 【続柄】長男	
身分事項 　　出　　生 　　入　　籍	（出生事項省略）	
	【届出日】平成26年10月10日 【入籍事由】父母の氏を称する入籍 【従前戸籍】東京都千代田区平河町二丁目10番地　乙川英助	
	以下余白	

発行番号000001

3 縁組・離縁に関する訂正

図64-2 養父母双方との縁組無効の裁判による戸籍訂正後の養子夫婦の新戸籍

	（2の1） 全 部 事 項 証 明
本　　　籍 氏　　　名	東京都千代田区平河町二丁目１０番地 甲野　英助
戸籍事項 　戸籍編製	【編製日】平成２６年１０月１日
戸籍に記録されている者 　　消　　除	【名】英助 【生年月日】昭和５１年５月１０日　　【配偶者区分】夫 【父】乙川英吉 【母】乙川秋子 【続柄】二男 【養父】甲野義太郎 【養母】甲野梅子 【続柄】養子
身分事項 　出　　生 　婚　　姻 　消　　除	（出生事項省略）
	（婚姻事項省略）
	【消除日】平成２８年１１月１８日 【消除事項】縁組事項 【消除事由】養父甲野義太郎養母梅子との養子縁組無効の裁判確定 【裁判確定日】平成２８年１１月１日 【申請日】平成２８年１１月１８日 【申請人】養父　甲野義太郎 【申請人】養母　甲野梅子 【従前の記録】 　【縁組日】平成２６年１０月１日 　【養父氏名】甲野義太郎 　【養母氏名】甲野梅子 　【養親の戸籍】東京都千代田区平河町一丁目４番地　甲野義太郎 　【従前戸籍】東京都千代田区平河町二丁目１０番地　乙川英助
戸籍に記録されている者 　　消　　除	【名】英子 【生年月日】昭和５４年８月１０日　　【配偶者区分】妻 【父】丙山二郎 【母】丙山冬子 【続柄】長女
身分事項 　出　　生	（出生事項省略）

発行番号０００００１　　　　　　　　　　　　　　　　　　　以下次頁

第5　具体的な処理例

		（2の2）	全 部 事 項 証 明
婚　　姻 消　　除	（婚姻事項省略） 【消除日】平成28年11月18日 【消除事項】配偶者の縁組事項 【消除事由】夫と養父甲野義太郎養母梅子との養子縁組無効の裁判確定 【裁判確定日】平成28年11月1日 【申請日】平成28年11月18日 【申請人】甲野義太郎 【申請人】甲野梅子 【従前の記録】 　　【入籍】平成26年10月1日 　　【入籍事由】夫の縁組 　　【従前戸籍】東京都千代田区平河町二丁目10番地　乙川英助		
戸籍に記録されている者	【名】一郎 【生年月日】平成18年4月20日 【父】甲野英助 【母】甲野英子 【続柄】長男		
身分事項 　　出　　生 　　入　　籍	（出生事項省略） 【届出日】平成26年10月10日 【入籍事由】父母の氏を称する入籍 【従前戸籍】東京都千代田区平河町二丁目10番地　乙川英助		
	以下余白		

発行番号000001

図64-3　戸籍法114条の戸籍訂正許可の裁判による戸籍訂正後の養子夫婦の新戸籍

除　　籍	（1の1）	全部事項証明
本　　籍	東京都千代田区平河町二丁目10番地	
氏　　名	甲野　英助	

戸籍事項	
戸籍編製	【編製日】平成26年10月1日
戸籍消除	【消除日】平成29年1月16日

〜〜〜〜〜〜〜〜〜〜〜〜〜〜〜〜〜〜〜〜〜〜〜〜〜〜〜〜〜〜〜

戸籍に記録されている者　　消除	【名】一郎 【生年月日】平成18年4月20日 【父】甲野英助 【母】甲野英子 【続柄】長男
身分事項 　出　生 　消　除	（出生事項省略） 【消除日】平成29年1月16日 【消除事項】入籍事項 【消除事由】父母の氏を称する入籍届出無効につき戸籍訂正許可の裁判確定 【裁判確定日】平成28年12月26日 【申請日】平成29年1月16日 【申請人】親権者父母 【従前の記録】 　【届出日】平成26年10月10日 　【入籍事由】父母の氏を称する入籍 　【従前戸籍】東京都千代田区平河町二丁目10番地　乙川英助
	以下余白

発行番号000001

277

第5　具体的な処理例

図65-1　養父母双方との縁組無効の裁判による戸籍訂正前の縁組前の養子夫婦の戸籍

除　　籍	（2の1）　　全部事項証明
本　　籍	東京都千代田区平河町二丁目10番地
氏　　名	乙川　英助

戸籍事項	
戸籍編製	【編製日】平成15年3月10日
戸籍消除	【消除日】平成26年10月10日

戸籍に記録されている者	【名】英助
除　　籍	【生年月日】昭和51年5月10日　　【配偶者区分】夫 【父】乙川英吉 【母】乙川秋子 【続柄】二男

身分事項	
出　　生	（出生事項省略）
婚　　姻	（婚姻事項省略）
養子縁組	【縁組日】平成26年10月1日 【養父氏名】甲野義太郎 【養母氏名】甲野梅子 【養親の戸籍】東京都千代田区平河町一丁目4番地　甲野義太郎 【新本籍】東京都千代田区平河町二丁目10番地

戸籍に記録されている者	【名】英子
除　　籍	【生年月日】昭和54年8月10日　　【配偶者区分】妻 【父】丙山二郎 【母】丙山冬子 【続柄】長女

身分事項	
出　　生	（出生事項省略）
婚　　姻	（婚姻事項省略）
配偶者の縁組	【除籍日】平成26年10月1日 【除籍事由】夫の縁組 【新本籍】東京都千代田区平河町二丁目10番地

戸籍に記録されている者	【名】一郎
除　　籍	【生年月日】平成18年4月20日 【父】甲野英助 【母】甲野英子 【続柄】長男

発行番号000001　　　　　　　　　　　　　　　　　　　　以下次頁

3　縁組・離縁に関する訂正

(2の2) | 全部事項証明

身分事項	
出　　生	（出生事項省略）
入　　籍	【届出日】平成26年10月10日 【除籍事由】父母の氏を称する入籍 【入籍戸籍】東京都千代田区平河町二丁目10番地　甲野英助

以下余白

発行番号000001

第5　具体的な処理例

図65-2　養父母双方との縁組無効の裁判による戸籍訂正後の縁組前の養子夫婦の戸籍

除　　　籍	（2の1）　　全 部 事 項 証 明
本　　籍	東京都千代田区平河町二丁目10番地
氏　　名	乙川　英助

戸籍事項	
戸籍編製 消　除	【編製日】平成15年3月10日 【消除日】平成28年11月18日 【消除事項】戸籍消除事項 【消除事由】戸籍消除の記録錯誤 【従前の記録】 　　　【消除日】平成26年10月10日

戸籍に記録されている者	【名】英助
除　　籍	【生年月日】昭和51年5月10日　　【配偶者区分】夫 【父】乙川英吉 【母】乙川秋子 【続柄】二男

身分事項	
出　　生	（出生事項省略）
婚　　姻	（婚姻事項省略）
消　　除	【消除日】平成28年11月18日 【消除事項】縁組事項 【消除事由】養父甲野義太郎養母梅子との養子縁組無効の裁判確定 【裁判確定日】平成28年11月1日 【申請日】平成28年11月18日 【申請人】養父　甲野義太郎 【申請人】養母　甲野梅子 【従前の記録】 　　【縁組日】平成26年10月1日 　　【養父氏名】甲野義太郎 　　【養母氏名】甲野梅子 　　【養親の戸籍】東京都千代田区平河町一丁目4番地　甲野義太郎 　　【新本籍】東京都千代田区平河町二丁目10番地

戸籍に記録されている者	【名】英子
除　　籍	【生年月日】昭和54年8月10日　　【配偶者区分】妻 【父】丙山二郎 【母】丙山冬子 【続柄】長女

身分事項	

発行番号000001　　　　　　　　　　　　　　　　　　　　　　以下次頁

3　縁組・離縁に関する訂正

(2の2)　全部事項証明

出　生	(出生事項省略)
婚　姻	(婚姻事項省略)
消　除	【消除日】平成28年11月18日 【消除事項】縁組事項 【消除事由】夫と養父甲野義太郎養母梅子との養子縁組無効の裁判確定 【裁判確定日】平成28年11月1日 【申請日】平成28年11月18日 【申請人】甲野義太郎 【申請人】甲野梅子 【従前の記録】 　【除籍日】平成26年10月1日 　【除籍事由】夫の縁組 　【新本籍】東京都千代田区平河町二丁目10番地
戸籍に記録されている者 除　籍	【名】一郎 【生年月日】平成18年4月20日 【父】甲野英助 【母】甲野英子 【続柄】長男
身分事項 　出　生	(出生事項省略)
入　籍	【届出日】平成26年10月10日 【除籍事由】父母の氏を称する入籍 【入籍戸籍】東京都千代田区平河町二丁目10番地　甲野英助

以下余白

発行番号000001

第5　具体的な処理例

図65-3　養父母双方との縁組無効の裁判による戸籍訂正により回復した養子夫婦の戸籍

	（1の1）	全 部 事 項 証 明
本　　籍	東京都千代田区平河町二丁目10番地	
氏　　名	乙川　英助	
戸籍事項　　戸籍編製　　戸籍回復	【編製日】平成15年3月10日 【回復日】平成28年11月18日 【回復事由】戸籍消除の記録錯誤	
戸籍に記録されている者	【名】英助 【生年月日】昭和51年5月10日　　【配偶者区分】夫 【父】乙川英吉 【母】乙川秋子 【続柄】二男	
身分事項 　出　生 　婚　姻	（出生事項省略） （婚姻事項省略）	
戸籍に記録されている者	【名】英子 【生年月日】昭和54年8月10日　　【配偶者区分】妻 【父】丙山二郎 【母】丙山冬子 【続柄】長女	
身分事項 　出　生 　婚　姻	（出生事項省略） （婚姻事項省略）	
戸籍に記録されている者 除　籍	【名】一郎 【生年月日】平成18年4月20日 【父】甲野英助 【母】甲野英子 【続柄】長男	
身分事項 　出　生 　入　籍	（出生事項省略） 【届出日】平成26年10月10日 【除籍事由】父母の氏を称する入籍 【入籍戸籍】東京都千代田区平河町二丁目10番地　甲野英助	
		以下余白

発行番号000001

3 縁組・離縁に関する訂正

図65-4 戸籍法114条の戸籍訂正許可の裁判により子の入籍事項を消除した夫婦の回復前の戸籍

除　　籍	（1の1）	全部事項証明
本　　籍	東京都千代田区平河町二丁目１０番地	
氏　　名	乙川　英助	

戸籍事項	
戸籍編製 消　除	【編製日】平成１５年３月１０日 【消除日】平成２８年１１月１８日 【消除事項】戸籍消除事項 【消除事由】戸籍消除の記録錯誤 【従前の記録】 　　【消除日】平成２６年１０月１０日

戸籍に記録されている者 除　　籍	【名】一郎 【生年月日】平成１８年４月２０日 【父】乙川英助 【母】乙川英子 【続柄】長男
身分事項 　出　生 　消　除	（出生事項省略） 【消除日】平成２９年１月１６日 【消除事項】入籍事項 【消除事由】父母の氏を称する入籍届出無効につき戸籍訂正許可の裁判確定 【裁判確定日】平成２８年１２月２６日 【申請日】平成２９年１月１６日 【申請人】親権者父母 【従前の記録】 　　【届出日】平成２６年１０月１０日 　　【除籍事由】父母の氏を称する入籍 　　【入籍戸籍】東京都千代田区平河町二丁目１０番地　甲野英助
	以下余白

発行番号０００００１

第5　具体的な処理例

図65-5　戸籍法114条の戸籍訂正許可の裁判により子の入籍事項を消除した夫婦の回復後の戸籍

		（1の1）	全 部 事 項 証 明
本　　籍	東京都千代田区平河町二丁目10番地		
氏　　名	乙川　英助		
戸籍事項 　戸籍編製 　戸籍回復	【編製日】平成15年3月10日 【回復日】平成28年11月18日 【回復事由】戸籍消除の記録錯誤		

戸籍に記録されている者 　　除　　籍	【名】一郎 【生年月日】平成18年4月20日 【父】乙川英助 【母】乙川英子 【続柄】長男
身分事項 　出　　生 　消　　除	（出生事項省略） 【消除日】平成29年1月16日 【消除事項】入籍事項 【消除事由】父母の氏を称する入籍届出無効につき戸籍訂正許可の裁判確定 【裁判確定日】平成28年12月26日 【申請日】平成29年1月16日 【申請人】親権者父母 【従前の記録】 　【届出日】平成26年10月10日 　【除籍事由】父母の氏を称する入籍 　【入籍戸籍】東京都千代田区平河町二丁目10番地　甲野英助
戸籍に記録されている者	【名】一郎 【生年月日】平成18年4月20日 【父】乙川英助 【母】乙川英子 【続柄】長男
身分事項 　出　　生	（出生事項省略）
	以下余白

発行番号000001

284

3 縁組・離縁に関する訂正

図66-1　縁組無効の裁判による戸籍訂正前の養親の戸籍

（1の1）	全 部 事 項 証 明
本　　　籍	東京都千代田区平河町一丁目4番地
氏　　　名	甲野　義太郎
戸籍事項 　　戸籍編製	（編製事項省略）
戸籍に記録されている者	【名】義太郎 【生年月日】昭和26年6月27日　　【配偶者区分】夫 【父】甲野幸雄 【母】甲野松子 【続柄】長男
身分事項 　　出　　生 　　婚　　姻 　　養子縁組	（出生事項省略） （婚姻事項省略） 【縁組日】平成26年10月1日 【共同縁組者】妻 【養子氏名】乙川英助 【養子の従前戸籍】東京都千代田区平河町二丁目10番地 　　乙川英助 【養子の新本籍】東京都千代田区平河町二丁目10番地
戸籍に記録されている者	【名】梅子 【生年月日】昭和29年1月8日　　【配偶者区分】妻 【父】乙野忠治 【母】乙野春子 【続柄】長女
身分事項 　　出　　生 　　婚　　姻 　　養子縁組	（出生事項省略） （婚姻事項省略） 【縁組日】平成26年10月1日 【共同縁組者】夫 【養子氏名】乙川英助 【養子の従前戸籍】東京都千代田区平河町二丁目10番地 　　乙川英助 【養子の新本籍】東京都千代田区平河町二丁目10番地
	以下余白

発行番号000001

第5　具体的な処理例

図66-2　縁組無効の裁判による戸籍訂正後の養親の戸籍

	（2の1）　全　部　事　項　証　明
本　　籍	東京都千代田区平河町一丁目4番地
氏　　名	甲野　義太郎
戸籍事項 　戸籍編製	（編製事項省略）
戸籍に記録されている者	【名】義太郎 【生年月日】昭和26年6月27日　　【配偶者区分】夫 【父】甲野幸雄 【母】甲野松子 【続柄】長男
身分事項 　出　　生 　婚　　姻 　消　　除	（出生事項省略） （婚姻事項省略） 【消除日】平成28年11月18日 【消除事項】縁組事項 【消除事由】養子英助との養子縁組無効の裁判確定 【裁判確定日】平成28年11月1日 【申請日】平成28年11月18日 【従前の記録】 　【縁組日】平成26年10月1日 　【共同縁組者】妻 　【養子氏名】乙川英助 　【養子の従前戸籍】東京都千代田区平河町二丁目10番 　　　　　　　　　　地　乙川英助 　【養子の新本籍】東京都千代田区平河町二丁目10番地
戸籍に記録されている者	【名】梅子 【生年月日】昭和29年1月8日　　【配偶者区分】妻 【父】乙野忠治 【母】乙野春子 【続柄】長女
身分事項 　出　　生 　婚　　姻 　消　　除	（出生事項省略） （婚姻事項省略） 【消除日】平成28年11月18日 【消除事項】縁組事項 【消除事由】養子英助との養子縁組無効の裁判確定 【裁判確定日】平成28年11月1日 【申請日】平成28年11月18日

発行番号000001　　　　　　　　　　　　　　　　　　　　　　以下次頁

	【従前の記録】 【縁組日】平成26年10月1日 【共同縁組者】夫 【養子氏名】乙川英助 【養子の従前戸籍】東京都千代田区平河町二丁目10番地　乙川英助 【養子の新本籍】東京都千代田区平河町二丁目10番地
	以下余白

発行番号000001

第5　具体的な処理例

②　縁組前の戸籍が紙戸籍からコンピュータ戸籍に改製されているとき
　本事例は，縁組前の戸籍が紙戸籍からコンピュータ戸籍に改製されているときです。この場合は，下記の戸籍の流れ図のように，コンピュータ戸籍の末尾に回復することになります。
　なお，養親戸籍の戸籍訂正記載例及び養子夫婦の縁組による新戸籍の戸籍訂正記載例については，前事例等を参考としてください。ここでは，縁組前の戸籍の訂正記載例を示すことにします。

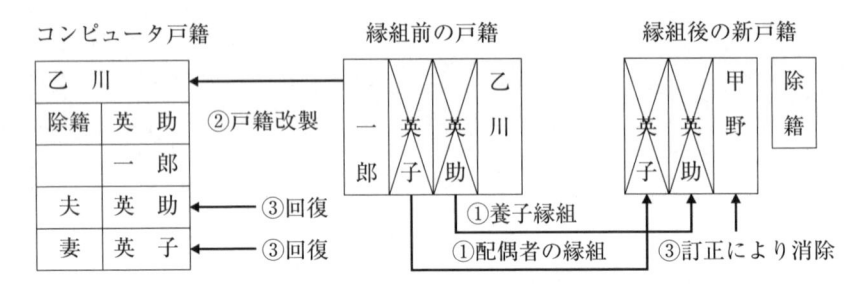

コンピュータ戸籍				縁組前の戸籍	縁組後の新戸籍	

（戸籍の流れ図）
コンピュータ戸籍：乙川／除籍 英助／一郎／夫 英助／妻 英子
②戸籍改製
③回復　③回復
縁組前の戸籍：乙川／一郎／英子／英助
①養子縁組　①配偶者の縁組
縁組後の新戸籍：甲野／英子／英助／除籍
③訂正により消除

　図67-1は，養親双方との縁組無効の裁判による戸籍訂正前の縁組前の紙戸籍です。
　図67-2は，養親双方との縁組無効の裁判による戸籍訂正後の縁組前の紙戸籍です。
　養親双方との縁組無効の裁判確定により戸籍訂正申請により，夫については養子縁組事項を，妻については夫とともに除籍の記載を朱線を交差する方法により消除し，改製後のコンピュータ戸籍に回復する旨を記載します。
　図68-1は，養親双方との縁組無効の裁判による戸籍訂正前の縁組前のコンピュータ戸籍です。
　図68-2は，養親双方との縁組無効の裁判による戸籍訂正後の縁組前のコンピュータ戸籍です。
　コンピュータ戸籍の末尾に夫婦を回復することになります。この場合，それぞれの身分事項を移記することになりますが，身分事項ごとに，段落ちタイトル「記録」により，記録事由を明らかにします。

3 縁組・離縁に関する訂正

図67-1　養親双方との縁組無効の裁判による戸籍訂正前の縁組前の紙戸籍（改製原戸籍）

改製原戸籍	平成六年法務省令第五十一号附則第二条第一項による改製につき平成　年　月　日消除㊞

本籍	東京都葛飾区高砂一丁目十番地	氏名	乙川　英助

編製事項（省略）	

出生事項（省略）	父	乙川　英吉	二男
婚姻事項（省略）	母	秋子	
平成弐拾弐年弐月弐拾九日東京都千代田区平河町一丁目四番地申野義太郎同人妻梅子の養子となる縁組届出同月弐拾壱日同区長から送付同区平河町二丁目十五番地に新戸籍編製につき除籍㊞	夫	英　　助 ✕	
	出生	昭和四拾壱年五月拾六日	

出生事項（省略）	父	丙山　三二郎	長女
婚姻事項（省略）	母	冬子	
平成弐拾弐年弐月弐拾壱日夫とともに除籍㊞	妻	英　　子 ✕	
	出生	昭和四拾弐年拾壱月拾八日	

出生事項（省略）	父	乙川　英助	長男
	母	英子	
		一　　郎	
	出生	平成六年五月六日	

289

第5 具体的な処理例

図67-2 養親双方との縁組無効の裁判による戸籍訂正後の縁組前の紙戸籍（改製原戸籍）

改製原戸籍	平成六年法務省令第五十一号附則第二条第一項による改製につき平成年月日消除㊞

本籍	東京都葛飾区高砂一丁目十番地	氏名	乙川英助

編製事項（省略）	

出生事項（省略）	父 乙川英吉 二男
婚姻事項（省略）	母 秋子
平成弐拾弐年弐月拾九日東京都千代田区平河町一丁目四番地野義太郎同人妻梅子の養子となる縁組届出同月弐拾壱日同区長から送付同区平河町十目十五番地に新戸籍編製につき除籍㊞　平成弐拾九年八月四日養父甲野義太郎養母梅子との養子縁組無効の裁判確定同月八日養父母申請同月拾壱日東京都千代田区長から送付縁組の記載消除東京都葛飾区高砂一丁目番地乙川英助戸籍に回復㊞	夫 英助 ✕ 出生 昭和四拾壱年五月拾六日

出生事項（省略）	父 丙山三郎 長女
婚姻事項（省略）	母 冬子
平成弐拾弐年弐月拾九日夫とともに養子縁組届出㊞　平成弐拾九年八月四日夫と養父甲野義太郎養母梅子との養子縁組無効の裁判確定同月八日甲野義太郎同人妻梅子申請同月拾壱日東京都千代田区長から送付夫とともに養子縁組の記載消除東京都葛飾区高砂一丁目十番地乙川英助戸籍に回復㊞	妻 英子 ✕ 出生 昭和四拾弐年拾弐月拾八日

出生事項（省略）	父 乙川英助 長男
	母 英子
	一郎 出生 平成六年五月六日

290

図68-1　養親双方との縁組無効の裁判による戸籍訂正前の縁組前のコンピュータ戸籍

	（1の1）　全　部　事　項　証　明
本　　籍 氏　　名	東京都葛飾区高砂一丁目１０番地 乙川　英助
戸籍事項 　　戸籍改製	【改製日】平成年月日 【改製事由】平成６年法務省令第５１号附則第２条第１項による改製
戸籍に記録されている者 　　除　　籍	【名】英助 【生年月日】昭和４１年５月１６日 【父】乙川英吉 【母】乙川秋子 【続柄】二男
戸籍に記録されている者	【名】一郎 【生年月日】平成６年５月６日 【父】乙川英助 【母】乙川英子 【続柄】長男
身分事項 　　出　　生	（出生事項省略）
	以下余白

発行番号０００００１

第5　具体的な処理例

図68-2　養親双方との縁組無効の裁判による戸籍訂正後の縁組前のコンピュータ戸籍

（2の1）　全 部 事 項 証 明

本　　籍	東京都葛飾区高砂一丁目10番地
氏　　名	乙川　英助
戸籍事項 　戸籍改製	【改製日】平成年月日 【改製事由】平成6年法務省令第51号附則第2条第1項による改製
戸籍に記録されている者 除　　籍	【名】英助 【生年月日】昭和41年5月16日 【父】乙川英吉 【母】乙川秋子 【続柄】二男
戸籍に記録されている者	【名】一郎 【生年月日】平成6年5月6日 【父】乙川英助 【母】乙川英子 【続柄】長男
身分事項 　出　　生	（出生事項省略）
戸籍に記録されている者	【名】英助 【生年月日】昭和41年5月16日　　【配偶者区分】夫 【父】乙川英吉 【母】乙川秋子 【続柄】二男
身分事項 　出　　生 　　　記　　録 　婚　　姻 　　　記　　録	（出生事項省略） 【記録日】平成29年8月11日 【記録事由】申請 【送付を受けた日】平成29年8月11日 【受理者】東京都千代田区長 （婚姻事項省略） 【記録日】平成29年8月11日 【記録事由】申請 【送付を受けた日】平成29年8月11日 【受理者】東京都千代田区長

発行番号000001　　　　　　　　　　　　　　　　　以下次頁

| (2の2) | 全 部 事 項 証 明 |

戸籍に記録されている者	【名】英子 【生年月日】昭和42年11月18日　【配偶者区分】妻 【父】丙山二郎 【母】丙山冬子 【続柄】長女
身分事項 　出　　生	（出生事項省略）
記　　録	【記録日】平成29年8月11日 【記録事由】申請 【送付を受けた日】平成29年8月11日 【受理者】東京都千代田区長
婚　　姻	（婚姻事項省略）
記　　録	【記録日】平成29年8月11日 【記録事由】申請 【送付を受けた日】平成29年8月11日 【受理者】東京都千代田区長

以下余白

発行番号000001

第5　具体的な処理例

③　縁組により除籍となっている場合において，縁組無効の裁判による戸籍訂正申請があったときに，その市区町村長が法務大臣の指定を受けコンピュータ庁となっているとき

　夫婦が養子となる縁組があった場合，又は夫婦のうち，婚姻の際に氏を改めなかった者が養子となる縁組があった場合は，夫婦について新戸籍を編製します。その後，縁組当時の市区町村長が，戸籍法118条１項の法務大臣の指定を受け，戸籍事務をコンピュータシステムにより処理することになった後，養子縁組が無効となったときは，縁組により除籍となった戸籍を回復し，更にコンピュータ戸籍に改製することになります。この改製については，既に法務大臣の指定を受けていますので，管轄局の長の許可等は不要です。

　戸籍の流れを図で示すと次のようになります。

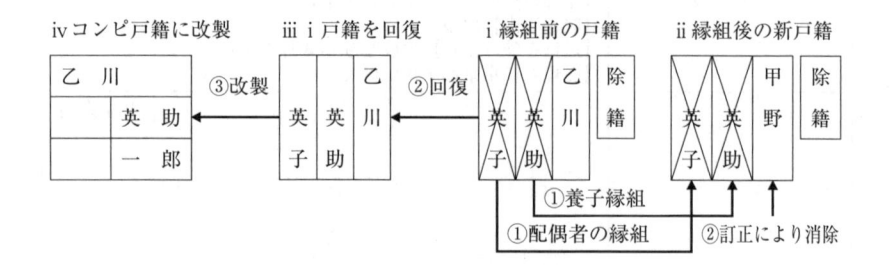

iv コンピ戸籍に改製		iii i 戸籍を回復		i 縁組前の戸籍		ii 縁組後の新戸籍
乙川／英助／一郎	③改製←	英子／英助／乙川／英助	②回復←	英子／英助／乙川／英助／除籍		英子／英助／甲野／英助／除籍

　①養子縁組
　①配偶者の縁組
　②訂正により消除

　ここでは，ⅰの縁組前の戸籍（除籍）とⅲの回復紙戸籍及びⅳの改製後のコンピュータ戸籍を示すことにします。

　図69-1は，養父母双方との縁組無効の裁判による戸籍訂正前の縁組前の戸籍（除籍）です。

　図69-2は，養父母双方との縁組無効の裁判による戸籍訂正後の縁組前の戸籍（除籍）です。

　夫婦の身分事項欄の夫の養子縁組事項，妻の夫とともに除籍の記載をそれぞれ消除し，戸籍事項欄の戸籍消除事項を消除し，戸籍を回復します。

　図70は，回復後の紙戸籍及び改製原戸籍です。

　戸籍事項欄に回復の旨の記載をし，夫婦を戸籍に回復します。回復に当たっては，重要な身分事項を移記すれば足ります。回復と同時にコンピュータ戸籍に改製しますから，右側欄外にコンピュータ戸籍に改製した旨を記載

し，　改製原戸籍　の印を押捺します（平成6年11月16日民二7000号通達第7の1(5)）。

図71は，コンピュータ戸籍に改製したものです。

第5　具体的な処理例

図69-1　養父母双方との縁組無効の裁判による戸籍訂正前の養子夫婦の戸籍

除籍

本籍	大阪市北区老松町二丁目六番地	氏名	乙川英助

| 編製事項（省略） | |
| 平成弐拾弐年弐月弐拾弐日消除㊞ | |

出生事項（省略）	父	乙川英吉	二男
婚姻事項（省略）	母	秋子	
平成弐拾弐年弐月拾九日東京都千代田区平河町一丁目四番地甲野義太郎同人妻梅子の養子となる縁組届出同月弐拾弐日同区長から送付東京都世田谷区世田谷三丁目十五番地に新戸籍編製につき除籍㊞	夫	英助	
	出生	昭和五拾六年九月弐拾日	

出生事項（省略）	父	丙山三郎	長女
婚姻事項（省略）	母	冬子	
平成弐拾弐年弐月弐拾弐日夫とともに除籍㊞	妻	英子	
	出生	昭和五拾八年五月弐日	

	父		
	母		
	出生		

296

3 縁組・離縁に関する訂正

図69-2 養父母双方との縁組無効の裁判による戸籍訂正後の養子夫婦の戸籍

第5　具体的な処理例

図70　養父母双方との縁組無効の裁判による戸籍訂正後の養子の紙戸籍及び改製原戸籍

改製原戸籍	平成六年法務省令第五十一号附則第二条第一項による改製につき平成弐拾九年壱月壱拾弐日消除㊞			
本籍	大阪市北区老松町二丁目六番地	氏名	乙川　英助	
編製事項（省略）				
戸籍消除の記載は錯誤につき平成弐拾九年壱月壱拾弐日回復㊞				
出生事項（省略） 婚姻事項（省略）		父 母	乙川　英吉 秋子	二男
		夫	英　　助	
		出生	昭和五拾六年九月弐拾日	
出生事項（省略） 婚姻事項（省略）		父 母	丙山　三郎 冬子	長女
		妻	英　　子	
		出生	昭和五拾八年五月弐日	
		父 母		
		出生		

298

図71　改製によるコンピュータ戸籍

	(1の1)	全部事項証明
本　　籍	大阪府大阪市北区老松町二丁目6番地	
氏　　名	乙川　英助	

戸籍事項 　　戸籍改製	【改製日】平成29年2月12日 【改製事由】平成6年法務省令第51号附則第2条第1項による改製
戸籍に記録されている者	【名】英助 【生年月日】昭和56年9月20日　　【配偶者区分】夫 【父】乙川英吉 【母】乙川秋子 【続柄】二男
身分事項 　　出　生 　　婚　姻	（出生事項省略） （婚姻事項省略）
戸籍に記録されている者	【名】英子 【生年月日】昭和58年5月2日　　【配偶者区分】妻 【父】丙山二郎 【母】丙山冬子 【続柄】長女
身分事項 　　出　生 　　婚　姻	（出生事項省略） （婚姻事項省略）
	以下余白

発行番号000001

ウ　夫婦が養子となった後，養子夫婦の一方と養親との縁組無効の裁判があった場合

　夫婦が養子となった後，養子夫婦の一方と養親との縁組無効の裁判があった場合は，その無効となった一方当事者である養子が，①婚姻の際に氏を改めなかった者であるときか，②婚姻の際に氏を改めた者であるときかによりその訂正方法を異にします。

　(ｱ)　婚姻の際に氏を改めなかった者であるとき

　婚姻の際に氏を改めなかった者と養親との縁組が無効となったときは，養子縁組により養親の氏を称して夫婦について新戸籍を編製したことが誤りとなりますので，縁組前の戸籍及び縁組による新戸籍に記録されている縁組事項を消除した上，その新戸籍を消除し，縁組前の戸籍に回復するか，縁組前の戸籍が除籍となっているときは，その戸籍を回復した上，回復後の戸籍に事件本人を回復することになります。また，その配偶者については，縁組による新戸籍に記録されている縁組事項を消除した上，同人を同戸籍から消除するとともに，縁組前の戸籍に記録されている縁組事項を単独縁組とする記録に訂正した上，前者と同様，回復後の戸籍に回復することになります。

　図72-1は，縁組無効の裁判による戸籍訂正前の縁組による養子夫婦の新戸籍です。

　図72-2は，縁組無効の裁判による戸籍訂正後の縁組による養子夫婦の新戸籍です。

　養子夫婦の縁組事項を，夫については養父との縁組無効の裁判，妻については夫と養父との縁組無効の裁判を消除事由としてそれぞれの縁組事項を消除し，「戸籍に記録されている者」欄に「消除マーク」を表示し，左上に「除籍マーク」を表示します。

　図73-1は，縁組無効の裁判による戸籍訂正前の縁組前の除籍となった養子夫婦の戸籍です。

　図73-2は，縁組無効の裁判による戸籍訂正後の縁組前の除籍となった養子夫婦の戸籍です。

　夫の縁組事項は，養父との縁組無効の裁判を消除事由として消除し，妻については，夫と養父との縁組無効の裁判を訂正事由として，養父との単独縁

組の記録に訂正し,「戸籍に記録されている者」欄に養父氏名及び養父母との続柄を,左端処理タイトル「記録」により記録します。

図73-3は,戸籍回復後の養子夫婦の戸籍です。

回復後の戸籍は,重要な身分事項を移記します。妻については,訂正後の縁組事項を移記することになります。

図74-1は,縁組無効の裁判による戸籍訂正前の養親の戸籍です。

図74-2は,縁組無効の裁判による戸籍訂正後の養親の戸籍です。

養親については,養子英助との縁組無効の裁判を訂正事由として,養子が相手方の氏を称する婚姻をしている場合の記録に訂正します。

第5　具体的な処理例

図72-1　縁組無効の裁判による戸籍訂正前の養子夫婦の新戸籍

	（1の1）　　全　部　事　項　証　明
本　　　籍	東京都千代田区平河町二丁目１０番地
氏　　　名	甲野　英助
戸籍事項 　戸籍編製	【編製日】平成２７年１０月１日
戸籍に記録されている者	【名】英助 【生年月日】昭和５１年５月１０日　　【配偶者区分】夫 【父】乙川英吉 【母】乙川秋子 【続柄】二男 【養父】甲野義太郎 【続柄】養子
身分事項 　出　　生 　婚　　姻 　養子縁組	（出生事項省略） （婚姻事項省略） 【縁組日】平成２７年１０月１日 【共同縁組者】妻 【養父氏名】甲野義太郎 【養親の戸籍】東京都千代田区平河町一丁目４番地　甲野義太郎 【従前戸籍】東京都千代田区平河町二丁目１０番地　乙川英助
戸籍に記録されている者	【名】英子 【生年月日】昭和５４年８月１０日　　【配偶者区分】妻 【父】丙山二郎 【母】丙山冬子 【続柄】長女 【養父】甲野義太郎 【続柄】養女
身分事項 　出　　生 　婚　　姻 　養子縁組	（出生事項省略） （婚姻事項省略） 【縁組日】平成２７年１０月１日 【共同縁組者】夫 【養父氏名】甲野義太郎 【養親の戸籍】東京都千代田区平河町一丁目４番地　甲野義太郎 【従前戸籍】東京都千代田区平河町二丁目１０番地　乙川英助
	以下余白

発行番号０００００１

3 縁組・離縁に関する訂正

図72-2 縁組無効の裁判による戸籍訂正後の養子夫婦の新戸籍

除　　籍	（2の1）	全部事項証明
本　　籍	東京都千代田区平河町二丁目１０番地	
氏　　名	甲野　英助	

戸籍事項	
戸籍編製	【編製日】平成２７年１０月１日
戸籍消除	【消除日】平成２９年３月１８日

戸籍に記録されている者　　消除	【名】英助 【生年月日】昭和５１年５月１０日　　【配偶者区分】夫 【父】乙川英吉 【母】乙川秋子 【続柄】二男 【養父】甲野義太郎 【続柄】養子
身分事項 　出　生 　婚　姻 　消　除	（出生事項省略） （婚姻事項省略） 【消除日】平成２９年３月１８日 【消除事項】縁組事項 【消除事由】養父甲野義太郎との養子縁組無効の裁判確定 【裁判確定日】平成２９年３月１日 【申請日】平成２９年３月１８日 【従前の記録】 　【縁組日】平成２７年１０月１日 　【共同縁組者】妻 　【養父氏名】甲野義太郎 　【養親の戸籍】東京都千代田区平河町一丁目４番地　甲野義太郎 　【従前戸籍】東京都千代田区平河町二丁目１０番地　乙川英助
戸籍に記録されている者　　消除	【名】英子 【生年月日】昭和５４年８月１０日　　【配偶者区分】妻 【父】丙山二郎 【母】丙山冬子 【続柄】長女 【養父】甲野義太郎 【続柄】養女
身分事項 　出　生	（出生事項省略）

発行番号０００００１　　　　　　　　　　　　　　　　　　　　　　以下次頁

第5　具体的な処理例

		（2の2）	全 部 事 項 証 明
婚　　姻	（婚姻事項省略）		
消　　除	【消除日】平成29年3月18日 【消除事項】縁組事項 【消除事由】夫と養父甲野義太郎との養子縁組無効の裁判確定 【裁判確定日】平成29年3月1日 【申請日】平成29年3月18日 【申請人】夫 【従前の記録】 　　【縁組日】平成27年10月1日 　　【共同縁組者】夫 　　【養父氏名】甲野義太郎 　　【養親の戸籍】東京都千代田区平河町一丁目4番地　甲野義太郎 　　【従前戸籍】東京都千代田区平河町二丁目10番地　乙川英助		
			以下余白

発行番号000001

304

3　縁組・離縁に関する訂正

図73-1　縁組無効の裁判による戸籍訂正前の縁組前の養子夫婦の戸籍

除　　籍	（1の1）　全部事項証明
本　　籍	東京都千代田区平河町二丁目１０番地
氏　　名	乙川　英助
戸籍事項 　　戸籍編製 　　戸籍消除	（編製事項省略） 【消除日】平成２７年１０月１日
戸籍に記録されている者 除　　籍	【名】英助 【生年月日】昭和５１年５月１０日　　【配偶者区分】夫 【父】乙川英吉 【母】乙川秋子 【続柄】二男
身分事項 　　出　　生 　　婚　　姻 　　養子縁組	（出生事項省略） （婚姻事項省略） 【縁組日】平成２７年１０月１日 【共同縁組者】妻 【養父氏名】甲野義太郎 【養親の戸籍】東京都千代田区平河町一丁目４番地　甲野義太郎 【新本籍】東京都千代田区平河町二丁目１０番地
戸籍に記録されている者 除　　籍	【名】英子 【生年月日】昭和５４年８月１０日　　【配偶者区分】妻 【父】丙山二郎 【母】丙山冬子 【続柄】長女
身分事項 　　出　　生 　　婚　　姻 　　養子縁組	（出生事項省略） （婚姻事項省略） 【縁組日】平成２７年１０月１日 【共同縁組者】夫 【養父氏名】甲野義太郎 【養親の戸籍】東京都千代田区平河町一丁目４番地　甲野義太郎 【新本籍】東京都千代田区平河町二丁目１０番地
	以下余白

発行番号０００００１

第5　具体的な処理例

図73-2　縁組無効の裁判による戸籍訂正後の縁組前の養子夫婦の戸籍

除　　　籍	（2の1）	全 部 事 項 証 明
本　　籍	東京都千代田区平河町二丁目10番地	
氏　　名	乙川　英助	

戸籍事項	
戸籍編製	（編製事項省略）
消　　除	【消除日】平成29年3月18日 【消除事項】戸籍消除事項 【消除事由】戸籍消除の記録錯誤 【従前の記録】 　　【消除日】平成27年10月1日

戸籍に記録されている者	【名】英助
除　　籍	【生年月日】昭和51年5月10日　　【配偶者区分】夫 【父】乙川英吉 【母】乙川秋子 【続柄】二男

身分事項	
出　　生	（出生事項省略）
婚　　姻	（婚姻事項省略）
消　　除	【消除日】平成29年3月18日 【消除事項】縁組事項 【消除事由】養父甲野義太郎との養子縁組無効の裁判確定 【裁判確定日】平成29年3月1日 【申請日】平成29年3月18日 【従前の記録】 　　【縁組日】平成27年10月1日 　　【共同縁組者】妻 　　【養父氏名】甲野義太郎 　　【養親の戸籍】東京都千代田区平河町一丁目4番地　甲野義太郎 　　【新本籍】東京都千代田区平河町二丁目10番地

戸籍に記録されている者	【名】英子
除　　籍	【生年月日】昭和54年8月10日　　【配偶者区分】妻 【父】丙山二郎 【母】丙山冬子 【続柄】長女 【養父】甲野義太郎 【続柄】養女

身分事項	
出　　生	（出生事項省略）

発行番号000001　　　　　　　　　　　　　　　　　　　　　　　　以下次頁

3 縁組・離縁に関する訂正

(2の2) | 全 部 事 項 証 明

婚　姻	（婚姻事項省略）
養子縁組	【縁組日】平成27年10月1日 【養父氏名】甲野義太郎 【養親の戸籍】東京都千代田区平河町一丁目4番地　甲野義太郎
訂　　正	【訂正日】平成29年3月18日 【訂正事由】夫と養父甲野義太郎との養子縁組無効の裁判確定 【裁判確定日】平成29年3月1日 【申請日】平成29年3月18日 【申請人】夫 【従前の記録】 　　【共同縁組者】夫 　　【新本籍】東京都千代田区平河町二丁目10番地
記　　録	【記録日】平成29年3月18日 【記録事項】養父の氏名，養父母との続柄 【記録事由】夫と養父甲野義太郎との養子縁組無効の裁判確定 【裁判確定日】平成29年3月1日 【申請日】平成29年3月18日 【申請人】夫 【記録の内容】 　　【養父】甲野義太郎 　　【養父母との続柄】養女

以下余白

発行番号000001

第5　具体的な処理例

図73-3　縁組無効の裁判による戸籍訂正により回復した養子夫婦の戸籍

	（1の1）　　全 部 事 項 証 明
本　　　籍 氏　　　名	東京都千代田区平河町二丁目１０番地 乙川　英助
戸籍事項 　戸籍編製 　戸籍回復	（編製事項省略） 【回復日】平成２９年３月１８日 【回復事由】戸籍消除の記録錯誤
戸籍に記録されている者	【名】英助 【生年月日】昭和５１年５月１０日　　　【配偶者区分】夫 【父】乙川英吉 【母】乙川秋子 【続柄】二男
身分事項 　出　　生 　婚　　姻	（出生事項省略） （婚姻事項省略）
戸籍に記録されている者	【名】英子 【生年月日】昭和５４年８月１０日　　　【配偶者区分】妻 【父】丙山二郎 【母】丙山冬子 【続柄】長女 【養父】甲野義太郎 【続柄】養女
身分事項 　出　　生 　婚　　姻 　養子縁組	（出生事項省略） （婚姻事項省略） 【縁組日】平成２７年１０月１日 【養父氏名】甲野義太郎 【養親の戸籍】東京都千代田区平河町一丁目４番地　甲野義太郎
	以下余白

発行番号０００００１

3　縁組・離縁に関する訂正

図74-1　縁組無効の裁判による戸籍訂正前の養親の戸籍

	（1の1）　全部事項証明
本　　籍	東京都千代田区平河町一丁目4番地
氏　　名	甲野　義太郎
戸籍事項 　　戸籍編製	（編製事項省略）
戸籍に記録されている者	【名】義太郎 【生年月日】昭和28年6月27日 【父】甲野幸雄 【母】甲野松子 【続柄】長男
身分事項 　　出　生 　　養子縁組	（出生事項省略） 【縁組日】平成27年10月1日 【養子氏名】乙川英助 【養子氏名】乙川英子 【養子の従前戸籍】東京都千代田区平河町二丁目10番地　乙川英助 【養子の新本籍】東京都千代田区平河町二丁目10番地
	以下余白

発行番号000001

第5　具体的な処理例

図74-2　縁組無効の裁判による戸籍訂正後の養親の戸籍

	（1の1）	全 部 事 項 証 明

本　　籍	東京都千代田区平河町一丁目4番地
氏　　名	甲野　義太郎

戸籍事項	
戸籍編製	（編製事項省略）

戸籍に記録されている者	【名】義太郎 【生年月日】昭和28年6月27日 【父】甲野幸雄 【母】甲野松子 【続柄】長男

身分事項	
出　　生	（出生事項省略）
養子縁組	【縁組日】平成27年10月1日 【養子氏名】乙川英子 【養子の戸籍】東京都千代田区平河町二丁目10番地　乙川英助
訂　　正	【訂正日】平成29年3月18日 【訂正事由】養子英助との養子縁組無効の裁判確定 【裁判確定日】平成29年3月1日 【申請日】平成29年3月18日 【申請人】養子　甲野英助 【従前の記録】 　　【養子氏名】乙川英助 　　【養子の従前戸籍】東京都千代田区平河町二丁目10番地　乙川英助 　　【養子の新本籍】東京都千代田区平河町二丁目10番地 【記録の内容】 　　【養子の戸籍】東京都千代田区平河町二丁目10番地　乙川英助

	以下余白

発行番号000001

(イ)　婚姻の際に氏を改めた者であるとき

　婚姻の際に氏を改めた者と養親との縁組が無効となったときは，その者の縁組前の戸籍及び縁組による新戸籍に記録されている縁組事項を消除します。婚姻の際に氏を改めなかった者が養子となった場合は，養親の氏を称しますから，新戸籍を編製することになり，その配偶者は，配偶者の縁組によりともに縁組後の戸籍に入籍することになりますので，縁組前の戸籍は【配偶者の縁組】により除籍する旨及び縁組による新戸籍は【配偶者の縁組】により入籍する旨の記録をすることになります。また，婚姻の際に氏を改めなかった者の縁組事項は，単独縁組の記録に訂正することになります。

　図75-1は，縁組無効の裁判による戸籍訂正前の縁組による養子夫婦の新戸籍です。

　図75-2は，縁組無効の裁判による戸籍訂正後の縁組による養子夫婦の新戸籍です。

　養子夫婦の縁組事項を，夫については妻と養父との縁組無効の裁判を訂正事由として単独縁組の記録に訂正し，妻については養父との縁組無効の裁判を消除事由として縁組事項を消除した上，入籍事由を配偶者の縁組による入籍の記録に訂正します。

　図76-1は，縁組無効の裁判による戸籍訂正前の縁組前の除籍となった養子夫婦の戸籍です。

　図76-2は，縁組無効の裁判による戸籍訂正後の縁組前の除籍となった養子夫婦の戸籍です。

　妻の縁組事項は，養父との縁組無効の裁判を消除事由として消除した上，除籍事由を配偶者の縁組による除籍の記録に訂正します。夫については，妻と養父との縁組無効の裁判を訂正事由として，養父との単独縁組の記録に訂正します。

　図77-1は，縁組無効の裁判による戸籍訂正前の養親の戸籍です。

　図77-2は，縁組無効の裁判による戸籍訂正後の養親の戸籍です。

　養親については，養女英子との縁組無効の裁判を訂正事由として，養子英助との単独縁組の記録に訂正します。

第5　具体的な処理例

図75-1　縁組無効の裁判による戸籍訂正前の養子夫婦の新戸籍

	（1の1）	全 部 事 項 証 明
本　　　籍	東京都千代田区平河町二丁目１０番地	
氏　　　名	甲野　英助	

戸籍事項 　　戸籍編製	【編製日】平成２７年３月２９日
戸籍に記録されている者	【名】英助 【生年月日】昭和４７年１２月９日　　【配偶者区分】夫 【父】乙川英吉 【母】乙川秋子 【続柄】二男 【養父】甲野義太郎 【続柄】養子
身分事項 　　出　　生 　　婚　　姻 　　養子縁組	（出生事項省略） （婚姻事項省略） 【縁組日】平成２７年３月２９日 【共同縁組者】妻 【養父氏名】甲野義太郎 【養親の戸籍】東京都千代田区平河町一丁目４番地　甲野義太郎 【従前戸籍】東京都千代田区平河町二丁目１０番地　乙川英助
戸籍に記録されている者	【名】英子 【生年月日】昭和５０年２月１９日　　【配偶者区分】妻 【父】丙山二郎 【母】丙山冬子 【続柄】長女 【養父】甲野義太郎 【続柄】養女
身分事項 　　出　　生 　　婚　　姻 　　養子縁組	（出生事項省略） （婚姻事項省略） 【縁組日】平成２７年３月２９日 【共同縁組者】夫 【養父氏名】甲野義太郎 【養親の戸籍】東京都千代田区平河町一丁目４番地　甲野義太郎 【従前戸籍】東京都千代田区平河町二丁目１０番地　乙川英助
	以下余白

発行番号０００００１

3 縁組・離縁に関する訂正

図75-2 縁組無効の裁判による戸籍訂正後の養子夫婦の新戸籍

	（2の1）	全 部 事 項 証 明
本　　　籍	東京都千代田区平河町二丁目１０番地	
氏　　　名	甲野　英助	
戸籍事項 　　戸籍編製	【編製日】平成２７年３月２９日	
戸籍に記録されている者	【名】英助 【生年月日】昭和４７年１２月９日　　　【配偶者区分】夫 【父】乙川英吉 【母】乙川秋子 【続柄】二男 【養父】甲野義太郎 【続柄】養子	
身分事項 　　出　　生 　　婚　　姻 　　養子縁組 　　訂　　　正	（出生事項省略） （婚姻事項省略） 【縁組日】平成２７年３月２９日 【養父氏名】甲野義太郎 【養親の戸籍】東京都千代田区平河町一丁目４番地　甲野義太郎 【従前戸籍】東京都千代田区平河町二丁目１０番地　乙川英助 【訂正日】平成２８年１２月２２日 【訂正事由】妻と養父甲野義太郎との養子縁組無効の裁判確定 【裁判確定日】平成２８年１２月１０日 【申請日】平成２８年１２月２２日 【申請人】妻 【従前の記録】 　　【共同縁組者】妻	
戸籍に記録されている者	【名】英子 【生年月日】昭和５０年２月１９日　　　【配偶者区分】妻 【父】丙山二郎 【母】丙山冬子 【続柄】長女	
身分事項 　　出　　生 　　婚　　姻	（出生事項省略） （婚姻事項省略）	

発行番号０００００１　　　　　　　　　　　　　　　　　　　　　　　　以下次頁

313

第5　具体的な処理例

		（2の2）	全部事項証明
消　除	【消除日】平成28年12月22日 【消除事項】縁組事項 【消除事由】養父甲野義太郎との養子縁組無効の裁判確定 【裁判確定日】平成28年12月10日 【申請日】平成28年12月22日 【従前の記録】 　　【縁組日】平成27年3月29日 　　【共同縁組者】夫 　　【養父氏名】甲野義太郎 　　【養親の戸籍】東京都千代田区平河町一丁目4番地　甲野義太郎 　　【従前戸籍】東京都千代田区平河町二丁目10番地　乙川英助		
消　除	【消除日】平成28年12月22日 【消除事項】養父の記録，養父母との続柄 【消除事由】養父甲野義太郎との養子縁組無効の裁判確定 【裁判確定日】平成28年12月10日 【申請日】平成28年12月22日 【従前の記録】 　　【養父】甲野義太郎 　　【養父母との続柄】養女		
配偶者の縁組	【入籍日】平成27年3月29日 【入籍事由】夫の縁組 【従前戸籍】東京都千代田区平河町二丁目10番地　乙川英助		
記　録	【記録日】平成28年12月22日 【記録事由】申請		
	以下余白		

発行番号000001

314

3 縁組・離縁に関する訂正

図76-1 縁組無効の裁判による戸籍訂正前の縁組前の養子夫婦の戸籍

除　　　籍	（1の1）	全部事項証明
本　　　籍	東京都千代田区平河町二丁目１０番地	
氏　　　名	乙川　英助	

戸籍事項	
戸籍編製	（編製事項省略）
戸籍消除	【消除日】平成２７年３月２９日

戸籍に記録されている者	【名】英助
除　籍	【生年月日】昭和４７年１２月９日　　【配偶者区分】夫 【父】乙川英吉 【母】乙川秋子 【続柄】二男

身分事項	
出　生	（出生事項省略）
婚　姻	（婚姻事項省略）
養子縁組	【縁組日】平成２７年３月２９日 【共同縁組者】妻 【養父氏名】甲野義太郎 【養親の戸籍】東京都千代田区平河町一丁目４番地　甲野義太郎 【新本籍】東京都千代田区平河町二丁目１０番地

戸籍に記録されている者	【名】英子
除　籍	【生年月日】昭和５０年２月１９日　　【配偶者区分】妻 【父】丙山二郎 【母】丙山冬子 【続柄】長女

身分事項	
出　生	（出生事項省略）
婚　姻	（婚姻事項省略）
養子縁組	【縁組日】平成２７年３月２９日 【共同縁組者】夫 【養父氏名】甲野義太郎 【養親の戸籍】東京都千代田区平河町一丁目４番地　甲野義太郎 【新本籍】東京都千代田区平河町二丁目１０番地

	以下余白

発行番号０００００１

第5　具体的な処理例

図76-2　縁組無効の裁判による戸籍訂正後の縁組前の養子夫婦の戸籍

除　　　籍	（2の1）	全 部 事 項 証 明
本　　籍	東京都千代田区平河町二丁目10番地	
氏　　名	乙川　英助	

戸籍事項 　戸籍編製 　戸籍消除	（編製事項省略） 【消除日】平成27年3月29日
戸籍に記録されている者 　除　　籍	【名】英助 【生年月日】昭和47年12月9日　　【配偶者区分】夫 【父】乙川英吉 【母】乙川秋子 【続柄】二男
身分事項 　出　　生 　婚　　姻 　養子縁組 　訂　　正	（出生事項省略） （婚姻事項省略） 【縁組日】平成27年3月29日 【養父氏名】甲野義太郎 【養親の戸籍】東京都千代田区平河町一丁目4番地　甲野義太郎 【新本籍】東京都千代田区平河町二丁目10番地 【訂正日】平成28年12月22日 【訂正事由】妻と養父甲野義太郎との養子縁組無効の裁判確定 【裁判確定日】平成28年12月10日 【申請日】平成28年12月22日 【申請人】妻 【従前の記録】 　【共同縁組者】妻
戸籍に記録されている者 　除　　籍	【名】英子 【生年月日】昭和50年2月19日　　【配偶者区分】妻 【父】丙山二郎 【母】丙山冬子 【続柄】長女
身分事項 　出　　生 　婚　　姻 　消　　除	（出生事項省略） （婚姻事項省略） 【消除日】平成28年12月22日 【消除事項】縁組事項

発行番号000001　　　　　　　　　　　　　　　　　　　　　以下次頁

3　縁組・離縁に関する訂正

(2の2)　全部事項証明

配偶者の縁組 記　　録	【消除事由】養父甲野義太郎との養子縁組無効の裁判確定 【裁判確定日】平成28年12月10日 【申請日】平成28年12月22日 【従前の記録】 　【縁組日】平成27年3月29日 　【共同縁組者】夫 　【養父氏名】甲野義太郎 　【養親の戸籍】東京都千代田区平河町一丁目4番地　甲野義太郎 　【新本籍】東京都千代田区平河町二丁目10番地 【除籍日】平成27年3月29日 【除籍事由】夫の縁組 【新本籍】東京都千代田区平河町二丁目10番地 【記録日】平成28年12月22日 【記録事由】申請 <div align="right">以下余白</div>

発行番号000001

第5　具体的な処理例

図77-1　縁組無効の裁判による戸籍訂正前の養親の戸籍

	（1の1）　全　部　事　項　証　明
本　　籍	東京都千代田区平河町一丁目4番地
氏　　名	甲野　義太郎
戸籍事項 　　戸籍編製	（編製事項省略）
戸籍に記録されている者	【名】義太郎 【生年月日】昭和28年6月27日 【父】甲野幸雄 【母】甲野松子 【続柄】長男
身分事項 　　出　　生 　　養子縁組	（出生事項省略） 【縁組日】平成27年3月29日 【養子氏名】乙川英助 【養子氏名】乙川英子 【養子の従前戸籍】東京都千代田区平河町二丁目10番地　乙川英助 【養子の新本籍】東京都千代田区平河町二丁目10番地
	以下余白

発行番号000001

318

3 縁組・離縁に関する訂正

図77-2　縁組無効の裁判による戸籍訂正後の養親の戸籍

	（1の1）　全 部 事 項 証 明
本　　籍	東京都千代田区平河町一丁目4番地
氏　　名	甲野　義太郎
戸籍事項 　　戸籍編製	（編製事項省略）
戸籍に記録されている者	【名】義太郎 【生年月日】昭和28年6月27日 【父】甲野幸雄 【母】甲野松子 【続柄】長男
身分事項 　　出　　生	（出生事項省略）
養子縁組	【縁組日】平成27年3月29日 【養子氏名】乙川英助 【養子の従前戸籍】東京都千代田区平河町二丁目10番地　乙川英助 【養子の新本籍】東京都千代田区平河町二丁目10番地
訂　　正	【訂正日】平成28年12月22日 【訂正事由】養女英子との養子縁組無効の裁判確定 【裁判確定日】平成28年12月10日 【申請日】平成28年12月22日 【申請人】養女　甲野英子 【従前の記録】 　　　【養子氏名】乙川英子
	以下余白

発行番号000001

319

エ 養子夫婦と養親双方との縁組無効の裁判があった場合

本事例は，夫婦で養子となり養親の氏で新戸籍を編製した後，養親双方との養子縁組無効の裁判が確定した場合です。この場合は，養親についてはそれぞれの縁組事項を消除し，養子については養子縁組による新戸籍の縁組事項を消除した上，同戸籍を消除するとともに，縁組前の戸籍が除籍となっているときは，その戸籍を回復した上，同戸籍に養子夫婦を回復することになります。

なお，養親夫婦の戸籍に関する戸籍訂正記録例は，前事例等を参考としてください。

また，この戸籍の流れ図は，前記イの(イ)①の図1を参照してください。

図78-1は，縁組無効の裁判による戸籍訂正前の縁組による養子夫婦の新戸籍です。

図78-2は，縁組無効の裁判による戸籍訂正後の縁組による養子夫婦の新戸籍です。

養子夫婦それぞれの縁組事項を養父母双方との縁組無効の裁判を消除事由として消除した上，それぞれ「戸籍に記録されている者」欄に「消除マーク」を表示し，戸籍の左上に「除籍マーク」を表示します。

図79-1は，縁組無効の裁判による戸籍訂正前の縁組前の除籍となった養子夫婦の戸籍です。

図79-2は，縁組無効の裁判による戸籍訂正後の縁組前の除籍となった養子夫婦の戸籍です。

養子夫婦それぞれの縁組事項を養父母双方との縁組無効の裁判を消除事由として消除した上，戸籍事項欄に戸籍消除は錯誤につき，戸籍を回復する記録をし，戸籍を回復します。

図79-3は，縁組無効の裁判による回復後の養子夫婦の戸籍です。

戸籍回復後の養子夫婦の戸籍です。

図78-1　縁組無効の裁判による戸籍訂正前の養子夫婦の新戸籍

	（2の1）	全 部 事 項 証 明

本　　籍	東京都千代田区平河町二丁目１０番地
氏　　名	甲野　英助

戸籍事項	
戸籍編製	【編製日】平成２８年２月２６日
戸籍に記録されている者	【名】英助 【生年月日】昭和４８年４月１５日　【配偶者区分】夫 【父】乙川英吉 【母】乙川秋子 【続柄】二男 【養父】甲野義太郎 【養母】甲野梅子 【続柄】養子
身分事項 　出　　生 　婚　　姻 　養子縁組	（出生事項省略） （婚姻事項省略） 【縁組日】平成２８年２月２６日 【共同縁組者】妻 【養父氏名】甲野義太郎 【養母氏名】甲野梅子 【養親の戸籍】東京都千代田区平河町一丁目４番地　甲野義太郎 【従前戸籍】大阪府大阪市北区老松町二丁目６番地　乙川英助
戸籍に記録されている者	【名】英子 【生年月日】昭和５１年６月２２日　【配偶者区分】妻 【父】丙山二郎 【母】丙山冬子 【続柄】長女 【養父】甲野義太郎 【養母】甲野梅子 【続柄】養女
身分事項 　出　　生 　婚　　姻 　養子縁組	（出生事項省略） （婚姻事項省略） 【縁組日】平成２８年２月２６日 【共同縁組者】夫 【養父氏名】甲野義太郎

発行番号０００００１　　　　　　　　　　　　　　　　　　　　　　以下次頁

	(2の2)	全 部 事 項 証 明
	【養母氏名】甲野梅子 【養親の戸籍】東京都千代田区平河町一丁目4番地　甲野義太郎 【従前戸籍】大阪府大阪市北区老松町二丁目6番地　乙川英助	
		以下余白

3 縁組・離縁に関する訂正

図78-2 縁組無効の裁判による戸籍訂正後の養子夫婦の新戸籍

除　　籍	（2の1）	全部事項証明
本　　籍	東京都千代田区平河町二丁目10番地	
氏　　名	甲野　英助	

戸籍事項	
戸籍編製	【編製日】平成28年2月26日
戸籍消除	【消除日】平成28年10月3日

戸籍に記録されている者 ［消　除］	【名】英助 【生年月日】昭和48年4月15日　　【配偶者区分】夫 【父】乙川英吉 【母】乙川秋子 【続柄】二男 【養父】甲野義太郎 【養母】甲野梅子 【続柄】養子
身分事項 　出　　生 　婚　　姻 　消　　除	（出生事項省略） （婚姻事項省略） 【消除日】平成28年10月3日 【消除事項】縁組事項 【消除事由】養父甲野義太郎養母梅子との養子縁組無効の裁判確定 【裁判確定日】平成28年9月24日 【申請日】平成28年10月3日 【申請人】養父　甲野義太郎 【申請人】養母　甲野梅子 【従前の記録】 　【縁組日】平成28年2月26日 　【共同縁組者】妻 　【養父氏名】甲野義太郎 　【養母氏名】甲野梅子 　【養親の戸籍】東京都千代田区平河町一丁目4番地　甲野義太郎 　【従前戸籍】大阪府大阪市北区老松町二丁目6番地　乙川英助
戸籍に記録されている者 ［消　除］	【名】英子 【生年月日】昭和51年6月22日　　【配偶者区分】妻 【父】丙山二郎 【母】丙山冬子 【続柄】長女

発行番号000001　　　　　　　　　　　　　　　　　　　以下次頁

第5　具体的な処理例

	(2の2)	全 部 事 項 証 明

	【養父】甲野義太郎 【養母】甲野梅子 【続柄】養女
身分事項 　出　　生 　婚　　姻 　消　　除	（出生事項省略） （婚姻事項省略） 【消除日】平成28年10月3日 【消除事項】縁組事項 【消除事由】養父甲野義太郎養母梅子との養子縁組無効の裁判確定 【裁判確定日】平成28年9月24日 【申請日】平成28年10月3日 【申請人】養父　甲野義太郎 【申請人】養母　甲野梅子 【従前の記録】 　【縁組日】平成28年2月26日 　【共同縁組者】夫 　【養父氏名】甲野義太郎 　【養母氏名】甲野梅子 　【養親の戸籍】東京都千代田区平河町一丁目4番地　甲野義太郎 　【従前戸籍】大阪府大阪市北区老松町二丁目6番地　乙川英助
	以下余白

発行番号000001

図79-1　縁組無効の裁判による戸籍訂正前の縁組前の養子夫婦の戸籍

除　　　籍	（2の1）　全部事項証明	
本　　籍	大阪府大阪市北区老松町二丁目6番地	
氏　　名	乙川　英助	

戸籍事項	
戸籍編製	（編製事項省略）
戸籍消除	【消除日】平成28年2月28日

戸籍に記録されている者	【名】英助
除　　籍	【生年月日】昭和48年4月15日　　【配偶者区分】夫 【父】乙川英吉 【母】乙川秋子 【続柄】二男

身分事項	
出　　生	（出生事項省略）
婚　　姻	（婚姻事項省略）
養子縁組	【縁組日】平成28年2月26日 【共同縁組者】妻 【養父氏名】甲野義太郎 【養母氏名】甲野梅子 【養親の戸籍】東京都千代田区平河町一丁目4番地　甲野義太郎 【送付を受けた日】平成28年2月28日 【受理者】東京都千代田区長 【新本籍】東京都千代田区平河町二丁目10番地

戸籍に記録されている者	【名】英子
除　　籍	【生年月日】昭和51年6月22日　　【配偶者区分】妻 【父】丙山二郎 【母】丙山冬子 【続柄】長女

身分事項	
出　　生	（出生事項省略）
婚　　姻	（婚姻事項省略）
養子縁組	【縁組日】平成28年2月26日 【共同縁組者】夫 【養父氏名】甲野義太郎 【養母氏名】甲野梅子 【養親の戸籍】東京都千代田区平河町一丁目4番地　甲野義太郎 【送付を受けた日】平成28年2月28日

発行番号000001　　　　　　　　　　　　　　　　　　　　　　　　　　以下次頁

第5　具体的な処理例

	（2の2）	全 部 事 項 証 明
	【受理者】東京都千代田区長 【新本籍】東京都千代田区平河町二丁目１０番地	
		以下余白

発行番号０００００１

図79-2　縁組無効の裁判による戸籍訂正後の縁組前の養子夫婦の戸籍

除　　　籍	（2の1）　全部事項証明
本　　籍	大阪府大阪市北区老松町二丁目6番地
氏　　名	乙川　英助

戸籍事項　　　　戸籍編製　　　　消　　除	（編製事項省略） 【消除日】平成28年10月7日 【消除事項】戸籍消除事項 【消除事由】戸籍消除の記録錯誤 【従前の記録】 　　【消除日】平成28年2月28日
戸籍に記録されている者 　　除　　籍	【名】英助 【生年月日】昭和48年4月15日　　【配偶者区分】夫 【父】乙川英吉 【母】乙川秋子 【続柄】二男
身分事項 　　出　　生 　　婚　　姻 　　消　　除	（出生事項省略） - （婚姻事項省略） - 【消除日】平成28年10月7日 【消除事項】縁組事項 【消除事由】養父甲野義太郎養母梅子との養子縁組無効の裁判確定 【裁判確定日】平成28年9月24日 【申請日】平成28年10月3日 【申請人】養父　甲野義太郎 【申請人】養母　甲野梅子 【送付を受けた日】平成28年10月7日 【受理者】東京都千代田区長 【従前の記録】 　　【縁組日】平成28年2月26日 　　【共同縁組者】妻 　　【養父氏名】甲野義太郎 　　【養母氏名】甲野梅子 　　【養親の戸籍】東京都千代田区平河町一丁目4番地　甲野義太郎 　　【送付を受けた日】平成28年2月28日 　　【受理者】東京都千代田区長 　　【新本籍】東京都千代田区平河町二丁目10番地
戸籍に記録されている者	【名】英子 【生年月日】昭和51年6月22日　　【配偶者区分】妻

発行番号000001　　　　　　　　　　　　　　　　　　　　　　以下次頁

第5　具体的な処理例

	（2の2）　全　部　事　項　証　明

除　　籍	【父】丙山二郎 【母】丙山冬子 【続柄】長女
身分事項 　　出　　生	（出生事項省略）
婚　　姻	（婚姻事項省略）
消　　除	【消除日】平成28年10月7日 【消除事項】縁組事項 【消除事由】養父甲野義太郎養母梅子との養子縁組無効の裁判確定 【裁判確定日】平成28年9月24日 【申請日】平成28年10月3日 【申請人】養父　甲野義太郎 【申請人】養母　甲野梅子 【送付を受けた日】平成28年10月7日 【受理者】東京都千代田区長 【従前の記録】 　　【縁組日】平成28年2月26日 　　【共同縁組者】夫 　　【養父氏名】甲野義太郎 　　【養母氏名】甲野梅子 　　【養親の戸籍】東京都千代田区平河町一丁目4番地　甲野義太郎 　　【送付を受けた日】平成28年2月28日 　　【受理者】東京都千代田区長 　　【新本籍】東京都千代田区平河町二丁目10番地 　　　　　　　　　　　　　　　　　　　　　　　　　　以下余白

発行番号000001

3 縁組・離縁に関する訂正

図79-3 縁組無効の裁判による戸籍訂正により回復した養子夫婦の戸籍

	(1の1) 全 部 事 項 証 明
本　　籍	大阪府大阪市北区老松町二丁目6番地
氏　　名	乙川　英助
戸籍事項 　戸籍編製 　戸籍回復	(編製事項省略) 【回復日】平成28年10月7日 【回復事由】戸籍消除の記録錯誤
戸籍に記録されている者	【名】英助 【生年月日】昭和48年4月15日　【配偶者区分】夫 【父】乙川英吉 【母】乙川秋子 【続柄】二男
身分事項 　出　　生 　婚　　姻	(出生事項省略) (婚姻事項省略)
戸籍に記録されている者	【名】英子 【生年月日】昭和51年6月22日　【配偶者区分】妻 【父】丙山二郎 【母】丙山冬子 【続柄】長女
身分事項 　出　　生 　婚　　姻	(出生事項省略) (婚姻事項省略)
	以下余白

発行番号000001

第5　具体的な処理例

オ　養子夫婦が管外転籍した後に養親双方との縁組無効の裁判があった場合

　前記エの事例との違いは，養子夫婦の新戸籍が管外転籍した後に養子縁組無効の裁判があったことです。この場合は，養親の戸籍及び養子の新戸籍（ただし，戸籍事項欄の処理を除きます。転籍により除籍となっていますので，この訂正では戸籍事項欄の消除の処理をしないことに注意します。後記のとおり，別途の訂正になります。）並びに縁組前の戸籍の訂正方法は，前事例と同様です。

　ところで，転籍による新戸籍及び養子縁組による新戸籍（転籍により除籍となっています。）は，どのように取り扱ったらよいのでしょうか。本事例の縁組無効の裁判による戸籍訂正申請による訂正の範囲は，転籍事項までには及びません（転籍は，別途の戸籍法上の行為であり，縁組による身分行為とは関係がありません。）ので，転籍事項に関する訂正は，別途，戸籍法114条又は同法113条の戸籍訂正許可の裁判を得てすることになります。

　養親夫婦との縁組無効の裁判による戸籍訂正記録例は，養子の戸籍を回復するまでは前記エと同様ですから，ここでは，転籍後の戸籍の訂正方法を，戸籍法114条の戸籍訂正許可の裁判による戸籍訂正申請があった場合を例に示すことにします。

　戸籍法113条の戸籍訂正許可の裁判による戸籍訂正は，転籍届出錯誤として訂正する方法です。この方法によると，戸籍訂正後，特に現在戸籍においては，**参考図14**のように，見た目が悪いという感じがします。この点，戸籍法114条の戸籍訂正許可の裁判による戸籍訂正は，下図ⅱ及びⅲの戸籍を転籍届出無効とし，この戸籍訂正後に，改めてⅰからⅲの本籍地へ転籍すればよいからです。この戸籍訂正前の戸籍の状態を図で示すと次のようになります。

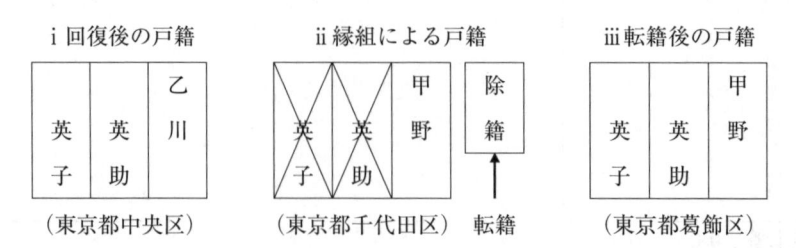

　　　ⅰ回復後の戸籍　　　　ⅱ縁組による戸籍　　　　ⅲ転籍後の戸籍

乙川	英助	英子

甲野	英助	英子	除籍
	✕	✕	
	✕	✕	
↑
                                                    転籍

甲野	英助	英子

　　（東京都中央区）　　　　（東京都千代田区）　　　　（東京都葛飾区）

330

戸籍法113条の戸籍訂正許可の裁判による戸籍訂正方法は，上記 ii の縁組戸籍の転籍事項を， i の回復後の戸籍に移記し，iii の転籍後の戸籍の戸籍事項欄の転籍事項を， i の本籍地から転籍した旨の記録に訂正するものです。

　図80-1は，戸籍法114条の戸籍訂正許可の裁判による戸籍訂正前の転籍後の戸籍です。

　図80-2は，戸籍法114条の戸籍訂正許可の裁判による戸籍訂正後の転籍後の戸籍です。

　戸籍事項欄で転籍事項を消除する処理を行います。これによりこの戸籍は除籍となりますので，左上に「除籍マーク」を表示します。

　図81-1は，戸籍法114条の戸籍訂正許可の裁判による戸籍訂正前の転籍前（養子縁組による新戸籍）の戸籍です。

　図81-2は，戸籍法114条の戸籍訂正許可の裁判による戸籍訂正後の転籍前（養子縁組による新戸籍）の戸籍です。

　戸籍事項欄の転籍事項を消除する処理を行います。この戸籍は既に除籍マークが表示されていますので，この処理は不要です。

　参考図14は，戸籍法113条の戸籍訂正許可の裁判による戸籍訂正後の転籍後の戸籍です。

　戸籍法113条の戸籍訂正許可の裁判による戸籍訂正は，見た目が悪いと記しましたように，「戸籍事項」欄において，本籍と筆頭者の氏を訂正することになります。

第5　具体的な処理例

図80-1　戸籍法114条の戸籍訂正許可の裁判による戸籍訂正前の転籍後の戸籍

	（1の1）　全 部 事 項 証 明
本　　　籍	東京都葛飾区高砂一丁目17番地
氏　　　名	甲野　英助
戸籍事項 　転　　籍	【転籍日】平成28年8月30日 【従前本籍】東京都千代田区平河町二丁目10番地
戸籍に記録されている者	【名】英助 【生年月日】昭和48年4月15日　　【配偶者区分】夫 【父】乙川英吉 【母】乙川秋子 【続柄】二男
身分事項 　出　　生 　婚　　姻 　消　　除 　消　　除	（出生事項省略） （婚姻事項省略） （縁組事項消除省略） （養父母の記録及び養父母との続柄消除事項省略）
戸籍に記録されている者	【名】英子 【生年月日】昭和51年6月22日　　【配偶者区分】妻 【父】丙山二郎 【母】丙山冬子 【続柄】長女
身分事項 　出　　生 　婚　　姻 　消　　除 　消　　除	（出生事項省略） （婚姻事項省略） （縁組事項消除省略） （養父母の記録及び養父母との続柄消除事項省略）
	以下余白

発行番号000001

3 縁組・離縁に関する訂正

図80-2 戸籍法114条の戸籍訂正許可の裁判による戸籍訂正後の転籍後の戸籍

除　　籍	（1の1）　全部事項証明
本　　籍	東京都葛飾区高砂一丁目１７番地
氏　　名	甲野　英助
戸籍事項 　　消　　除	【消除日】平成２９年２月１日 【消除事項】転籍事項 【消除事由】転籍届出無効につき戸籍訂正許可の裁判確定 【裁判確定日】平成２９年１月２０日 【申請日】平成２９年２月１日 【申請人】夫 【従前の記録】 　　【転籍日】平成２８年８月３０日 　　【従前本籍】東京都千代田区平河町二丁目１０番地
戸籍に記録されている者	【名】英助 【生年月日】昭和４８年４月１５日　　【配偶者区分】夫 【父】乙川英吉 【母】乙川秋子 【続柄】二男
身分事項 　　出　　生 　　婚　　姻 　　消　　除 　　消　　除	（出生事項省略） （婚姻事項省略） （縁組事項消除省略） （養父母の記録及び養父母との続柄消除事項省略）
戸籍に記録されている者	【名】英子 【生年月日】昭和５１年６月２２日　　【配偶者区分】妻 【父】丙山二郎 【母】丙山冬子 【続柄】長女
身分事項 　　出　　生 　　婚　　姻 　　消　　除 　　消　　除	（出生事項省略） （婚姻事項省略） （縁組事項消除省略） （養父母の記録及び養父母との続柄消除事項省略）
	以下余白

発行番号０００００１

第5　具体的な処理例

図81-1　戸籍法114条の戸籍訂正許可の裁判による戸籍訂正前の転籍前の戸籍

除　　　籍	（1の1）	全部事項証明
本　　　籍	東京都千代田区平河町二丁目１０番地	
氏　　　名	甲野　英助	

戸籍事項	
戸籍編製 転　　籍	【編製日】平成２８年２月２６日 【転籍日】平成２８年８月３０日 【新本籍】東京都葛飾区高砂一丁目１７番地 【送付を受けた日】平成２８年９月２日 【受理者】東京都葛飾区長

戸籍に記録されている者 　消　　除	【名】英助 【生年月日】昭和４８年４月１５日　　【配偶者区分】夫 【父】乙川英吉 【母】乙川秋子 【続柄】二男 【養父】甲野義太郎 【養母】甲野梅子 【続柄】養子

身分事項	
出　　生	（出生事項省略）
婚　　姻	（婚姻事項省略）
消　　除	（縁組事項消除省略）

戸籍に記録されている者 　消　　除	【名】英子 【生年月日】昭和５１年６月２２日　　【配偶者区分】妻 【父】丙山二郎 【母】丙山冬子 【続柄】長女 【養父】甲野義太郎 【養母】甲野梅子 【続柄】養女

身分事項	
出　　生	（出生事項省略）
婚　　姻	（婚姻事項省略）
消　　除	（縁組事項消除省略）

	以下余白

発行番号０００００１

3　縁組・離縁に関する訂正

図81-2　戸籍法114条の戸籍訂正許可の裁判による戸籍訂正後の転籍前の戸籍

除　　籍	（1の1）	全部事項証明
本　籍	東京都千代田区平河町二丁目10番地	
氏　名	甲野　英助	

戸籍事項 　戸籍編製 　消　　除	【編製日】平成28年2月26日 【消除日】平成29年2月4日 【消除事項】転籍事項 【消除事由】転籍届出無効につき戸籍訂正許可の裁判確定 【裁判確定日】平成29年1月20日 【申請日】平成29年2月1日 【申請人】夫 【送付を受けた日】平成29年2月4日 【受理者】東京都葛飾区長 【従前の記録】 　　【転籍日】平成28年8月30日 　　【新本籍】東京都葛飾区高砂一丁目17番地 　　【送付を受けた日】平成28年9月2日 　　【受理者】東京都葛飾区長
戸籍に記録されている者 　　消　　除	【名】英助 【生年月日】昭和48年4月15日　　【配偶者区分】夫 【父】乙川英吉 【母】乙川秋子 【続柄】二男 【養父】甲野義太郎 【養母】甲野梅子 【続柄】養子
身分事項 　出　　生 　婚　　姻 　消　　除	（出生事項省略） （婚姻事項省略） （縁組事項消除省略）
戸籍に記録されている者 　　消　　除	【名】英子 【生年月日】昭和51年6月22日　　【配偶者区分】妻 【父】丙山二郎 【母】丙山冬子 【続柄】長女 【養父】甲野義太郎 【養母】甲野梅子 【続柄】養女
身分事項 　出　　生 　婚　　姻 　消　　除	（出生事項省略） （婚姻事項省略） （縁組事項消除省略）
	以下余白

発行番号000001

第5　具体的な処理例

参考図14　戸籍法113条の戸籍訂正許可の裁判による戸籍訂正後の転籍後の戸籍

（2の1）　全　部　事　項　証　明

本　　　籍	東京都葛飾区高砂一丁目17番地
氏　　　名	乙川　英助
戸籍事項 　　転　　籍 　　　訂　　正 　　　訂　　正	【転籍日】平成28年8月30日 【従前本籍】大阪府大阪市北区老松町二丁目6番地 【訂正日】平成29年2月1日 【訂正事由】転籍届出錯誤につき戸籍訂正許可の裁判確定 【裁判確定日】平成29年1月20日 【申請日】平成29年2月1日 【申請人】夫 【従前の記録】 　　　【従前本籍】東京都千代田区平河町二丁目10番地 【訂正日】平成29年2月1日 【訂正事項】氏 【訂正事由】転籍届出錯誤につき戸籍訂正許可の裁判確定 【裁判確定日】平成29年1月20日 【申請日】平成29年2月1日 【申請人】夫 【従前の記録】 　　　【氏】甲野
戸籍に記録されている者	【名】英助 【生年月日】昭和48年4月15日　　【配偶者区分】夫 【父】乙川英吉 【母】乙川秋子 【続柄】二男
身分事項 　　出　　生 　　婚　　姻 　　消　　除 　　消　　除	（出生事項省略） （婚姻事項省略） （縁組事項消除省略） （養父母の記録及び養父母との続柄消除事項省略）
戸籍に記録されている者	【名】英子 【生年月日】昭和51年6月22日　　【配偶者区分】妻 【父】丙山二郎 【母】丙山冬子 【続柄】長女
身分事項 　　出　　生	（出生事項省略）

発行番号000001　　　　　　　　　　　　　　　　　　　　　　　　以下次頁

3　縁組・離縁に関する訂正

	（2の2）	全 部 事 項 証 明
婚　　姻	（婚姻事項省略）	
消　　除	（縁組事項消除省略）	
消　　除	（養父母の記録及び養父母との続柄消除事項省略）	
		以下余白

発行番号０００００１

第5　具体的な処理例

(5)　養子夫婦の新戸籍に縁組前の戸籍に在る子が父母の氏を称する入籍の届出により入籍した後，縁組無効の裁判があった場合

　父母の縁組無効の裁判による戸籍訂正については，前記イの(イ)①（270頁）を参照してください。

　父母の養子縁組により子が父母の氏を称して父母の縁組による新戸籍に入籍した後，父母の縁組無効の裁判があったときは，その縁組無効の裁判による戸籍訂正申請によっては，子の入籍事項を訂正することはできません。入籍の届出は，別途，戸籍法114条の入籍届出無効（又は戸籍法113条の入籍届出錯誤）の戸籍訂正許可の裁判を必要とします。

　戸籍法114条の入籍届出無効の戸籍訂正許可の裁判があった場合の戸籍訂正記載例は，図65-3（282頁）から図65-5までに示していますので，それを参考としてください。

(6)　養子縁組届書が偽造であることの刑事判決が確定し，検察官から本籍地市区町村長に戸籍法24条3項の通知があり，戸籍訂正申請をする者がないため，市区町村長が管轄局の長の許可を得て訂正する場合

　養子縁組は，養親となる者及び養子となる者双方の縁組意思の合致により，市区町村長へ届け出ることにより，成立する創設的届出です。ところが，この養子縁組制度が悪用され，縁組を繰り返して姓を変え，別人を装うなどして，不正融資，詐欺，パスポートの不正取得などにかかわる事例が多発しています。

　本事例は，養親に縁組意思がないにもかかわらず，養子となる者が養子縁組届を偽造して届出をし，養親の告発に基づき養子が私文書偽造同行使，公正証書原本不実記載罪（電磁的記録不実記録罪）等に問われ，偽造の養子縁組届書が没収され，その旨本籍地市区町村長に通知があり，その通知によって戸籍訂正手続をするよう，本籍地市区町村長が催告（催告は，通常2回行います。）しても，戸籍訂正申請の手続をしないため，市区町村長が管轄局の長の許可を得て戸籍訂正をする場合です。

　図83-1は，許可による戸籍訂正前の養親の戸籍です。
　図83-2は，許可による戸籍訂正後の養親の戸籍です。

養子縁組無効につき許可を得て養親及び養子の各縁組事項を消除する旨記録し，養子については，「戸籍に記録されている者」欄に「消除マーク」を表示します。

　図84-1は，許可による戸籍訂正前の養子の戸籍です。

　図84-2は，許可による戸籍訂正後の養子の戸籍です。

　養子縁組無効につき許可書謄本の送付を得て縁組事項を消除する旨記録し，戸籍事項欄の戸籍消除事項を消除します。

　図84-3は，許可による戸籍回復後の養子の戸籍です。

　戸籍事項欄に回復の旨を記録します。事件本人を回復するに当たっては，重要な身分事項を移記します。

第5　具体的な処理例

図83-1　許可による戸籍訂正前の養親の戸籍

	（1の1）	全 部 事 項 証 明
本　　籍	東京都千代田区平河町一丁目4番地	
氏　　名	甲野　義太郎	
戸籍事項 　戸籍改製	（改製事項省略）	
戸籍に記録されている者	【名】義太郎 【生年月日】昭和26年6月26日 【父】甲野幸雄 【母】甲野松子 【続柄】長男	
身分事項 　出　生 　養子縁組	（出生事項省略） 【縁組日】平成28年3月29日 【養子氏名】乙川英助	
戸籍に記録されている者	【名】英助 【生年月日】昭和60年5月25日 【父】乙川英吉 【母】乙川秋子 【続柄】二男 【養父】甲野義太郎 【続柄】養子	
身分事項 　出　生 　養子縁組	（出生事項省略） 【縁組日】平成28年3月29日 【養父氏名】甲野義太郎 【従前戸籍】大阪府大阪市北区老松町二丁目6番地　乙川英助	
		以下余白

発行番号000001

3　縁組・離縁に関する訂正

図83-2　許可による戸籍訂正後の養親の戸籍

（1の1）	全 部 事 項 証 明

本　　籍	東京都千代田区平河町一丁目4番地
氏　　名	甲野　義太郎
戸籍事項 　　戸籍改製	（改製事項省略）
戸籍に記録されている者	【名】義太郎 【生年月日】昭和26年6月26日 【父】甲野幸雄 【母】甲野松子 【続柄】長男
身分事項 　　出　　生 　　消　　除	（出生事項省略） 【消除日】平成29年4月10日 【消除事項】縁組事項 【消除事由】養子英助との養子縁組無効 【許可日】平成29年4月8日 【従前の記録】 　　【縁組日】平成28年3月29日 　　【養子氏名】乙川英助
戸籍に記録されている者 　　消　　除	【名】英助 【生年月日】昭和60年5月25日 【父】乙川英吉 【母】乙川秋子 【続柄】二男 【養父】甲野義太郎 【続柄】養子
身分事項 　　出　　生 　　消　　除	（出生事項省略） 【消除日】平成29年4月10日 【消除事項】縁組事項 【消除事由】養父甲野義太郎との養子縁組無効 【許可日】平成29年4月8日 【従前の記録】 　　【縁組日】平成28年3月29日 　　【養父氏名】甲野義太郎 　　【従前戸籍】大阪府大阪市北区老松町二丁目6番地　乙川英助
	以下余白

発行番号000001

341

第5　具体的な処理例

図84-1　許可による戸籍訂正前の縁組前の養子の戸籍

除　　　籍	（1の1）	全 部 事 項 証 明
本　　　籍	大阪府大阪市北区老松町二丁目6番地	
氏　　　名	乙川　英助	

戸籍事項	
戸籍編製	（編製事項省略）
戸籍消除	【消除日】平成28年3月31日

戸籍に記録されている者	【名】英助
除　　籍	【生年月日】昭和60年5月25日 【父】乙川英吉 【母】乙川秋子 【続柄】二男

身分事項	
出　　生	（出生事項省略）
養子縁組	【縁組日】平成28年3月29日 【養父氏名】甲野義太郎 【送付を受けた日】平成28年3月31日 【受理者】東京都千代田区長 【入籍戸籍】東京都千代田区平河町一丁目4番地　甲野義太郎

　　　　　　　　　　　　　　　　　　　　　　　　　　　　以下余白

発行番号000001

図84-2　許可による戸籍訂正後の縁組前の養子の戸籍

除　　籍	（1の1）　全部事項証明
本　　籍	大阪府大阪市北区老松町二丁目6番地
氏　　名	乙川　英助
戸籍事項 　戸籍編製 　消　　除	（編製事項省略） 【消除日】平成29年4月13日 【消除事項】戸籍消除事項 【消除事由】戸籍消除の記録錯誤 【従前の記録】 　　【消除日】平成28年3月31日
戸籍に記録されている者 　　除　籍	【名】英助 【生年月日】昭和60年5月25日 【父】乙川英吉 【母】乙川秋子 【続柄】二男
身分事項 　出　　生 　消　　除	（出生事項省略） 【消除日】平成29年4月13日 【消除事項】縁組事項 【消除事由】養父甲野義太郎との養子縁組無効 【許可日】平成29年4月8日 【許可書謄本の送付を受けた日】平成29年4月13日 【許可を受けた者】東京都千代田区長 【従前の記録】 　　【縁組日】平成28年3月29日 　　【養父氏名】甲野義太郎 　　【送付を受けた日】平成28年3月31日 　　【受理者】東京都千代田区長 　　【入籍戸籍】東京都千代田区平河町一丁目4番地　甲野義太郎
	以下余白

発行番号000001

第5　具体的な処理例

図84-3　許可による戸籍回復後の養子の戸籍

		（1の1）	全 部 事 項 証 明
本　　　籍	大阪府大阪市北区老松町二丁目6番地		
氏　　　名	乙川　英助		
戸籍事項 　戸籍編製 　戸籍回復	（編製事項省略） 【回復日】平成29年4月13日 【回復事由】戸籍消除の記録錯誤		
戸籍に記録されている者	【名】英助 【生年月日】昭和60年5月25日 【父】乙川英吉 【母】乙川秋子 【続柄】二男		
身分事項 　出　　生	（出生事項省略）		
			以下余白

発行番号000001

344

(7) 養子離縁後に縁組無効の裁判があった場合

養親子が協議離縁をした後，養子縁組無効の裁判があった場合は，当該養子縁組無効の確定判決に基づく戸籍訂正申請により，養子離縁の記載も当然無効であるとして消除することができるとされています（昭和31年6月13日民事甲1244号回答）。これは，養子縁組と協議離縁の身分行為の当事者が同一人であることから，先の養子縁組に対する無効の判決の既判力は，後の協議離縁にも及ぶと考えられるからです。したがって，養子縁組無効の裁判の結果，その身分関係を前提としてされた協議離縁も当然に無効となります。

ア 養子が離縁により新戸籍を編製しているとき

養子が離縁後に新戸籍を編製しているときは，養方戸籍については，養親及び養子それぞれの縁組事項及び離縁事項を消除した上，養子を実方戸籍に回復します。また，養子が離縁により編製した新戸籍の離縁事項を消除した上，同戸籍を消除します（離縁後，別途の身分行為があるときは，新戸籍を消除する処理はしないことに注意を要します。）。この処理を図で示すと，次のようになります。

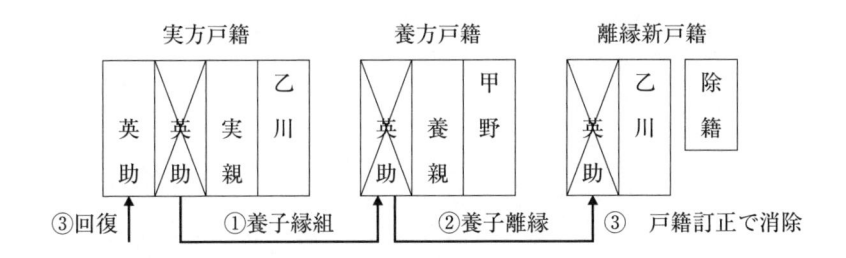

図85-1は，縁組無効の裁判による戸籍訂正前の養親の戸籍です。
図85-2は，縁組無効の裁判による戸籍訂正後の養親の戸籍です。
養父母及び養子それぞれの縁組事項及び離縁事項を縁組無効の裁判による戸籍訂正申請により消除します。消除の方法は，左端タイトル「消除」により縁組事項と離縁事項を別々に処理します。この消除により，養子については，「戸籍に記録されている者」欄に「消除マーク」を表示します。

図86-1は，縁組無効の裁判による戸籍訂正前の離縁後の養子の新戸籍です。
図86-2は，縁組無効の裁判による戸籍訂正後の離縁後の養子の新戸籍です。

第5 具体的な処理例

　左端タイトル「消除」により離縁事項を消除し,「戸籍に記録されている者」欄に「消除マーク」を,左上に「除籍マーク」をそれぞれ表示します。
　図87-1は,縁組無効の裁判による戸籍訂正前の養子の実方戸籍です。
　図87-2は,縁組無効の裁判による戸籍訂正後の養子の実方戸籍です。
　縁組事項を消除し,戸籍の末尾に養子を回復します。回復に当たっては,重要な身分事項を移記します。

3 縁組・離縁に関する訂正

図85-1 縁組無効の裁判による戸籍訂正前の養親の戸籍

	(1の1) 　全 部 事 項 証 明
本　　籍	東京都千代田区平河町一丁目4番地
氏　　名	甲野　義太郎
戸籍事項 　戸籍改製	（改製事項省略）
戸籍に記録されている者	【名】義太郎 【生年月日】昭和36年7月21日 【父】甲野幸雄 【母】甲野松子 【続柄】長男
身分事項 　出　　生	（出生事項省略）
養子縁組	【縁組日】平成26年4月20日 【養子氏名】乙川英助
養子離縁	【離縁日】平成27年1月27日 【養子氏名】甲野英助
戸籍に記録されている者 　除　　籍	【名】英助 【生年月日】平成元年6月21日 【父】乙川英吉 【母】乙川秋子 【続柄】二男 【養父】甲野義太郎 【続柄】養子
身分事項 　出　　生	（出生事項省略）
養子縁組	【縁組日】平成26年4月20日 【養父氏名】甲野義太郎 【従前戸籍】大阪府大阪市北区老松町二丁目6番地　乙川英吉
養子離縁	【離縁日】平成27年1月27日 【養父氏名】甲野義太郎 【新本籍】東京都千代田区平河町二丁目10番地
	以下余白

発行番号000001

第5　具体的な処理例

図85-2　縁組無効の裁判による戸籍訂正後の養親の戸籍

	（2の1）　　全 部 事 項 証 明
本　　　籍	東京都千代田区平河町一丁目4番地
氏　　　名	甲野　義太郎
戸籍事項 　　戸籍改製	（改製事項省略）
戸籍に記録されている者	【名】義太郎 【生年月日】昭和36年7月21日 【父】甲野幸雄 【母】甲野松子 【続柄】長男
身分事項 　　出　　生 　　消　　除 　　消　　除	（出生事項省略） 【消除日】平成27年4月12日 【消除事項】縁組事項 【消除事由】養子英助との養子縁組無効の裁判確定 【裁判確定日】平成27年3月30日 【申請日】平成27年4月12日 【従前の記録】 　　【縁組日】平成26年4月20日 　　【養子氏名】乙川英助 【消除日】平成27年4月12日 【消除事項】離縁事項 【消除事由】養子英助との養子縁組無効の裁判確定 【裁判確定日】平成27年3月30日 【申請日】平成27年4月12日 【従前の記録】 　　【離縁日】平成27年1月27日 　　【養子氏名】甲野英助
戸籍に記録されている者 　消　　除 　除　　籍	【名】英助 【生年月日】平成元年6月21日 【父】乙川英吉 【母】乙川秋子 【続柄】二男 【養父】甲野義太郎 【続柄】養子
身分事項 　　出　　生 　　消　　除	（出生事項省略） 【消除日】平成27年4月12日

発行番号000001　　　　　　　　　　　　　　　　　　　　　　　　　　　以下次頁

(2の2)　全部事項証明

| 消　除 | 【消除事項】縁組事項
【消除事由】養父甲野義太郎との養子縁組無効の裁判確定
【裁判確定日】平成27年3月30日
【申請日】平成27年4月12日
【申請人】養父　甲野義太郎
【従前の記録】
　　【縁組日】平成26年4月20日
　　【養父氏名】甲野義太郎
　　【従前戸籍】大阪府大阪市北区老松町二丁目6番地　乙川英吉

【消除日】平成27年4月12日
【消除事項】離縁事項
【消除事由】養父甲野義太郎との養子縁組無効の裁判確定
【裁判確定日】平成27年3月30日
【申請日】平成27年4月12日
【申請人】養父　甲野義太郎
【従前の記録】
　　【離縁日】平成27年1月27日
　　【養父氏名】甲野義太郎
　　【新本籍】東京都千代田区平河町二丁目10番地 |

以下余白

発行番号000001

第5　具体的な処理例

図86-1　縁組無効の裁判による戸籍訂正前の離縁による養子の新戸籍

	（1の1）	全 部 事 項 証 明
本　　籍	東京都千代田区平河町二丁目１０番地	
氏　　名	乙川　英助	
戸籍事項 　　戸籍編製	【編製日】平成２７年１月２７日	
戸籍に記録されている者	【名】英助 【生年月日】平成元年６月２１日 【父】乙川英吉 【母】乙川秋子 【続柄】二男	
身分事項 　　出　　生 　　養子離縁	（出生事項省略） 【離縁日】平成２７年１月２７日 【養父氏名】甲野義太郎 【従前戸籍】東京都千代田区平河町一丁目４番地　甲野義太郎	
	以下余白	

発行番号０００００１

3 縁組・離縁に関する訂正

図86-2　縁組無効の裁判による戸籍訂正後の離縁による養子の新戸籍

除　　　籍	（1の1）　全　部　事　項　証　明
本　　籍	東京都千代田区平河町二丁目１０番地
氏　　名	乙川　英助
戸籍事項 　戸籍編製 　戸籍消除	【編製日】平成２７年１月２７日 【消除日】平成２７年４月１２日
戸籍に記録されている者 　　消　　除	【名】英助 【生年月日】平成元年６月２１日 【父】乙川英吉 【母】乙川秋子 【続柄】二男
身分事項 　出　　生 　消　　除	（出生事項省略） 【消除日】平成２７年４月１２日 【消除事項】離縁事項 【消除事由】養父甲野義太郎との養子縁組無効の裁判確定 【裁判確定日】平成２７年３月３０日 【申請日】平成２７年４月１２日 【申請人】養父　甲野義太郎 【従前の記録】 　【離縁日】平成２７年１月２７日 　【養父氏名】甲野義太郎 　【従前戸籍】東京都千代田区平河町一丁目４番地　甲野義太郎
	以下余白

発行番号０００００１

第5　具体的な処理例

図87-1　縁組無効の裁判による戸籍訂正前の養子の実方戸籍

	（1の1）	全 部 事 項 証 明
本　　籍	大阪府大阪市北区老松町二丁目6番地	
氏　　名	乙川　英吉	

戸籍に記録されている者 除　籍	【名】英助 【生年月日】平成元年6月21日 【父】乙川英吉 【母】乙川秋子 【続柄】二男
身分事項 　出　　生	（出生事項省略）
養子縁組	【縁組日】平成26年4月20日 【養父氏名】甲野義太郎 【送付を受けた日】平成26年4月24日 【受理者】東京都千代田区長 【入籍戸籍】東京都千代田区平河町一丁目4番地　甲野義太郎
	以下余白

発行番号000001

352

3　縁組・離縁に関する訂正

図87-2　縁組無効の裁判による戸籍訂正後の養子の実方戸籍

	（1の1）	全 部 事 項 証 明
本　　　籍	大阪府大阪市北区老松町二丁目6番地	
氏　　　名	乙川　英吉	

戸籍に記録されている者 除　籍	【名】英助 【生年月日】平成元年6月21日 【父】乙川英吉 【母】乙川秋子 【続柄】二男
身分事項 　出　　生 　消　　除	（出生事項省略） 【消除日】平成27年4月16日 【消除事項】縁組事項 【消除事由】養父甲野義太郎との養子縁組無効の裁判確定 【裁判確定日】平成27年3月30日 【申請日】平成27年4月12日 【申請人】養父　甲野義太郎 【送付を受けた日】平成27年4月16日 【受理者】東京都千代田区長 【従前の記録】 　　【縁組日】平成26年4月20日 　　【養父氏名】甲野義太郎 　　【送付を受けた日】平成26年4月24日 　　【受理者】東京都千代田区長 　　【入籍戸籍】東京都千代田区平河町一丁目4番地　甲野義太郎
戸籍に記録されている者	【名】英助 【生年月日】平成元年6月21日 【父】乙川英吉 【母】乙川秋子 【続柄】二男
身分事項 　出　　生	（出生事項省略）
	以下余白

発行番号000001

353

第5　具体的な処理例

イ　養子が離縁により実方戸籍に復籍しているとき

養子が離縁により実方戸籍に復籍しているときは，養方戸籍については，養親及び養子それぞれの縁組事項及び離縁事項を消除します。また，実方戸籍については，縁組により除籍された身分事項欄中の縁組事項及び離縁により復籍した身分事項欄中の離縁事項をそれぞれ消除した上，同人を同戸籍の末尾に回復することになります。この処理を図で示すと次のようになります。

なお，養方戸籍の訂正記載例は，図85を参照してください。

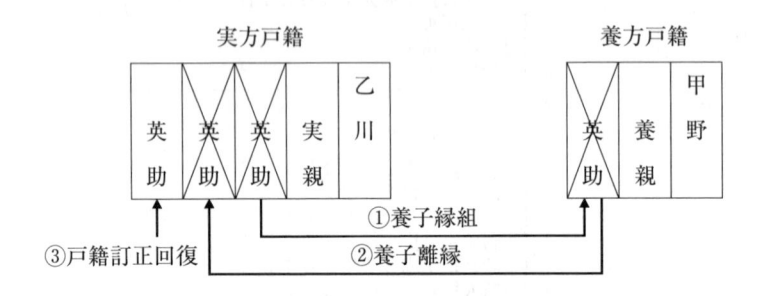

図88-1は，縁組無効の裁判による戸籍訂正前の養子の実方戸籍です。

図88-2は，縁組無効の裁判による戸籍訂正後の養子の実方戸籍です。

養子縁組により除籍された養子の縁組事項及び養子離縁により復籍した養子の離縁事項をそれぞれ消除し，復籍した養子の「戸籍に記録されている者」欄に「消除マーク」を表示し，末尾に事件本人を回復します。

3　縁組・離縁に関する訂正

図88-1　縁組無効の裁判による戸籍訂正前の養子の実方戸籍

| | （1の1） | 全部事項証明 |

本　　籍	大阪府大阪市北区老松町二丁目6番地
氏　　名	乙川　英吉

戸籍に記録されている者	
除　籍	【名】英助 【生年月日】平成元年6月21日 【父】乙川英吉 【母】乙川秋子 【続柄】二男
身分事項 　出　生 　養子縁組	（出生事項省略） ――――――――――――――――――― 【縁組日】平成26年4月20日 【養父氏名】甲野義太郎 【送付を受けた日】平成26年4月24日 【受理者】東京都千代田区長 【入籍戸籍】東京都千代田区平河町一丁目4番地　甲野義太郎
戸籍に記録されている者	【名】英助 【生年月日】平成元年6月21日 【父】乙川英吉 【母】乙川秋子 【続柄】二男
身分事項 　出　生 　養子離縁	（出生事項省略） ――――――――――――――――――― 【離縁日】平成27年1月27日 【養父氏名】甲野義太郎 【送付を受けた日】平成27年1月30日 【受理者】東京都千代田区長 【従前戸籍】東京都千代田区平河町一丁目4番地　甲野義太郎
	以下余白

発行番号000001

第5　具体的な処理例

図88-2　縁組無効の裁判による戸籍訂正後の養子の実方戸籍

（2の1）　全部事項証明

本　　籍	大阪府大阪市北区老松町二丁目6番地
氏　　名	乙川　英吉

戸籍に記録されている者 除　　籍	【名】英助 【生年月日】平成元年6月21日 【父】乙川英吉 【母】乙川秋子 【続柄】二男
身分事項 　出　　生 　消　　除	（出生事項省略） 【消除日】平成27年4月16日 【消除事項】縁組事項 【消除事由】養父甲野義太郎との養子縁組無効の裁判確定 【裁判確定日】平成27年3月30日 【申請日】平成27年4月12日 【申請人】養父　甲野義太郎 【送付を受けた日】平成27年4月16日 【受理者】東京都千代田区長 【従前の記録】 　【縁組日】平成26年4月20日 　【養父氏名】甲野義太郎 　【送付を受けた日】平成26年4月24日 　【受理者】東京都千代田区長 　【入籍戸籍】東京都千代田区平河町一丁目4番地　甲野義太郎
戸籍に記録されている者 消　　除	【名】英助 【生年月日】平成元年6月21日 【父】乙川英吉 【母】乙川秋子 【続柄】二男
身分事項 　出　　生 　消　　除	（出生事項省略） 【消除日】平成27年4月16日 【消除事項】離縁事項 【消除事由】養父甲野義太郎との養子縁組無効の裁判確定 【裁判確定日】平成27年3月30日 【申請日】平成27年4月12日 【申請人】養父　甲野義太郎

発行番号000001　　　　　　　　　　　　　　　　　　　　　　　　以下次頁

3　縁組・離縁に関する訂正

	(2の2)	全 部 事 項 証 明
	【送付を受けた日】平成27年4月16日 【受理者】東京都千代田区長 【従前の記録】 　　【離縁日】平成27年1月27日 　　【養父氏名】甲野義太郎 　　【送付を受けた日】平成27年1月30日 　　【受理者】東京都千代田区長 　　【従前戸籍】東京都千代田区平河町一丁目4番地　甲野義太郎	
戸籍に記録されている者	【名】英助 【生年月日】平成元年6月21日 【父】乙川英吉 【母】乙川秋子 【続柄】二男	
身分事項 　　出　　生	（出生事項省略）	

以下余白

発行番号000001

357

第5　具体的な処理例

ウ　養子の実方戸籍が縁組後転籍し，離縁により転籍後の実方戸籍に復籍しているとき

養子の実方戸籍が縁組後転籍し，離縁により転籍後の実方戸籍に復籍しているときは，図87-2の英助の身分事項欄の戸籍訂正記録と同様ですが，訂正事項中に転籍後の戸籍に回復した旨を記録します。また，転籍後の実方戸籍に離縁により復籍した身分事項欄の離縁事項を消除した上，同人を同戸籍から消除するとともに，同人を同戸籍の末尾に回復します。この処理を図で示すと次のようになります。

養方戸籍の戸籍訂正方法は，前事例等を参考としてください。

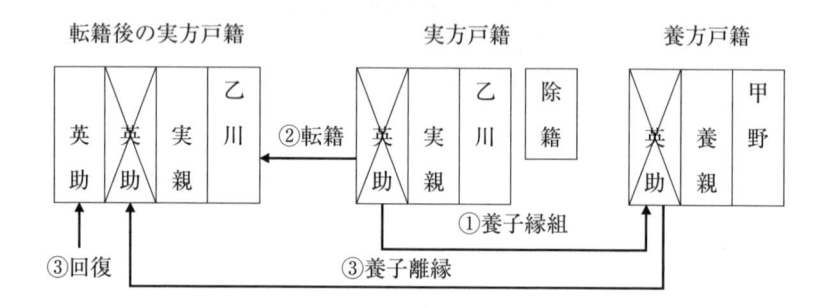

```
 転籍後の実方戸籍        実方戸籍              養方戸籍
┌─┬─┬─┬─┐    ┌─┬─┬─┬─┬──┐    ┌─┬─┬─┐
│✕│✕│実│乙│    │✕│✕│実│乙│除 │    │✕│養│甲│
│英│英│親│川│←②転籍│英│英│親│川│籍 │    │英│親│野│
│助│助│ │ │    │助│助│ │ │  │    │助│ │ │
└─┴─┴─┴─┘    └─┴─┴─┴─┴──┘    └─┴─┴─┘
  ↑   ↑                └────①養子縁組────┘
  │   │                
  │③回復                ③養子離縁
```

図89-1は，縁組無効の裁判による戸籍訂正前の転籍前の養子の実方戸籍です。

図89-2は，縁組無効の裁判による戸籍訂正後の転籍前の養子の実方戸籍です。

転籍前の養子の実方戸籍には，養子縁組事項の記録がありますから，この縁組事項を消除し，養子を回復すべき戸籍の表示，すなわち転籍後の戸籍である「【回復後の戸籍】京都府京都市上京区小山初音町20番地　乙川英吉」と記録します。

図90-1は，縁組無効の裁判による戸籍訂正前の転籍後の養子の実方戸籍です。

図90-2は，縁組無効の裁判による戸籍訂正後の転籍後の養子の実方戸籍です。

転籍後の養子の実方戸籍には，養子離縁事項がありますので，この離縁事

項を消除し，末尾に養子を回復しますが，この場合，基本タイトルの身分事項の下に，段落ちタイトル「記録」により記録した日を記録します。本事例は，出生事項のみですが，他に移記すべき身分事項があるときは，各身分事項ごとに「記録」することになります。

第5　具体的な処理例

図89-1　縁組無効の裁判による戸籍訂正前の転籍前の養子の実方戸籍

除　　籍	（1の1）　全 部 事 項 証 明
本　　籍	大阪府大阪市北区老松町二丁目6番地
氏　　名	乙川　英吉

戸籍事項 　　戸籍編製 　　転　　籍	（編製事項省略） 【転籍日】平成27年3月8日 【新本籍】京都府京都市上京区小山初音町20番地 【送付を受けた日】平成27年3月11日 【受理者】京都府京都市上京区長

戸籍に記録されている者 除　　籍	【名】英助 【生年月日】昭和63年5月11日 【父】乙川英吉 【母】乙川秋子 【続柄】二男
身分事項 　　出　　生 　　養子縁組	（出生事項省略） 【縁組日】平成26年10月2日 【養父氏名】甲野義太郎 【送付を受けた日】平成26年10月4日 【受理者】東京都千代田区長 【入籍戸籍】東京都千代田区平河町一丁目4番地　甲野義太郎
	以下余白

発行番号000001

図89-2 縁組無効の裁判による戸籍訂正後の転籍前の養子の実方戸籍

除　　　籍	（1の1）	全部事項証明
本　　籍	大阪府大阪市北区老松町二丁目6番地	
氏　　名	乙川　英吉	

戸籍事項	
戸籍編製	（編製事項省略）
転　　籍	【転籍日】平成27年3月8日 【新本籍】京都府京都市上京区小山初音町20番地 【送付を受けた日】平成27年3月11日 【受理者】京都府京都市上京区長

～～～～～～～～～～～～～～～～～～～～～～～～～～～～

戸籍に記録されている者	【名】英助
除　　籍	【生年月日】昭和63年5月11日 【父】乙川英吉 【母】乙川秋子 【続柄】二男

身分事項	
出　　生	（出生事項省略）
消　　除	【消除日】平成27年6月11日 【消除事項】縁組事項 【消除事由】養父甲野義太郎との養子縁組無効の裁判確定 【裁判確定日】平成27年5月29日 【申請日】平成27年6月9日 【申請人】養父　甲野義太郎 【送付を受けた日】平成27年6月11日 【受理者】東京都千代田区長 【回復後の戸籍】京都府京都市上京区小山初音町20番地　乙川英吉 【従前の記録】 　　【縁組日】平成26年10月2日 　　【養父氏名】甲野義太郎 　　【送付を受けた日】平成26年10月4日 　　【受理者】東京都千代田区長 　　【入籍戸籍】東京都千代田区平河町一丁目4番地　甲野義太郎

以下余白

発行番号000001

第5　具体的な処理例

図90-1　縁組無効の裁判による戸籍訂正前の転籍後の養子の実方戸籍

	（1の1）	全 部 事 項 証 明
本　　　籍	京都府京都市上京区小山初音町20番地	
氏　　　名	乙川　英吉	
戸籍事項 　戸籍編製 　転　　籍	（編製事項省略） 【転籍日】平成27年3月8日 【従前本籍】大阪府大阪市北区老松町二丁目6番地	
戸籍に記録されている者	【名】英助 【生年月日】昭和63年5月11日 【父】乙川英吉 【母】乙川秋子 【続柄】二男	
身分事項 　出　　生 　養子離縁	（出生事項省略） 【離縁日】平成27年3月27日 【養父氏名】甲野義太郎 【送付を受けた日】平成27年3月30日 【受理者】東京都千代田区長 【従前戸籍】東京都千代田区平河町一丁目4番地　甲野義太郎	
		以下余白

発行番号000001

3 縁組・離縁に関する訂正

図90-2 縁組無効の裁判による戸籍訂正後の転籍後の養子の実方戸籍

	（2の1） 全 部 事 項 証 明
本　　　　籍	京都府京都市上京区小山初音町２０番地
氏　　　　名	乙川　英吉
戸籍事項 　　戸籍編製 　　転　　籍	（編製事項省略） 【転籍日】平成２７年３月８日 【従前本籍】大阪府大阪市北区老松町二丁目６番地

戸籍に記録されている者 　　消　　除	【名】英助 【生年月日】昭和６３年５月１１日 【父】乙川英吉 【母】乙川秋子 【続柄】二男
身分事項 　　出　　生 　　消　　除	（出生事項省略） 【消除日】平成２７年６月１１日 【消除事項】離縁事項 【消除事由】養父甲野義太郎との養子縁組無効の裁判確定 【裁判確定日】平成２７年５月２９日 【申請日】平成２７年６月９日 【申請人】養父　甲野義太郎 【送付を受けた日】平成２７年６月１１日 【受理者】東京都千代田区長 【従前の記録】 　　【離縁日】平成２７年３月２７日 　　【養父氏名】甲野義太郎 　　【送付を受けた日】平成２７年３月３０日 　　【受理者】東京都千代田区長 　　【従前戸籍】東京都千代田区平河町一丁目４番地　甲野義太郎
戸籍に記録されている者	【名】英助 【生年月日】昭和６３年５月１１日 【父】乙川英吉 【母】乙川秋子 【続柄】二男
身分事項 　　出　　生 　　記　　録	（出生事項省略） 【記録日】平成２７年６月１１日

発行番号０００００１　　　　　　　　　　　　　　　　　　　以下次頁

第5　具体的な処理例

	(2の2)	全 部 事 項 証 明
	【記録事由】申請 【送付を受けた日】平成27年6月11日 【受理者】東京都千代田区長	
		以下余白

発行番号０００００１

3 縁組・離縁に関する訂正

(8) 養親夫婦の一方との離縁にもかかわらず養子を復氏復籍させてしまった場合

　妻の未成年の嫡出でない子を養子とする場合は，必要的夫婦共同縁組とされています（民法795条本文）。この養子となった者が未成年であるときに離縁する場合において，養親夫婦が婚姻中のときは，夫婦がともに離縁をしなければならないとされています（同811条の２本文）が，養親夫婦の離婚後は，養子は養親と各別に離縁をすることができます。また，養子は，離縁により原則として縁組前の氏に復することになります（同816条１項本文）が，配偶者とともに養子をした養親の一方とのみ離縁をした場合は，この限りでない（同項ただし書）としていますので，養子が養親の一方とのみ離縁をしても縁組前の氏に復することはありません（昭和62年10月１日民二5000号通達第２の３(1)）。

　本事例は，養子の実母（養母）と養父が離婚した後，養父とのみ離縁をする場合ですから，離縁によって縁組前の氏には復さないことになります（民法816条１項ただし書）。したがって，復氏復籍させたことは，市区町村長の審査ミスということになります。この場合は，届出人に戸籍訂正するよう催告の上，戸籍訂正許可の裁判を得て訂正申請をしてもらうことも考えられますが，市区町村長の審査ミスもありますので，管轄局の長に対し，戸籍訂正許可申請をし，職権により戸籍訂正をしても差し支えないと考えます。本事例のように，養父母が離婚した後は，養子が未成年者であっても，前記のとおり，養父母の一方とのみ離縁することができますが，実母イコール養母の場合は，実母の戸籍に復籍させてしまうおそれがありますので，注意が必要です。

　なお，職権により戸籍訂正をした結果については，復籍した当該未成年者等関係者に周知する必要があります。

　ア　養子を実母の戸籍に入籍させたとき

　養方戸籍の養子は，離縁により実母の戸籍に入籍した旨の記録がされ，除籍されていますから，この離縁事項の記録を訂正し，同戸籍の末尾に養子を回復することになります。また，実母の戸籍に入籍した養子は，養親の一方とのみの離縁により入籍したことは誤りですから，その戸籍から消除するこ

第5　具体的な処理例

とになります。

戸籍の流れを図で示すと次のようになります。

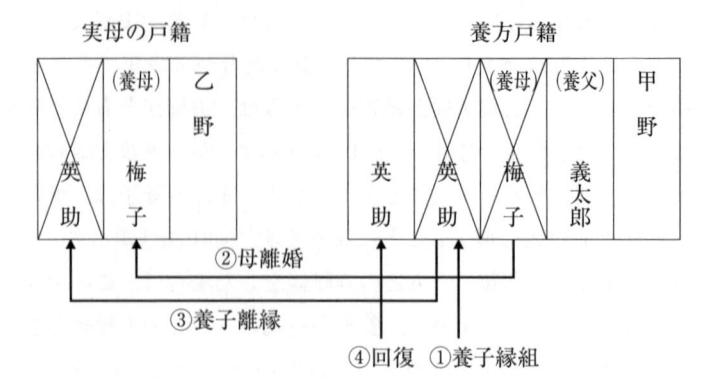

```
        実母の戸籍                    養方戸籍
  ┌──────┬──────┬──┐    ┌──────┬──────┬──────┬──┐
  │      │(養母)│乙│    │(養母)│      │(養父)│甲│
  │      │      │野│    │      │      │      │野│
  │ 英   │ 梅   │  │    │ 英   │ 英   │ 梅   │義│
  │ 助   │ 子   │  │    │ 助   │ 助   │ 子   │太│
  │      │      │  │    │      │      │      │郎│
  └──────┴──────┴──┘    └──────┴──────┴──────┴──┘
              ↑②母離婚        ↑      ↑      ↑
              │                │      │      │
        ↑─────────────③養子離縁──────┘      │
                              ④回復  ①養子縁組
```

図91-1は，管轄局の長の戸籍訂正許可による戸籍訂正前の養方戸籍です。

図91-2は，管轄局の長の戸籍訂正許可による戸籍訂正後の養方戸籍です。

離縁事項を段落ちタイトル「訂正」により，除籍の原因となる記録「【入籍戸籍】」を消除し，戸籍の末尾に事件本人を回復します。

図92-1は，管轄局の長の戸籍訂正許可による戸籍訂正前の実母の戸籍です。

図92-2は，管轄局の長の戸籍訂正許可による戸籍訂正後の実母の戸籍です。

入籍原因となった離縁事項を全部消除し，「戸籍に記録されている者」欄に「消除マーク」を表示します。

図91-1　管轄局の長の戸籍訂正許可による戸籍訂正前の養方戸籍

		（1の1）	全 部 事 項 証 明
本　　　籍	東京都千代田区平河町一丁目４番地		
氏　　　名	甲野　義太郎		

戸籍事項	
戸籍編製	（編製事項省略）

戸籍に記録されている者	【名】英助
除　　籍	【生年月日】平成１３年６月９日 【父】丙山三郎 【母】甲野梅子 【続柄】長男 【養父】甲野義太郎 【養母】甲野梅子 【続柄】養子
身分事項	
出　　生	（出生事項省略）
認　　知	（認知事項省略）
養子縁組	【縁組日】平成２６年１０月２日 【養父氏名】甲野義太郎 【養母氏名】甲野梅子 【代諾者】親権者母 【従前戸籍】京都府京都市上京区小山初音町１８番地　乙野梅子
親　　権	【親権者を定めた日】平成２９年４月１２日 【親権者】養母　甲野梅子 【届出人】養父　甲野義太郎 【届出人】養母　甲野梅子
養子離縁	【離縁日】平成２９年４月１５日 【養父氏名】甲野義太郎 【入籍戸籍】東京都千代田区平河町二丁目１０番地　乙野梅子
	以下余白

発行番号０００００１

第5　具体的な処理例

図91-2　管轄局の長の戸籍訂正許可による戸籍訂正後の養方戸籍

（2の1）　全部事項証明

本　籍	東京都千代田区平河町一丁目4番地
氏　名	甲野　義太郎

戸籍に記録されている者	【名】英助
除　籍	【生年月日】平成13年6月9日 【父】丙山三郎 【母】甲野梅子 【続柄】長男 【養母】甲野梅子 【続柄】養子
身分事項 　出　生	（出生事項省略）
認　知	（認知事項省略）
養子縁組	【縁組日】平成26年10月2日 【養父氏名】甲野義太郎 【養母氏名】甲野梅子 【代諾者】親権者母 【従前戸籍】京都府京都市上京区小山初音町18番地　乙野梅子
親　権	【親権者を定めた日】平成29年4月12日 【親権者】養母　甲野梅子 【届出人】養父　甲野義太郎 【届出人】養母　甲野梅子
養子離縁	【離縁日】平成29年4月12日 【養父氏名】甲野義太郎
訂　正	【訂正日】平成29年6月21日 【訂正事由】離縁による除籍の記録誤記 【許可日】平成29年6月19日 【従前の記録】 　　【入籍戸籍】東京都千代田区平河町二丁目10番地　乙野梅子
戸籍に記録されている者	【名】英助 【生年月日】平成13年6月9日 【父】丙山三郎 【母】乙野梅子 【続柄】長男 【養母】乙野梅子 【続柄】養子

発行番号000001　　　　　　　　　　　　　　　　　　　　　以下次頁

3 　縁組・離縁に関する訂正

(2の2)	全 部 事 項 証 明

身分事項	
出　　生	（出生事項省略）
認　　知	（認知事項省略）
養子縁組	【縁組日】平成２６年１０月２日 【養父氏名】甲野義太郎 【養母氏名】甲野梅子 【代諾者】親権者母 【従前戸籍】京都府京都市上京区小山初音町１８番地　乙野梅子
親　　権	【親権者を定めた日】平成２９年４月１２日 【親権者】養母　甲野梅子 【届出人】養父　甲野義太郎 【届出人】養母　甲野梅子
養子離縁	【離縁日】平成２９年４月１５日 【養父氏名】甲野義太郎
	以下余白

発行番号０００００１

第5　具体的な処理例

図92-1　管轄局の長の戸籍訂正許可による戸籍訂正前の実母の戸籍

		(1の1)	全部事項証明
本　　籍	東京都千代田区平河町二丁目10番地		
氏　　名	乙野　梅子		

戸籍事項	
戸籍編製	（編製事項省略）

戸籍に記録されている者	【名】英助 【生年月日】平成13年6月9日 【父】丙山三郎 【母】乙野梅子 【続柄】長男 【養母】乙野梅子 【続柄】養子
身分事項 　出　　生	（出生事項省略）
認　　知	（認知事項省略）
養子縁組	【縁組日】平成26年10月2日 【養母氏名】甲野梅子 【代諾者】親権者母 【従前戸籍】京都府京都市上京区小山初音町18番地　乙野梅子
親　　権	【親権者を定めた日】平成29年4月12日 【親権者】養母　甲野梅子 【届出人】養父　甲野義太郎 【届出人】養母　甲野梅子
養子離縁	【離縁日】平成29年4月15日 【養父氏名】甲野義太郎 【従前戸籍】東京都千代田区平河町一丁目4番地　甲野義太郎
	以下余白

発行番号000001

図92-2　管轄局の長の戸籍訂正許可による戸籍訂正後の実母の戸籍

	（1の1）	全部事項証明

本　　籍	東京都千代田区平河町二丁目１０番地
氏　　名	乙野　梅子

戸籍事項	
戸籍編製	（編製事項省略）

〜〜〜〜〜〜〜〜〜〜〜〜〜〜〜〜〜〜〜〜〜〜〜〜〜〜〜〜〜〜〜〜〜〜〜〜

戸籍に記録されている者 　[消　除]	【名】英助 【生年月日】平成１３年６月９日 【父】丙山三郎 【母】乙野梅子 【続柄】長男 【養母】乙野梅子 【続柄】養子
身分事項	
出　　生	（出生事項省略）
認　　知	（認知事項省略）
養子縁組	【縁組日】平成２６年１０月２日 【養母氏名】甲野梅子 【代諾者】親権者母 【従前戸籍】京都府京都市上京区小山初音町１８番地　乙野梅子
親　　権	【親権者を定めた日】平成２９年４月１２日 【親権者】養母　甲野梅子 【届出人】養父　甲野義太郎 【届出人】養母　甲野梅子
消　　除	【消除日】平成２９年６月２１日 【消除事項】離縁事項 【消除事由】離縁による入籍の記録誤記 【許可日】平成２９年６月１９日 【従前の記録】 　　【離縁日】平成２９年４月１５日 　　【養父氏名】甲野義太郎 　　【従前戸籍】東京都千代田区平河町一丁目４番地　甲野義太郎
	以下余白

発行番号０００００１

イ　養子について新戸籍を編製したとき

　養親の一方とのみの離縁にもかかわらず養子について離縁により新戸籍を編製したときは、その新戸籍の編製は誤りになりますので、新戸籍を消除することになります。

　戸籍の流れを図で示すと次のようになります。

　なお、養方戸籍の戸籍訂正記載例は、前事例を参照してください。

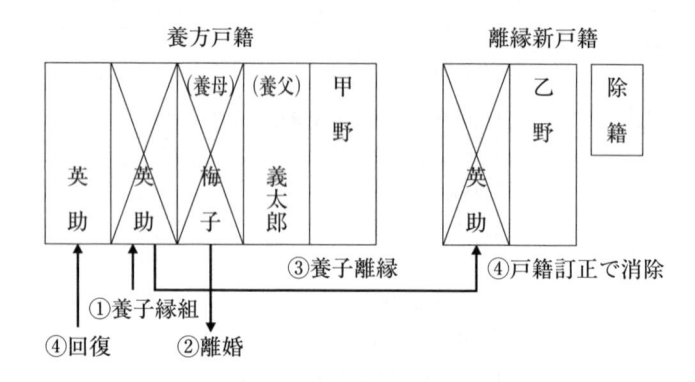

```
          養方戸籍                    離縁新戸籍
  ┌──┬──┬──┬──┬──┐      ┌──┬──┐
  │  │  │(養母)│(養父)│甲│      │乙│除│
  │英│英│梅 │義 │野│      │野│籍│
  │助│助│子 │太 │  │      │英│  │
  │  │×│× │郎 │  │      │助│  │
  │  │  │   │   │  │      │× │  │
  └──┴──┴──┴──┴──┘      └──┴──┘
    ↑  ↑  ↑    ③養子離縁    ④戸籍訂正で消除
    │  │ ①養子縁組
    │ ②離婚
   ④回復
```

　図93-1は、管轄局の長の戸籍訂正許可による戸籍訂正前の養子離縁による新戸籍です。

　図93-2は、管轄局の長の戸籍訂正許可による戸籍訂正後の養子離縁による新戸籍です。

　戸籍事項欄に許可を得て戸籍消除する旨を記録し、左上に「除籍マーク」を表示します。この場合インデックスは、【特記事項】を用いて「新戸籍編製の記録誤記につき平成年月日許可」とします。

3 縁組・離縁に関する訂正

図93-1 管轄局の長の戸籍訂正許可による戸籍訂正前の養子離縁による新戸籍

		(1の1)	全部事項証明
本　　籍	東京都千代田区平河町二丁目１０番地		
氏　　名	乙野　英助		
戸籍事項 　戸籍編製	【編製日】平成２９年４月１５日		
戸籍に記録されている者	【名】英助 【生年月日】平成１３年６月９日 【父】丙山三郎 【母】乙野梅子 【続柄】長男 【養母】乙野梅子 【続柄】養子		
身分事項 　出　　生	（出生事項省略）		
認　　知	（認知事項省略）		
養子縁組	【縁組日】平成２６年１０月２日 【養母氏名】甲野梅子 【代諾者】親権者母 【従前戸籍】京都府京都市上京区小山初音町１８番地　乙野梅子		
親　　権	【親権者を定めた日】平成２９年４月１２日 【親権者】養母　甲野梅子 【届出人】養父　甲野義太郎 【届出人】養母　甲野梅子		
養子離縁	【離縁日】平成２９年４月１５日 【養父氏名】甲野義太郎 【従前戸籍】東京都千代田区平河町一丁目４番地　甲野義太郎		
	以下余白		

発行番号０００００１

第5 具体的な処理例

図93-2　管轄局の長の戸籍訂正許可による戸籍訂正後の養子離縁による新戸籍

除　　籍	（1の1）	全 部 事 項 証 明
本　　籍	東京都千代田区平河町二丁目１０番地	
氏　　名	乙野　英助	

戸籍事項	
戸籍編製	【編製日】平成２９年４月１５日
消　　除	【消除日】平成２９年６月２１日 【特記事項】新戸籍編製の記録誤記につき平成２９年６月１９日許可

戸籍に記録されている者	【名】英助 【生年月日】平成１３年６月９日 【父】丙山三郎 【母】乙野梅子 【続柄】長男 【養母】乙野梅子 【続柄】養子

身分事項	
出　　生	（出生事項省略）
認　　知	（認知事項省略）
養子縁組	【縁組日】平成２６年１０月２日 【養母氏名】甲野梅子 【代諾者】親権者母 【従前戸籍】京都府京都市上京区小山初音町１８番地　乙野梅子
親　　権	【親権者を定めた日】平成２９年４月１２日 【親権者】養母　甲野梅子 【届出人】養父　甲野義太郎 【届出人】養母　甲野梅子
養子離縁	【離縁日】平成２９年４月１５日 【養父氏名】甲野義太郎 【従前戸籍】東京都千代田区平河町一丁目４番地　甲野義太郎
	以下余白

発行番号０００００１

3 縁組・離縁に関する訂正

(9) 離縁無効の裁判が確定した場合

協議離縁の無効は，当事者間に離縁意思の合致がないとき，例えば，当事者の不知の間に他人が離縁の届出をしたときです。現在は，創設的届出における本人確認制度が法的に整備されています（戸籍法27条の2第1項）から，このような他人からの届出を防止することができますが，何らかの事情によりこのような届出がされ，受理される場合もあります。また，当事者が何らかの目的のための方便として離縁の届出をしたときなどが考えられます。

離縁が無効となった場合は，離縁により復氏復籍したことは誤りになりますから，縁組前の戸籍に事件本人を回復することになります。

ア 離縁により養子が縁組前の戸籍に復籍しているとき

離縁により養子が縁組前の戸籍に復籍したのは誤りになりますので，復籍戸籍の離縁事項を消除し，養方戸籍の養親及び養子双方の離縁事項を消除するとともに，養子をその戸籍の末尾に回復することになります。

戸籍の流れを図で示すと次のようになります。

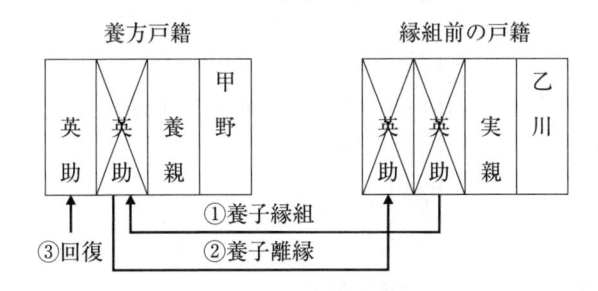

図94-1は，離縁無効の裁判による戸籍訂正前の養方戸籍です。

図94-2は，離縁無効の裁判による戸籍訂正後の養方戸籍です。

養父及び養子の離縁事項をそれぞれ消除し，養子については，同戸籍の末尾に回復します。

図95-1は，離縁無効の裁判による戸籍訂正前の養子の縁組前の戸籍です。

図95-2は，離縁無効の裁判による戸籍訂正後の養子の縁組前の戸籍です。

養子離縁により復籍した養子について，離縁事項を消除し，「戸籍に記録されている者」欄に「消除マーク」を表示します。

第5　具体的な処理例

図94-1　離縁無効の裁判による戸籍訂正前の養方戸籍

	（1の1）	全 部 事 項 証 明
本　　籍	東京都千代田区平河町一丁目4番地	
氏　　名	甲野　義太郎	
戸籍事項 　戸籍編製	（編製事項省略）	
戸籍に記録されている者	【名】義太郎 【生年月日】昭和26年6月26日 【父】甲野幸雄 【母】甲野松子 【続柄】長男	
身分事項 　出　　生	（出生事項省略）	
養子縁組	【縁組日】平成26年3月29日 【養子氏名】乙川英助	
養子離縁	【離縁日】平成28年10月20日 【養子氏名】甲野英助	
戸籍に記録されている者 　　除　　籍	【名】英助 【生年月日】昭和61年5月20日 【父】乙川英吉 【母】乙川秋子 【続柄】二男 【養父】甲野義太郎 【続柄】養子	
身分事項 　出　　生	（出生事項省略）	
養子縁組	【縁組日】平成26年3月29日 【養父氏名】甲野義太郎 【従前戸籍】大阪府大阪市北区老松町二丁目6番地　乙川英吉	
養子離縁	【離縁日】平成28年10月20日 【養父氏名】甲野義太郎 【入籍戸籍】大阪府大阪市北区老松町二丁目6番地　乙川英吉	
		以下余白

発行番号000001

3　縁組・離縁に関する訂正

図94-2　離縁無効の裁判による戸籍訂正後の養方戸籍

(2の1)　　全 部 事 項 証 明

本　　　籍	東京都千代田区平河町一丁目4番地
氏　　　名	甲野　義太郎
戸籍事項 　戸籍編製	（編製事項省略）
戸籍に記録されている者	【名】義太郎 【生年月日】昭和26年6月26日 【父】甲野幸雄 【母】甲野松子 【続柄】長男
身分事項 　出　　　生 　養子縁組 　消　　　除	（出生事項省略） 【縁組日】平成26年3月29日 【養子氏名】乙川英助 【消除日】平成29年5月11日 【消除事項】離縁事項 【消除事由】養子英助との離縁無効の裁判確定 【裁判確定日】平成29年4月25日 【申請日】平成29年5月11日 【申請人】養子　甲野英助 【従前の記録】 　　【離縁日】平成28年10月20日 　　【養子氏名】甲野英助
戸籍に記録されている者 除　　籍	【名】英助 【生年月日】昭和61年5月20日 【父】乙川英吉 【母】乙川秋子 【続柄】二男 【養父】甲野義太郎 【続柄】養子
身分事項 　出　　　生 　養子縁組 　消　　　除	（出生事項省略） 【縁組日】平成26年3月29日 【養父氏名】甲野義太郎 【従前戸籍】大阪府大阪市北区老松町二丁目6番地　乙川英吉 【消除日】平成29年5月11日 【消除事項】離縁事項

発行番号000001　　　　　　　　　　　　　　　　　　　　　以下次頁

第5　具体的な処理例

	（2の2）	全 部 事 項 証 明
	【消除事由】養父甲野義太郎との離縁無効の裁判確定 【裁判確定日】平成29年4月25日 【申請日】平成29年5月11日 【従前の記録】 　　【離縁日】平成28年10月20日 　　【養父氏名】甲野義太郎 　　【入籍戸籍】大阪府大阪市北区老松町二丁目6番地　乙川英吉	
戸籍に記録されている者	【名】英助 【生年月日】昭和61年5月20日 【父】乙川英吉 【母】乙川秋子 【続柄】二男 【養父】甲野義太郎 【続柄】養子	
身分事項 　　出　　生 　　養子縁組	（出生事項省略） 【縁組日】平成26年3月29日 【養父氏名】甲野義太郎 【従前戸籍】大阪府大阪市北区老松町二丁目6番地　乙川英吉	
	以下余白	

発行番号000001

378

図95-1 離縁無効の裁判による戸籍訂正前の養子の縁組前の戸籍

	（1の1）	全部事項証明
本　　籍	大阪府大阪市北区老松町二丁目6番地	
氏　　名	乙川　英吉	

戸籍事項	
戸籍編製	（編製事項省略）

戸籍に記録されている者	【名】英助 【生年月日】昭和61年5月20日 【父】乙川英吉 【母】乙川秋子 【続柄】二男
身分事項 　出　　生 　養子離縁	（出生事項省略） 【離縁日】平成28年10月20日 【養父氏名】甲野義太郎 【送付を受けた日】平成28年10月23日 【受理者】東京都千代田区長 【従前戸籍】東京都千代田区平河町一丁目4番地　甲野義太郎
	以下余白

発行番号000001

第5　具体的な処理例

図95-2　離縁無効の裁判による戸籍訂正後の養子の縁組前の戸籍

		（1の1）	全 部 事 項 証 明
本　　籍	大阪府大阪市北区老松町二丁目6番地		
氏　　名	乙川　英吉		

戸籍事項	
戸籍編製	（編製事項省略）

〜〜〜〜〜〜〜〜〜〜〜〜〜〜〜〜〜〜〜〜〜〜〜〜〜〜〜〜〜〜

戸籍に記録されている者 　消　　除	【名】英助 【生年月日】昭和61年5月20日 【父】乙川英吉 【母】乙川秋子 【続柄】二男
身分事項 　　出　　生 　　消　　除	（出生事項省略） 【消除日】平成29年5月15日 【消除事項】離縁事項 【消除事由】養父甲野義太郎との離縁無効の裁判確定 【裁判確定日】平成29年4月25日 【申請日】平成29年5月11日 【送付を受けた日】平成29年5月15日 【受理者】東京都千代田区長 【従前の記録】 　【離縁日】平成28年10月20日 　【養父氏名】甲野義太郎 　【送付を受けた日】平成28年10月23日 　【受理者】東京都千代田区長 　【従前戸籍】東京都千代田区平河町一丁目4番地　甲野義太郎
	以下余白

発行番号000001

イ　離縁により養子が新戸籍を編製しているとき

離縁により養子が新戸籍を編製したのは誤りになりますので，新戸籍の離縁事項を消除した上，同戸籍を消除します。また，養方戸籍の養親及び養子双方の離縁事項を消除するとともに，養子をその戸籍の末尾に回復することになります。

戸籍の流れを図で示すと次のようになります。

なお，養方戸籍の訂正記載例は，前事例図94-2と同様ですので，それを参照してください。

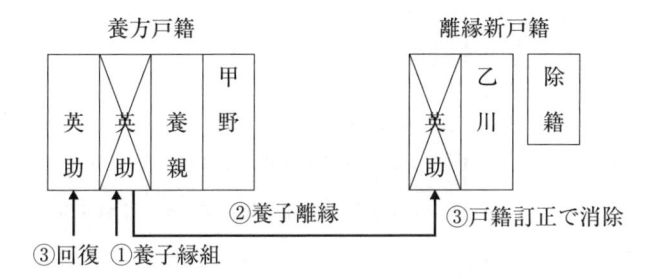

```
         養方戸籍              離縁新戸籍
    ┌──┬──┬──┬──┐     ┌──┬──┬──┐
    │英 │英 │養 │甲 │     │英 │乙 │除 │
    │助 │助 │親 │野 │     │助 │川 │籍 │
    │  │✕ │  │  │     │✕ │  │  │
    └──┴──┴──┴──┘     └──┴──┴──┘
      ↑   ↑         ②養子離縁    ↑
     ③回復 ①養子縁組              ③戸籍訂正で消除
```

図96-1は，離縁無効の裁判による戸籍訂正前の離縁による養子の新戸籍です。

図96-2は，離縁無効の裁判による戸籍訂正後の離縁による養子の新戸籍です。

離縁事項を消除し，「戸籍に記録されている者」欄に「消除マーク」を，戸籍消除により左上に「除籍マーク」を表示します。

第5　具体的な処理例

図96-1　離縁無効の裁判による戸籍訂正前の養子の新戸籍

(1の1)	全 部 事 項 証 明

本　　　籍	東京都千代田区平河町二丁目10番地
氏　　　名	乙川　英助

戸籍事項 　戸籍編製	【編製日】平成27年4月20日
戸籍に記録されている者	【名】英助 【生年月日】昭和61年5月20日 【父】乙川英吉 【母】乙川秋子 【続柄】二男
身分事項 　出　　生 　養子離縁	（出生事項省略） 【離縁日】平成27年4月20日 【養父氏名】甲野義太郎 【従前戸籍】東京都千代田区平河町一丁目4番地　甲野義太郎
	以下余白

発行番号000001

382

3　縁組・離縁に関する訂正

図96-2　離縁無効の裁判による戸籍訂正後の養子の新戸籍

除　　　籍	（1の1）　　全 部 事 項 証 明
本　　　籍	東京都千代田区平河町二丁目10番地
氏　　　名	乙川　英助
戸籍事項 　　戸籍編製 　　戸籍消除	【編製日】平成27年4月20日 【消除日】平成27年7月11日
戸籍に記録されている者 　□消　　除□	【名】英助 【生年月日】昭和61年5月20日 【父】乙川英吉 【母】乙川秋子 【続柄】二男
身分事項 　　出　　生 　　消　　除	（出生事項省略） 【消除日】平成27年7月11日 【消除事項】離縁事項 【消除事由】養父甲野義太郎との離縁無効の裁判確定 【裁判確定日】平成27年6月25日 【申請日】平成27年7月11日 【従前の記録】 　　【離縁日】平成27年4月20日 　　【養父氏名】甲野義太郎 　　【従前戸籍】東京都千代田区平河町一丁目4番地　甲野義太郎
	以下余白

発行番号000001

第5 具体的な処理例

ウ 養方戸籍がコンピュータ戸籍に改製されているとき

　養子縁組が離縁により解消された後，養方戸籍がコンピュータ戸籍に改製されている場合は，養子はコンピュータ戸籍には移記されていませんし，無効とされた離縁事項は，平成改製原戸籍（紙戸籍）に記載されていますので，平成改製原戸籍の離縁事項を消除することになります。離縁が無効となったことから，養子縁組は継続していることになりますが，新戸籍の編製等をする場合，養子縁組事項は，養親については移記事項ではありませんが，養子については移記事項となります（戸規39条1項3号）。本事例の改製後のコンピュータ戸籍には，養子は移記されていませんので，離縁無効の戸籍訂正申請により養子をコンピュータ戸籍に記録することになります。したがって，養親及び養子ともに離縁事項の記載がある平成改製原戸籍の離縁事項を消除し，養子を同戸籍に回復することなく，戸籍訂正によりコンピュータ戸籍に回復する処理をすることになります。

　戸籍の流れを図で示すと次のようになります。

　なお，縁組前の戸籍の戸籍訂正記載例は，前事例を参照してください。

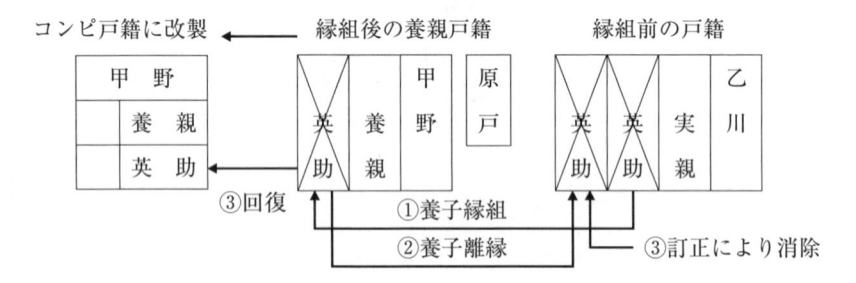

コンピ戸籍に改製	←	縁組後の養親戸籍			縁組前の戸籍			
甲野		甲野		原戸			乙川	
養親		英助	養親		英助	英助	実親	
英助								

③回復　　①養子縁組　　②養子離縁　　③訂正により消除

　図97-1は，離縁無効の裁判による戸籍訂正前の養親の改製原戸籍です。
　図97-2は，離縁無効の裁判による戸籍訂正後の養親の改製原戸籍です。
　養親及び養子の離縁事項をそれぞれ朱線を交差して消除し，養子については，改製後のコンピュータ戸籍に回復する旨を記載します。
　図98-1は，離縁無効の裁判による戸籍訂正前の養親のコンピュータ戸籍です。
　図98-2は，離縁無効の裁判による戸籍訂正後の養親のコンピュータ戸籍です。

養子について重要な身分事項を移記するに当たっては，出生事項及び縁組事項を段落ちタイトル「記録」で記録することになります。

第5 具体的な処理例

図97-1 離縁無効の裁判による戸籍訂正前の養親の紙戸籍（改製原戸籍）

改製原戸籍	平成六年法務省令第五十一号附則第二条第一項による改製につき平成弐拾八年四月拾五日消除㊞		
本籍	東京都千代田区平河町一丁目四番地	氏名	甲野義太郎

編製事項（省略）		

出生事項（省略） 平成弐拾五年拾月壱日乙川英助を養子とする縁組届出㊞ 平成弐拾八年参月参拾日養子甲野英助と協議離縁届出㊞	父 甲野幸雄 母 松子	長男
	義太郎	
	出生 昭和参拾弐年六月弐拾六日	

出生事項（省略） 平成弐拾五年拾月壱日甲野義太郎の養子となる縁組届出大阪市北区 老松町三丁目六番地乙川英吉戸籍から入籍㊞ 平成弐拾八年参月参拾日養父甲野義太郎と協議離縁届出大阪市北区 老松町三丁目六番地乙川英吉戸籍に入籍につき除籍㊞	父 乙川英吉 母 秋子 養父 甲野義太郎 養母	二男
	～英助～（×）	
	出生 昭和五拾九年九月弐拾参日	

| | 父
母 | |
| | 出生 | |

3 縁組・離縁に関する訂正

図97-2　離縁無効の裁判による戸籍訂正後の養親の紙戸籍（改製原戸籍）

改製原戸籍	平成六年法務省令第五十一号附則第二条第一項による改製につき平成弐拾八年四月拾五日消除㊞		
本籍	東京都千代田区平河町一丁目四番地	氏名	甲野義太郎

編製事項（省略）			

出生事項（省略） 平成弐拾五年拾月壱日乙川英助を養子とする縁組届出㊞ 平成弐拾八年参月拾日養事甲野義太助と協議離縁届出㊞ 平成弐拾八年七月壱日養子英助との離縁無効の裁判確定同月弐拾壱日申請離縁の記載消除㊞	父 甲野幸雄 母　　松子	長男
	義太郎	
	出生 昭和参拾弐年六月弐拾六日	

出生事項（省略） 平成弐拾五年拾月壱日甲野義太郎の養子となる縁組届出大阪市北区老松町二丁目六番地乙川英吉戸籍から入籍㊞ 平成弐拾八年参月拾日養父甲野義太郎と協議離縁届出大阪市北区老松町二丁目六番地乙川英吉戸籍に入籍につき除籍㊞ 平成弐拾八年七月壱日養父甲野義太郎との離縁無効の裁判確定同月弐拾壱日養父申請離縁の記載消除東京都千代田区平河町一丁目四番地甲野義太郎戸籍に回復㊞	父 乙川英吉 母　　秋子 養父 甲野義太郎	二男 養子
	✕ 英助 ✕	
	出生 昭和五拾九年九月弐拾参日	

	父 母	
	出生	

387

第5　具体的な処理例

図98-1　離縁無効の裁判による戸籍訂正前の養親戸籍

		（1の1）	全 部 事 項 証 明
本　　籍	東京都千代田区平河町一丁目4番地		
氏　　名	甲野　義太郎		
戸籍事項 　戸籍改製	【改製日】平成28年4月15日 【改製事由】平成6年法務省令第51号附則第2条第1項による改製		
戸籍に記録されている者	【名】義太郎 【生年月日】昭和32年6月26日 【父】甲野幸雄 【母】甲野松子 【続柄】長男		
身分事項 　出　　生	（出生事項省略）		
			以下余白

発行番号000001

3 縁組・離縁に関する訂正

図98-2　離縁無効の裁判による戸籍訂正後の養親戸籍

(1の1) | 全部事項証明

本　　　籍	東京都千代田区平河町一丁目４番地
氏　　　名	甲野　義太郎
戸籍事項 　　戸籍改製	【改製日】平成２８年４月１５日 【改製事由】平成６年法務省令第５１号附則第２条第１項による改製
戸籍に記録されている者	【名】義太郎 【生年月日】昭和３２年６月２６日 【父】甲野幸雄 【母】甲野松子 【続柄】長男
身分事項 　　出　　生	(出生事項省略)
戸籍に記録されている者	【名】英助 【生年月日】昭和５９年９月２３日 【父】乙川英吉 【母】乙川秋子 【続柄】二男 【養父】甲野義太郎 【続柄】養子
身分事項 　　出　　生	(出生事項省略)
記　　録	【記録日】平成２８年７月２１日 【記録事由】申請
養子縁組	【縁組日】平成２５年１０月１日 【養父氏名】甲野義太郎 【従前戸籍】大阪府大阪市北区老松町二丁目６番地　乙川英吉
記　　録	【記録日】平成２８年７月２１日 【記録事由】申請
	以下余白

発行番号０００００１

第5　具体的な処理例

エ　養方戸籍が管外転籍しているとき

　この事例は，前記ウ「養方戸籍がコンピュータ戸籍に改製されているとき」と同様の戸籍訂正方法になります。つまり，養親及び養子とも転籍前の戸籍（除籍）の離縁事項を消除し，養子については，消除事項中に【回復後の戸籍】（この戸籍の表示は，転籍後の戸籍です。）を表示し，転籍後の戸籍に養子を回復しますので，前事例を参照してください。

　なお，転籍後の市区町村がコンピュータ戸籍であれば前記ウの改製後のコンピュータ戸籍と同様の処理になります。

オ　養子が離縁した後，婚姻しているとき

　養子が離縁し，婚姻した後に離縁無効の裁判があったときは，ア離縁により実方戸籍に復籍した後自己の氏を称して婚姻したのか，又は相手方の氏を称して婚姻したのか，イ離縁により新戸籍を編製した後自己の氏を称して婚姻したのか，又は相手方の氏を称して婚姻したのかにより，それぞれ訂正方法を異にします。

　(ア)-1　離縁により実方戸籍に復籍した後，自己の氏を称して婚姻しているとき

　本事例は，①離縁復籍した養子が，②自己の氏を称して婚姻した後，③離縁無効の裁判による戸籍訂正申請があった場合です。この離縁無効の裁判による戸籍訂正の範囲は，離縁無効の裁判の反射的効果としてどこまで及ぶかということです。本事例では，戸籍訂正の範囲は離縁に関する事項のみとなり，その後の婚姻事項についてはその範囲は及びません。したがって，本事例は，養子英助を養方戸籍に回復するまでの訂正をすることになります。

　戸籍の流れを図で示すと次のようになります。

　なお，婚姻事項の訂正は，別途，戸籍法113条の戸籍訂正許可の裁判を得てすることになります。戸籍法113条の訂正内容は，①婚姻新戸籍については，夫婦の氏（乙川を甲野），夫については従前戸籍の表示及び養子縁組事項の記録（離縁後に婚姻しているため，縁組事項の移記がされていないため。），妻については夫の氏（乙川を甲野），②夫の実方戸籍は，婚姻事項を養方戸籍に移記する訂正，③妻の実方戸籍は，夫の氏（乙川を甲野）になります。

3 縁組・離縁に関する訂正

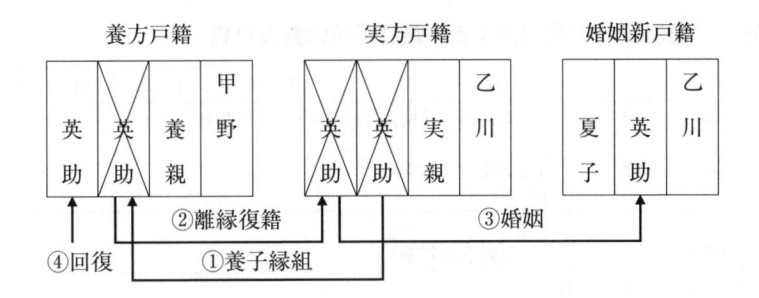

```
        養方戸籍              実方戸籍              婚姻新戸籍
    ┌──┬──┬──┬──┐    ┌──┬──┬──┬──┐    ┌──┬──┬──┐
    │英│英│養│甲│    │英│英│実│乙│    │夏│英│乙│
    │助│助│親│野│    │助│助│親│川│    │子│助│川│
    │  │×│  │  │    │×│×│  │  │    │  │  │  │
    └──┴──┴──┴──┘    └──┴──┴──┴──┘    └──┴──┴──┘
     ↑   ↑  ②離縁復籍 ↑      ③婚姻   ↑
     │   └─────────┘    │              │
     │       ①養子縁組                  │
     └──────────────────────────────────┘
     ④回復
```

図99-1は，離縁無効の裁判による戸籍訂正前の養方戸籍です。

図99-2は，離縁無効の裁判による戸籍訂正後の養方戸籍です。

前事例と同様，養親及び養子の離縁事項をそれぞれ消除し，養子を末尾に回復することになります。

図100-1は，離縁無効の裁判による戸籍訂正前の養子の実方戸籍です。

図100-2は，離縁無効の裁判による戸籍訂正後の養子の実方戸籍です。

養子は，離縁復籍後に婚姻をしています。本戸籍訂正申請によっては，離縁事項を消除するに留め，婚姻事項は，別途，戸籍法113条の戸籍訂正許可の裁判を得て，移記することになります。したがって，本戸籍訂正は，養子の離縁復籍事項を消除し，「戸籍に記録されている者」欄に「消除マーク」を表示します。

391

第5　具体的な処理例

図99-1　離縁無効の裁判による戸籍訂正前の養方戸籍

	（1の1）	全 部 事 項 証 明
本　　籍	東京都千代田区平河町一丁目4番地	
氏　　名	甲野　義太郎	
戸籍事項 　戸籍編製	（編製事項省略）	
戸籍に記録されている者	【名】義太郎 【生年月日】昭和26年6月26日 【父】甲野幸雄 【母】甲野松子 【続柄】長男	
身分事項 　出　　生	（出生事項省略）	
養子縁組	【縁組日】平成26年10月2日 【養子氏名】乙川英助	
養子離縁	【離縁日】平成29年4月15日 【養子氏名】甲野英助	
戸籍に記録されている者 　　除　　籍	【名】英助 【生年月日】昭和60年6月9日 【父】乙川英吉 【母】乙川秋子 【続柄】二男 【養父】甲野義太郎 【続柄】養子	
身分事項 　出　　生	（出生事項省略）	
養子縁組	【縁組日】平成26年10月2日 【養父氏名】甲野義太郎 【従前戸籍】大阪府大阪市北区老松町二丁目6番地　乙川英吉	
養子離縁	【離縁日】平成29年4月15日 【養父氏名】甲野義太郎 【入籍戸籍】大阪府大阪市北区老松町二丁目6番地　乙川英吉	
		以下余白

発行番号000001

3 縁組・離縁に関する訂正

図99-2　離縁無効の裁判による戸籍訂正後の養方戸籍

（2の1）　全部事項証明

本　　籍	東京都千代田区平河町一丁目4番地
氏　　名	甲野　義太郎

戸籍事項　戸籍編製	（編製事項省略）
戸籍に記録されている者	【名】義太郎 【生年月日】昭和26年6月26日 【父】甲野幸雄 【母】甲野松子 【続柄】長男
身分事項 　　出　生 　　養子縁組 　　消　　除	（出生事項省略） 【縁組日】平成26年10月2日 【養子氏名】乙川英助 【消除日】平成29年8月31日 【消除事項】離縁事項 【消除事由】養子英助との離縁無効の裁判確定 【裁判確定日】平成29年8月23日 【申請日】平成29年8月31日 【従前の記録】 　　【離縁日】平成29年4月15日 　　【養子氏名】甲野英助
戸籍に記録されている者 　除　籍	【名】英助 【生年月日】昭和60年6月9日 【父】乙川英吉 【母】乙川秋子 【続柄】二男 【養父】甲野義太郎 【続柄】養子
身分事項 　　出　生 　　養子縁組 　　消　　除	（出生事項省略） 【縁組日】平成26年10月2日 【養父氏名】甲野義太郎 【従前戸籍】大阪府大阪市北区老松町二丁目6番地　乙川英吉 【消除日】平成29年8月31日 【消除事項】離縁事項 【消除事由】養父甲野義太郎との離縁無効の裁判確定

発行番号000001　　　　　　　　　　　　　　　　　　　　　　　　　以下次頁

第5　具体的な処理例

	(2の2)	全部事項証明
	【裁判確定日】平成29年8月23日 【申請日】平成29年8月31日 【申請人】養父　甲野義太郎 【従前の記録】 　　【離縁日】平成29年4月15日 　　【養父氏名】甲野義太郎 　　【入籍戸籍】大阪府大阪市北区老松町二丁目6番地　乙川英吉	
戸籍に記録されている者	【名】英助 【生年月日】昭和60年6月9日 【父】乙川英吉 【母】乙川秋子 【続柄】二男 【養父】甲野義太郎 【続柄】養子	
身分事項 　　出　生 　　養子縁組	(出生事項省略) 【縁組日】平成26年10月2日 【養父氏名】甲野義太郎 【従前戸籍】大阪府大阪市北区老松町二丁目6番地　乙川英吉	
	以下余白	

発行番号000001

394

3　縁組・離縁に関する訂正

図100-1　離縁無効の裁判による戸籍訂正前の養子の実方戸籍

(1の1) | 全部事項証明

本　　　籍	大阪府大阪市北区老松町二丁目6番地
氏　　　名	乙川　英吉

戸籍事項	
戸籍編製	(編製事項省略)

戸籍に記録されている者	【名】英助
除　籍	【生年月日】昭和60年6月9日 【父】乙川英吉 【母】乙川秋子 【続柄】二男

身分事項	
出　　生	(出生事項省略)
養子離縁	【離縁日】平成29年4月15日 【養父氏名】甲野義太郎 【送付を受けた日】平成29年4月18日 【受理者】東京都千代田区長 【従前戸籍】東京都千代田区平河町一丁目4番地　甲野義太郎
婚　　姻	【婚姻日】平成29年5月30日 【配偶者氏名】丙山夏子 【送付を受けた日】平成29年6月3日 【受理者】東京都千代田区長 【新本籍】東京都千代田区平河町二丁目10番地 【称する氏】夫の氏

以下余白

発行番号000001

第5　具体的な処理例

図100-2　離縁無効の裁判による戸籍訂正後の養子の実方戸籍

	（1の1）　全部事項証明
本　　籍	大阪府大阪市北区老松町二丁目6番地
氏　　名	乙川　英吉

戸籍事項	
戸籍編製	（編製事項省略）

〜〜〜〜〜〜〜〜〜〜〜〜〜〜〜〜〜〜〜〜〜〜〜〜〜〜〜〜〜〜〜〜〜〜〜〜〜〜〜

戸籍に記録されている者 消　除 ↓ 除　籍	【名】英助 【生年月日】昭和60年6月9日 【父】乙川英吉 【母】乙川秋子 【続柄】二男
身分事項 　出　生	（出生事項省略）
婚　姻	【婚姻日】平成29年5月30日 【配偶者氏名】丙山夏子 【送付を受けた日】平成29年6月3日 【受理者】東京都千代田区長 【新本籍】東京都千代田区平河町二丁目10番地 【称する氏】夫の氏
消　除	【消除日】平成29年9月3日 【消除事項】離縁事項 【消除事由】養父甲野義太郎との離縁無効の裁判確定 【裁判確定日】平成29年8月23日 【申請日】平成29年8月31日 【申請人】養父　甲野義太郎 【送付を受けた日】平成29年9月3日 【受理者】東京都千代田区長 【従前の記録】 　【離縁日】平成29年4月15日 　【養父氏名】甲野義太郎 　【送付を受けた日】平成29年4月18日 　【受理者】東京都千代田区長 　【従前戸籍】東京都千代田区平河町一丁目4番地　甲野義太郎
	以下余白

発行番号000001

3 縁組・離縁に関する訂正

　次に参考までに戸籍法113条の戸籍訂正許可の裁判による戸籍訂正のフローチャート及び戸籍訂正記載例を戸籍訂正後の戸籍として示すことにします。

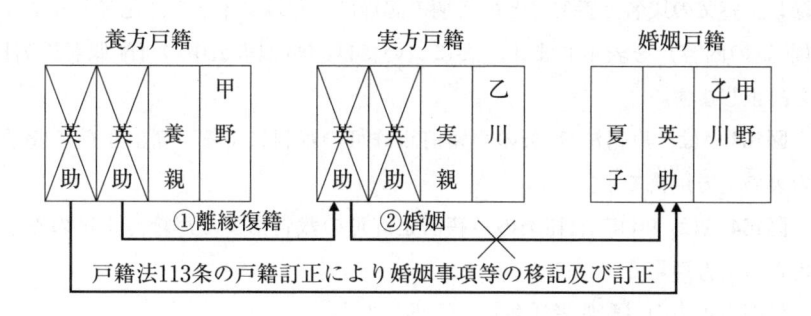

```
        養方戸籍              実方戸籍              婚姻戸籍
    ┌──┬──┬──┬──┐  ┌──┬──┬──┬──┐  ┌──┬──┬──┐
    │ ✕ │ ✕ │養 │甲 │  │ ✕ │ ✕ │実 │乙 │  │夏 │英 │甲乙│
    │英 │英 │親 │野 │  │英 │英 │親 │川 │  │子 │助 │野川│
    │助 │助 │　 │　 │  │助 │助 │　 │　 │  │　 │　 │　 │
    └──┴──┴──┴──┘  └──┴──┴──┴──┘  └──┴──┴──┘
            ↑①離縁復籍          ②婚姻　　　　✕          ↑
            └─────戸籍法113条の戸籍訂正により婚姻事項等の移記及び訂正─────┘
```

　図101-1は，戸籍法113条の戸籍訂正許可の裁判による戸籍訂正前の養方戸籍です。

　図101-2は，戸籍法113条の戸籍訂正許可の裁判による戸籍訂正後の養方戸籍です。

　この戸籍には，実方戸籍に記録されている婚姻事項を移記します。婚姻事項の記録は，段落ちタイトル「移記」によります。婚姻事項を記録し，「戸籍に記録されている者」欄に「除籍マーク」を表示します。

　図102-1は，戸籍法113条の戸籍訂正許可の裁判による戸籍訂正前の養子の実方戸籍です。

　図102-2は，戸籍法113条の戸籍訂正許可の裁判による戸籍訂正後の養子の実方戸籍です。

　離縁無効の戸籍訂正によりこの戸籍から消除された英助の身分事項欄の婚姻事項を，養方戸籍に移記する訂正です。左端タイトル「移記」により，移記した先の戸籍を【移記後の戸籍】として表示します。

　図103-1は，戸籍法113条の戸籍訂正許可の裁判による戸籍訂正前の養子夫婦の婚姻新戸籍です。

　図103-2は，戸籍法113条の戸籍訂正許可の裁判による戸籍訂正後の養子夫婦の婚姻新戸籍です。

　この訂正により氏「乙川」を「甲野」と訂正します。この処理は，戸籍事

項欄で行います。夫については，婚姻事項中の【従前戸籍】の表示を段落ちタイトル「訂正」により訂正し，縁組事項及び養父の氏名と養父母との続柄を記録します。記録の方法は，縁組事項の下に段落ちタイトル「記録」で記録し，養父の氏名と養父母との続柄の記録は，左端タイトル「記録」により，【記録の内容】を表示します。妻については，婚姻事項中の【配偶者氏名】を訂正します。

　図104-1は，戸籍法113条の戸籍訂正許可の裁判による戸籍訂正前の養子の妻の実方戸籍です。

　図104-2は，戸籍法113条の戸籍訂正許可の裁判による戸籍訂正後の養子の妻の実方戸籍です。

　婚姻事項中の【配偶者氏名】を訂正します。

3 縁組・離縁に関する訂正

図101-1 戸籍法113条の戸籍訂正許可の裁判による戸籍訂正前の養方戸籍

（2の1） | 全部事項証明

本　　籍	東京都千代田区平河町一丁目4番地
氏　　名	甲野　義太郎

戸籍に記録されている者	【名】英助
除　籍	【生年月日】昭和60年6月9日 【父】乙川英吉 【母】乙川秋子 【続柄】二男 【養父】甲野義太郎 【続柄】養子
身分事項 　出　生	（出生事項省略）
養子縁組	【縁組日】平成26年10月2日 【養父氏名】甲野義太郎 【従前戸籍】大阪府大阪市北区老松町二丁目6番地　乙川英吉
消　除	【消除日】平成29年8月31日 【消除事項】離縁事項 【消除事由】養父甲野義太郎との離縁無効の裁判確定 【裁判確定日】平成29年8月23日 【申請日】平成29年8月31日 【申請人】養父　甲野義太郎 【従前の記録】 　【離縁日】平成29年4月15日 　【養父氏名】甲野義太郎 　【入籍戸籍】大阪府大阪市北区老松町二丁目6番地　乙川英吉
戸籍に記録されている者	【名】英助 【生年月日】昭和60年6月9日 【父】乙川英吉 【母】乙川秋子 【続柄】二男 【養父】甲野義太郎 【続柄】養子
身分事項 　出　生	（出生事項省略）
養子縁組	【縁組日】平成26年10月2日

発行番号000001　　　　　　　　　　　　　　　　　　　　　以下次頁

第5　具体的な処理例

	(2の2)	全 部 事 項 証 明
	【養父氏名】甲野義太郎 【従前戸籍】大阪府大阪市北区老松町二丁目６番地　乙川英吉	
		以下余白

発行番号０００００１

3 縁組・離縁に関する訂正

図101-2　戸籍法113条の戸籍訂正許可の裁判による戸籍訂正後の養方戸籍

(2の1)　　全部事項証明

本　　　籍	東京都千代田区平河町一丁目4番地
氏　　　名	甲野　義太郎

戸籍に記録されている者　除　籍	【名】英助 【生年月日】昭和60年6月9日 【父】乙川英吉 【母】乙川秋子 【続柄】二男 【養父】甲野義太郎 【続柄】養子
身分事項 　　出　　生	（出生事項省略）
養子縁組	【縁組日】平成26年10月2日 【養父氏名】甲野義太郎 【従前戸籍】大阪府大阪市北区老松町二丁目6番地　乙川英吉
消　　除	【消除日】平成29年8月31日 【消除事項】離縁事項 【消除事由】養父甲野義太郎との離縁無効の裁判確定 【裁判確定日】平成29年8月23日 【申請日】平成29年8月31日 【申請人】養父　甲野義太郎 【従前の記録】 　【離縁日】平成29年4月15日 　【養父氏名】甲野義太郎 　【入籍戸籍】大阪府大阪市北区老松町二丁目6番地　乙川英吉
戸籍に記録されている者　除　籍	【名】英助 【生年月日】昭和60年6月9日 【父】乙川英吉 【母】乙川秋子 【続柄】二男 【養父】甲野義太郎 【続柄】養子
身分事項 　　出　　生	（出生事項省略）
養子縁組	【縁組日】平成26年10月2日

発行番号000001　　　　　　　　　　　　　　　　　　　　　　以下次頁

第5　具体的な処理例

	(2の2)	全 部 事 項 証 明
婚　　姻	【養父氏名】甲野義太郎 【従前戸籍】大阪府大阪市北区老松町二丁目6番地　乙川英吉	
	【婚姻日】平成29年5月30日 【配偶者氏名】丙山夏子 【送付を受けた日】平成29年6月3日 【受理者】東京都千代田区長 【新本籍】東京都千代田区平河町二丁目10番地 【称する氏】夫の氏	
移　　記	【移記日】平成29年11月5日 【移記事由】戸籍訂正許可の裁判確定 【裁判確定日】平成29年10月22日 【申請日】平成29年11月5日 【移記前の戸籍】大阪府大阪市北区老松町二丁目6番地　乙川英吉	
	以下余白	

発行番号000001

3 縁組・離縁に関する訂正

図102-1 戸籍法113条の戸籍訂正許可の裁判による戸籍訂正前の養子の実方戸籍

	（1の1） 全部事項証明
本　　　籍	大阪府大阪市北区老松町二丁目6番地
氏　　　名	乙川　英吉
戸籍事項 　　戸籍編製	（編製事項省略）

～～～～～～～～～～～～～～～～～～～～～～～～～～～

戸籍に記録されている者 　消　　除 　除　　籍	【名】英助 【生年月日】昭和60年6月9日 【父】乙川英吉 【母】乙川秋子 【続柄】二男
身分事項 　　出　　生 　　婚　　姻 　　消　　除	（出生事項省略） 【婚姻日】平成29年5月30日 【配偶者氏名】丙山夏子 【送付を受けた日】平成29年6月3日 【受理者】東京都千代田区長 【新本籍】東京都千代田区平河町二丁目10番地 【称する氏】夫の氏 【消除日】平成29年9月3日 【消除事項】離縁事項 【消除事由】養父甲野義太郎との離縁無効の裁判確定 【裁判確定日】平成29年8月23日 【申請日】平成29年8月31日 【申請人】養父　甲野義太郎 【送付を受けた日】平成29年9月3日 【受理者】東京都千代田区長 【従前の記録】 　【離縁日】平成29年4月15日 　【養父氏名】甲野義太郎 　【送付を受けた日】平成29年4月18日 　【受理者】東京都千代田区長 　【従前戸籍】東京都千代田区平河町一丁目4番地　甲野 　　義太郎
	以下余白

発行番号000001

第5　具体的な処理例

図102-2　戸籍法113条の戸籍訂正許可の裁判による戸籍訂正後の養子の実方戸籍

	（2の1）	全 部 事 項 証 明
本　　籍	大阪府大阪市北区老松町二丁目6番地	
氏　　名	乙川　英吉	

戸籍事項	
戸籍編製	（編製事項省略）

戸籍に記録されている者	
消　除 除　籍	【名】英助 【生年月日】昭和60年6月9日 【父】乙川英吉 【母】乙川秋子 【続柄】二男

身分事項	
出　生	（出生事項省略）
消　除	【消除日】平成29年9月3日 【消除事項】離縁事項 【消除事由】養父甲野義太郎との離縁無効の裁判確定 【裁判確定日】平成29年8月23日 【申請日】平成29年8月31日 【申請人】養父　甲野義太郎 【送付を受けた日】平成29年9月3日 【受理者】東京都千代田区長 【従前の記録】 　【離縁日】平成29年4月15日 　【養父氏名】甲野義太郎 　【送付を受けた日】平成29年4月18日 　【受理者】東京都千代田区長 　【従前戸籍】東京都千代田区平河町一丁目4番地　甲野義太郎
移　記	【移記日】平成29年11月8日 【移記事項】婚姻事項 【移記事由】戸籍訂正許可の裁判確定 【裁判確定日】平成29年10月22日 【申請日】平成29年11月5日 【送付を受けた日】平成29年11月8日 【受理者】東京都千代田区長 【移記後の戸籍】東京都千代田区平河町一丁目4番地　甲野義太郎 【従前の記録】 　【婚姻日】平成29年5月30日 　【配偶者氏名】丙山夏子 　【送付を受けた日】平成29年6月3日

発行番号000001　　　　　　　　　　　　　　　　　　　　　　以下次頁

3 縁組・離縁に関する訂正

	(2の2)	全 部 事 項 証 明
	【受理者】東京都千代田区長 【新本籍】東京都千代田区平河町二丁目１０番地 【称する氏】夫の氏	
		以下余白

発行番号０００００１

第5　具体的な処理例

図103-1　戸籍法113条の戸籍訂正許可の裁判による戸籍訂正前の養子夫婦の新戸籍

	（1の1）	全 部 事 項 証 明
本　　　籍	東京都千代田区平河町二丁目１０番地	
氏　　　名	乙川　英助	
戸籍事項 　戸籍編製	【編製日】平成２９年５月３０日	
戸籍に記録されている者	【名】英助 【生年月日】昭和６０年６月９日　　　　【配偶者区分】夫 【父】乙川英吉 【母】乙川秋子 【続柄】二男	
身分事項 　出　　生 　婚　　姻	（出生事項省略） 【婚姻日】平成２９年５月３０日 【配偶者氏名】丙山夏子 【従前戸籍】大阪府大阪市北区老松町二丁目６番地　乙川英吉	
戸籍に記録されている者	【名】夏子 【生年月日】昭和６３年７月２５日　　　　【配偶者区分】妻 【父】丙山一郎 【母】丙山冬子 【続柄】三女	
身分事項 　出　　生 　婚　　姻	（出生事項省略） 【婚姻日】平成２９年５月３０日 【配偶者氏名】乙川英助 【従前戸籍】東京都葛飾区高砂一丁目１７番地　丙山一郎	
	以下余白	

発行番号０００００１

3　縁組・離縁に関する訂正

図103-2　戸籍法113条の戸籍訂正許可の裁判による戸籍訂正後の養子夫婦の新戸籍

	（2の1） 全部事項証明
本　　籍	東京都千代田区平河町二丁目１０番地
氏　　名	甲野　英助
戸籍事項 　戸籍編製 　訂　　正	【編製日】平成２９年５月３０日 【訂正日】平成２９年１１月５日 【訂正事項】氏 【訂正事由】戸籍訂正許可の裁判確定 【裁判確定日】平成２９年１０月２２日 【申請日】平成２９年１１月５日 【申請人】夫 【従前の記録】 　　【氏】乙川
戸籍に記録されている者	【名】英助 【生年月日】昭和６０年６月９日　　【配偶者区分】夫 【父】乙川英吉 【母】乙川秋子 【続柄】二男 【養父】甲野義太郎 【続柄】養子
身分事項 　出　　生 　婚　　姻 　訂　　正 　養子縁組 　記　　録	（出生事項省略） 【婚姻日】平成２９年５月３０日 【配偶者氏名】丙山夏子 【従前戸籍】東京都千代田区平河町一丁目４番地　甲野義太郎 【訂正日】平成２９年１１月５日 【訂正事由】戸籍訂正許可の裁判確定 【裁判確定日】平成２９年１０月２２日 【申請日】平成２９年１１月５日 【従前の記録】 　　【従前戸籍】大阪府大阪市北区老松町二丁目６番地　乙川英吉 【縁組日】平成２６年１０月２日 【養父氏名】甲野義太郎 【従前戸籍】大阪府大阪市北区老松町二丁目６番地　乙川英吉 【記録日】平成２９年１１月５日 【記録事由】戸籍訂正許可の裁判確定 【裁判確定日】平成２９年１０月２２日 【申請日】平成２９年１１月５日

発行番号０００００１　　　　　　　　　　　　　　　　　　　　　　　以下次頁

第5　具体的な処理例

(2の2)　　全 部 事 項 証 明

記　　録	【記録日】平成29年11月5日 【記録事項】養父氏名，養父母との続柄 【記録事由】戸籍訂正許可の裁判確定 【裁判確定日】平成29年10月22日 【申請日】平成29年11月5日 【記録の内容】 　　【養父】甲野義太郎 　　【養父母との続柄】養子
戸籍に記録されている者	【名】夏子 【生年月日】昭和63年7月25日　　【配偶者区分】妻 【父】丙山一郎 【母】丙山冬子 【続柄】三女
身分事項 　　出　　生	（出生事項省略）
婚　　姻	【婚姻日】平成29年5月30日 【配偶者氏名】甲野英助 【従前戸籍】東京都葛飾区高砂一丁目17番地　丙山一郎
訂　　正	【訂正日】平成29年11月5日 【訂正事由】戸籍訂正許可の裁判確定 【裁判確定日】平成29年10月22日 【申請日】平成29年11月5日 【申請人】夫 【従前の記録】 　　【配偶者氏名】乙川英助

以下余白

発行番号000001

3　縁組・離縁に関する訂正

図104-1　戸籍法113条の戸籍訂正許可の裁判による戸籍訂正前の養子の妻の実方戸籍

	（1の1）	全 部 事 項 証 明
本　　　籍	東京都葛飾区高砂一丁目１７番地	
氏　　　名	丙山　一郎	

～～～～～～～～～～～～～～～～～～～～～～～～～～～～～～

戸籍に記録されている者 除　籍	【名】夏子 【生年月日】昭和６３年７月２５日 【父】丙山一郎 【母】丙山冬子 【続柄】三女
身分事項 　　出　　生 　　婚　　姻	（出生事項省略） 【婚姻日】平成２９年５月３０日 【配偶者氏名】乙川英助 【送付を受けた日】平成２９年６月２日 【受理者】東京都千代田区長 【新本籍】東京都千代田区平河町二丁目１０番地 【称する氏】夫の氏

以下余白

発行番号０００００１

第5　具体的な処理例

図104-2　戸籍法113条の戸籍訂正許可の裁判による戸籍訂正後の養子の妻の実方戸籍

		（1の1）	全部事項証明
本　　籍	東京都葛飾区高砂一丁目17番地		
氏　　名	丙山　一郎		

戸籍に記録されている者	【名】夏子
除　籍	【生年月日】昭和63年7月25日 【父】丙山一郎 【母】丙山冬子 【続柄】三女
身分事項 　出　　生	（出生事項省略）
婚　　姻	【婚姻日】平成29年5月30日 【配偶者氏名】甲野英助 【送付を受けた日】平成29年6月2日 【受理者】東京都千代田区長 【新本籍】東京都千代田区平河町二丁目10番地 【称する氏】夫の氏
訂　　正	【訂正日】平成29年11月8日 【訂正事由】戸籍訂正許可の裁判確定 【裁判確定日】平成29年10月22日 【申請日】平成29年11月5日 【申請人】夫 【送付を受けた日】平成29年11月8日 【受理者】東京都千代田区長 【従前の記録】 　　【配偶者氏名】乙川英助
	以下余白

発行番号000001

3 縁組・離縁に関する訂正

(ア)-2　離縁により実方戸籍に復籍した後，相手方の氏を称して婚姻しているとき

　この離縁無効の裁判があった場合の戸籍訂正の範囲は，前記(ア)-1と同様です。

　戸籍法113条の戸籍訂正許可の裁判による戸籍訂正の前記(ア)-1との相違は，相手方の氏を称する婚姻をしていますので，筆頭者の氏の訂正を必要としない点です。

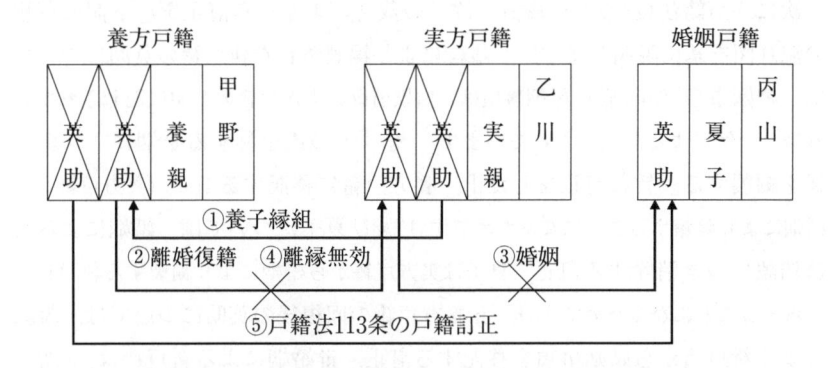

```
    養方戸籍          実方戸籍          婚姻戸籍
  ┌─┬─┬─┬─┐    ┌─┬─┬─┬─┐    ┌─┬─┬─┐
  │✕│✕│養│甲│    │✕│✕│実│乙│    │英│夏│丙│
  │英│英│親│野│    │英│英│親│川│    │助│子│山│
  │助│助│  │  │    │助│助│  │  │    │  │  │  │
  └─┴─┴─┴─┘    └─┴─┴─┴─┘    └─┴─┴─┘
       ↑                ↑                   ↑
       ①養子縁組
       ②離婚復籍  ④離縁無効      ③婚姻
            ✕                   ✕
       ⑤戸籍法113条の戸籍訂正
```

(イ)-1　離縁により新戸籍を編製した後，自己の氏を称して婚姻しているとき

　この離縁無効の裁判があった場合の戸籍訂正の範囲は，前記(ア)-1と同様です。

　本事例の戸籍訂正の処理は，次の図のように，養子英助を養方戸籍の末尾に回復するまでになります。前記(9)のイは，離縁無効の裁判による戸籍訂正申請により，離縁により編製した新戸籍を消除しましたが，本事例の場合は，離縁無効の裁判による戸籍訂正申請のみによっては新戸籍を消除することはできません。前記(9)のイとの違いは，本事例は，離縁後に婚姻という身分行為があるため，この身分事項等の訂正を別途必要とします。この別途の訂正は，戸籍法113条の戸籍訂正許可の裁判を得てすることになります。

411

第5　具体的な処理例

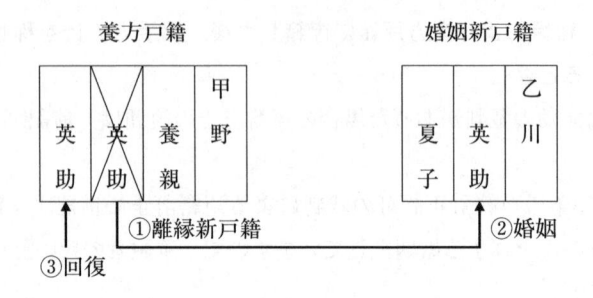

```
        養方戸籍                         婚姻新戸籍
 ┌──┬──┬──┬──┐              ┌──┬──┬──┐
 │英│英│養│甲│              │夏│英│乙│
 │助│助│親│野│              │子│助│川│
 │  │✕✕│  │  │              │  │  │  │
 └──┴──┴──┴──┘              └──┴──┴──┘
      ↑   └─①離縁新戸籍──────────→ ②婚姻
      ③回復
```

　次に，戸籍法113条の戸籍訂正許可の裁判による戸籍訂正を，下記の戸籍の流れ図を基に説明します。ⅰ離縁により編製された新戸籍の英助については，婚姻事項（訂正前の婚姻事項は，婚姻前既に夫が戸籍の筆頭に記載されている場合の例による記録がされています。）を「夫の氏を称する婚姻により新戸籍を編製する」旨の訂正をした上，養方戸籍に移記する訂正（養方戸籍から婚姻により除籍することになるためです。）及び夏子については，婚姻による入籍錯誤につき消除する訂正（夏子は実方戸籍から婚姻により編製する新戸籍へ入籍することになるためです。），ⅱ養方戸籍の回復後の英助については，離縁による新戸籍から婚姻事項を移記する訂正，ⅲ婚姻による新戸籍は，「新戸籍編製の記録遺漏」を原因として編製し，英助及び夏子を記録します。ⅳ夏子の婚姻前の戸籍（図は省略）については，婚姻事項中の配偶者（夫）の氏の訂正（「乙川」を「甲野」）及び夫の氏を称する婚姻により新戸籍を編製する旨の訂正です。

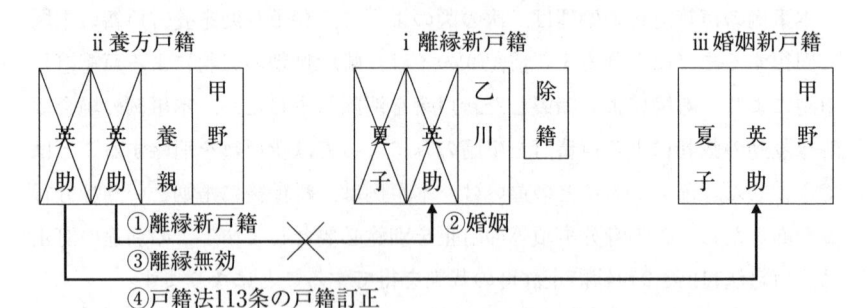

```
    ⅱ養方戸籍              ⅰ離縁新戸籍              ⅲ婚姻新戸籍
 ┌──┬──┬──┬──┐    ┌──┬──┬──┬──┐        ┌──┬──┬──┐
 │英│英│養│甲│    │夏│英│乙│除│        │夏│英│甲│
 │助│助│親│野│    │子│助│川│籍│        │子│助│野│
 │✕✕│✕✕│  │  │    │✕✕│✕✕│  │  │        │  │  │  │
 └──┴──┴──┴──┘    └──┴──┴──┴──┘        └──┴──┴──┘
      └①離縁新戸籍─────→      ←②婚姻              ↑
      ③離縁無効      ✕                              │
      ④戸籍法113条の戸籍訂正─────────────────────────┘
```

　それでは，参考までに，戸籍法113条の戸籍訂正許可の裁判による戸籍訂正申請があった場合の訂正記載例を次に示すことにします。

412

３　縁組・離縁に関する訂正

　図105-1は，戸籍法113条の戸籍訂正許可の裁判による戸籍訂正前の離縁により編製した新戸籍です。

　図105-2は，戸籍法113条の戸籍訂正許可の裁判による戸籍訂正後の離縁により編製した新戸籍です。

　夫については，婚姻事項を訂正の上，養方戸籍に移記し，「戸籍に記録されている者」欄に「消除マーク」を表示します。妻については，本戸籍に婚姻により入籍したのは誤りですから，婚姻事項を消除し，「戸籍に記録されている者」欄に「消除マーク」を表示します。戸籍事項欄に戸籍消除の旨を記録し，左上に「除籍マーク」を表示します。

　図106-1は，戸籍法113条の戸籍訂正許可の裁判による戸籍訂正前の養方戸籍です。

　図106-2は，戸籍法113条の戸籍訂正許可の裁判による戸籍訂正後の養方戸籍です。

　回復後の英助の身分事項欄に婚姻事項を移記し，「戸籍に記録されている者」欄に「除籍マーク」を表示します。

　図107は，戸籍法113条の戸籍訂正許可の裁判による戸籍訂正により編製した養子夫婦の新戸籍です。

　戸籍事項欄に婚姻による新戸籍編製の記録遺漏により編製する旨を記録し，夫婦について新戸籍を編製します。

　なお，妻の従前戸籍についての訂正は，**図104-2**と同様です。

第5　具体的な処理例

図105-1　戸籍法113条の戸籍訂正許可の裁判による戸籍訂正前の離縁により編製した新戸籍

（1の1）　全部事項証明

本　　籍	東京都千代田区平河町二丁目１０番地
氏　　名	乙川　英助
戸籍事項 　戸籍編製	【編製日】平成２９年４月１５日
戸籍に記録されている者	【名】英助 【生年月日】昭和６０年６月９日　　【配偶者区分】夫 【父】乙川英吉 【母】乙川秋子 【続柄】二男
身分事項 　出　　生 　婚　　姻 　消　　除	（出生事項省略） 【婚姻日】平成２９年５月３０日 【配偶者氏名】丙山夏子 【消除日】平成２９年８月３１日 【消除事項】離縁事項 【消除事由】養父甲野義太郎との離縁無効の裁判確定 【裁判確定日】平成２９年８月２３日 【申請日】平成２９年８月３１日 【申請人】養父　甲野義太郎 【従前の記録】 　【離縁日】平成２９年４月１５日 　【養父氏名】甲野義太郎 　【従前戸籍】東京都千代田区平河町一丁目４番地　甲野義太郎
戸籍に記録されている者	【名】夏子 【生年月日】昭和６３年７月２５日　　【配偶者区分】妻 【父】丙山一郎 【母】丙山冬子 【続柄】三女
身分事項 　出　　生 　婚　　姻	（出生事項省略） 【婚姻日】平成２９年５月３０日 【配偶者氏名】乙川英助 【従前戸籍】東京都葛飾区高砂一丁目１７番地　丙山一郎
	以下余白

発行番号０００００１

414

3 縁組・離縁に関する訂正

図105-2 戸籍法113条の戸籍訂正許可の裁判による戸籍訂正後の離縁により編製した新戸籍

除　　　籍	（2の1）	全部事項証明
本　　籍	東京都千代田区平河町二丁目１０番地	
氏　　名	乙川　英助	

戸籍事項	
戸籍編製 　戸籍消除	【編製日】平成２９年４月１５日 【消除日】平成２９年１１月５日

戸籍に記録されている者 　消　　除	【名】英助 【生年月日】昭和６０年６月９日　　　【配偶者区分】夫 【父】乙川英吉 【母】乙川秋子 【続柄】二男

身分事項	
出　　生	（出生事項省略）
婚　　姻	【婚姻日】平成２９年５月３０日 【配偶者氏名】丙山夏子 【新本籍】東京都千代田区平河町二丁目１０番地 【称する氏】夫の氏
訂　　正	【訂正日】平成２９年１１月５日 【訂正事由】戸籍訂正許可の裁判確定 【裁判確定日】平成２９年１０月２２日 【申請日】平成２９年１１月５日 【記録の内容】 　　【新本籍】東京都千代田区平河町二丁目１０番地 　　【称する氏】夫の氏
消　　除	【消除日】平成２９年８月３１日 【消除事項】離縁事項 【消除事由】養父甲野義太郎との離縁無効の裁判確定 【裁判確定日】平成２９年８月２３日 【申請日】平成２９年８月３１日 【申請人】養父　甲野義太郎 【従前の記録】 　　【離縁日】平成２９年４月１５日 　　【養父氏名】甲野義太郎 　　【従前戸籍】東京都千代田区平河町一丁目４番地　甲野義太郎
移　　記	【移記日】平成２９年１１月５日 【移記事項】婚姻事項 【移記事由】戸籍訂正許可の裁判確定 【裁判確定日】平成２９年１０月２２日 【申請日】平成２９年１１月５日 【移記後の戸籍】東京都千代田区平河町一丁目４番地　甲野義太郎

発行番号０００００１　　　　　　　　　　　　　　　　　　　　　　　以下次頁

第5　具体的な処理例

	（2の2）	全 部 事 項 証 明
戸籍に記録されている者 　　消　　　除	【名】夏子 【生年月日】昭和63年7月25日　　　【配偶者区分】妻 【父】丙山一郎 【母】丙山冬子 【続柄】三女	
身分事項 　　出　　　生 　　消　　　除	・（出生事項省略） 【消除日】平成29年11月5日 【消除事項】婚姻事項 【消除事由】戸籍訂正許可の裁判確定 【裁判確定日】平成29年10月22日 【申請日】平成29年11月5日 【申請人】夫 【従前の記録】 　　【婚姻日】平成29年5月30日 　　【配偶者氏名】乙川英助 　　【従前戸籍】東京都葛飾区高砂一丁目17番地　丙山一郎	
	以下余白	

発行番号000001

図106-1　戸籍法113条の戸籍訂正許可の裁判による戸籍訂正前の養方戸籍

	（2の1）	全部事項証明
本　　籍	東京都千代田区平河町一丁目4番地	
氏　　名	甲野　義太郎	

戸籍に記録されている者 除　籍	【名】英助 【生年月日】昭和60年6月9日 【父】乙川英吉 【母】乙川秋子 【続柄】二男 【養父】甲野義太郎 【続柄】養子
身分事項 　出　　生	（出生事項省略）
養子縁組	【縁組日】平成24年10月2日 【養父氏名】甲野義太郎 【従前戸籍】大阪府大阪市北区老松町二丁目6番地　乙川英吉
消　　除	【消除日】平成29年8月31日 【消除事項】離縁事項 【消除事由】養父甲野義太郎との離縁無効の裁判確定 【裁判確定日】平成29年8月23日 【申請日】平成29年8月31日 【申請人】養父　甲野義太郎 【従前の記録】 　【離縁日】平成29年4月15日 　【養父氏名】甲野義太郎 　【入籍戸籍】大阪府大阪市北区老松町二丁目6番地　乙川英吉
戸籍に記録されている者	【名】英助 【生年月日】昭和60年6月9日 【父】乙川英吉 【母】乙川秋子 【続柄】二男 【養父】甲野義太郎 【続柄】養子
身分事項 　出　　生	（出生事項省略）
養子縁組	【縁組日】平成24年10月2日

発行番号000001　　　　　　　　　　　　　　　　　　以下次頁

第5 具体的な処理例

	(2の2)	全 部 事 項 証 明
	【養父氏名】甲野義太郎 【従前戸籍】大阪府大阪市北区老松町二丁目6番地　乙川英吉	
		以下余白

発行番号000001

3　縁組・離縁に関する訂正

図106-2　戸籍法113条の戸籍訂正許可の裁判による戸籍訂正後の養方戸籍

（2の1）　全部事項証明

本　　籍	東京都千代田区平河町一丁目4番地
氏　　名	甲野　義太郎

戸籍に記録されている者	【名】英助
除　籍	【生年月日】昭和60年6月9日 【父】乙川英吉 【母】乙川秋子 【続柄】二男 【養父】甲野義太郎 【続柄】養子
身分事項 　　出　　生	（出生事項省略）
養子縁組	【縁組日】平成24年10月2日 【養父氏名】甲野義太郎 【従前戸籍】大阪府大阪市北区老松町二丁目6番地　乙川英吉
消　　除	【消除日】平成29年8月31日 【消除事項】離縁事項 【消除事由】養父甲野義太郎との離縁無効の裁判確定 【裁判確定日】平成29年8月23日 【申請日】平成29年8月31日 【申請人】養父　甲野義太郎 【従前の記録】 　【離縁日】平成29年4月15日 　【養父氏名】甲野義太郎 　【入籍戸籍】大阪府大阪市北区老松町二丁目6番地　乙川英吉
戸籍に記録されている者	【名】英助
除　籍	【生年月日】昭和60年6月9日 【父】乙川英吉 【母】乙川秋子 【続柄】二男 【養父】甲野義太郎 【続柄】養子
身分事項 　　出　　生	（出生事項省略）
養子縁組	【縁組日】平成24年10月2日

発行番号000001　　　　　　　　　　　　　　　　　　　　　　以下次頁

第5　具体的な処理例

	（2の2）　全 部 事 項 証 明
婚　姻	【養父氏名】甲野義太郎 【従前戸籍】大阪府大阪市北区老松町二丁目6番地　乙川英吉 【婚姻日】平成29年5月30日 【配偶者氏名】丙山夏子 【新本籍】東京都千代田区平河町二丁目10番地 【称する氏】夫の氏
移　記	【移記日】平成29年11月5日 【移記事由】戸籍訂正許可の裁判確定 【裁判確定日】平成29年10月22日 【申請日】平成29年11月5日 【移記前の戸籍】東京都千代田区平河町二丁目10番地　乙川英助
	以下余白

発行番号000001

3 縁組・離縁に関する訂正

図107　戸籍法113条の戸籍訂正許可の裁判による戸籍訂正により編製した養子夫婦の新戸籍

	（1の1）	全部事項証明

本　　籍	東京都千代田区平河町二丁目１０番地
氏　　名	甲野　英助

戸籍事項	
戸籍編製	【編製日】平成２９年５月３０日
記　録	【記録日】平成２９年１１月５日
	【記録事由】婚姻による新戸籍編製の記録遺漏につき戸籍訂正許可の裁判確定
	【裁判確定日】平成２９年１０月２２日
	【申請日】平成２９年１１月５日
	【申請人】夫

戸籍に記録されている者	【名】英助
	【生年月日】昭和６０年６月９日　　【配偶者区分】夫
	【父】乙川英吉
	【母】乙川秋子
	【続柄】二男
	【養父】甲野義太郎
	【続柄】養子

身分事項	
出　　生	（出生事項省略）
養子縁組	【縁組日】平成２４年１０月２日
	【養父氏名】甲野義太郎
	【従前戸籍】大阪府大阪市北区老松町二丁目６番地　乙川英吉
婚　　姻	【婚姻日】平成２９年５月３０日
	【配偶者氏名】丙山夏子
	【従前戸籍】東京都千代田区平河町一丁目４番地　甲野義太郎

戸籍に記録されている者	【名】夏子
	【生年月日】昭和６３年７月２５日　　【配偶者区分】妻
	【父】丙山一郎
	【母】丙山冬子
	【続柄】三女

身分事項	
出　　生	（出生事項省略）
婚　　姻	【婚姻日】平成２９年５月３０日
	【配偶者氏名】甲野英助
	【従前戸籍】東京都葛飾区高砂一丁目１７番地　丙山一郎

　　　　　　　　　　　　　　　　　　　　　　　　　　　　以下余白

発行番号０００００１

第5　具体的な処理例

　(イ)-2　離縁により新戸籍を編製した後，相手方の氏を称して婚姻しているとき

　この離縁無効の裁判があった場合の戸籍訂正の範囲は，前記(ア)-1と同様です。

　離縁により編製された新戸籍は，婚姻により既に除籍となっていますが，この除籍となった原因は，婚姻によるものですから，この戸籍から婚姻により除籍したのは誤りということになります。したがって，婚姻事項等の訂正（移記等）は，別途，戸籍法113条の戸籍訂正許可の裁判を得てすることになります。

　戸籍法113条の戸籍訂正許可の裁判による戸籍訂正を，下記の戸籍の流れ図を基に説明します。ⅰ離縁により編製された新戸籍の英助については，婚姻事項を養方戸籍に移記する訂正（養方戸籍から婚姻により除籍することになるためです。）及び戸籍消除事項を消除の上，消除する訂正（婚姻による戸籍消除ではなく戸籍訂正許可の裁判により戸籍訂正をした日に戸籍消除することになりますので，このような訂正をすることになります。），ⅱ離縁無効の戸籍訂正申請により養方戸籍に回復後の英助については，離縁による新戸籍から婚姻事項を移記する訂正，ⅲ婚姻により入籍した戸籍は，英助については，婚姻事項中の従前戸籍の表示を養方戸籍の表示に及び縁組事項を記録する旨の訂正，夏子については，婚姻事項中の配偶者（夫）の氏の訂正，ⅳ夏子の婚姻前の戸籍（図省略）については，配偶者（夫）の氏の訂正となります。

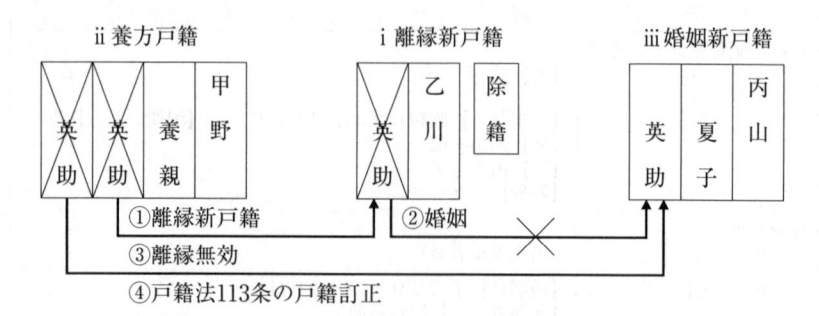

```
       ⅱ養方戸籍              ⅰ離縁新戸籍            ⅲ婚姻新戸籍
   ┌──┬──┬──┬──┐       ┌──┬──┬──┐         ┌──┬──┬──┐
   │××│××│養│甲│       │××│乙│除│         │英│夏│丙│
   │英│英│親│野│       │英│川│籍│         │助│子│山│
   │助│助│  │  │       │助│  │  │         │  │  │  │
   └──┴──┴──┴──┘       └──┴──┴──┘         └──┴──┴──┘
     │              ①離縁新戸籍      ↑    ②婚姻       ↑
     │─────────────────────┘              ╳─────────┘
     │              ③離縁無効
     └─────────────────────────────────────────────┘
                    ④戸籍法113条の戸籍訂正
```

　ここでは，離縁による新戸籍の戸籍法113条の戸籍訂正許可の裁判による戸籍訂正により婚姻事項を移記するについての，戸籍訂正記載例を示すこと

にします。その他の戸籍訂正記載例は，前事例を参照してください。

図108-1は，戸籍法113条の戸籍訂正許可の裁判による戸籍訂正前の養子の離縁による新戸籍です。

図108-2は，戸籍法113条の戸籍訂正許可の裁判による戸籍訂正後の養子の離縁による新戸籍です。

婚姻事項を養方戸籍に移記する旨記録し，「戸籍に記録されている者」欄に「消除マーク」を表示し，戸籍事項欄の戸籍消除の記録を消除し，改めて戸籍消除をすることになります。

図108−1　戸籍法113条の戸籍訂正許可の裁判による戸籍訂正前の養子の離縁により編製した新戸籍

除　　　籍	（1の1）	全 部 事 項 証 明
本　　籍	東京都千代田区平河町二丁目10番地	
氏　　名	乙川　英助	

戸籍事項	
戸籍編製	【編製日】平成29年4月15日
戸籍消除	【消除日】平成29年6月2日

戸籍に記録されている者	
除　籍	【名】英助 【生年月日】昭和60年6月9日 【父】乙川英吉 【母】乙川秋子 【続柄】二男

身分事項	
出　　生	（出生事項省略）
婚　　姻	【婚姻日】平成29年5月30日 【配偶者氏名】丙山夏子 【送付を受けた日】平成29年6月2日 【受理者】東京都葛飾区長 【新本籍】東京都葛飾区高砂一丁目17番地 【称する氏】妻の氏
消　　除	【消除日】平成29年8月31日 【消除事項】離縁事項 【消除事由】養父甲野義太郎との離縁無効の裁判確定 【裁判確定日】平成29年8月23日 【申請日】平成29年8月31日 【申請人】養父　甲野義太郎 【従前の記録】 　【離縁日】平成29年4月15日 　【養父氏名】甲野義太郎 　【従前戸籍】東京都千代田区平河町一丁目4番地　甲野義太郎

以下余白

発行番号000001

3 縁組・離縁に関する訂正

図108-2 戸籍法113条の戸籍訂正許可の裁判による戸籍訂正後の養子の離縁により編製した新戸籍

除　　籍	（1の1）	全部事項証明
本　　籍	東京都千代田区平河町二丁目１０番地	
氏　　名	乙川　英助	

戸籍事項	
戸籍編製	【編製日】平成２９年４月１５日
消　　除	【消除日】平成２９年１１月５日 【消除事項】戸籍消除事項 【消除事由】戸籍消除の記録錯誤 【従前の記録】 　　【消除日】平成２９年６月２日
戸籍消除	【消除日】平成２９年１１月５日

戸籍に記録されている者	【名】英助
消　除 除　籍	【生年月日】昭和６０年６月９日 【父】乙川英吉 【母】乙川秋子 【続柄】二男

身分事項	
出　　生	（出生事項省略）
消　　除	【消除日】平成２９年８月３１日 【消除事項】離縁事項 【消除事由】養父甲野義太郎との離縁無効の裁判確定 【裁判確定日】平成２９年８月２３日 【申請日】平成２９年８月３１日 【申請人】養父　甲野義太郎 【従前の記録】 　　【離縁日】平成２９年４月１５日 　　【養父氏名】甲野義太郎 　　【従前戸籍】東京都千代田区平河町一丁目４番地　甲野義太郎
移　　記	【移記日】平成２９年１１月５日 【移記事項】婚姻事項 【移記事由】戸籍訂正許可の裁判確定 【裁判確定日】平成２９年１０月２２日 【申請日】平成２９年１１月５日 【移記後の戸籍】東京都千代田区平河町一丁目４番地　甲野義太郎 【従前の記録】 　　【婚姻日】平成２９年５月３０日 　　【配偶者氏名】丙山夏子 　　【送付を受けた日】平成２９年６月２日 　　【受理者】東京都葛飾区長 　　【新本籍】東京都葛飾区高砂一丁目１７番地 　　【称する氏】妻の氏
	以下余白

発行番号０００００１

第5　具体的な処理例

カ　養子が離縁により戸籍法73条の2の届出により新戸籍を編製しているとき

養子縁組によって氏を改めた養子は，離縁によって，原則として縁組前の氏に復することになります（民法816条1項本文）が，離縁によって復氏した者は，戸籍法73条の2の届出をすることにより，離縁の際に称していた氏を称することができます（民法816条2項）。この戸籍法73条の2の届出をすることができるのは，養子縁組の期間が7年以上を経過していること等を要件とし，離縁の日から3か月以内に届け出る必要があります（民法816条2項，戸籍法73条の2）。

離縁無効の裁判により，離縁を前提とした戸籍法73条の2の届出も当然無効と考えられますので，離縁無効の裁判による戸籍訂正申請により，戸籍法73条の2の届出事項も訂正することができます（昭和61年8月12日徳島協議会決議，昭和62年1月29日高松法務局長認可。この先例は，協議離婚無効の裁判確定による戸籍訂正申請により，戸籍法77条の2の届出事項も訂正することができるとするものですが，考え方は，戸籍法73条の2の届出にも当てはまるものです。）。

(ア)　離縁復籍した後，戸籍法73条の2の届出をしているとき

戸籍の流れを図で示すと次のようになります。

養方戸籍の訂正記載例は，前事例等を参考としてください。

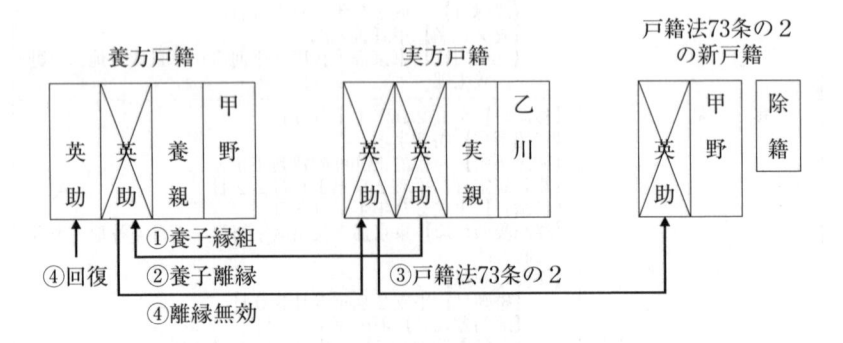

図109-1は，離縁無効の裁判による戸籍訂正前の養子の実方戸籍です。
図109-2は，離縁無効の裁判による戸籍訂正後の養子の実方戸籍です。離縁事項及び氏変更事項をそれぞれ消除し，「戸籍に記録されている者」

欄に「消除マーク」を表示します。

　図110-1は，離縁無効の裁判による戸籍訂正前の戸籍法73条の2の届出により編製された新戸籍です。

　図110-2は，離縁無効の裁判による戸籍訂正後の戸籍法73条の2の届出により編製された新戸籍です。

　戸籍事項欄及び身分事項欄の氏変更事項を消除し，「戸籍に記録されている者」欄に「消除マーク」を，左上に「除籍マーク」をそれぞれ表示し，戸籍を消除します。

第5　具体的な処理例

図109-1　離縁無効の裁判による戸籍訂正前の養子の実方戸籍

		(1の1)	全 部 事 項 証 明
本　　籍	大阪府大阪市北区老松町二丁目6番地		
氏　　名	乙川　英吉		
戸籍事項 　戸籍編製	(編製事項省略)		

戸籍に記録されている者	【名】英助
除　籍	【生年月日】昭和57年7月10日 【父】乙川英吉 【母】乙川秋子 【続柄】二男
身分事項 　出　　生	(出生事項省略)
養子離縁	【離縁日】平成29年7月7日 【養父氏名】甲野義太郎 【送付を受けた日】平成29年7月10日 【受理者】東京都千代田区長 【従前戸籍】東京都千代田区平河町一丁目4番地　甲野義太郎
氏の変更	【氏変更日】平成29年7月30日 【氏変更の事由】戸籍法73条の2の届出 【送付を受けた日】平成29年8月3日 【受理者】東京都千代田区長 【新本籍】東京都千代田区平河町二丁目10番地 【称する氏】甲野
	以下余白

発行番号000001

図109-2　離縁無効の裁判による戸籍訂正後の養子の実方戸籍

	（2の1）	全部事項証明
本　　籍	大阪府大阪市北区老松町二丁目6番地	
氏　　名	乙川　英吉	

戸籍事項	
戸籍編製	（編製事項省略）

戸籍に記録されている者 □消　除□ □除　籍□	【名】英助 【生年月日】昭和57年7月10日 【父】乙川英吉 【母】乙川秋子 【続柄】二男
身分事項 　出　生	（出生事項省略）
消　除	【消除日】平成29年10月20日 【消除事項】離縁事項 【消除事由】養父甲野義太郎との離縁無効の裁判確定 【裁判確定日】平成29年10月2日 【申請日】平成29年10月17日 【申請人】養父　甲野義太郎 【送付を受けた日】平成29年10月20日 【受理者】東京都千代田区長 【従前の記録】 　【離縁日】平成29年7月7日 　【養父氏名】甲野義太郎 　【送付を受けた日】平成29年7月10日 　【受理者】東京都千代田区長 　【従前戸籍】東京都千代田区平河町一丁目4番地　甲野義太郎
消　除	【消除日】平成29年10月20日 【消除事項】氏変更事項 【消除事由】養父甲野義太郎との離縁無効の裁判確定 【裁判確定日】平成29年10月2日 【申請日】平成29年10月17日 【申請人】養父　甲野義太郎 【送付を受けた日】平成29年10月20日 【受理者】東京都千代田区長 【従前の記録】 　【氏変更日】平成29年7月30日 　【氏変更の事由】戸籍法73条の2の届出 　【送付を受けた日】平成29年8月3日 　【受理者】東京都千代田区長

発行番号000001　　　　　　　　　　　　　　　　　　　以下次頁

第5　具体的な処理例

	(2の2)	全 部 事 項 証 明
	【新本籍】東京都千代田区平河町二丁目１０番地 【称する氏】甲野	
		以下余白

発行番号０００００１

3　縁組・離縁に関する訂正

図110-1　離縁無効の裁判による戸籍訂正前の戸籍法73条の2の届出により編製された新戸籍

	(1の1)	全 部 事 項 証 明
本　　　籍	東京都千代田区平河町二丁目10番地	
氏　　　名	甲野　英助	
戸籍事項 　　氏の変更 　　戸籍編製	【氏変更日】平成29年7月30日 【氏変更の事由】戸籍法73条の2の届出 【編製日】平成29年7月30日	
戸籍に記録されている者	【名】英助 【生年月日】昭和57年7月10日 【父】乙川英吉 【母】乙川秋子 【続柄】二男	
身分事項 　　出　　生 　　氏の変更	(出生事項省略) 【氏変更日】平成29年7月30日 【氏変更の事由】戸籍法73条の2の届出 【従前戸籍】大阪府大阪市北区老松町二丁目6番地　乙川英吉	
		以下余白
発行番号000001		

第5　具体的な処理例

図110-2　離縁無効の裁判による戸籍訂正後の戸籍法73条の2の届出により編製された新戸籍

除　　籍	（1の1）	全部事項証明
本　　籍	東京都千代田区平河町二丁目10番地	
氏　　名	甲野　英助	

戸籍事項	
戸籍編製 消　　除 戸籍消除	【編製日】平成29年7月30日 【消除日】平成29年10月17日 【消除事項】氏変更事項 【従前の記録】 　　【氏変更日】平成29年7月30日 　　【氏変更の事由】戸籍法73条の2の届出 【消除日】平成29年10月17日

戸籍に記録されている者	
消　除	【名】英助 【生年月日】昭和57年7月10日 【父】乙川英吉 【母】乙川秋子 【続柄】二男

身分事項	
出　　生	（出生事項省略）
消　　除	【消除日】平成29年10月17日 【消除事項】氏変更事項 【消除事由】養父甲野義太郎との離縁無効の裁判確定 【裁判確定日】平成29年10月2日 【申請日】平成29年10月17日 【申請人】養父　甲野義太郎 【従前の記録】 　　【氏変更日】平成29年7月30日 　　【氏変更の事由】戸籍法73条の2の届出 　　【従前戸籍】大阪府大阪市北区老松町二丁目6番地　乙川英吉

以下余白

発行番号000001

3　縁組・離縁に関する訂正

(イ)　離縁と同時に戸籍法73条の2の届出をしているとき

養子の戸籍法73条の2の届出による新戸籍の訂正記載例は，図110-2と同様です（消除事項に離縁事項があることが異なりますが，この消除の各項目は同じです。）ので，それを参照してください。

ここでは，養親戸籍の養子についての戸籍訂正記載例を示すことにします。

図111-1は，離縁無効の裁判による戸籍訂正前の養方戸籍です。

図111-2は，離縁無効の裁判による戸籍訂正後の養方戸籍です。

離縁事項及び氏変更事項をそれぞれ消除し，末尾に養子を回復することになります。回復に当たっては，重要な身分事項を移記することになります。

第5　具体的な処理例

図111-1　離縁無効の裁判による戸籍訂正前の養方戸籍

	（1の1）	全 部 事 項 証 明
本　　籍	東京都千代田区平河町一丁目4番地	
氏　　名	甲野　義太郎	

戸籍に記録されている者	【名】英助 【生年月日】昭和57年7月10日 【父】乙川英吉 【母】乙川秋子 【続柄】二男 【養父】甲野義太郎 【続柄】養子
除　　籍	
身分事項 　　出　　生	（出生事項省略）
養子縁組	【縁組日】平成16年10月2日 【養父氏名】甲野義太郎 【従前戸籍】大阪府大阪市北区老松町二丁目6番地　乙川英吉
養子離縁	【離縁日】平成29年7月7日 【養父氏名】甲野義太郎
氏の変更	【氏変更日】平成29年7月7日 【氏変更事由】戸籍法73条の2の届出 【新本籍】東京都千代田区平河町二丁目10番地
	以下余白

発行番号000001

3 縁組・離縁に関する訂正

図111-2 離縁無効の裁判による戸籍訂正後の養方戸籍

(2の1) | 全部事項証明

本　　籍	東京都千代田区平河町一丁目4番地
氏　　名	甲野　義太郎

戸籍に記録されている者	【名】英助
除　籍	【生年月日】昭和57年7月10日 【父】乙川英吉 【母】乙川秋子 【続柄】二男 【養父】甲野義太郎 【続柄】養子
身分事項 　出　生	（出生事項省略）
養子縁組	【縁組日】平成16年10月2日 【養父氏名】甲野義太郎 【従前戸籍】大阪府大阪市北区老松町二丁目6番地　乙川英吉
消　除	【消除日】平成29年10月17日 【消除事項】離縁事項 【消除事由】養父甲野義太郎との離縁無効の裁判確定 【裁判確定日】平成29年10月2日 【申請日】平成29年10月17日 【申請人】養父　甲野義太郎 【従前の記録】 　　【離縁日】平成29年7月7日 　　【養父氏名】甲野義太郎
消　除	【消除日】平成29年10月17日 【消除事項】氏変更事項 【消除事由】養父甲野義太郎との離縁無効の裁判確定 【裁判確定日】平成29年10月2日 【申請日】平成29年10月17日 【申請人】養父　甲野義太郎 【従前の記録】 　　【氏変更日】平成29年7月7日 　　【氏変更事由】戸籍法73条の2の届出 　　【新本籍】東京都千代田区平河町二丁目10番地
戸籍に記録されている者	【名】英助 【生年月日】昭和57年7月10日 【父】乙川英吉

発行番号000001　　　　　　　　　　　　　　　　　　以下次頁

435

		(2の2)	全 部 事 項 証 明
	【母】乙川秋子 【続柄】二男 【養父】甲野義太郎 【続柄】養子		
身分事項 　　出　　生 　　養子縁組	（出生事項省略） 【縁組日】平成16年10月2日 【養父氏名】甲野義太郎 【従前戸籍】大阪府大阪市北区老松町二丁目6番地　乙川英吉		
			以下余白

発行番号000001

3　縁組・離縁に関する訂正

(10)　養親双方と離縁した後，その一方との離縁無効の裁判があった場合

　養親双方と離縁すると，養子は縁組前の氏に復し，縁組前の戸籍に戻るか又は新戸籍を編製することになります（民法816条，戸籍法19条1項）。離縁後，養親の一方とのみ離縁が無効となった場合は，その離縁無効となった養親との縁組が継続していることになり，結果として養親の一方との離縁となりますので，養子は縁組前の氏には復さないことになります（民法816条1項ただし書，昭和62年10月1日民二5000号通達第2の3(1)）。したがって，養親双方と離縁した後，その一方のみとの離縁無効の裁判があった場合は，養子については離縁前の養方戸籍に回復することになり，事件本人である養親については離縁事項を消除し，他方の養親については「【共同離縁者】妻（又は夫）」（紙戸籍の場合は，「妻（又は夫）とともに」）の記載（共同離縁の記載）を訂正することになります。

　ア　養子が離縁により実方戸籍に復籍しているとき

　戸籍の流れを図で示すと次のようになります。

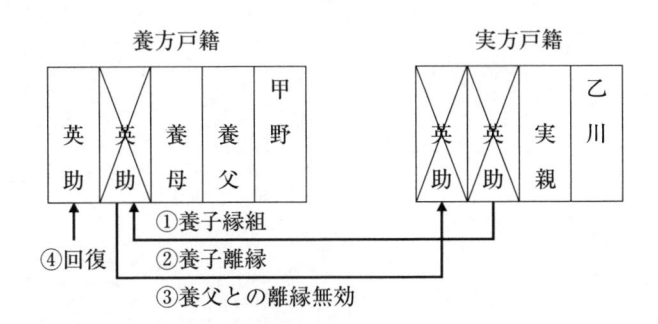

養方戸籍　　　　　　　　実方戸籍

｜英助｜英助｜養母｜養父｜甲野｜　　｜英助｜英助｜実親｜乙川｜

④回復　①養子縁組
　　　　②養子離縁
　　　　③養父との離縁無効

　図112-1は，養父との離縁無効の裁判による戸籍訂正前の養方戸籍です。
　図112-2は，養父との離縁無効の裁判による戸籍訂正後の養方戸籍です。
　養父については，離縁事項を消除します。養母については，離縁事項を単独離縁事項に訂正しますので，基本タイトルの下に，段落ちタイトル「訂正」で「【共同離縁者】夫」の記録を【従前の記録】とします。養子については，養母との単独離縁事項に訂正しますので，基本タイトルの下に，段落ちタイトル「訂正」で「【養父氏名】甲野義太郎」と「【入籍戸籍】大阪府大阪市北区老松町二丁目6番地　乙川英吉」の記録を【従前の記録】とし，末

尾に回復することになります。その際，離縁事項は，養母との離縁事項として記録します。したがって，回復後の「戸籍に記録されている者」欄には，【養母】の表示はしないことになります。

図113-1は，養父との離縁無効の裁判による戸籍訂正前の養子の実方戸籍です。

図113-2は，養父との離縁無効の裁判による戸籍訂正後の養子の実方戸籍です。

離縁事項を消除し，「戸籍に記録されている者」欄に「消除マーク」を表示します。

3 縁組・離縁に関する訂正

図112-1 養父との離縁無効の裁判による戸籍訂正前の養方戸籍

（2の1）	全 部 事 項 証 明

本　　　籍	東京都千代田区平河町一丁目4番地
氏　　　名	甲野　義太郎
戸籍事項 　　戸籍改製	（改製事項省略）
戸籍に記録されている者	【名】義太郎 【生年月日】昭和31年6月26日　　【配偶者区分】夫 【父】甲野幸雄 【母】甲野松子 【続柄】長男
身分事項 　　出　　生 　　婚　　姻 　　養子縁組 　　養子離縁	（出生事項省略） （婚姻事項省略） （英助を養子とする縁組事項省略） 【離縁日】平成29年2月27日 【共同離縁者】妻 【養子氏名】甲野英助
戸籍に記録されている者	【名】梅子 【生年月日】昭和33年1月8日　　【配偶者区分】妻 【父】乙野忠治 【母】乙野春子 【続柄】長女
身分事項 　　出　　生 　　婚　　姻 　　養子縁組 　　養子離縁	（出生事項省略） （婚姻事項省略） （英助を養子とする縁組事項省略） 【離縁日】平成29年2月27日 【共同離縁者】夫 【養子氏名】甲野英助
戸籍に記録されている者 除　　籍	【名】英助 【生年月日】昭和60年5月25日 【父】乙川英吉 【母】乙川秋子 【続柄】二男 【養父】甲野義太郎

発行番号000001　　　　　　　　　　　　　　　　　　　　　　　　以下次頁

第5　具体的な処理例

| | | （2の2） | 全部事項証明 |

	【養母】甲野梅子 【続柄】養子
身分事項	
出　　生	（出生事項省略）
養子縁組	（甲野義太郎同人妻梅子の養子となる縁組事項省略）
養子離縁	【離縁日】平成29年2月27日 【養父氏名】甲野義太郎 【養母氏名】甲野梅子 【入籍戸籍】大阪府大阪市北区老松町二丁目6番地　乙川英吉
	以下余白

発行番号000001

440

図112-2　養父との離縁無効の裁判による戸籍訂正後の養方戸籍

	（2の1）　全部事項証明
本　　籍	東京都千代田区平河町一丁目4番地
氏　　名	甲野　義太郎
戸籍事項 　戸籍改製	（改製事項省略）
戸籍に記録されている者	【名】義太郎 【生年月日】昭和31年6月26日　　【配偶者区分】夫 【父】甲野幸雄 【母】甲野松子 【続柄】長男
身分事項 　出　　生 　婚　　姻 　養子縁組 　消　　除	（出生事項省略） （婚姻事項省略） （英助を養子とする縁組事項省略） 【消除日】平成29年9月10日 【消除事項】離縁事項 【消除事由】養子英助との離縁無効の裁判確定 【裁判確定日】平成29年9月1日 【申請日】平成29年9月10日 【従前の記録】 　【離縁日】平成29年2月27日 　【共同離縁者】妻 　【養子氏名】甲野英助
戸籍に記録されている者	【名】梅子 【生年月日】昭和33年1月8日　　【配偶者区分】妻 【父】乙野忠治 【母】乙野春子 【続柄】長女
身分事項 　出　　生 　婚　　姻 　養子縁組 　養子離縁 　訂　　正	（出生事項省略） （婚姻事項省略） （英助を養子とする縁組事項省略） 【離縁日】平成29年2月27日 【養子氏名】甲野英助 【訂正日】平成29年9月10日 【訂正事由】夫と養子英助との離縁無効の裁判確定 【裁判確定日】平成29年9月1日

発行番号000001　　　　　　　　　　　　　　　　　　　　　以下次頁

第5　具体的な処理例

		（2の2）	全 部 事 項 証 明
戸籍に記録されている者 　　除　　籍	【申請日】平成29年9月10日 【申請人】夫 【従前の記録】 　　【共同離縁者】夫 【名】英助 【生年月日】昭和60年5月25日 【父】乙川英吉 【母】乙川秋子 【続柄】二男 【養父】甲野義太郎 【養母】甲野梅子 【続柄】養子		
身分事項 　　出　　生 　　養子縁組 　　養子離縁 　　訂　　正	（出生事項省略） （甲野義太郎同人妻梅子の養子となる縁組事項省略） 【離縁日】平成29年2月27日 【養母氏名】甲野梅子 【訂正日】平成29年9月10日 【訂正事由】養父甲野義太郎との離縁無効の裁判確定 【裁判確定日】平成29年9月1日 【申請日】平成29年9月10日 【申請人】養父　甲野義太郎 【従前の記録】 　　【養父氏名】甲野義太郎 　　【入籍戸籍】大阪府大阪市北区老松町二丁目6番地　乙川英吉		
戸籍に記録されている者	【名】英助 【生年月日】昭和60年5月25日 【父】乙川英吉 【母】乙川秋子 【続柄】二男 【養父】甲野義太郎 【続柄】養子		
身分事項 　　出　　生 　　養子縁組 　　養子離縁	（出生事項省略） （甲野義太郎同人妻梅子の養子となる縁組事項省略） 【離縁日】平成29年2月27日 【養母氏名】甲野梅子		
	以下余白		

発行番号000001

図113-1　養父との離縁無効の裁判による戸籍訂正前の養子の実方戸籍

		(1の1)	全 部 事 項 証 明
本　　籍	大阪府大阪市北区老松町二丁目6番地		
氏　　名	乙川　英吉		

戸籍に記録されている者	【名】英助 【生年月日】昭和60年5月25日 【父】乙川英吉 【母】乙川秋子 【続柄】二男
身分事項 　出　　生 　養子離縁	(出生事項省略) 【離縁日】平成29年2月17日 【養父氏名】甲野義太郎 【養母氏名】甲野梅子 【送付を受けた日】平成29年2月21日 【受理者】東京都千代田区長 【従前戸籍】東京都千代田区平河町一丁目4番地　甲野義太郎

以下余白

発行番号000001

第5　具体的な処理例

図113-2　養父との離縁無効の裁判による戸籍訂正後の養子の実方戸籍

	（1の1）	全 部 事 項 証 明
本　　　籍	大阪府大阪市北区老松町二丁目6番地	
氏　　　名	乙川　英吉	

戸籍に記録されている者 　　消　　除	【名】英助 【生年月日】昭和60年5月25日 【父】乙川英吉 【母】乙川秋子 【続柄】二男
身分事項 　出　　生 　消　　除	（出生事項省略） 【消除日】平成29年9月13日 【消除事項】離縁事項 【消除事由】養父甲野義太郎との離縁無効の裁判確定 【裁判確定日】平成29年9月1日 【申請日】平成29年9月10日 【申請人】養父　甲野義太郎 【送付を受けた日】平成29年9月13日 【受理者】東京都千代田区長 【従前の記録】 　　【離縁日】平成29年2月17日 　　【養父氏名】甲野義太郎 　　【養母氏名】甲野梅子 　　【送付を受けた日】平成29年2月21日 　　【受理者】東京都千代田区長 　　【従前戸籍】東京都千代田区平河町一丁目4番地　甲野義太郎
	以下余白

発行番号000001

イ　養子が離縁により新戸籍を編製しているとき

　養方戸籍の訂正方法は，前記アと同様です。離縁による新戸籍の訂正方法は，養子の身分事項欄の離縁事項を消除した上，「戸籍に記録されている者」欄に「消除マーク」を，左上に「除籍マーク」をそれぞれ表示し，戸籍を消除することになります。

4. 婚姻・離婚に関する訂正

(1) 婚姻無効の裁判があった場合

　民法が規定している婚姻の無効原因は，第1に，「人違いその他の事由によって当事者間に婚姻をする意思がないとき。」（民法742条1号），第2に，「当事者が婚姻の届出をしないとき。」（同条2号本文）です。しかし，第2の「当事者が婚姻の届出をしないとき」に関しては，婚姻の届出がされなければ婚姻成立の形式的要件を欠くことになりますから，婚姻の不成立ないしは不存在ということになります。したがって，本来の意味での無効原因は，当事者に婚姻の意思がないにもかかわらず，婚姻の届出がされたという場合です。

　なお，届出が民法739条2項に定める「当事者双方及び成年の証人2人以上が署名した書面で，又はこれらの者から口頭」で届出しなければならないという要件（これを「受理要件」といいます。）を欠いていても，婚姻の効力には影響しません（民法742条2号ただし書）。影響しないといっても，証人の署名等を欠いた届出が受理されることは，通常では考えられないところです。しかし，これが受理されてしまえば，婚姻も有効に成立することになります。

ア　婚姻により夫婦について新戸籍を編製しているとき

　婚姻が無効となったときは，婚姻により入籍した戸籍からその者を消除し，婚姻前の戸籍に回復することになります。したがって，婚姻により夫婦について新戸籍を編製しているときは，その新戸籍から夫婦を消除するとともにその新戸籍を消除し，それぞれを婚姻前の戸籍に回復することになります。この場合，夫婦間に子がないか，子があるかにより，訂正の方法を異にします。

(ア)　夫婦間に子がないとき

　夫婦間に子がないときは，婚姻により入籍した戸籍からその者を消除し，婚姻前の戸籍に回復し，婚姻による新戸籍を消除することになります。

　戸籍の流れを図で示すと次のようになります。

4　婚姻・離婚に関する訂正

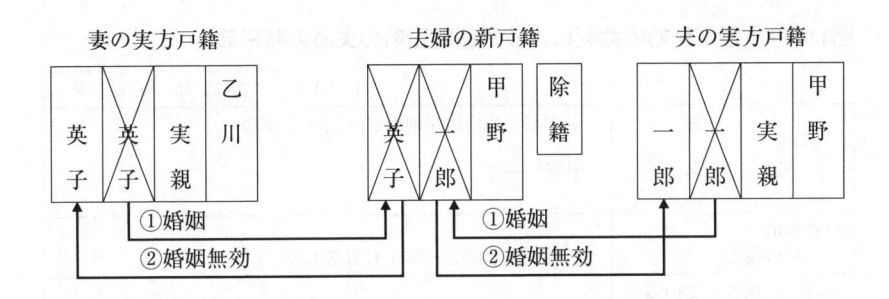

```
    妻の実方戸籍           夫婦の新戸籍          夫の実方戸籍
  ┌──┬──┬──┐       ┌──┬──┬──┬──┐    ┌──┬──┬──┐
  │英│英│乙│       │英│甲│甲│除│    │一│実│甲│
  │ │ │川│       │ │ │野│籍│    │ │ │野│
  │子│子│実│       │子│郎│ │ │    │郎│郎│実│
  │ │ │親│       │ │ │ │ │    │ │ │親│
  └──┴×─┴──┘       └×─┴×─┴──┴──┘    └──┴×─┴──┘
      ↑  ①婚姻                ↑  ①婚姻
      └──②婚姻無効─────────────┘  └──②婚姻無効─────────────┘
```

図114-1は，婚姻無効の裁判による戸籍訂正前の夫婦の新戸籍です。

図114-2は，婚姻無効の裁判による戸籍訂正後の夫婦の新戸籍です。

夫及び妻の婚姻事項をそれぞれ消除し，「戸籍に記録されている者」欄に「消除マーク」を，左上に「除籍マーク」を表示し，戸籍を消除します。

図115-1は，婚姻無効の裁判による戸籍訂正前の夫の実方戸籍です。

図115-2は，婚姻無効の裁判による戸籍訂正後の夫の実方戸籍です。

一郎の婚姻事項を消除し，末尾に回復することになります。回復に当たっては，重要な身分事項を移記します。

図116-1は，婚姻無効の裁判による戸籍訂正前の妻の実方戸籍です。

図116-2は，婚姻無効の裁判による戸籍訂正後の妻の実方戸籍です。

英子の婚姻事項を消除し，末尾に回復することになります。回復に当たっては，重要な身分事項を移記します。

図114-1　婚姻無効の裁判による戸籍訂正前の夫婦の新戸籍

	（1の1）	全 部 事 項 証 明
本　　　籍	東京都千代田区平河町二丁目１０番地	
氏　　　名	甲野　一郎	
戸籍事項 　　戸籍編製	【編製日】平成２８年１０月２０日	
戸籍に記録されている者	【名】一郎 【生年月日】昭和６２年６月２９日　　【配偶者区分】夫 【父】甲野幸雄 【母】甲野松子 【続柄】長男	
身分事項 　　出　　生 　　婚　　姻	（出生事項省略） 【婚姻日】平成２８年１０月２０日 【配偶者氏名】乙川英子 【従前戸籍】東京都千代田区平河町一丁目４番地　甲野幸雄	
戸籍に記録されている者	【名】英子 【生年月日】昭和６２年４月１０日　　【配偶者区分】妻 【父】乙川英吉 【母】乙川秋子 【続柄】長女	
身分事項 　　出　　生 　　婚　　姻	（出生事項省略） 【婚姻日】平成２８年１０月２０日 【配偶者氏名】甲野一郎 【従前戸籍】京都府京都市上京区小山初音町１０番地　乙川 　　　　　　英吉	
	以下余白	

発行番号０００００１

図114-2 婚姻無効の裁判による戸籍訂正後の夫婦の新戸籍

除　　籍	（2の1）	全　部　事　項　証　明
本　　　籍	東京都千代田区平河町二丁目１０番地	
氏　　　名	甲野　一郎	

戸籍事項	
戸籍編製	【編製日】平成２８年１０月２０日
戸籍消除	【消除日】平成２９年２月５日

戸籍に記録されている者 　消　除	【名】一郎 【生年月日】昭和６２年６月２９日　【配偶者区分】夫 【父】甲野幸雄 【母】甲野松子 【続柄】長男
身分事項 　出　　生 　消　　除	（出生事項省略） 【消除日】平成２９年２月５日 【消除事項】婚姻事項 【消除事由】妻乙川英子との婚姻無効の裁判確定 【裁判確定日】平成２９年１月２３日 【申請日】平成２９年２月５日 【従前の記録】 　【婚姻日】平成２８年１０月２０日 　【配偶者氏名】乙川英子 　【従前戸籍】東京都千代田区平河町一丁目４番地　甲野幸雄
戸籍に記録されている者 　消　除	【名】英子 【生年月日】昭和６２年４月１０日　【配偶者区分】妻 【父】乙川英吉 【母】乙川秋子 【続柄】長女
身分事項 　出　　生 　消　　除	（出生事項省略） 【消除日】平成２９年２月５日 【消除事項】婚姻事項 【消除事由】夫甲野一郎との婚姻無効の裁判確定 【裁判確定日】平成２９年１月２３日 【申請日】平成２９年２月５日 【申請人】夫 【従前の記録】 　【婚姻日】平成２８年１０月２０日 　【配偶者氏名】甲野一郎

発行番号０００００１　　　　　　　　　　　　　　　　　　　　　　　以下次頁

第5　具体的な処理例

	（2の2）　全部事項証明
	【従前戸籍】京都府京都市上京区小山初音町１０番地 　　　　　　乙川英吉
	以下余白

発行番号０００００１

図115-1 婚姻無効の裁判による戸籍訂正前の夫の実方戸籍

	（1の1）	全 部 事 項 証 明

本　　　籍	東京都千代田区平河町一丁目4番地
氏　　　名	甲野　幸雄

戸籍に記録されている者　　　除　籍	【名】一郎 【生年月日】昭和62年6月29日 【父】甲野幸雄 【母】甲野松子 【続柄】長男
身分事項 　出　　生 　婚　　姻	（出生事項省略） 【婚姻日】平成28年10月20日 【配偶者氏名】乙川英子 【新本籍】東京都千代田区平河町二丁目10番地 【称する氏】夫の氏

以下余白

発行番号000001

第5　具体的な処理例

図115-2　婚姻無効の裁判による戸籍訂正後の夫の実方戸籍

（1の1）	全 部 事 項 証 明

本　　籍	東京都千代田区平河町一丁目4番地
氏　　名	甲野　幸雄

戸籍に記録されている者 　　除　籍	【名】一郎 【生年月日】昭和62年6月29日 【父】甲野幸雄 【母】甲野松子 【続柄】長男
身分事項 　　出　生 　　消　除	（出生事項省略） 【消除日】平成29年2月5日 【消除事項】婚姻事項 【消除事由】妻乙川英子との婚姻無効の裁判確定 【裁判確定日】平成29年1月23日 【申請日】平成29年2月5日 【従前の記録】 　　【婚姻日】平成28年10月20日 　　【配偶者氏名】乙川英子 　　【新本籍】東京都千代田区平河町二丁目10番地 　　【称する氏】夫の氏
戸籍に記録されている者	【名】一郎 【生年月日】昭和62年6月29日 【父】甲野幸雄 【母】甲野松子 【続柄】長男
身分事項 　　出　生	（出生事項省略）
	以下余白

発行番号000001

4 婚姻・離婚に関する訂正

図116-1 婚姻無効の裁判による戸籍訂正前の妻の実方戸籍

		(1の1)	全 部 事 項 証 明
本　　籍	京都府京都市上京区小山初音町１０番地		
氏　　名	乙川　英吉		

戸籍に記録されている者	【名】英子
	【生年月日】昭和６２年４月１０日
除　籍	【父】乙川英吉
	【母】乙川秋子
	【続柄】長女

身分事項	
出　生	（出生事項省略）
婚　姻	【婚姻日】平成２８年１０月２０日
	【配偶者氏名】甲野一郎
	【送付を受けた日】平成２８年１０月２４日
	【受理者】東京都千代田区長
	【新本籍】東京都千代田区平河町二丁目１０番地
	【称する氏】夫の氏

以下余白

発行番号０００００１

第5　具体的な処理例

図116-2　婚姻無効の裁判による戸籍訂正後の妻の実方戸籍

	（1の1）	全 部 事 項 証 明
本　　籍	京都府京都市上京区小山初音町１０番地	
氏　　名	乙川　英吉	

戸籍に記録されている者	【名】英子
除　籍	【生年月日】昭和６２年４月１０日 【父】乙川英吉 【母】乙川秋子 【続柄】長女
身分事項 　出　　生	（出生事項省略）
消　　除	【消除日】平成２９年２月８日 【消除事項】婚姻事項 【消除事由】夫甲野一郎との婚姻無効の裁判確定 【裁判確定日】平成２９年１月２３日 【申請日】平成２９年２月５日 【申請人】夫 【送付を受けた日】平成２９年２月８日 【受理者】東京都千代田区長 【従前の記録】 　　【婚姻日】平成２８年１０月２０日 　　【配偶者氏名】甲野一郎 　　【送付を受けた日】平成２８年１０月２４日 　　【受理者】東京都千代田区長 　　【新本籍】東京都千代田区平河町二丁目１０番地 　　【称する氏】夫の氏
戸籍に記録されている者	【名】英子 【生年月日】昭和６２年４月１０日 【父】乙川英吉 【母】乙川秋子 【続柄】長女
身分事項 　出　　生	（出生事項省略）
	以下余白

発行番号０００００１

454

(イ)　夫婦間に子があるとき

　父が嫡出子として子の出生届をしているときと，母が嫡出子として子の出生届をしているときがあります。いずれの届出のときも，父母の婚姻が無効となったとき（父母ともに日本人のとき）は，子は嫡出でない子となります。
　ところで，嫡出でない子について父が届出人の資格を父としてした嫡出子出生の届出が誤って受理された場合の戸籍の処理については，どのようになっているのでしょうか。昭和57年4月30日付け民二2972号通達（以下「2972号通達」という。）は，このような場合の戸籍の処理については，最高裁判所昭和53年2月24日第二小法廷判決（民集32巻1号110頁）にかんがみ，その出生の届出に認知の届出の効力を認めるとしています。この2972号通達記一の2は，「父がした嫡出子出生の届出に基づいて嫡出子として戸籍に記載されている子について，父母の婚姻無効を理由として戸籍法第116条又は第114条の規定に基づく戸籍訂正の申請があったときは」として，その訂正方法を示しています。その訂正方法は，①父母との続柄欄の記載を訂正し，更に②父母の婚姻無効により母が従前戸籍に回復されるときは，子の記載全部を子が入籍すべき母の戸籍に移記しなければならないとしています。この場合，判決書謄本等の記載によって届出人父と子との間に血縁上の父子関係がないことが明らかでない限り，父欄の記載を消除することなく，かつ，出生事項の記載も訂正しないとしています。

　戸籍の流れを図で示すと次のようになります。

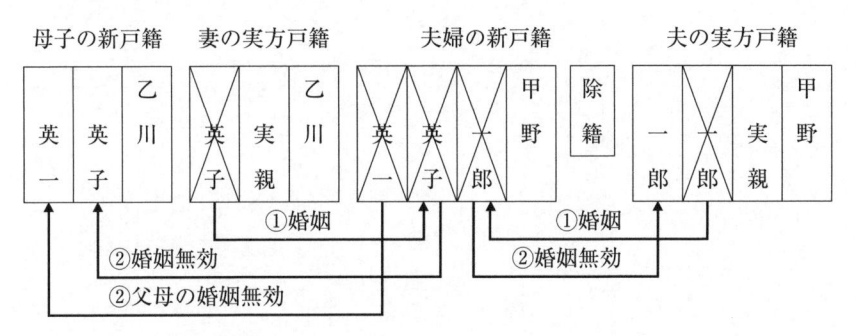

　ここでは，夫の実方戸籍及び夫婦の新戸籍中夫婦の婚姻事項の戸籍訂正記載例は前例と同じですので，省略します。

第5　具体的な処理例

図117-1は，婚姻無効の裁判による子の戸籍訂正前の夫婦の新戸籍です。

図117-2は，婚姻無効の裁判による子の戸籍訂正後の夫婦の新戸籍です。

父母の婚姻無効の裁判による戸籍訂正申請により，母の氏及び父母との続柄を訂正した上，母子で編製する新戸籍に移記する旨を記録します。本例の出生届は，父が父の資格で届出をしていますから，父の記録はそのまま移記しますが，母が届出人のときは，父の記録を消除することになります。

図118-1は，婚姻無効の裁判による戸籍訂正前の妻の実方戸籍です。

図118-2は，婚姻無効の裁判による戸籍訂正後の妻の実方戸籍です。

前例は，夫との婚姻無効の裁判による戸籍訂正申請により，婚姻事項を消除し，末尾に事件本人を回復しましたが，本例は事件本人母に子がありますから，母子で新戸籍を編製することになりますので，末尾回復せずに，子の入籍により除籍する方法と同様，除籍の処理をし，新戸籍を編製する旨を記録します。

図119は，婚姻無効の裁判による戸籍訂正により編製した母子の新戸籍です。

母については，入籍の記録により，子については，出生事項を移記する旨の記録をします。

図117-1　婚姻無効の裁判による子の戸籍訂正前の夫婦の新戸籍

	（1の1）	全　部　事　項　証　明
本　　　籍	東京都千代田区平河町二丁目10番地	
氏　　　名	甲野　一郎	
戸籍事項 　　戸籍編製	【編製日】平成28年4月20日	

戸籍に記録されている者	【名】英一 【生年月日】平成29年3月15日 【父】甲野一郎 【母】甲野英子 【続柄】長男
身分事項 　　出　　生	【出生日】平成29年3月15日 【出生地】東京都千代田区 【届出日】平成29年3月20日 【届出人】父

　　　　　　　　　　　　　　　　　　　　　　　　　　以下余白

発行番号000001

図117-2　婚姻無効の裁判による子の戸籍訂正後の夫婦の新戸籍

除　　　籍	（1の1）	全　部　事　項　証　明
本　　　籍	東京都千代田区平河町二丁目１０番地	
氏　　　名	甲野　一郎	

戸籍事項	
戸籍編製	【編製日】平成２８年４月２０日
戸籍消除	【消除日】平成２９年６月１２日

戸籍に記録されている者	
 除　　籍 	【名】英一 【生年月日】平成２９年３月１５日 【父】甲野一郎 【母】乙川英子 【続柄】長男

身分事項	
出　　生	【出生日】平成２９年３月１５日 【出生地】東京都千代田区 【届出日】平成２９年３月２０日 【届出人】父
訂　　正	【訂正日】平成２９年６月１２日 【訂正事項】母の氏名，父母との続柄 【訂正事由】父母の婚姻無効の裁判確定 【裁判確定日】平成２９年６月２日 【申請日】平成２９年６月１２日 【申請人】父 【従前の記録】 　　【母】甲野英子 　　【父母との続柄】長男
移　　記	【移記日】平成２９年６月１２日 【移記事項】出生事項 【移記事由】父母の婚姻無効の裁判確定 【裁判確定日】平成２９年６月２日 【申請日】平成２９年６月１２日 【申請人】父 【移記後の戸籍】京都府京都市上京区小山初音町１０番地　乙川英子
	以下余白

発行番号０００００１

図118-1　婚姻無効の裁判による戸籍訂正前の妻の実方戸籍

	（1の1）	全部事項証明
本　　　籍	京都府京都市上京区小山初音町１０番地	
氏　　　名	乙川　英吉	

戸籍に記録されている者　　除　籍	【名】英子 【生年月日】昭和５８年４月１０日 【父】乙川英吉 【母】乙川秋子 【続柄】長女
身分事項 　　出　　生 　　婚　　姻	（出生事項省略） 【婚姻日】平成２８年４月２０日 【配偶者氏名】甲野一郎 【送付を受けた日】平成２８年４月２３日 【受理者】東京都千代田区長 【新本籍】東京都千代田区平河町二丁目１０番地 【称する氏】夫の氏 　　　　　　　　　　　　　　　　　　以下余白

発行番号０００００１

第5　具体的な処理例

図118-2　婚姻無効の裁判による戸籍訂正後の妻の実方戸籍

	（1の1）	全 部 事 項 証 明
本　　　籍	京都府京都市上京区小山初音町１０番地	
氏　　　名	乙川　英吉	

〰〰〰〰〰〰〰〰〰〰〰〰〰〰〰〰〰〰〰〰〰〰〰〰〰〰〰〰〰〰〰〰

戸籍に記録されている者	【名】英子 【生年月日】昭和５８年４月１０日 【父】乙川英吉 【母】乙川秋子 【続柄】長女
除　籍	
身分事項 　出　　生	（出生事項省略）
消　　除	【消除日】平成２９年６月１５日 【消除事項】婚姻事項 【消除事由】夫甲野一郎との婚姻無効の裁判確定 【裁判確定日】平成２９年６月２日 【申請日】平成２９年６月１２日 【申請人】夫 【送付を受けた日】平成２９年６月１５日 【受理者】東京都千代田区長 【従前の記録】 　　【婚姻日】平成２８年４月２０日 　　【配偶者氏名】甲野一郎 　　【送付を受けた日】平成２８年４月２３日 　　【受理者】東京都千代田区長 　　【新本籍】東京都千代田区平河町二丁目１０番地 　　【称する氏】夫の氏
除　　籍	【除籍日】平成２９年６月１５日 【除籍事由】夫甲野一郎との婚姻無効の裁判確定による申請 【裁判確定日】平成２９年６月２日 【申請日】平成２９年６月１２日 【申請人】夫 【送付を受けた日】平成２９年６月１５日 【受理者】東京都千代田区長 【新本籍】京都府京都市上京区小山初音町１０番地
	以下余白

発行番号０００００１

図119　婚姻無効の裁判による戸籍訂正による母子の新戸籍

		（1の1）	全部事項証明
本　　　籍	京都府京都市上京区小山初音町１０番地		
氏　　　名	乙川　英子		
戸籍事項 　　戸籍編製	【編製日】平成２９年６月１５日		
戸籍に記録されている者	【名】英子 【生年月日】昭和５８年４月１０日 【父】乙川英吉 【母】乙川秋子 【続柄】長女		
身分事項 　　出　　生 　　入　　籍	（出生事項省略） 【入籍日】平成２９年６月１５日 【入籍事由】夫甲野一郎との婚姻無効の裁判確定による申請 【裁判確定日】平成２９年６月２日 【申請日】平成２９年６月１２日 【申請人】夫 【送付を受けた日】平成２９年６月１５日 【受理者】東京都千代田区長 【従前戸籍】京都府京都市上京区小山初音町１０番地　乙川英吉		
戸籍に記録されている者	【名】英一 【生年月日】平成２９年３月１５日 【父】甲野一郎 【母】乙川英子 【続柄】長男		
身分事項 　　出　　生 　　移　　記	【出生日】平成２９年３月１５日 【出生地】東京都千代田区 【届出日】平成２９年３月２０日 【届出人】父 【移記日】平成２９年６月１５日 【移記事由】父母の婚姻無効の裁判確定 【裁判確定日】平成２９年６月２日 【申請日】平成２９年６月１２日 【申請人】父 【送付を受けた日】平成２９年６月１５日 【受理者】東京都千代田区長 【移記前の戸籍】東京都千代田区平河町二丁目１０番地　甲野一郎		
	以下余白		

発行番号０００００１

第5　具体的な処理例

イ　婚姻前既に戸籍の筆頭者となっているとき

婚姻前既に戸籍の筆頭者となっているときは，①婚姻前の戸籍が，婚姻により除籍となっているときと，②婚姻前の戸籍が，除籍となっていないとき（その戸籍に在籍者がある場合）の二とおりあります。したがって，戸籍訂正申請がされた時点において，従前戸籍がどのような状態になっているかにより，戸籍訂正の方法を異にします。

ここでは，妻の婚姻前の戸籍が，婚姻により除籍となっている場合を示すことにします。

戸籍の流れを図で示すと次のようになります。

なお，夫婦の新戸籍及び夫の実方戸籍の戸籍訂正記載例は，前例を参考としてください。

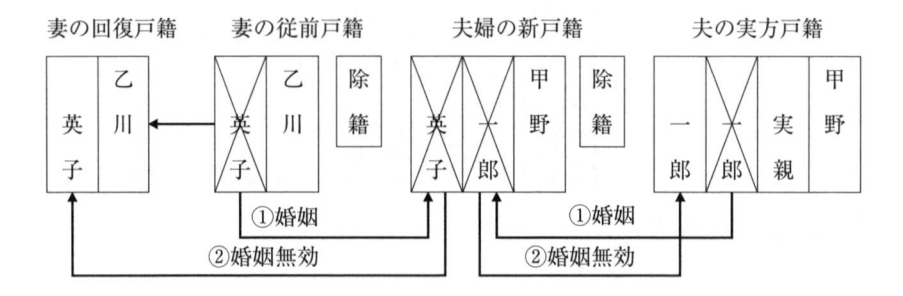

```
妻の回復戸籍    妻の従前戸籍         夫婦の新戸籍           夫の実方戸籍

┌───┬───┐  ┌───┬───┬───┐  ┌───┬───┬───┐  ┌───┬───┬───┐
│乙 │英 │  │乙 │英 │除 │  │甲 │英 │除 │  │甲 │実 │一 │
│川 │子 │  │川 │子 │籍 │  │野 │子 │籍 │  │野 │親 │郎 │
│   │   │  │   │ ✕ │   │  │ ✕ │ ✕ │   │  │   │   │ ✕ │
└───┴───┘  └───┴───┴───┘  └───┴───┴───┘  └───┴───┴───┘
    ↑          │①婚姻 ↗              ↑ ①婚姻 │
    │          ②婚姻無効               ②婚姻無効
    └──────────────────────────┘
```

図120-1は，婚姻無効の裁判による戸籍訂正前の妻の従前戸籍です。

図120-2は，婚姻無効の裁判による戸籍訂正後の妻の従前戸籍です。

婚姻事項を消除し，戸籍事項欄の戸籍消除事項を消除します。

図120-3は，婚姻無効の裁判による戸籍回復後の妻の戸籍です。

戸籍回復に当たっては，重要な身分事項を移記します（戸規39条1項）。

4 婚姻・離婚に関する訂正

図120‑1　婚姻無効の裁判による戸籍訂正前の妻の従前戸籍

除　　籍	（1の1）　全　部　事　項　証　明
本　　籍	京都府京都市上京区小山初音町１０番地
氏　　名	乙川　英子
戸籍事項 　戸籍改製 　戸籍消除	（改製事項省略） 【消除日】平成２８年１０月２４日
戸籍に記録されている者 　　除　　籍	【名】英子 【生年月日】昭和６２年７月１０日 【父】乙川英吉 【母】乙川秋子 【続柄】長女
身分事項 　出　　生 　婚　　姻	（出生事項省略） 【婚姻日】平成２８年１０月２０日 【配偶者氏名】甲野一郎 【送付を受けた日】平成２８年１０月２４日 【受理者】東京都千代田区長 【新本籍】東京都千代田区平河町二丁目１０番地 【称する氏】夫の氏
	以下余白
発行番号０００００１	

463

第5　具体的な処理例

図120-2　婚姻無効の裁判による戸籍訂正後の妻の従前戸籍

除　　籍	（1の1）	全 部 事 項 証 明
本　　籍	京都府京都市上京区小山初音町１０番地	
氏　　名	乙川　英子	

戸籍事項 　戸籍改製 　消　　除	（改製事項省略） 【消除日】平成２９年６月１８日 【消除事項】戸籍消除事項 【消除事由】戸籍消除の記録錯誤 【従前の記録】 　　【消除日】平成２８年１０月２４日
戸籍に記録されている者 　　除　　籍	【名】英子 【生年月日】昭和６２年７月１０日 【父】乙川英吉 【母】乙川秋子 【続柄】長女
身分事項 　出　　生 　消　　除	（出生事項省略） 【消除日】平成２９年６月１８日 【消除事項】婚姻事項 【消除事由】夫甲野一郎との婚姻無効の裁判確定 【裁判確定日】平成２９年６月３日 【申請日】平成２９年６月１５日 【申請人】夫 【送付を受けた日】平成２９年６月１８日 【受理者】東京都千代田区長 【従前の記録】 　　【婚姻日】平成２８年１０月２０日 　　【配偶者氏名】甲野一郎 　　【送付を受けた日】平成２８年１０月２４日 　　【受理者】東京都千代田区長 　　【新本籍】東京都千代田区平河町二丁目１０番地 　　【称する氏】夫の氏
	以下余白

発行番号０００００１

図120-3　婚姻無効の裁判による戸籍回復後の妻の戸籍

		(1の1)	全 部 事 項 証 明
本　　　籍	京都府京都市上京区小山初音町１０番地		
氏　　　名	乙川　英子		

戸籍事項 　　戸籍改製 　　戸籍回復	（改製事項省略） 【回復日】平成２９年６月１８日 【回復事由】戸籍消除の記録錯誤
戸籍に記録されている者	【名】英子 【生年月日】昭和６２年７月１０日 【父】乙川英吉 【母】乙川秋子 【続柄】長女
身分事項 　　出　　生	（出生事項省略）

以下余白

発行番号０００００１

第5　具体的な処理例

(2) 実方戸籍がコンピュータ戸籍に改製された後，婚姻無効の裁判があった場合

　実方戸籍がコンピュータ戸籍に改製された後に婚姻無効の裁判があった場合は，まず，平成改製原戸籍に記載されている婚姻事項を消除し，コンピュータ戸籍に回復することになります。

　戸籍の流れを図で示すと次のようになります。

　なお，夫婦の戸籍の戸籍訂正記載例は，前例を参考としてください。

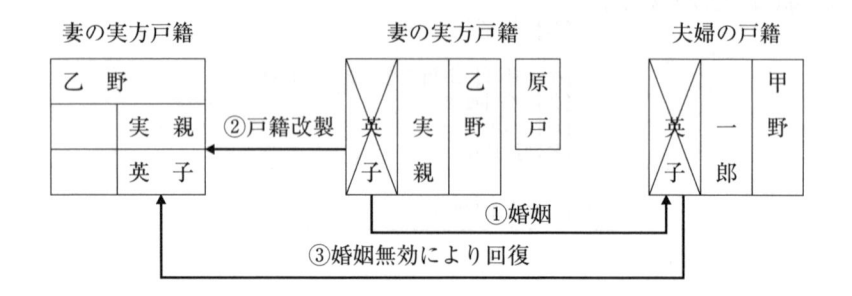

```
  妻の実方戸籍           妻の実方戸籍              夫婦の戸籍
┌─────────┐        ┌──────────────┐        ┌──────────┐
│  乙  野    │        │ ╳  乙  原 │        │ ╳  甲  │
│           │        │    野  戸 │        │    野  │
│   実 親   │ ②戸籍改製│ 英  実     │        │ 英  一  │
│   英 子   │←────    │ 子  親    │        │ 子  郎  │
└─────────┘        └──────────────┘        └──────────┘
     ↑                    ↓                      ↑
     │              ①婚姻 ─────────────────┘
     │
     └──── ③婚姻無効により回復 ──────
```

　図121-1は，婚姻無効の裁判による戸籍訂正前の妻の実方の紙戸籍（改製原戸籍）です。

　図121-2は，婚姻無効の裁判による戸籍訂正後の妻の実方の紙戸籍（改製原戸籍）です。

　英子の婚姻事項を消除し，末尾に回復することなく，コンピュータ戸籍に回復する旨を記載します。

　図122は，婚姻無効の裁判による回復後の妻の実方のコンピュータ戸籍です。

　出生事項を記録し，段落ちタイトル「記録」により記録日及び記録事由を記録します。

4　婚姻・離婚に関する訂正

図121-1　婚姻無効の裁判による戸籍訂正前の妻の実方の紙戸籍（改製原戸籍）

本籍	東京都葛飾区高砂一丁目十七番地	氏名	乙野英吉

出生事項（省略） 平成弐拾八年拾月壱日甲野太郎と婚姻届出同月参日東京都千代田区長から送付同区平河町二丁目十番地に夫の氏の新戸籍編製につき除籍㊞	父　乙野英吉 母　　　春子	二女
	✕英子✕	
	出生　昭和五拾九年四月弐拾日	
	父 母	
	出生	

467

第5 具体的な処理例

図121-2 婚姻無効の裁判による戸籍訂正後の妻の実方の紙戸籍（改製原戸籍）

改製原戸籍	平成六年法務省令第五十一号附則第二条第一項による改製につき平成年月日消除㊞

本籍	東京都葛飾区高砂一丁目十七番地	氏名	乙野英吉

出生事項（省略）

~~平成七年拾月壱日甲野太郎と婚姻届出同月参日東京都千代田区長から送付同区平河町二丁目廿番地其の夫の氏の新戸籍編製につき除籍㊞~~

平成参拾年参月八日夫甲野太郎との婚姻無効の裁判確定同月拾九日夫申請同月弐拾弐日東京都千代田区長から送付婚姻の記載消除東京都葛飾区高砂一丁目十七番地乙野英吉戸籍に回復㊞

父 乙野英吉　二女
母 春子

英子

生出 昭和五拾九年四月弐拾日

父
母

生出

4 婚姻・離婚に関する訂正

図122　婚姻無効の裁判による回復後の妻の実方のコンピュータ戸籍

		(1の1) 全 部 事 項 証 明
本　　籍		東京都葛飾区高砂一丁目17番地
氏　　名		乙野　英吉
戸籍事項 　　戸籍改製		【改製日】平成年月日 【改製事由】平成6年法務省令第51号附則第2条第1項による改製

〜〜〜〜〜〜〜〜〜〜〜〜〜〜〜〜〜〜〜〜〜〜〜〜〜〜〜〜〜〜

戸籍に記録されている者	【名】英子 【生年月日】昭和59年4月20日 【父】乙野英吉 【母】乙野春子 【続柄】二女
身分事項 　　出　　生 　　記　　録	（出生事項省略） 【記録日】平成30年3月22日 【記録事由】申請 【送付を受けた日】平成30年3月22日 【受理者】東京都千代田区長
	以下余白

発行番号000001

第5　具体的な処理例

(3)　**実方戸籍が転籍により除籍となった後，婚姻無効の裁判があった場合**

　本例は，実方戸籍がコンピュータ戸籍に改製された場合と同様の訂正方法になります。婚姻戸籍及び転籍後の実方戸籍の戸籍訂正記載例は，前例を参照してください。ここでは，転籍前の実方戸籍の戸籍訂正記載例のみを示すことにします。

　図123-1は，婚姻無効の裁判による戸籍訂正前の転籍前の実方戸籍です。

　図123-2は，婚姻無効の裁判による戸籍訂正後の転籍前の実方戸籍です。

　本来は，婚姻事項を消除した上，戸籍の末尾に回復しますが，本例のように回復すべき戸籍が転籍しているときは，転籍前の戸籍の婚姻事項を消除し，消除事項中に【回復後の戸籍】のインデックスを表示し，転籍後の戸籍に回復することになります。回復後の戸籍訂正記載例は，前例のコンピュータ戸籍と同様です。

4　婚姻・離婚に関する訂正

図123-1　婚姻無効の裁判による戸籍訂正前の転籍前の実方戸籍

除　　籍	（1の1）	全 部 事 項 証 明
本　　籍	京都府京都市上京区小山初音町１０番地	
氏　　名	乙野　英吉	

戸籍事項	
戸籍編製 転　　籍	（編製事項省略） 【転籍日】平成２９年１月２０日 【新本籍】東京都葛飾区高砂一丁目１７番地 【送付を受けた日】平成２９年１月２２日 【受理者】東京都葛飾区長

戸籍に記録されている者 除　　籍	【名】英子 【生年月日】昭和５９年４月２０日 【父】乙野英吉 【母】乙野春子 【続柄】二女
身分事項 　出　　生 　婚　　姻	（出生事項省略） 【婚姻日】平成２８年１０月２０日 【配偶者氏名】甲野一郎 【送付を受けた日】平成２８年１０月２４日 【受理者】東京都千代田区長 【新本籍】東京都千代田区平河町二丁目１０番地 【称する氏】夫の氏

以下余白

発行番号０００００１

第5　具体的な処理例

図123-2　婚姻無効の裁判による戸籍訂正後の転籍前の実方戸籍

除　　籍	（1の1）	全 部 事 項 証 明
本　　籍	京都府京都市上京区小山初音町１０番地	
氏　　名	乙野　英吉	

戸籍事項 　戸籍編製 　転　　籍	（編製事項省略） 【転籍日】平成２９年１月２０日 【新本籍】東京都葛飾区高砂一丁目１７番地 【送付を受けた日】平成２９年１月２２日 【受理者】東京都葛飾区長

戸籍に記録されている者 除　　籍	【名】英子 【生年月日】昭和５９年４月２０日 【父】乙野英吉 【母】乙野春子 【続柄】二女
身分事項 　出　　生 　消　　除	（出生事項省略） 【消除日】平成２９年７月２５日 【消除事項】婚姻事項 【消除事由】夫甲野一郎との婚姻無効の裁判確定 【裁判確定日】平成２９年７月１２日 【申請日】平成２９年７月２２日 【申請人】夫 【送付を受けた日】平成２９年７月２５日 【受理者】東京都千代田区長 【回復後の戸籍】東京都葛飾区高砂一丁目１７番地　乙野英吉 【従前の記録】 　【婚姻日】平成２８年１０月２０日 　【配偶者氏名】甲野一郎 　【送付を受けた日】平成２８年１０月２４日 　【受理者】東京都千代田区長 　【新本籍】東京都千代田区平河町二丁目１０番地 　【称する氏】夫の氏
	以下余白

発行番号０００００１

(4) 生存配偶者が自己の氏を称する婚姻をした後，婚姻無効の裁判があった場合

　ア　従前戸籍に回復するとき

　生存配偶者の従前戸籍が除籍となっていないときは，婚姻無効の裁判による戸籍訂正申請によりその従前戸籍の末尾に回復することになります。

　戸籍訂正記載例は，夫（又は妻）の氏を称する婚姻により新戸籍を編製し，婚姻無効の裁判があった場合の実方戸籍の戸籍訂正記載例と同様になります（図115-2及び図116-2参照）。ただし，回復に当たって重要な身分事項を移記するときにおいて，従前戸籍に亡配偶者との婚姻事項及び配偶者の死亡事項の記録があるときは，その記録をも移記した方が好ましいと考えます。

　イ　従前戸籍が除かれているとき

　生存配偶者の従前戸籍が除籍となっているときは，婚姻無効の裁判による戸籍訂正申請によりその従前戸籍の婚姻除籍事項を消除し，同戸籍を回復することになります。この回復に当たっても，アと同様のことがいえます。

(5) 夫婦について婚姻により新戸籍を編製し，その戸籍に戸籍法62条の届出により子が入籍した後，婚姻無効の裁判があった場合

　前記(1)のア(イ)は，婚姻後に子が出生し，父が嫡出子出生の届出をした後，婚姻無効の裁判があった場合です。本例は，婚姻前に出生し，子の出生届出前に父母の婚姻があり，婚姻後に嫡出子出生の届出，いわゆる「62条の届出」をしている場合です。

　この場合の訂正方法等は，前記(1)のアと同様です。

　ア　母を婚姻無効により実方戸籍に回復した上，母について新戸籍を編製し，その新戸籍に子を移記するとき

　戸籍訂正記載例は，前記(1)のア(イ)（図117-2・図118-2・図119）を参照してください。

　イ　母の従前戸籍を回復した上，その戸籍に子を移記するとき

　戸籍訂正記載例は，前記(1)のア(イ)及びイを参照してください。

第5 具体的な処理例

(6) 離婚の上，同一人と再婚した後，前婚及び後婚の双方について婚姻無効の裁判があった場合

本例は，第一の婚姻及び第二の婚姻ともに無効となった場合です。婚姻と婚姻の間に離婚という身分行為がありますが，離婚の前提となる婚姻が無効となりますから，離婚も当然に無効ということになります。したがって，婚姻により新戸籍が編製されているときは，その新戸籍の編製が誤りということになりますので，戸籍訂正申請により第一及び第二の婚姻事項並びに離婚事項を消除するとともに，その新戸籍を消除し，事件本人らを従前戸籍に回復することになります。この場合の従前戸籍とは，第一の婚姻事項中に記録されている【従前戸籍】になります。

本例の場合，①第一の婚姻及び第二の婚姻とも夫の氏を称する婚姻をした場合と，②第一の婚姻で夫の氏を称し，第二の婚姻で妻の氏を称した場合であるときは，その婚姻前の戸籍の状態等によって戸籍訂正の方法を異にすることになります。

まず，第一の婚姻及び第二の婚姻とも夫の氏を称する婚姻をした場合です。この場合には，次のとおりいくつかのパターンがあります。これを戸籍の流れ図にして，訂正方法等を考えてみましょう。

　㋐-ⅰ　第一の婚姻により夫婦について新戸籍を編製し，離婚により妻が婚姻前の戸籍に復籍後，第二の婚姻により妻が夫の戸籍に入籍しているとき

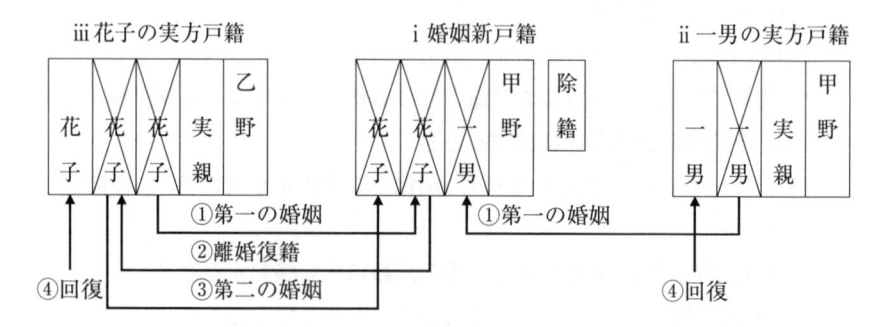

この場合の訂正方法は，ⅰの婚姻新戸籍については，一男及び花子それぞれの婚姻事項を消除し，併せて離婚事項を消除した上，同戸籍を除籍としま

474

す。一男及び花子それぞれを従前戸籍（実方戸籍）の末尾に回復しますが，一男については従前戸籍の第一の婚姻事項，花子については第一の婚姻事項及び離婚復籍後の離婚事項並びに第二の婚姻事項をそれぞれ消除します。

婚姻新戸籍及び一男の実方戸籍の戸籍訂正記載例は，前例等を参照してください。ここでは，花子の実方戸籍の戸籍訂正記載例を示すことにします。

図124-1は，婚姻無効の裁判による戸籍訂正前の花子の実方戸籍です。

図124-2は，婚姻無効の裁判による戸籍訂正後の花子の実方戸籍です。

第一の婚姻事項を消除し，離婚復籍後の離婚事項及び第二の婚姻事項をそれぞれ消除し，「戸籍に記録されている者」欄に「消除マーク」を表示します。「消除マーク」を表示するのは，離婚により復籍（入籍）したことが誤りだからです。

第5　具体的な処理例

図124-1　婚姻無効の裁判による戸籍訂正前の花子の実方戸籍

	（1の1）　全部事項証明
本　　籍	京都府京都市上京区小山初音町１０番地
氏　　名	乙野　英助
戸籍事項 　戸籍編製	（編製事項省略）

戸籍に記録されている者 除　籍	【名】花子 【生年月日】昭和６２年４月２０日 【父】乙野英助 【母】乙野春子 【続柄】長女
身分事項 　出　　生 　婚　　姻	（出生事項省略） 【婚姻日】平成２８年４月１０日 【配偶者氏名】甲野一男 【送付を受けた日】平成２８年４月１２日 【受理者】東京都千代田区長 【新本籍】東京都千代田区平河町二丁目１０番地 【称する氏】夫の氏
戸籍に記録されている者 除　籍	【名】花子 【生年月日】昭和６２年４月２０日 【父】乙野英助 【母】乙野春子 【続柄】長女
身分事項 　出　　生 　離　　婚 　婚　　姻	（出生事項省略） 【離婚日】平成２８年９月１０日 【配偶者氏名】甲野一男 【送付を受けた日】平成２８年９月１２日 【受理者】東京都千代田区長 【従前戸籍】東京都千代田区平河町二丁目１０番地　甲野一男 【婚姻日】平成２８年１０月２０日 【配偶者氏名】甲野一男 【送付を受けた日】平成２８年１０月２４日 【受理者】東京都千代田区長 【入籍戸籍】東京都千代田区平河町二丁目１０番地　甲野一男
	以下余白

発行番号０００００１

図124-2 婚姻無効の裁判による戸籍訂正後の花子の実方戸籍

		（2の1）	全 部 事 項 証 明
本　　籍	京都府京都市上京区小山初音町１０番地		
氏　　名	乙野　英助		
戸籍事項 　戸籍編製	（編製事項省略）		

戸籍に記録されている者 　　除　籍	【名】花子 【生年月日】昭和６２年４月２０日 【父】乙野英助 【母】乙野春子 【続柄】長女
身分事項 　　出　　生 　　消　　除	（出生事項省略） 【消除日】平成２９年９月２５日 【消除事項】婚姻事項 【消除事由】夫甲野一男との婚姻無効の裁判確定 【裁判確定日】平成２９年９月１２日 【申請日】平成２９年９月２２日 【申請人】夫 【送付を受けた日】平成２９年９月２５日 【受理者】東京都千代田区長 【従前の記録】 　　【婚姻日】平成２８年４月１０日 　　【配偶者氏名】甲野一男 　　【送付を受けた日】平成２８年４月１２日 　　【受理者】東京都千代田区長 　　【新本籍】東京都千代田区平河町二丁目１０番地 　　【称する氏】夫の氏
戸籍に記録されている者 　　消　除 　　除　籍	【名】花子 【生年月日】昭和６２年４月２０日 【父】乙野英助 【母】乙野春子 【続柄】長女
身分事項 　　出　　生 　　消　　除	（出生事項省略） 【消除日】平成２９年９月２５日 【消除事項】離婚事項 【消除事由】夫甲野一男との婚姻無効の裁判確定

発行番号０００００１　　　　　　　　　　　　　　　　　　以下次頁

第5　具体的な処理例

	（2の2）	全 部 事 項 証 明
消　　　除	【裁判確定日】平成29年9月12日 【申請日】平成29年9月22日 【申請人】夫 【送付を受けた日】平成29年9月25日 【受理者】東京都千代田区長 【従前の記録】 　　【離婚日】平成28年9月10日 　　【配偶者氏名】甲野一男 　　【送付を受けた日】平成28年9月12日 　　【受理者】東京都千代田区長 　　【従前戸籍】東京都千代田区平河町二丁目10番地　甲野一男	
	【消除日】平成29年9月25日 【消除事項】婚姻事項 【消除事由】夫甲野一男との婚姻無効の裁判確定 【裁判確定日】平成29年9月12日 【申請日】平成29年9月22日 【申請人】夫 【送付を受けた日】平成29年9月25日 【受理者】東京都千代田区長 【従前の記録】 　　【婚姻日】平成28年10月20日 　　【配偶者氏名】甲野一男 　　【送付を受けた日】平成28年10月24日 　　【受理者】東京都千代田区長 　　【入籍戸籍】東京都千代田区平河町二丁目10番地　甲野一男	
戸籍に記録されている者	【名】花子 【生年月日】昭和62年4月20日 【父】乙野英助 【母】乙野春子 【続柄】長女	
身分事項 　　出　　生	（出生事項省略）	
		以下余白

発行番号000001

4　婚姻・離婚に関する訂正

(ア)-ⅱ　第一の婚姻により夫婦について新戸籍を編製し，離婚により妻が新戸籍を編製後，第二の婚姻により妻が夫の戸籍に入籍しているとき

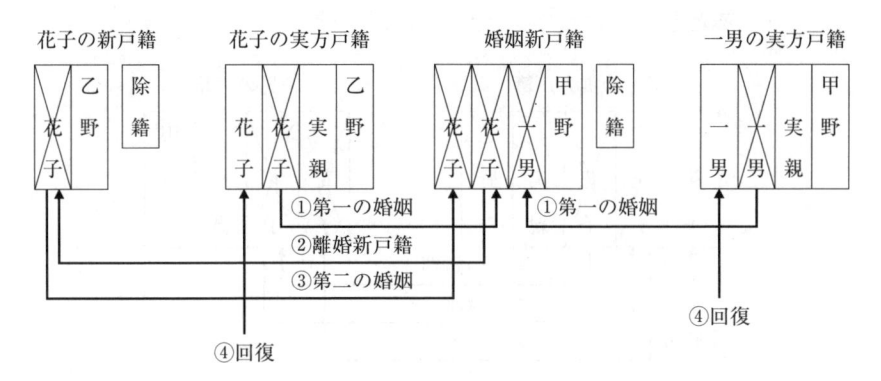

```
花子の新戸籍      花子の実方戸籍      婚姻新戸籍        一男の実方戸籍
 乙野 除籍        乙野              甲野 除籍          甲野
 花子             花子 花子 実親     花子 花子 一男   一男 一男 実親
                    ①第一の婚姻
                    ②離婚新戸籍       ①第一の婚姻
                    ③第二の婚姻
                                                    ④回復
      ④回復
```

　この訂正方法は，基本的には，前記(ア)-ⅰと同じです。離婚により新戸籍を編製したことが誤りになります（離婚の前提となる婚姻が無効となったため）が，更にその新戸籍から婚姻していますので，その新戸籍は除籍となっています。この除籍したことも誤りになりますので，戸籍訂正申請により，身分事項欄中の婚姻事項を消除し，併せて戸籍事項欄の訂正を必要とします。単に，離婚により新戸籍が編製されただけであるときは，編製事由である離婚事項を消除し，その新戸籍を消除することになりますが，本例は，更に婚姻により戸籍が消除されていますので，この戸籍を消除したことが誤りになります。したがって，戸籍事項欄に記録されている消除事項の記載は，錯誤ですから，この記載を消除します。

・離婚による新戸籍中戸籍事項欄

```
戸籍編製          （編製事項省略）
消　　除          【消除日】平成○○年○月○日
                 【消除事項】戸籍消除事項
                 【消除事由】戸籍消除の記録錯誤
                 【従前の記録】
                    【消除日】平成○○年○月○日
戸籍消除          【消除日】平成○○年○月○日
```

479

第5　具体的な処理例

　(ア)-ⅲ　夫が既に戸籍の筆頭者であり，妻が実方戸籍の在籍者である場合において，第一の婚姻により妻が入籍し，離婚により妻が婚姻前の戸籍に復籍後，第二の婚姻により妻が夫の戸籍に入籍しているとき

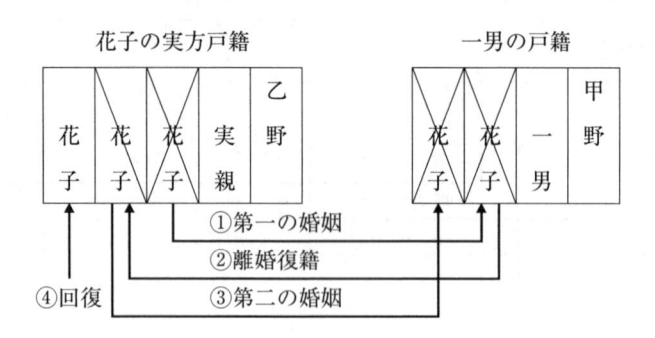

```
        花子の実方戸籍                    一男の戸籍
   ┌──┬──┬──┬──┬──┐         ┌──┬──┬──┬──┐
   │花 │花 │花 │実 │乙 │         │花 │花 │一 │甲 │
   │子 │子 │子 │親 │野 │         │子 │子 │男 │野 │
   └──┴──┴──┴──┴──┘         └──┴──┴──┴──┘
    ↑    ↑                         ↑    ↑
    │    └──①第一の婚姻──────────────┘    │
    │         ②離婚復籍                      │
    │    ④回復 ③第二の婚姻───────────────────┘
```

　一男の戸籍中，一男の戸籍訂正の方法は，前記(ア)-ⅰと同様で，花子についての戸籍訂正の方法も同様です。また，花子の実方戸籍の訂正方法も(ア)-ⅰと同様です。

　(ア)-ⅳ　夫が既に戸籍の筆頭者であり，妻が実方戸籍の在籍者である場合において，第一の婚姻により妻が夫の戸籍に入籍し，離婚により妻が新戸籍を編製後，第二の婚姻により妻が夫の戸籍に入籍しているとき

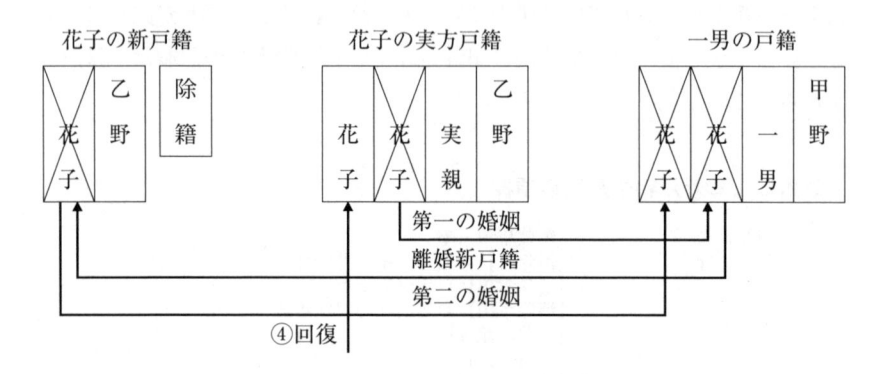

```
   花子の新戸籍        花子の実方戸籍              一男の戸籍
  ┌──┬──┬──┐   ┌──┬──┬──┬──┐      ┌──┬──┬──┬──┐
  │花 │乙 │除 │   │花 │花 │実 │乙 │      │花 │花 │一 │甲 │
  │子 │野 │籍 │   │子 │子 │親 │野 │      │子 │子 │男 │野 │
  └──┴──┴──┘   └──┴──┴──┴──┘      └──┴──┴──┴──┘
    ↑                ↑    ↑ 第一の婚姻──────────┘    ↑
    │                │    └──離婚新戸籍                │
    │                │      第二の婚姻──────────────────┘
    └────────────────④回復
```

　この訂正方法は，(ア)-ⅰ及び(ア)-ⅱを参照してください。

480

4 婚姻・離婚に関する訂正

　㋐-ⅴ　夫及び妻ともに既に戸籍の筆頭者であり，第一の婚姻により妻が夫の戸籍に入籍し，離婚により妻が新戸籍を編製後，第二の婚姻により妻が夫の戸籍に入籍しているとき

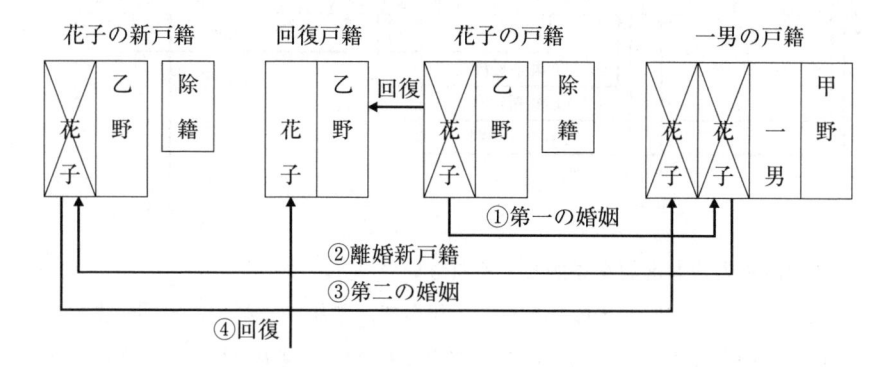

花子の新戸籍　　回復戸籍　　花子の戸籍　　一男の戸籍

①第一の婚姻
②離婚新戸籍
③第二の婚姻
④回復

この訂正方法も，前記を参照してください。

　㋐-ⅵ　夫及び妻ともに既に戸籍の筆頭者であり，第一の婚姻により妻が夫の戸籍に入籍し，離婚により妻が婚姻前の戸籍に復籍後，第二の婚姻により妻が夫の戸籍に入籍しているとき

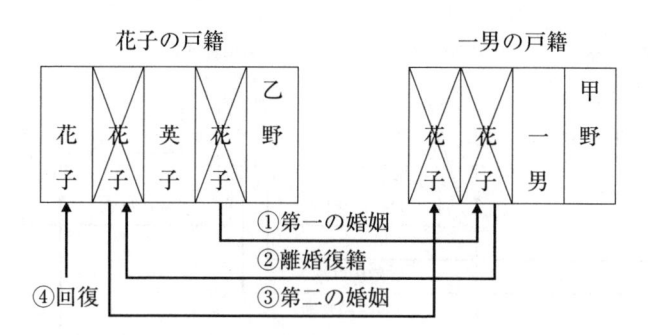

花子の戸籍　　一男の戸籍

①第一の婚姻
②離婚復籍
③第二の婚姻
④回復

この訂正方法も，前記を参照してください。

　㋐-ⅶ　夫が実方戸籍の在籍者であり，妻が婚姻前既に戸籍の筆頭者である場合において，第一の婚姻により夫婦で新戸籍を編製し，離婚により妻が婚姻前の戸籍に復籍後（又は新戸籍を編製後），第二の婚姻により妻が夫の戸籍に入籍しているとき

481

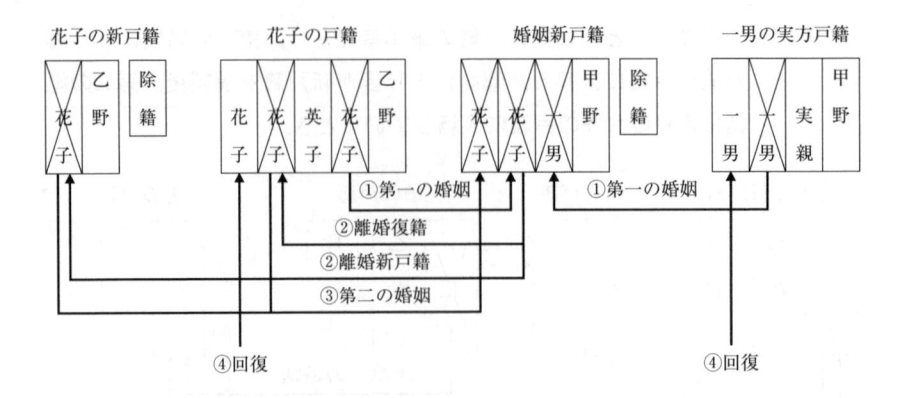

第5　具体的な処理例

[図：花子の新戸籍／花子の戸籍／婚姻新戸籍／一男の実方戸籍
①第一の婚姻　②離婚復籍　②離婚新戸籍　③第二の婚姻　④回復]

　この訂正方法も前記を参照してください。
　次に，第一の婚姻が夫の氏を称する場合で，離婚後，第二の婚姻が妻の氏を称する場合です。この場合にも，次のとおりいくつかのパターンがあります。

　　(イ)-ⅰ　第一の婚姻により夫婦について新戸籍を編製し，離婚により妻が新戸籍を編製後，第二の婚姻により夫が妻の新戸籍に入籍しているとき

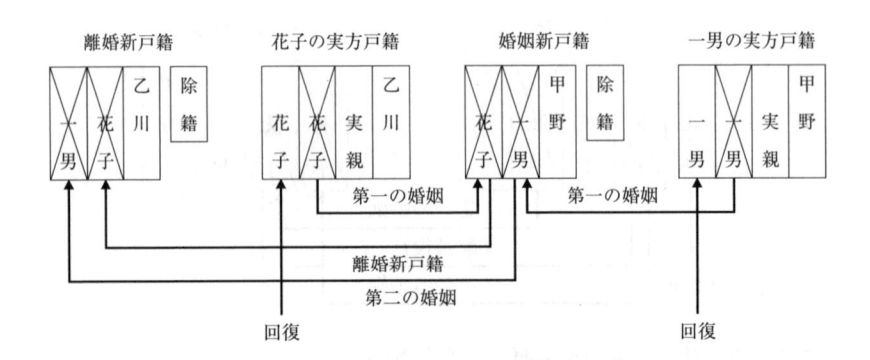

[図：離婚新戸籍／花子の実方戸籍／婚姻新戸籍／一男の実方戸籍
第一の婚姻　離婚新戸籍　第二の婚姻　回復]

　この場合の戸籍訂正の方法はどうでしょうか。この場合も前記(ア)-ⅰと同様の戸籍訂正の方法になります。違いは，離婚により復籍せず，新戸籍を編製したことと，第二の婚姻の際に称する氏が妻の氏ということで，夫が第一の婚姻による新戸籍から妻の離婚による新戸籍に入籍したことです。したがって，前記全ての戸籍に記載されている一男及び花子の婚姻事項及び離婚

482

事項を消除し，婚姻による新戸籍及び離婚による新戸籍を消除することになります。

図125-1は，婚姻無効の裁判による戸籍訂正前の夫婦の第一の婚姻による新戸籍です。

図125-2は，婚姻無効の裁判による戸籍訂正後の夫婦の第一の婚姻による新戸籍です。

戸籍訂正の方法は，夫については，第一の婚姻事項及び離婚事項並びに第二の婚姻事項をそれぞれ消除し，「戸籍に記録されている者」欄に「消除マーク」を表示します。妻については，第一の婚姻事項及び離婚事項をそれぞれ消除し，「戸籍に記録されている者」欄に「消除マーク」を表示します。戸籍事項欄の戸籍消除事項を消除します。既に「除籍マーク」は表示されていますので，この処理は必要ありません。

図126-1は，婚姻無効の裁判による戸籍訂正前の夫の実方戸籍です。

図126-2は，婚姻無効の裁判による戸籍訂正後の夫の実方戸籍です。

婚姻事項を消除し，戸籍の末尾に回復します。回復に当たっては，重要な身分事項を移記すれば足り，回復に関する記録を必要としません。

図127-1は，婚姻無効の裁判による戸籍訂正前の妻の実方戸籍です。

図127-2は，婚姻無効の裁判による戸籍訂正後の妻の実方戸籍です。

婚姻事項を消除し，戸籍の末尾に回復します。回復に当たっては，重要な身分事項を移記すれば足り，回復に関する記録を必要としません。

図128-1は，婚姻無効の裁判による戸籍訂正前の離婚による妻の新戸籍です。

図128-2は，婚姻無効の裁判による戸籍訂正後の離婚による妻の新戸籍です。

戸籍訂正の方法は，妻については，離婚事項及び婚姻事項をそれぞれ消除し，「戸籍に記録されている者」欄に「消除マーク」を表示します。夫については，婚姻事項を消除し，「戸籍に記録されている者」欄に「消除マーク」を表示します。戸籍事項欄に戸籍消除事項を記録し，「除籍マーク」を表示します。

第5　具体的な処理例

図125-1　婚姻無効の裁判による戸籍訂正前の夫婦の第一の婚姻による新戸籍

除　　籍	（1の1）	全部事項証明
本　　籍	東京都千代田区平河町二丁目10番地	
氏　　名	甲野　一男	

戸籍事項	
戸籍編製	【編製日】平成28年10月8日
戸籍消除	【消除日】平成29年4月10日

戸籍に記録されている者	【名】一男
除　　籍	【生年月日】昭和60年6月26日 【父】甲野幸雄 【母】甲野松子 【続柄】長男

身分事項	
出　　生	（出生事項省略）
婚　　姻	【婚姻日】平成28年10月8日 【配偶者氏名】乙川花子 【従前戸籍】東京都千代田区平河町一丁目4番地　甲野幸雄
離　　婚	【離婚日】平成29年3月25日 【配偶者氏名】甲野花子
婚　　姻	【婚姻日】平成29年4月10日 【配偶者氏名】乙川花子 【入籍戸籍】京都府京都市上京区小山初音町20番地　乙川花子

戸籍に記録されている者	【名】花子
除　　籍	【生年月日】昭和62年4月10日 【父】乙川英吉 【母】乙川秋子 【続柄】長女

身分事項	
出　　生	（出生事項省略）
婚　　姻	【婚姻日】平成28年10月8日 【配偶者氏名】甲野一男 【従前戸籍】京都府京都市上京区小山初音町10番地　乙川英吉
離　　婚	【離婚日】平成29年3月25日 【配偶者氏名】甲野一男 【新本籍】京都府京都市上京区小山初音町20番地
	以下余白

発行番号000001

4 婚姻・離婚に関する訂正

図125-2 婚姻無効の裁判による戸籍訂正後の夫婦の第一の婚姻による新戸籍

除　　　籍	（2の1）	全部事項証明
本　　　籍	東京都千代田区平河町二丁目１０番地	
氏　　　名	甲野　一男	

戸籍事項	
戸籍編製	【編製日】平成２８年１０月８日
消　　除	【消除日】平成２９年１２月１０日 【消除事項】戸籍消除事項 【消除事由】戸籍消除の記録錯誤 【従前の記録】 　　【消除日】平成２９年４月１０日
戸籍消除	【消除日】平成２９年１２月１０日

戸籍に記録されている者	
消　　除 除　　籍	【名】一男 【生年月日】昭和６０年６月２６日 【父】甲野幸雄 【母】甲野松子 【続柄】長男

身分事項	
出　　生	（出生事項省略）
消　　除	【消除日】平成２９年１２月１０日 【消除事項】婚姻事項 【消除事由】妻乙川花子との婚姻無効の裁判確定 【裁判確定日】平成２９年１１月２８日 【申請日】平成２９年１２月１０日 【従前の記録】 　　【婚姻日】平成２８年１０月８日 　　【配偶者氏名】乙川花子 　　【従前戸籍】東京都千代田区平河町一丁目４番地　甲野幸雄
消　　除	【消除日】平成２９年１２月１０日 【消除事項】離婚事項 【消除事由】妻乙川花子との婚姻無効の裁判確定 【裁判確定日】平成２９年１１月２８日 【申請日】平成２９年１２月１０日 【従前の記録】 　　【離婚日】平成２９年３月２５日 　　【配偶者氏名】甲野花子
消　　除	【消除日】平成２９年１２月１０日 【消除事項】婚姻事項 【消除事由】妻乙川花子との婚姻無効の裁判確定 【裁判確定日】平成２９年１１月２８日 【申請日】平成２９年１２月１０日

発行番号０００００１　　　　　　　　　　　　　　　　　　以下次頁

第5　具体的な処理例

	(2の2)	全 部 事 項 証 明
	【従前の記録】 　　【婚姻日】平成29年4月10日 　　【配偶者氏名】乙川花子 　　【入籍戸籍】京都府京都市上京区小山初音町20番地 　　　乙川花子	
戸籍に記録されている者 消　　除 除　　籍	【名】花子 【生年月日】昭和62年4月10日 【父】乙川英吉 【母】乙川秋子 【続柄】長女	
身分事項 　出　　生	（出生事項省略）	
消　　除	【消除日】平成29年12月10日 【消除事項】婚姻事項 【消除事由】夫甲野一男との婚姻無効の裁判確定 【裁判確定日】平成29年11月28日 【申請日】平成29年12月10日 【申請人】夫 【従前の記録】 　　【婚姻日】平成28年10月8日 　　【配偶者氏名】甲野一男 　　【従前戸籍】京都府京都市上京区小山初音町10番地 　　　乙川英吉	
消　　除	【消除日】平成29年12月10日 【消除事項】離婚事項 【消除事由】夫甲野一男との婚姻無効の裁判確定 【裁判確定日】平成29年11月28日 【申請日】平成29年12月10日 【申請人】夫 【従前の記録】 　　【離婚日】平成29年3月25日 　　【配偶者氏名】甲野一男 　　【新本籍】京都府京都市上京区小山初音町20番地	
	以下余白	

発行番号000001

図126-1　婚姻無効の裁判による戸籍訂正前の夫の実方戸籍

	（1の1）	全 部 事 項 証 明
本　　　籍	東京都千代田区平河町一丁目4番地	
氏　　　名	甲野　幸雄	

戸籍に記録されている者 　　除　　籍	【名】一男 【生年月日】昭和60年6月26日 【父】甲野幸雄 【母】甲野松子 【続柄】長男
身分事項 　　出　　生 　　婚　　姻	（出生事項省略） 【婚姻日】平成28年10月8日 【配偶者氏名】乙川花子 【新本籍】東京都千代田区平河町二丁目10番地 【称する氏】夫の氏

以下余白

発行番号000001

第5　具体的な処理例

図126-2　婚姻無効の裁判による戸籍訂正後の夫の実方戸籍

	（1の1）	全 部 事 項 証 明
本　　籍	東京都千代田区平河町一丁目4番地	
氏　　名	甲野　幸雄	

戸籍に記録されている者 除　　籍	【名】一男 【生年月日】昭和60年6月26日 【父】甲野幸雄 【母】甲野松子 【続柄】長男
身分事項 　出　　生	（出生事項省略）
消　　除	【消除日】平成29年12月10日 【消除事項】婚姻事項 【消除事由】妻乙川花子との婚姻無効の裁判確定 【裁判確定日】平成29年11月28日 【申請日】平成29年12月10日 【従前の記録】 　　【婚姻日】平成28年10月8日 　　【配偶者氏名】乙川花子 　　【新本籍】東京都千代田区平河町二丁目10番地 　　【称する氏】夫の氏
戸籍に記録されている者	【名】一男 【生年月日】昭和60年6月26日 【父】甲野幸雄 【母】甲野松子 【続柄】長男
身分事項 　出　　生	（出生事項省略）
	以下余白

発行番号000001

4 婚姻・離婚に関する訂正

図127-1 婚姻無効の裁判による戸籍訂正前の妻の実方戸籍

		(1の1)	全 部 事 項 証 明
本　　　籍	京都府京都市上京区小山初音町１０番地		
氏　　　名	乙川　英吉		

戸籍に記録されている者　　除　籍	【名】花子 【生年月日】昭和６２年４月１０日 【父】乙川英吉 【母】乙川秋子 【続柄】長女
身分事項 　　出　　生 　　婚　　姻	（出生事項省略） 【婚姻日】平成２８年１０月８日 【配偶者氏名】甲野一男 【送付を受けた日】平成２８年１０月１２日 【受理者】東京都千代田区長 【新本籍】東京都千代田区平河町二丁目１０番地 【称する氏】夫の氏
	以下余白

発行番号０００００１

第5 具体的な処理例

図127-2 婚姻無効の裁判による戸籍訂正後の妻の実方戸籍

	（1の1）	全部事項証明
本　　籍	京都府京都市上京区小山初音町１０番地	
氏　　名	乙川　英吉	

戸籍に記録されている者　　　　　除　籍	【名】花子 【生年月日】昭和６２年４月１０日 【父】乙川英吉 【母】乙川秋子 【続柄】長女
身分事項 　出　生 　消　除	（出生事項省略） 【消除日】平成２９年１２月１２日 【消除事項】婚姻事項 【消除事由】夫甲野一男との婚姻無効の裁判確定 【裁判確定日】平成２９年１１月２８日 【申請日】平成２９年１２月１０日 【申請人】夫 【送付を受けた日】平成２９年１２月１２日 【受理者】東京都千代田区長 【従前の記録】 　【婚姻日】平成２８年１０月８日 　【配偶者氏名】甲野一男 　【送付を受けた日】平成２８年１０月１２日 　【受理者】東京都千代田区長 　【新本籍】東京都千代田区平河町二丁目１０番地 　【称する氏】夫の氏
戸籍に記録されている者	【名】花子 【生年月日】昭和６２年４月１０日 【父】乙川英吉 【母】乙川秋子 【続柄】長女
身分事項 　出　生	（出生事項省略）
	以下余白

発行番号０００００１

図128-1　婚姻無効の裁判による戸籍訂正前の離婚による妻の新戸籍

	（1の1）	全 部 事 項 証 明
本　　籍	京都府京都市上京区小山初音町２０番地	
氏　　名	乙川　花子	
戸籍事項 　　戸籍編製	【編製日】平成２９年３月２８日	
戸籍に記録されている者	【名】花子 【生年月日】昭和６２年４月１０日　　【配偶者区分】妻 【父】乙川英吉 【母】乙川秋子 【続柄】長女	
身分事項 　　出　　生 　　離　　婚 　　婚　　姻	（出生事項省略） 【離婚日】平成２９年３月２５日 【配偶者氏名】甲野一男 【送付を受けた日】平成２９年３月２８日 【受理者】東京都千代田区長 【従前戸籍】東京都千代田区平河町二丁目１０番地　甲野一男 【婚姻日】平成２９年４月１０日 【配偶者氏名】甲野一男 【送付を受けた日】平成２９年４月１４日 【受理者】東京都千代田区長	
戸籍に記録されている者	【名】一男 【生年月日】昭和６０年６月２６日　　【配偶者区分】夫 【父】甲野幸雄 【母】甲野松子 【続柄】長男	
身分事項 　　出　　生 　　婚　　姻	（出生事項省略） 【婚姻日】平成２９年４月１０日 【配偶者氏名】乙川花子 【送付を受けた日】平成２９年４月１４日 【受理者】東京都千代田区長 【従前戸籍】東京都千代田区平河町二丁目１０番地　甲野一男	
	以下余白	

発行番号０００００１

第5　具体的な処理例

図128-2　婚姻無効の裁判による戸籍訂正後の離婚による妻の新戸籍

除　　　籍	（2の1）　全　部　事　項　証　明
本　　籍	京都府京都市上京区小山初音町20番地
氏　　名	乙川　花子

戸籍事項 　戸籍編製 　戸籍消除	【編製日】平成29年3月28日 【消除日】平成29年12月12日
戸籍に記録されている者 　　消　　除	【名】花子 【生年月日】昭和62年4月10日　　【配偶者区分】妻 【父】乙川英吉 【母】乙川秋子 【続柄】長女
身分事項 　出　　生	（出生事項省略）
消　　除	【消除日】平成29年12月12日 【消除事項】離婚事項 【消除事由】夫甲野一男との婚姻無効の裁判確定 【裁判確定日】平成29年11月28日 【申請日】平成29年12月10日 【申請人】夫 【送付を受けた日】平成29年12月12日 【受理者】東京都千代田区長 【従前の記録】 　　【離婚日】平成29年3月25日 　　【配偶者氏名】甲野一男 　　【送付を受けた日】平成29年3月28日 　　【受理者】東京都千代田区長 　　【従前戸籍】東京都千代田区平河町二丁目10番地　甲野一男
消　　除	【消除日】平成29年12月12日 【消除事項】婚姻事項 【消除事由】夫甲野一男との婚姻無効の裁判確定 【裁判確定日】平成29年11月28日 【申請日】平成29年12月10日 【申請人】夫 【送付を受けた日】平成29年12月12日 【受理者】東京都千代田区長 【従前の記録】 　　【婚姻日】平成29年4月10日 　　【配偶者氏名】甲野一男 　　【送付を受けた日】平成29年4月14日 　　【受理者】東京都千代田区長

発行番号000001　　　　　　　　　　　　　　　　　　　　以下次頁

4 婚姻・離婚に関する訂正

(2の2) 全部事項証明

戸籍に記録されている者 消　除	【名】一男 【生年月日】昭和６０年６月２６日　　【配偶者区分】夫 【父】甲野幸雄 【母】甲野松子 【続柄】長男
身分事項 　出　　生 　消　　除	(出生事項省略) 【消除日】平成２９年１２月１２日 【消除事項】婚姻事項 【消除事由】妻乙川花子との婚姻無効の裁判確定 【裁判確定日】平成２９年１１月２８日 【申請日】平成２９年１２月１０日 【送付を受けた日】平成２９年１２月１２日 【受理者】東京都千代田区長 【従前の記録】 　　【婚姻日】平成２９年４月１０日 　　【配偶者氏名】乙川花子 　　【送付を受けた日】平成２９年４月１４日 　　【受理者】東京都千代田区長 　　【従前戸籍】東京都千代田区平河町二丁目１０番地　甲野一男 以下余白

発行番号０００００１

第5　具体的な処理例

(イ)-ⅱ　夫が既に戸籍の筆頭者であり，第一の婚姻により妻が夫の戸籍に入籍し，離婚により妻が婚姻前の戸籍に復籍後，第二の婚姻により夫婦で新戸籍を編製しているとき

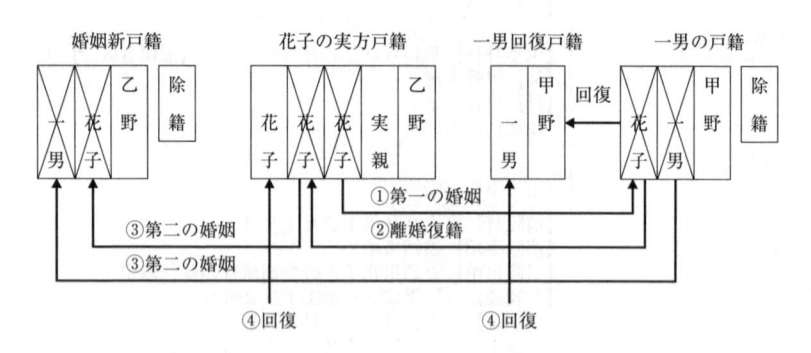

この戸籍訂正の方法は，一男戸籍については，一男及び花子の婚姻事項（一男については，二つの婚姻事項とも消除）及び離婚事項を消除し，戸籍事項欄の戸籍消除事項を消除の上，戸籍を回復し，その戸籍に一男を回復することになります。花子の婚姻新戸籍については，花子及び一男の婚姻事項を消除した上，同戸籍を消除します。花子の実方戸籍については，花子の婚姻事項及び離婚復籍後の花子の離婚事項及び婚姻事項を消除し，花子を同戸籍の末尾に回復します。

(イ)-ⅲ　夫が既に戸籍の筆頭者であり，第一の婚姻により戸籍の筆頭者であった妻が夫の戸籍に入籍し，離婚により妻が新戸籍を編製後，第二の婚姻により夫が妻の新戸籍に入籍しているとき

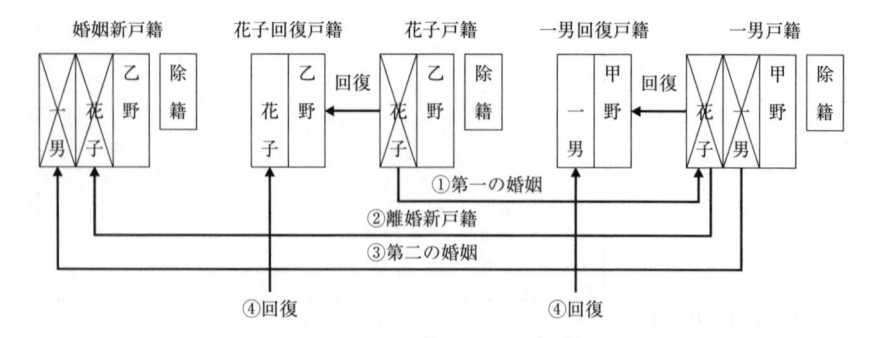

494

この戸籍訂正の方法は、一男戸籍及び花子の婚姻新戸籍については、前記と同様です。花子戸籍は、婚姻事項を消除し、除籍となっていますので、戸籍消除事項を消除した上、同戸籍を回復します。

　(イ)-iv　夫が既に戸籍の筆頭者であり、第一の婚姻により既に戸籍の筆頭者であった妻が夫の戸籍に入籍し、離婚により妻が婚姻前の戸籍（他に在籍者があったため復籍したもの。）に復籍し、第二の婚姻によりその戸籍に夫が入籍しているとき

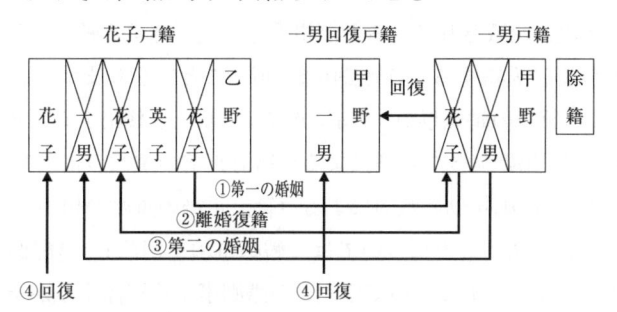

この戸籍訂正の方法は、一男戸籍については、前記と同様です。花子の戸籍は、除籍された身分事項欄中の婚姻事項及び離婚復籍後の離婚及び、婚姻事項を消除し、同戸籍の末尾に回復することになります。

(7)　婚姻継続中のまま、戸籍の筆頭に記載されている者が相手方の氏を称する婚姻により相手方戸籍に入籍後、婚姻無効の裁判があった場合

この例は、いわゆる重婚です。重婚は禁止（民法732条）されていますが、何らかの審査ミス等で受理され、戸籍の記録がされている場合です。重婚は、取消し原因（民法744条）ですが、婚姻無効の裁判によって戸籍訂正申請があれば、それにより訂正することになります。

第5　具体的な処理例

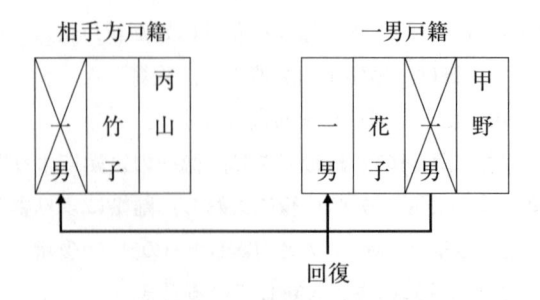

```
  相手方戸籍           一男戸籍
 ┌─┬─┬─┐        ┌─┬─┬─┐
 │×│竹│丙│        │一│花│×│甲
 │一│子│山│        │男│子│一│野
 │男│  │  │        │  │  │男│
 └─┴─┴─┘        └─┴─┴─┘
   ↑                    ↑
   └──────回復──────┘
```

　戸籍の筆頭に記載されている者が相手方の氏を称する婚姻をしたときは，相手方の戸籍に入籍する（戸籍法16条2項）ことになります。この場合，入籍戸籍には，第一の婚姻事項（花子との婚姻事項）を移記することになります。
　図129-1は，婚姻無効の裁判による戸籍訂正前の重婚の相手方戸籍です。
　図129-2は，婚姻無効の裁判による戸籍訂正後の重婚の相手方戸籍です。
　戸籍訂正の方法は，妻については，婚姻事項を消除し，【配偶者区分】の表示を消除します。夫については，どの婚姻事項を消除するかを明らかにするため，「丙山竹子との婚姻事項」と特定します。
　図130-1は，婚姻無効の裁判による戸籍訂正前の夫の戸籍です。
　図130-2は，婚姻無効の裁判による戸籍訂正後の夫の戸籍です。
　丙山竹子との婚姻事項を消除する旨記録し，末尾に一男を回復します。回復に当たっては，乙川花子との婚姻事項を移記し，「【配偶者区分】夫」の表示をします。

図129-1　婚姻無効の裁判による戸籍訂正前の重婚の相手方戸籍

	（1の1）　全部事項証明
本　　　籍	東京都葛飾区高砂一丁目１７番地
氏　　　名	丙山　竹子
戸籍事項 　　戸籍編製	（編製事項省略）
戸籍に記録されている者	【名】竹子 【生年月日】平成元年４月１９日　　　【配偶者区分】妻 【父】丙山一郎 【母】丙山冬子 【続柄】長女
身分事項 　　出　　生 　　婚　　姻	（出生事項省略） 【婚姻日】平成２８年４月２０日 【配偶者氏名】甲野一男
戸籍に記録されている者	【名】一男 【生年月日】昭和６０年６月２９日　　　【配偶者区分】夫 【父】甲野幸雄 【母】甲野松子 【続柄】長男
身分事項 　　出　　生 　　婚　　姻 　　婚　　姻	（出生事項省略） 【婚姻日】平成２６年１０月２０日 【配偶者氏名】乙川花子 【従前戸籍】東京都千代田区平河町一丁目４番地　甲野幸雄 【婚姻日】平成２８年４月２０日 【配偶者氏名】丙山竹子 【従前戸籍】東京都千代田区平河町二丁目１０番地　甲野一男
	以下余白

発行番号０００００１

第5　具体的な処理例

図129-2　婚姻無効の裁判による戸籍訂正後の重婚の相手方戸籍

	（2の1）	全部事項証明
本　　籍	東京都葛飾区高砂一丁目17番地	
氏　　名	丙山　竹子	

戸籍事項	
戸籍編製	（編製事項省略）

戸籍に記録されている者	【名】竹子 【生年月日】平成元年4月19日 【父】丙山一郎 【母】丙山冬子 【続柄】長女

身分事項	
出　　生	（出生事項省略）
消　　除	【消除日】平成28年12月12日 【消除事項】婚姻事項 【消除事由】夫甲野一男との婚姻無効の裁判確定 【裁判確定日】平成28年11月28日 【申請日】平成28年12月10日 【申請人】甲野花子 【送付を受けた日】平成28年12月12日 【受理者】東京都千代田区長 【従前の記録】 　　【婚姻日】平成28年4月20日 　　【配偶者氏名】甲野一男

戸籍に記録されている者 　消　　除	【名】一男 【生年月日】昭和60年6月29日　　【配偶者区分】夫 【父】甲野幸雄 【母】甲野松子 【続柄】長男

身分事項	
出　　生	（出生事項省略）
婚　　姻	【婚姻日】平成26年10月20日 【配偶者氏名】乙川花子 【従前戸籍】東京都千代田区平河町一丁目4番地　甲野幸雄
消　　除	【消除日】平成28年12月12日 【消除事項】丙山竹子との婚姻事項 【消除事由】妻丙山竹子との婚姻無効の裁判確定 【裁判確定日】平成28年11月28日 【申請日】平成28年12月10日

発行番号000001　　　　　　　　　　　　　　　　　　　　　以下次頁

4　婚姻・離婚に関する訂正

(2の2)　| 全 部 事 項 証 明

	【申請人】甲野花子 【送付を受けた日】平成28年12月12日 【受理者】東京都千代田区長 【従前の記録】 　　【婚姻日】平成28年4月20日 　　【配偶者氏名】丙山竹子 　　【従前戸籍】東京都千代田区平河町二丁目10番地　甲野一男
	以下余白

発行番号000001

499

第5　具体的な処理例

図130-1　婚姻無効の裁判による戸籍訂正前の夫の戸籍

	（1の1）	全 部 事 項 証 明
本　　籍	東京都千代田区平河町二丁目１０番地	
氏　　名	甲野　一男	

戸籍事項	
戸籍編製	【編製日】平成２６年１０月２０日

戸籍に記録されている者	【名】一男
除　籍	【生年月日】昭和６０年６月２９日　　【配偶者区分】夫 【父】甲野幸雄 【母】甲野松子 【続柄】長男

身分事項	
出　　生	（出生事項省略）
婚　　姻	【婚姻日】平成２６年１０月２０日 【配偶者氏名】乙川花子 【従前戸籍】東京都千代田区平河町一丁目４番地　甲野幸雄
婚　　姻	【婚姻日】平成２８年４月２０日 【配偶者氏名】丙山竹子 【送付を受けた日】平成２８年４月２２日 【受理者】東京都葛飾区長 【入籍戸籍】東京都葛飾区高砂一丁目１７番地　丙山竹子

戸籍に記録されている者	【名】花子
	【生年月日】昭和６２年４月１０日　　【配偶者区分】妻 【父】乙川英吉 【母】乙川秋子 【続柄】長女

身分事項	
出　　生	（出生事項省略）
婚　　姻	【婚姻日】平成２６年１０月２０日 【配偶者氏名】甲野一男 【従前戸籍】京都府京都市上京区小山初音町１０番地　乙川英吉

	以下余白

発行番号０００００１

4 婚姻・離婚に関する訂正

図130-2 婚姻無効の裁判による戸籍訂正後の夫の戸籍

	（2の1）	全 部 事 項 証 明
本　　籍	東京都千代田区平河町二丁目１０番地	
氏　　名	甲野　一男	
戸籍事項 　　戸籍編製	【編製日】平成２６年１０月２０日	
戸籍に記録されている者 　　　除　籍	【名】一男 【生年月日】昭和６０年６月２９日　　【配偶者区分】夫 【父】甲野幸雄 【母】甲野松子 【続柄】長男	
身分事項 　　出　　生 　　婚　　姻 　　消　　除	（出生事項省略） 【婚姻日】平成２６年１０月２０日 【配偶者氏名】乙川花子 【従前戸籍】東京都千代田区平河町一丁目４番地　甲野幸雄 【消除日】平成２８年１２月１０日 【消除事項】丙山竹子との婚姻事項 【消除事由】妻丙山竹子との婚姻無効の裁判確定 【裁判確定日】平成２８年１１月２８日 【申請日】平成２８年１２月１０日 【申請人】妻　甲野花子 【従前の記録】 　　【婚姻日】平成２８年４月２０日 　　【配偶者氏名】丙山竹子 　　【送付を受けた日】平成２８年４月２２日 　　【受理者】東京都葛飾区長 　　【入籍戸籍】東京都葛飾区高砂一丁目１７番地　丙山竹子	
戸籍に記録されている者	【名】花子 【生年月日】昭和６２年４月１０日　　【配偶者区分】妻 【父】乙川英吉 【母】乙川秋子 【続柄】長女	
身分事項 　　出　　生 　　婚　　姻	（出生事項省略） 【婚姻日】平成２６年１０月２０日 【配偶者氏名】甲野一男 【従前戸籍】京都府京都市上京区小山初音町１０番地　乙川英吉	
発行番号０００００１		以下次頁

第5　具体的な処理例

	(2の2)	全 部 事 項 証 明
戸籍に記録されている者	【名】一男 【生年月日】昭和６０年６月２９日　　【配偶者区分】夫 【父】甲野幸雄 【母】甲野松子 【続柄】長男	
身分事項 　　出　　　生 　　婚　　　姻	（出生事項省略） 【婚姻日】平成２６年１０月２０日 【配偶者氏名】乙川花子 【従前戸籍】東京都千代田区平河町一丁目４番地　甲野幸雄 <div style="text-align:right">以下余白</div>	

発行番号０００００１

(8) 婚姻届書が偽造であることの刑事判決が確定し，検察官から本籍地市区町村長に戸籍法24条3項の通知があり，戸籍訂正申請をする者がないため，市区町村長が管轄局の長の許可を得て訂正する場合

　婚姻は，夫になる人及び妻になる人双方の婚姻意思の合致により，市区町村長へ届け出ることにより，成立する創設的届出です。ところが，全くの第三者が勝手に婚姻の届出を行う，また，嫌がらせのために婚姻の届出をするということがありました。このようなことから，戸籍法の改正がされ，平成20年5月1日からは，創設的届出における本人確認制度が採り入れられ（戸籍法27条の2の新設），このような事例は少なくなったと思われますが，何らかの事情により届出が受理されてしまうこともあります。

　本例は，妻に婚姻意思がないにもかかわらず，夫になる人が婚姻届を偽造して届出をし，妻となった人の告発に基づき夫が私文書偽造同行使，公正証書原本不実記載罪（電磁的記録不実記録罪）等に問われ，偽造の婚姻届書が没収され，検察官からその旨本籍地市区町村長に通知があり，その通知によって戸籍訂正手続をするよう，本籍地市区町村長が催告（催告は，通常2回行います。）しましたが，戸籍訂正申請の手続をしないため，市区町村長が管轄局の長の許可を得て訂正する場合です。

　ここでは，戸籍訂正後の戸籍を掲載することとします。戸籍訂正前の戸籍は，各事例を参考としてください。

　図131は，管轄局の長の戸籍訂正許可を得てした戸籍訂正後の夫婦の新戸籍です。

　許可を得て訂正する場合は，【許可日】のインデックスを用います。夫婦それぞれの婚姻事項を消除し，「戸籍に記録されている者」欄に「消除マーク」を表示し，左上に「除籍マーク」を表示します。

　図132は，管轄局の長の戸籍訂正許可を得てした戸籍訂正後の夫の実方戸籍です。

　婚姻事項を消除し，末尾に回復します。

　図133は，管轄局の長の戸籍訂正許可を得てした戸籍訂正後の妻の実方戸籍です。

　婚姻事項を消除し，末尾に回復します。消除に当たっては，管轄外の局の

第5　具体的な処理例

長の許可書謄本の送付を受けて処理することになりますので，許可日及び許可書謄本の送付を受けた日並びに許可を受けた者のインデックスを用います。

　なお，本事例の妻方の戸籍は，戸籍訂正の痕跡のないようにするため，戸籍法11条の2第1項の申出による戸籍の再製をすることができると考えます。

4 婚姻・離婚に関する訂正

図131 管轄局の長の戸籍訂正許可を得てした戸籍訂正後の夫婦の新戸籍

除　　　籍	（1の1）	全 部 事 項 証 明
本　　籍	東京都千代田区平河町二丁目１０番地	
氏　　名	甲野　一男	

戸籍事項	
戸籍編製	【編製日】平成２８年１０月２０日
戸籍消除	【消除日】平成２９年４月２５日

戸籍に記録されている者	【名】一男
消　除	【生年月日】昭和５８年７月２５日　　【配偶者区分】夫
	【父】甲野幸雄
	【母】甲野松子
	【続柄】長男

身分事項	
出　　生	（出生事項省略）
消　　除	【消除日】平成２９年４月２５日
	【消除事項】婚姻事項
	【消除事由】妻乙川英子との婚姻無効
	【許可日】平成２９年４月２３日
	【従前の記録】
	【婚姻日】平成２８年１０月２０日
	【配偶者氏名】乙川英子
	【従前戸籍】東京都千代田区平河町一丁目４番地　甲野幸雄

戸籍に記録されている者	【名】英子
消　除	【生年月日】昭和６２年４月１０日　　【配偶者区分】妻
	【父】乙川英吉
	【母】乙川秋子
	【続柄】長女

身分事項	
出　　生	（出生事項省略）
消　　除	【消除日】平成２９年４月２５日
	【消除事項】婚姻事項
	【消除事由】夫甲野一男との婚姻無効
	【許可日】平成２９年４月２３日
	【従前の記録】
	【婚姻日】平成２８年１０月２０日
	【配偶者氏名】甲野一男
	【従前戸籍】京都府京都市上京区小山初音町１０番地　乙川英吉

以下余白

発行番号０００００１

第5　具体的な処理例

図132　管轄局の長の戸籍訂正許可を得てした戸籍訂正後の夫の実方戸籍

	（1の1）	全 部 事 項 証 明

本　　籍	東京都千代田区平河町一丁目4番地
氏　　名	甲野　幸雄

戸籍に記録されている者 　　除　　籍	【名】一男 【生年月日】昭和58年7月25日 【父】甲野幸雄 【母】甲野松子 【続柄】長男
身分事項 　出　　生 　消　　除	（出生事項省略） 【消除日】平成29年4月25日 【消除事項】婚姻事項 【消除事由】妻乙川英子との婚姻無効 【許可日】平成29年4月23日 【従前の記録】 　【婚姻日】平成28年10月20日 　【配偶者氏名】乙川英子 　【新本籍】東京都千代田区平河町二丁目10番地 　【称する氏】夫の氏
戸籍に記録されている者	【名】一男 【生年月日】昭和58年7月25日 【父】甲野幸雄 【母】甲野松子 【続柄】長男
身分事項 　出　　生	（出生事項省略）
	以下余白

発行番号000001

4 婚姻・離婚に関する訂正

図133 管轄局の長の戸籍訂正許可を得てした戸籍訂正後の妻の実方戸籍

		（1の1）	全 部 事 項 証 明
本　　籍	京都府京都市上京区小山初音町１０番地		
氏　　名	乙川　英吉		

戸籍に記録されている者 　除　籍	【名】英子 【生年月日】昭和６２年４月１０日 【父】乙川英吉 【母】乙川秋子 【続柄】長女
身分事項 　出　　生 　消　　除	（出生事項省略） 【消除日】平成２９年４月２８日 【消除事項】婚姻事項 【消除事由】夫甲野一男との婚姻無効 【許可日】平成２９年４月２３日 【許可書謄本の送付を受けた日】平成２９年４月２８日 【許可を受けた者】東京都千代田区長 【従前の記録】 　　【婚姻日】平成２８年１０月２０日 　　【配偶者氏名】甲野一男 　　【送付を受けた日】平成２８年１０月２４日 　　【受理者】東京都千代田区長 　　【新本籍】東京都千代田区平河町二丁目１０番地 　　【称する氏】夫の氏
戸籍に記録されている者	【名】英子 【生年月日】昭和６２年４月１０日 【父】乙川英吉 【母】乙川秋子 【続柄】長女
身分事項 　出　　生	（出生事項省略）
	以下余白

発行番号０００００１

第5 具体的な処理例

(9) 協議離婚をした後，婚姻無効の裁判があった場合

協議離婚後に婚姻無効の裁判が確定した場合には，婚姻無効の裁判による戸籍訂正申請により，協議離婚の記載も当然無効であるとして消除できるとされています（昭和37年8月11日民事甲2294号回答）。これは，婚姻が無効になったことにより，この身分関係を基にされた離婚は，自明の理として当然に離婚事項も消除できるというものです。

ア 離婚により実方戸籍に復籍しているとき

戸籍の流れを図で示すと次のようになります。

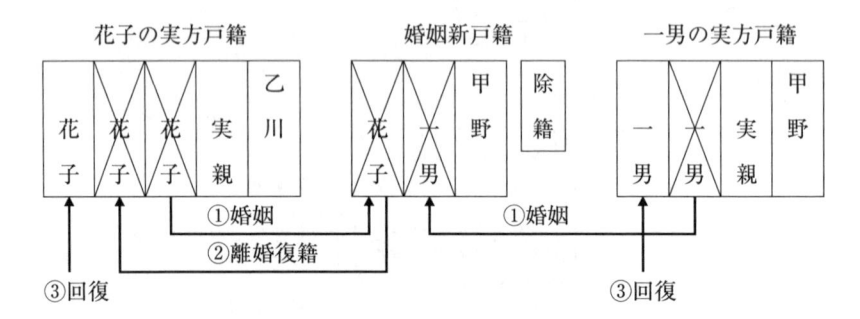

一男の実方戸籍の戸籍訂正記載例等は，前例等を参照してください。

図134-1は，婚姻無効の裁判による戸籍訂正前の夫婦の新戸籍です。

図134-2は，婚姻無効の裁判による戸籍訂正後の夫婦の新戸籍です。

一男及び花子それぞれの婚姻事項及び離婚事項を消除し，「戸籍に記録されている者」欄に「消除マーク」を表示し，戸籍事項欄に戸籍消除の旨を記録し，左上に「除籍マーク」を表示します。

図135-1は，婚姻無効の裁判による戸籍訂正前の妻の実方戸籍です。

図135-2は，婚姻無効の裁判による戸籍訂正後の妻の実方戸籍です。

花子は，婚姻により除籍され，離婚により復籍しています。当初の婚姻事項を消除し，戸籍の末尾に回復しますが，離婚により復籍していますので，離婚事項を消除し，「戸籍に記録されている者」欄に「消除マーク」を表示します。

図134-1　婚姻無効の裁判による戸籍訂正前の夫婦の新戸籍

(1の1)	全 部 事 項 証 明

本　　　籍	東京都千代田区平河町二丁目１０番地
氏　　　名	甲野　一男

戸籍事項 　　戸籍編製	【編製日】平成２８年５月１２日

戸籍に記録されている者	【名】一男 【生年月日】昭和６０年７月２１日 【父】甲野幸雄 【母】甲野松子 【続柄】長男
身分事項 　　出　　生 　　婚　　姻 　　離　　婚	(出生事項省略) 【婚姻日】平成２８年５月１２日 【配偶者氏名】乙川花子 【従前戸籍】東京都千代田区平河町一丁目４番地　甲野幸雄 【離婚日】平成２９年１月１０日 【配偶者氏名】甲野花子

戸籍に記録されている者 　　除　　籍	【名】花子 【生年月日】昭和６２年４月１０日 【父】乙川英吉 【母】乙川秋子 【続柄】長女
身分事項 　　出　　生 　　婚　　姻 　　離　　婚	(出生事項省略) 【婚姻日】平成２８年５月１２日 【配偶者氏名】甲野一男 【従前戸籍】京都府京都市上京区小山初音町１０番地　乙川英吉 【離婚日】平成２９年１月１０日 【配偶者氏名】甲野一男 【入籍戸籍】京都府京都市上京区小山初音町１０番地　乙川英吉

以下余白

発行番号０００００１

図134-2　婚姻無効の裁判による戸籍訂正後の夫婦の新戸籍

除　　　籍	（2の1）	全 部 事 項 証 明
本　　　籍	東京都千代田区平河町二丁目10番地	
氏　　　名	甲野　一男	

戸籍事項	
戸籍編製 戸籍消除	【編製日】平成28年5月12日 【消除日】平成29年4月18日

戸籍に記録されている者 　消　　除	【名】一男 【生年月日】昭和60年7月21日 【父】甲野幸雄 【母】甲野松子 【続柄】長男
身分事項 　出　　生	（出生事項省略）
消　　除	【消除日】平成29年4月18日 【消除事項】婚姻事項 【消除事由】妻乙川花子との婚姻無効の裁判確定 【裁判確定日】平成29年4月8日 【申請日】平成29年4月18日 【従前の記録】 　【婚姻日】平成28年5月12日 　【配偶者氏名】乙川花子 　【従前戸籍】東京都千代田区平河町一丁目4番地　甲野幸雄
消　　除	【消除日】平成29年4月18日 【消除事項】離婚事項 【消除事由】妻乙川花子との婚姻無効の裁判確定 【裁判確定日】平成29年4月8日 【申請日】平成29年4月18日 【従前の記録】 　【離婚日】平成29年1月10日 　【配偶者氏名】甲野花子

戸籍に記録されている者 　消　　除 　除　　籍	【名】花子 【生年月日】昭和62年4月10日 【父】乙川英吉 【母】乙川秋子 【続柄】長女
身分事項 　出　　生	（出生事項省略）

発行番号000001　　　　　　　　　　　　　　　　　　　　　　　　　　以下次頁

4 婚姻・離婚に関する訂正

	(2の2) 全 部 事 項 証 明
消　　除	【消除日】平成29年4月18日 【消除事項】婚姻事項 【消除事由】夫甲野一男との婚姻無効の裁判確定 【裁判確定日】平成29年4月8日 【申請日】平成29年4月18日 【申請人】夫 【従前の記録】 　　【婚姻日】平成28年5月12日 　　【配偶者氏名】甲野一男 　　【従前戸籍】京都府京都市上京区小山初音町１０番地 　　　　　　　乙川英吉
消　　除	【消除日】平成29年4月18日 【消除事項】離婚事項 【消除事由】夫甲野一男との婚姻無効の裁判確定 【裁判確定日】平成29年4月8日 【申請日】平成29年4月18日 【申請人】夫 【従前の記録】 　　【離婚日】平成29年1月10日 　　【配偶者氏名】甲野一男 　　【入籍戸籍】京都府京都市上京区小山初音町１０番地 　　　　　　　乙川英吉
	以下余白

発行番号000001

第5　具体的な処理例

図135-1　婚姻無効の裁判による戸籍訂正前の妻の実方戸籍

		（1の1）	全 部 事 項 証 明
本　　籍	京都府京都市上京区小山初音町10番地		
氏　　名	乙川　英吉		

戸籍に記録されている者 　　除　籍	【名】花子 【生年月日】昭和62年4月10日 【父】乙川英吉 【母】乙川秋子 【続柄】長女
身分事項 　出　生 　婚　姻	（出生事項省略） -------- 【婚姻日】平成28年5月12日 【配偶者氏名】甲野一男 【送付を受けた日】平成28年5月14日 【受理者】東京都千代田区長 【新本籍】東京都千代田区平河町二丁目10番地 【称する氏】夫の氏
戸籍に記録されている者	【名】花子 【生年月日】昭和62年4月10日 【父】乙川英吉 【母】乙川秋子 【続柄】長女
身分事項 　出　生 　離　婚	（出生事項省略） -------- 【離婚日】平成29年1月10日 【配偶者氏名】甲野一男 【送付を受けた日】平成29年1月14日 【受理者】東京都千代田区長 【従前戸籍】東京都千代田区平河町二丁目10番地　甲野一男
	以下余白

発行番号000001

図135-2　婚姻無効の裁判による戸籍訂正後の妻の実方戸籍

	（2の1）	全 部 事 項 証 明
本　　籍	京都府京都市上京区小山初音町１０番地	
氏　　名	乙川　英吉	

戸籍に記録されている者　　除　籍	【名】花子 【生年月日】昭和６２年４月１０日 【父】乙川英吉 【母】乙川秋子 【続柄】長女
身分事項 　出　生 　消　除	（出生事項省略） 【消除日】平成２９年４月２０日 【消除事項】婚姻事項 【消除事由】夫甲野一男との婚姻無効の裁判確定 【裁判確定日】平成２９年４月８日 【申請日】平成２９年４月１８日 【申請人】夫 【送付を受けた日】平成２９年４月２０日 【受理者】東京都千代田区長 【従前の記録】 　　【婚姻日】平成２８年５月１２日 　　【配偶者氏名】甲野一男 　　【送付を受けた日】平成２８年５月１４日 　　【受理者】東京都千代田区長 　　【新本籍】東京都千代田区平河町二丁目１０番地 　　【称する氏】夫の氏
戸籍に記録されている者　　消　除	【名】花子 【生年月日】昭和６２年４月１０日 【父】乙川英吉 【母】乙川秋子 【続柄】長女
身分事項 　出　生 　消　除	（出生事項省略） 【消除日】平成２９年４月２０日 【消除事項】離婚事項 【消除事由】夫甲野一男との婚姻無効の裁判確定 【裁判確定日】平成２９年４月８日 【申請日】平成２９年４月１８日 【申請人】夫

発行番号０００００１　　　　　　　　　　　　　　　　　　以下次頁

第5　具体的な処理例

	（2の2）	全 部 事 項 証 明
	【送付を受けた日】平成29年4月20日 【受理者】東京都千代田区長 【従前の記録】 　　【離婚日】平成29年1月10日 　　【配偶者氏名】甲野一男 　　【送付を受けた日】平成29年1月14日 　　【受理者】東京都千代田区長 　　【従前戸籍】東京都千代田区平河町二丁目10番地　甲野一男	
戸籍に記録されている者	【名】花子 【生年月日】昭和62年4月10日 【父】乙川英吉 【母】乙川秋子 【続柄】長女	
身分事項 　　出　　生	（出生事項省略）	
	以下余白	

発行番号000001

514

4 婚姻・離婚に関する訂正

イ 離婚により新戸籍を編製しているとき

離婚により新戸籍を編製しているときの戸籍訂正記載例は，夫婦の新戸籍については前記図134-2と同様です。夫及び妻の実方戸籍の婚姻による除籍事項を消除し，それぞれ末尾に回復させます。離婚による新戸籍は，離婚事項を消除し，戸籍事項欄に戸籍消除の旨を記録し，左上に「除籍マーク」を表示します。

(10) 協議離婚後，離婚無効の裁判があった場合

協議離婚無効の裁判があった場合については，①離婚により実方戸籍に復籍しているとき，②親権に服する子の定めがあるとき，③離婚後，又は同時に戸籍法77条の2の届出をしているとき，④母の戸籍に子が母の氏を称する入籍の届出により入籍しているとき等各事例ごとに説明することにします。

ア 離婚により実方戸籍に復籍しているとき

離婚により実方戸籍に復籍しているときは，夫婦の新戸籍のそれぞれの離婚事項を消除し，離婚により除籍となった者を同戸籍の末尾に回復します。復籍した者については，復籍（実方）戸籍の離婚事項を消除し，事件本人を同戸籍から消除することになります。

戸籍の流れを図で示すと次のようになります。

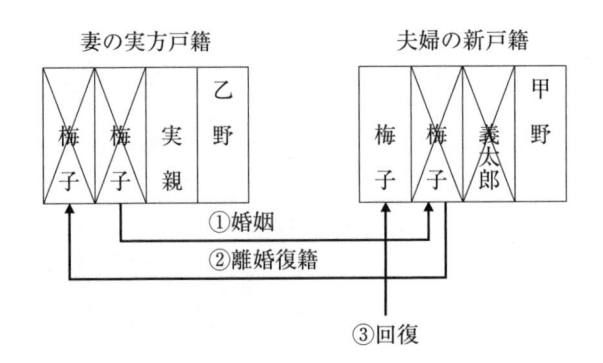

図136-1は，離婚無効の裁判による戸籍訂正前の夫婦の婚姻による新戸籍です。

図136-2は，離婚無効の裁判による戸籍訂正後の夫婦の婚姻による新戸籍

515

です。

　戸籍訂正の方法は，夫及び妻の離婚事項をそれぞれ消除し，夫については「【配偶者区分】夫」を表示します。妻については末尾に回復します。回復に当たっては，重要な身分事項を移記し，「【配偶者区分】妻」を表示します。

　図137-1は，離婚無効の裁判による戸籍訂正前の妻の実方戸籍です。

　図137-2は，離婚無効の裁判による戸籍訂正後の妻の実方戸籍です。

　離婚復籍した梅子については，離婚事項を消除し，「戸籍に記録されている者」欄に「消除マーク」を表示します。

4　婚姻・離婚に関する訂正

図136-1　離婚無効の裁判による戸籍訂正前の夫婦の新戸籍

	(1の1)	全部事項証明
本　　　籍	東京都千代田区平河町一丁目4番地	
氏　　　名	甲野　義太郎	
戸籍事項 　戸籍編製	【編製日】平成26年4月10日	
戸籍に記録されている者	【名】義太郎 【生年月日】昭和57年6月26日 【父】甲野幸雄 【母】甲野松子 【続柄】長男	
身分事項 　出　　生 　婚　　姻 　離　　婚	(出生事項省略) 【婚姻日】平成26年4月10日 【配偶者氏名】乙野梅子 【従前戸籍】東京都千代田区平河町一丁目4番地　甲野幸雄 【離婚日】平成29年3月28日 【配偶者氏名】甲野梅子	
戸籍に記録されている者 除　　籍	【名】梅子 【生年月日】昭和59年1月8日 【父】乙野忠治 【母】乙野春子 【続柄】長女	
身分事項 　出　　生 　婚　　姻 　離　　婚	(出生事項省略) 【婚姻日】平成26年4月10日 【配偶者氏名】甲野義太郎 【従前戸籍】京都府京都市上京区小山初音町18番地　乙野忠治 【離婚日】平成29年3月28日 【配偶者氏名】甲野義太郎 【入籍戸籍】京都府京都市上京区小山初音町18番地　乙野忠治	
		以下余白

発行番号000001

517

第5　具体的な処理例

図136-2　離婚無効の裁判による戸籍訂正後の夫婦の新戸籍

		（2の1）	全 部 事 項 証 明
本　　　籍	東京都千代田区平河町一丁目4番地		
氏　　　名	甲野　義太郎		
戸籍事項 　戸籍編製	【編製日】平成26年4月10日		
戸籍に記録されている者	【名】義太郎 【生年月日】昭和57年6月26日　　　【配偶者区分】夫 【父】甲野幸雄 【母】甲野松子 【続柄】長男		
身分事項 　出　　生	（出生事項省略）		
婚　　姻	【婚姻日】平成26年4月10日 【配偶者氏名】乙野梅子 【従前戸籍】東京都千代田区平河町一丁目4番地　甲野幸雄		
消　　除	【消除日】平成29年7月8日 【消除事項】離婚事項 【消除事由】妻梅子との離婚無効の裁判確定 【裁判確定日】平成29年6月28日 【申請日】平成29年7月8日 【申請人】妻 【従前の記録】 　　【離婚日】平成29年3月28日 　　【配偶者氏名】甲野梅子		
戸籍に記録されている者 除　　籍	【名】梅子 【生年月日】昭和59年1月8日 【父】乙野忠治 【母】乙野春子 【続柄】長女		
身分事項 　出　　生	（出生事項省略）		
婚　　姻	【婚姻日】平成26年4月10日 【配偶者氏名】甲野義太郎 【従前戸籍】京都府京都市上京区小山初音町18番地　乙野忠治		
消　　除	【消除日】平成29年7月8日 【消除事項】離婚事項 【消除事由】夫義太郎との離婚無効の裁判確定		

発行番号000001　　　　　　　　　　　　　　　　　　　　　　　以下次頁

4 婚姻・離婚に関する訂正

（2の2） 全 部 事 項 証 明

	【裁判確定日】平成29年6月28日 【申請日】平成29年7月8日 【従前の記録】 　【離婚日】平成29年3月28日 　【配偶者氏名】甲野義太郎 　【入籍戸籍】京都府京都市上京区小山初音町18番地　乙野忠治
戸籍に記録されている者	【名】梅子 【生年月日】昭和59年1月8日　　【配偶者区分】妻 【父】乙野忠治 【母】乙野春子 【続柄】長女
身分事項 　出　　生 　婚　　姻	（出生事項省略） 【婚姻日】平成26年4月10日 【配偶者氏名】甲野義太郎 【従前戸籍】京都府京都市上京区小山初音町18番地　乙野忠治
	以下余白

発行番号000001

第5　具体的な処理例

図137-1　離婚無効の裁判による戸籍訂正前の妻の実方戸籍

（1の1）　｜全 部 事 項 証 明

本　　籍	京都府京都市上京区小山初音町１８番地
氏　　名	乙野　忠治

戸籍に記録されている者	【名】梅子
除　籍	【生年月日】昭和５９年１月８日 【父】乙野忠治 【母】乙野春子 【続柄】長女
身分事項 　出　生 　婚　姻	（出生事項省略） 【婚姻日】平成２６年４月１０日 【配偶者氏名】甲野義太郎 【送付を受けた日】平成２６年４月１４日 【受理者】東京都千代田区長 【新本籍】東京都千代田区平河町一丁目４番地 【称する氏】夫の氏
戸籍に記録されている者	【名】梅子 【生年月日】昭和５９年１月８日 【父】乙野忠治 【母】乙野春子 【続柄】長女
身分事項 　出　生 　離　婚	（出生事項省略） 【離婚日】平成２９年３月２８日 【配偶者氏名】甲野義太郎 【送付を受けた日】平成２９年３月３１日 【受理者】東京都千代田区長 【従前戸籍】東京都千代田区平河町一丁目４番地　甲野義太郎
	以下余白

発行番号０００００１

図137-2 離婚無効の裁判による戸籍訂正後の妻の実方戸籍

	（1の1）	全部事項証明
本　　　籍	京都府京都市上京区小山初音町１８番地	
氏　　　名	乙野　忠治	

戸籍に記録されている者 除　籍	【名】梅子 【生年月日】昭和５９年１月８日 【父】乙野忠治 【母】乙野春子 【続柄】長女
身分事項 　出　生 　婚　姻	（出生事項省略） 【婚姻日】平成２６年４月１０日 【配偶者氏名】甲野義太郎 【送付を受けた日】平成２６年４月１４日 【受理者】東京都千代田区長 【新本籍】東京都千代田区平河町一丁目４番地 【称する氏】夫の氏
戸籍に記録されている者 消　除	【名】梅子 【生年月日】昭和５９年１月８日 【父】乙野忠治 【母】乙野春子 【続柄】長女
身分事項 　出　生 　消　除	（出生事項省略） 【消除日】平成２９年７月１０日 【消除事項】離婚事項 【消除事由】夫義太郎との離婚無効の裁判確定 【裁判確定日】平成２９年６月２８日 【申請日】平成２９年７月８日 【送付を受けた日】平成２９年７月１０日 【受理者】東京都千代田区長 【従前の記録】 　【離婚日】平成２９年３月２８日 　【配偶者氏名】甲野義太郎 　【送付を受けた日】平成２９年３月３１日 　【受理者】東京都千代田区長 　【従前戸籍】東京都千代田区平河町一丁目４番地　甲野義太郎

以下余白

発行番号０００００１

イ　離婚により新戸籍を編製しているとき

　夫婦の戸籍の戸籍訂正の方法は，上記アと同様です。離婚により新戸籍を編製した者については，新戸籍の離婚事項を消除した上，同戸籍を消除することになります。

ウ　親権に服する子の定めをしたとき

　離婚する夫婦に未成年の子があるときは，父又は母の一方を離婚後の親権者と定めなければなりません（民法819条1項）ので，子の身分事項欄に親権事項の記録があります。離婚が無効となったときは，この親権事項の記録も無効となりますので，父母の離婚事項を消除するとともに，同時に親権事項を消除することになります。

○戸籍訂正記載例は，次のようになります。

・子の身分事項欄

　　　　　消　　除　　　【消除日】平成○○年○○月○○日
　　　　　　　　　　　　【消除事項】親権事項
　　　　　　　　　　　　【消除事由】父母の離婚無効の裁判確定
　　　　　　　　　　　　【従前の記録】
　　　　　　　　　　　　　　（親権事項省略）

　この訂正記載には，裁判確定日と申請日及び申請人の記載（記録）は不要です。つまり，職権訂正ということです。

エ　離婚により戸籍法77条の2の届出をしているとき

　離婚により戸籍法77条の2の届出をしているときとは，①離婚により実方戸籍に復籍後に戸籍法77条の2の届出をしているとき，②離婚と同時に戸籍法77条の2の届出をしているとき，③離婚により新戸籍を編製した後に戸籍法77条の2の届出をしているとき及び④離婚により編製した新戸籍に子が母の氏を称する入籍の届出により入籍した後に戸籍法77条の2の届出をしているときの四つのケースがあります。この場合，離婚無効の裁判による戸籍訂正は，それぞれのケースで，その戸籍訂正の方法を若干異にします。④については，項を改めて説明します。

4　婚姻・離婚に関する訂正

(ア)　離婚により実方戸籍に復籍後に戸籍法77条の2の届出をしているとき

戸籍の流れを図で示すと次のようになります。

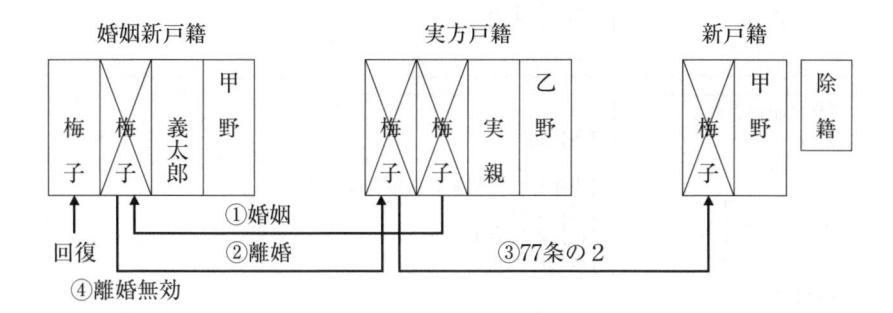

```
   婚姻新戸籍              実方戸籍              新戸籍
┌──┬──┬──┬──┐   ┌──┬──┬──┐     ┌──┬──┬──┐
│梅 │梅 │義 │甲 │   │梅 │梅 │実 │乙   │梅 │甲 │除│
│子 │子 │太 │野 │   │子 │子 │親 │野   │子 │野 │籍│
│  │  │郎 │  │   │  │  │  │    │  │  │  │
└──┴──┴──┴──┘   └──┴──┴──┘     └──┴──┴──┘
  ↑    ←──①婚姻──→  ↑              ↑
 回復   ←──②離婚──→              ←──③77条の2──
 ④離婚無効
```

　夫婦の婚姻による新戸籍の戸籍訂正記載例は，前例を参考としてください。ここでは，実方戸籍の復籍後の戸籍訂正と，戸籍法77条の2の届出による新戸籍の戸籍訂正記載例を示すことにします。

　図138-1は，離婚無効の裁判による戸籍訂正前の妻の実方戸籍です。

　図138-2は，離婚無効の裁判による戸籍訂正後の妻の実方戸籍です。

　戸籍訂正の方法は，離婚事項及び氏の変更事項の二つの事項を消除し，「戸籍に記録されている者」欄に「消除マーク」を表示します。

　図139-1は，離婚無効の裁判による戸籍訂正前の戸籍法77条の2の届出による新戸籍です。

　図139-2は，離婚無効の裁判による戸籍訂正後の戸籍法77条の2の届出による新戸籍です。

　戸籍訂正の方法は，身分事項欄の氏の変更事項と戸籍事項欄の氏の変更事項の二つの事項を消除し，戸籍消除により，左上に「除籍マーク」を表示します。

第5　具体的な処理例

図138-1　離婚無効の裁判による戸籍訂正前の妻の実方戸籍

		（1の1）	全 部 事 項 証 明
本　　　籍	京都府京都市上京区小山初音町１８番地		
氏　　　名	乙野　忠治		

〜〜〜〜〜〜〜〜〜〜〜〜〜〜〜〜〜〜〜〜〜〜〜〜〜〜〜〜〜〜〜〜〜〜〜〜〜〜〜

戸籍に記録されている者	【名】梅子 【生年月日】昭和５０年１月８日 【父】乙野忠治 【母】乙野春子 【続柄】長女
除　　籍	
身分事項 　　出　　生	（出生事項省略）
離　　婚	【離婚日】平成２８年１１月２５日 【配偶者氏名】甲野義太郎 【送付を受けた日】平成２８年１１月２８日 【受理者】東京都千代田区長 【従前戸籍】東京都千代田区平河町一丁目４番地　甲野義太郎
氏の変更	【氏変更日】平成２８年１２月１８日 【氏変更の事由】戸籍法７７条の２の届出 【新本籍】京都府京都市上京区小山初音町２０番地 【称する氏】甲野
	以下余白

発行番号０００００１

4　婚姻・離婚に関する訂正

図138-2　離婚無効の裁判による戸籍訂正後の妻の実方戸籍

	（1の1）	全部事項証明
本　　籍	京都府京都市上京区小山初音町１８番地	
氏　　名	乙野　忠治	

戸籍に記録されている者	【名】梅子
消　除 除　籍	【生年月日】昭和５０年１月８日 【父】乙野忠治 【母】乙野春子 【続柄】長女
身分事項 　出　生	（出生事項省略）
消　除	【消除日】平成２９年４月２０日 【消除事項】離婚事項 【消除事由】夫義太郎との離婚無効の裁判確定 【裁判確定日】平成２９年４月８日 【申請日】平成２９年４月１８日 【申請人】夫 【送付を受けた日】平成２９年４月２０日 【受理者】東京都千代田区長 【従前の記録】 　　【離婚日】平成２８年１１月２５日 　　【配偶者氏名】甲野義太郎 　　【送付を受けた日】平成２８年１１月２８日 　　【受理者】東京都千代田区長 　　【従前戸籍】東京都千代田区平河町一丁目４番地　甲野義太郎
消　除	【消除日】平成２９年４月２０日 【消除事項】氏の変更事項 【消除事由】夫義太郎との離婚無効の裁判確定 【裁判確定日】平成２９年４月８日 【申請日】平成２９年４月１８日 【申請人】夫 【送付を受けた日】平成２９年４月２０日 【受理者】東京都千代田区長 【従前の記録】 　　【氏変更日】平成２８年１２月１８日 　　【氏変更の事由】戸籍法７７条の２の届出 　　【新本籍】京都府京都市上京区小山初音町２０番地 　　【称する氏】甲野
	以下余白

発行番号０００００１

第5　具体的な処理例

図139-1　離婚無効の裁判による戸籍訂正前の戸籍法77条の2の届出による新戸籍

	（1の1）　全 部 事 項 証 明
本　　　籍	京都府京都市上京区小山初音町20番地
氏　　　名	甲野　梅子
戸籍事項 　　氏の変更 　　戸籍編製	【氏変更日】平成28年12月18日 【氏変更の事由】戸籍法77条の2の届出 【編製日】平成28年12月18日
戸籍に記録されている者	【名】梅子 【生年月日】昭和50年1月8日 【父】乙野忠治 【母】乙野春子 【続柄】長女
身分事項 　　出　　生 　　氏の変更	（出生事項省略） 【氏変更日】平成28年12月18日 【氏変更の事由】戸籍法77条の2の届出 【従前戸籍】京都府京都市上京区小山初音町18番地　乙野忠治
	以下余白

発行番号000001

図139-2 離婚無効の裁判による戸籍訂正後の戸籍法77条の2の届出による新戸籍

除　　　籍	（1の1）	全 部 事 項 証 明
本　　　籍	京都府京都市上京区小山初音町２０番地	
氏　　　名	甲野　梅子	

戸籍事項	
戸籍編製	【編製日】平成２８年１２月１８日
消　　除	【消除日】平成２９年４月２０日 【消除事項】氏の変更事項 【従前の記録】 　　【氏変更日】平成２８年１２月１８日 　　【氏変更の事由】戸籍法７７条の２の届出
戸籍消除	【消除日】平成２９年４月２０日

戸籍に記録されている者 　┌─────┐ 　│消　　除│ 　└─────┘	【名】梅子 【生年月日】昭和５０年１月８日 【父】乙野忠治 【母】乙野春子 【続柄】長女

身分事項	
出　　生	（出生事項省略）
消　　除	【消除日】平成２９年４月２０日 【消除事項】氏の変更事項 【消除事由】夫義太郎との離婚無効の裁判確定 【裁判確定日】平成２９年４月８日 【申請日】平成２９年４月１８日 【申請人】夫 【送付を受けた日】平成２９年４月２０日 【受理者】東京都千代田区長 【従前の記録】 　　【氏変更日】平成２８年１２月１８日 　　【氏変更の事由】戸籍法７７条の２の届出 　　【従前戸籍】京都府京都市上京区小山初音町１８番地 　　　乙野忠治

以下余白

発行番号０００００１

第5　具体的な処理例

(イ)　離婚と同時に戸籍法77条の2の届出をしているとき

戸籍の流れを図で示すと次のようになります。

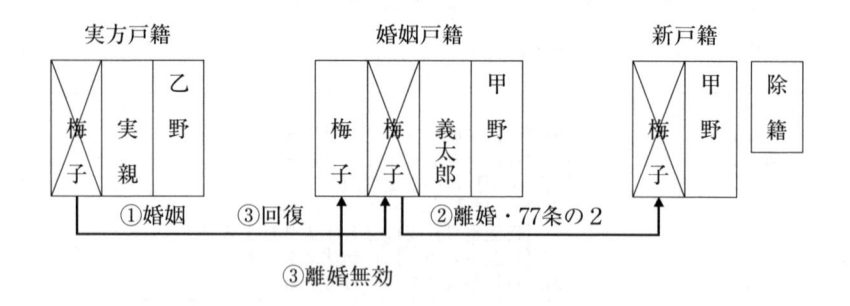

```
    実方戸籍              婚姻戸籍              新戸籍
  ┌──┬──┬──┐      ┌──┬──┬──┐      ┌──┬──┐ ┌──┐
  │××│実 │乙│      │××│ 梅 │甲│      │××│甲│ │除│
  │梅 │  │野│      │梅 │    │野│      │梅 │野│ │籍│
  │子 │親 │  │      │子 │    │義│      │子 │  │ │  │
  │  │  │  │      │  │    │太│      │  │  │ │  │
  │  │  │  │      │  │    │郎│      │  │  │ │  │
  └──┴──┴──┘      └──┴──┴──┘      └──┴──┘ └──┘
       │          │          ↑              ↑
       └─①婚姻─┘  └③回復──┘└─②離婚・77条の2─┘
                        ↑
                    ③離婚無効
```

　前例(ア)との違いは，実方戸籍に戸籍訂正事項はないことと，婚姻戸籍及び新戸籍のいずれにも梅子については，離婚事項及び氏の変更事項の記録があるということです。

　婚姻戸籍の梅子の戸籍訂正記載例のみを示すこととし，他は，前例等を参照してください。

　図140-1は，離婚無効の裁判による戸籍訂正前の婚姻戸籍です。

　図140-2は，離婚無効の裁判による戸籍訂正後の婚姻戸籍です。

　梅子の離婚事項及び氏の変更事項をそれぞれ消除し，末尾に回復することになります。回復に当たっては，重要な身分事項を移記します。また，「戸籍に記録されている者」欄には，「【配偶者区分】妻」の表示をします。なお，この図では，夫を表示していませんが，夫についても「【配偶者区分】夫」の表示をすることになります。

図140-1　離婚無効の裁判による戸籍訂正前の婚姻戸籍

	（1の1）	全 部 事 項 証 明
本　　籍	東京都千代田区平河町一丁目4番地	
氏　　名	甲野　義太郎	

戸籍に記録されている者 　　除　　籍	【名】梅子 【生年月日】昭和50年1月8日 【父】乙野忠治 【母】乙野春子 【続柄】長女
身分事項 　　出　　生 　　婚　　姻 　　離　　婚 　　氏の変更	（出生事項省略） （婚姻事項省略） 【離婚日】平成28年11月25日 【配偶者氏名】甲野義太郎 【氏変更日】平成28年11月25日 【氏変更の事由】戸籍法77条の2の届出 【新本籍】京都府京都市上京区小山初音町20番地
	以下余白

発行番号000001

第5　具体的な処理例

図140-2　離婚無効の裁判による戸籍訂正後の婚姻戸籍

	（1の1）	全部事項証明
本　　籍	東京都千代田区平河町一丁目4番地	
氏　　名	甲野　義太郎	

戸籍に記録されている者	【名】梅子
除　籍	【生年月日】昭和50年1月8日 【父】乙野忠治 【母】乙野春子 【続柄】長女
身分事項 　出　　生 　婚　　姻 　消　　除	（出生事項省略） （婚姻事項省略） 【消除日】平成29年4月18日 【消除事項】離婚事項 【消除事由】夫義太郎との離婚無効の裁判確定 【裁判確定日】平成29年4月8日 【申請日】平成29年4月18日 【申請人】夫 【従前の記録】 　【離婚日】平成28年11月25日 　【配偶者氏名】甲野義太郎
消　　除	【消除日】平成29年4月18日 【消除事項】氏の変更事項 【消除事由】夫義太郎との離婚無効の裁判確定 【裁判確定日】平成29年4月8日 【申請日】平成29年4月18日 【申請人】夫 【従前の記録】 　【氏変更日】平成28年11月25日 　【氏変更の事由】戸籍法77条の2の届出 　【新本籍】京都府京都市上京区小山初音町20番地
戸籍に記録されている者	【名】梅子
	【生年月日】昭和50年1月8日　　【配偶者区分】妻 【父】乙野忠治 【母】乙野春子 【続柄】長女
身分事項 　出　　生 　婚　　姻	（出生事項省略） （婚姻事項省略）
	以下余白

発行番号000001

4 婚姻・離婚に関する訂正

(ウ) 離婚により新戸籍を編製した後,戸籍法77条の2の届出をしているとき

戸籍の流れを図で示すと次のようになります。

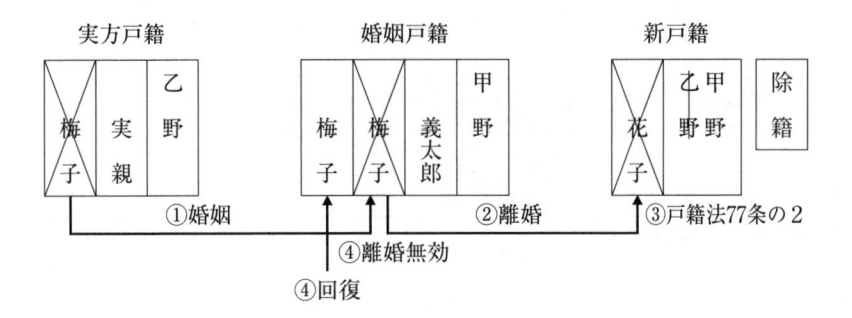

```
   実方戸籍              婚姻戸籍              新戸籍
┌──┬──┬──┐      ┌──┬──┬──┐      ┌──┬──┬──┐
│ ✕ │乙 │         │ ✕ │ ✕ │甲│      │ ✕ │乙甲│除│
│梅 │実 │野         │梅 │梅 │野│      │花 │野野│  │
│子 │親 │         │子 │子 │義│      │子 │    │籍│
│   │   │         │   │   │太│      │   │    │  │
│   │   │         │   │   │郎│      │   │    │  │
└──┴──┴──┘      └──┴──┴──┘      └──┴──┴──┘
    └──①婚姻──┘        └──②離婚──┘        └──③戸籍法77条の2
                      ↑   ↑
                      │   └④離婚無効
                      └④回復
```

ここでは,新戸籍の戸籍訂正記載例を示すことにし,他の戸籍訂正記載例は,前例等を参照してください。

図141-1は,離婚無効の裁判による戸籍訂正前の離婚による新戸籍です。

図141-2は,離婚無効の裁判による戸籍訂正後の離婚による新戸籍です。

身分事項欄の離婚事項及び氏の変更事項をそれぞれ消除し,「戸籍に記録されている者」欄に「消除マーク」を表示します。また,戸籍事項欄の氏の変更事項を消除し,左上に「除籍マーク」を表示して戸籍を消除します。

第5　具体的な処理例

図141-1　離婚無効の裁判による戸籍訂正前の離婚による新戸籍

	（1の1）	全 部 事 項 証 明
本　　籍	京都府京都市上京区小山初音町20番地	
氏　　名	甲野　梅子	

戸籍事項	
戸籍編製 氏の変更	【編製日】平成28年11月28日 【氏変更日】平成28年12月18日 【氏変更の事由】戸籍法77条の2の届出 【従前の記録】 　　　【氏】乙野

戸籍に記録されている者	
	【名】梅子 【生年月日】昭和50年1月8日 【父】乙野忠治 【母】乙野春子 【続柄】長女

身分事項	
出　　生	（出生事項省略）
離　　婚	【離婚日】平成28年11月25日 【配偶者氏名】甲野義太郎 【送付を受けた日】平成28年11月28日 【受理者】東京都千代田区長 【従前戸籍】東京都千代田区平河町一丁目4番地　甲野義太郎
氏の変更	【氏変更日】平成28年12月18日 【氏変更の事由】戸籍法77条の2の届出

以下余白

発行番号000001

4 婚姻・離婚に関する訂正

図141-2 離婚無効の裁判による戸籍訂正後の離婚による新戸籍

除　　　籍	（2の1）	全　部　事　項　証　明
本　　籍	京都府京都市上京区小山初音町２０番地	
氏　　名	甲野　梅子	

戸籍事項	
戸籍編製 消　　除	【編製日】平成２８年１１月２８日 【消除日】平成２９年４月２０日 【消除事項】氏の変更事項 【従前の記録】 　　【氏変更日】平成２８年１２月１８日 　　【氏変更の事由】戸籍法７７条の２の届出 　　【従前の記録】 　　　　【氏】乙野
戸籍消除	【消除日】平成２９年４月２０日

戸籍に記録されている者 　消　　除	【名】梅子 【生年月日】昭和５０年１月８日 【父】乙野忠治 【母】乙野春子 【続柄】長女
身分事項 　出　　生	（出生事項省略）
消　　除	【消除日】平成２９年４月２０日 【消除事項】離婚事項 【消除事由】夫義太郎との離婚無効の裁判確定 【裁判確定日】平成２９年４月８日 【申請日】平成２９年４月１８日 【申請人】夫 【送付を受けた日】平成２９年４月２０日 【受理者】東京都千代田区長 【従前の記録】 　　【離婚日】平成２８年１１月２５日 　　【配偶者氏名】甲野義太郎 　　【送付を受けた日】平成２８年１１月２８日 　　【受理者】東京都千代田区長 　　【従前戸籍】東京都千代田区平河町一丁目４番地　甲野義太郎
消　　除	【消除日】平成２９年４月２０日 【消除事項】氏の変更事項 【消除事由】夫義太郎との離婚無効の裁判確定 【裁判確定日】平成２９年４月８日 【申請日】平成２９年４月１８日 【申請人】夫 【送付を受けた日】平成２９年４月２０日

発行番号０００００１　　　　　　　　　　　　　　　　　　　　　　以下次頁

第5　具体的な処理例

	（2の2）　全部事項証明
	【受理者】東京都千代田区長 【従前の記録】 　　【氏変更日】平成２８年１２月１８日 　　【氏変更の事由】戸籍法７７条の２の届出
	以下余白

発行番号０００００１

オ　離婚後の母の戸籍に子が母の氏を称する入籍の届出により入籍しているとき

　離婚後の母の戸籍に子が母の氏を称する入籍の届出により入籍しているときは，父母の離婚無効の裁判による戸籍訂正申請により，子の入籍事項を同時に消除することができるかという問題があります。

　前記の戸籍法77条の2の届出は，離婚により婚姻前の氏に復した者に限り，届出をすることができるものです。すなわち，離婚という身分行為が土台となっているものです。

　本例の入籍の届出は，母が氏を改めたこと，すなわち，母が離婚により婚姻前の氏に復したことにより子が母と氏を異にするに至った場合です。この場合，子が母の氏を称するには，家庭裁判所の氏変更の許可を得て（民法791条1項），戸籍法98条1項の入籍の届出により母の戸籍に入籍する，いわゆる創設的届出です。

　このように，入籍届は，別途の身分行為ですから，これを父母の離婚無効の裁判による反射的効果として，この入籍届も同時に訂正（消除）することができるとすると，子が知らない間に入籍前の氏に戻ってしまうことになります。子が一定の年齢に達し，社会生活を営んでいる場合がありますが，このようなことを考慮せずに，一律に訂正（消除）することには問題が生じます。したがって，入籍届については，別途，家庭裁判所の戸籍法114条又は同法113条の戸籍訂正許可の審判を得て，訂正することになります。

　㋐　母が離婚により新戸籍を編製し，その新戸籍に子が入籍しているとき

　戸籍の流れを図で示すと次のようになります。

第5　具体的な処理例

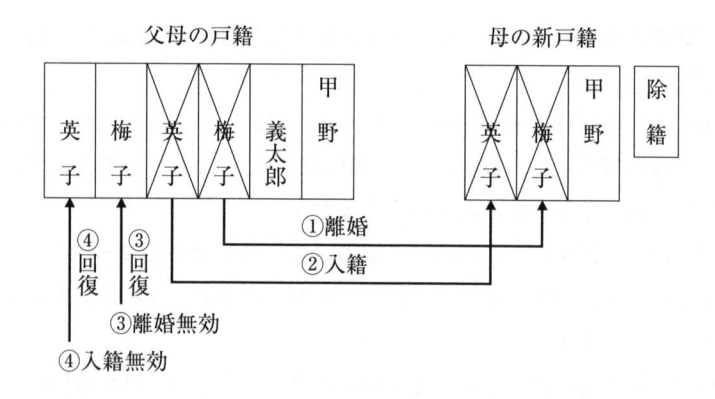

```
         父母の戸籍                母の新戸籍
    ┌──┬──┬──┬──┬──┐      ┌──┬──┬──┐
    │英 │梅 │╳╳│╳╳│甲 │      │╳╳│╳╳│甲 │  除
    │  │  │╳╳│╳╳│野 │      │╳╳│╳╳│野 │  籍
    │英 │梅 │英 │梅 │義 │      │英 │梅 │    │
    │子 │子 │子 │子 │太 │      │子 │子 │    │
    │  │  │  │  │郎 │      │  │  │    │
    └──┴──┴──┴──┴──┘      └──┴──┴──┘
       ↑   ↑   │   │ ①離婚           ↑   ↑
       │   │   │   └──────────────────┘   │
       │   │   │        ②入籍              │
       │   │   └──────────────────────────┘
       ④   ③
       回  回
       復  復
          ③離婚無効
       ④入籍無効
```

　父母の離婚無効の裁判確定による戸籍訂正記載例は，前例等を参照してください。

　ここでは，子の入籍無効の戸籍訂正許可の裁判を得てする戸籍訂正記載例を示すことにします。

　なお，父母離婚による子の親権事項の定めは，父母の離婚無効の裁判確定による戸籍訂正申請により，既に消除されています。

　図142-1は，戸籍法114条の戸籍訂正許可の裁判による子の戸籍訂正前の父母の戸籍です。

　図142-2は，戸籍法114条の戸籍訂正許可の裁判による子の戸籍訂正後の父母の戸籍です。

　入籍事項を消除し，末尾に回復することになります。回復に当たっては，重要な身分事項を移記します。

　図143-1は，戸籍法114条の戸籍訂正許可の裁判による子の戸籍訂正前の母の離婚による新戸籍です。

　図143-2は，戸籍法114条の戸籍訂正許可の裁判による子の戸籍訂正後の母の離婚による新戸籍です。

　入籍事項を消除し，「戸籍に記録されている者」欄に「消除マーク」を，左上に「除籍マーク」を表示し，戸籍を消除します。

4　婚姻・離婚に関する訂正

図142-1　戸籍法114条の戸籍訂正許可の裁判による子の戸籍訂正前の父母の戸籍

(1の1)　全部事項証明

本　　籍	東京都千代田区平河町一丁目4番地
氏　　名	甲野　義太郎

戸籍に記録されている者	【名】英子
除　籍	【生年月日】平成22年4月10日 【父】甲野義太郎 【母】甲野梅子 【続柄】長女
身分事項 　出　　生	（出生事項省略）
入　　籍	【届出日】平成28年5月12日 【除籍事由】母の氏を称する入籍 【届出人】親権者母 【入籍戸籍】京都府京都市上京区小山初音町20番地　乙野梅子
消　　除	【消除日】平成29年4月20日 【消除事項】親権事項 【消除事由】父母の離婚無効の裁判確定 【従前の記録】 　【親権者を定めた日】平成28年1月30日 　【親権者】母 　【届出人】父母

以下余白

発行番号000001

第5　具体的な処理例

図142-2　戸籍法114条の戸籍訂正許可の裁判による子の戸籍訂正後の父母の戸籍

	（1の1）	全 部 事 項 証 明
本　　　籍	東京都千代田区平河町一丁目4番地	
氏　　　名	甲野　義太郎	

戸籍に記録されている者	【名】英子 【生年月日】平成22年4月10日 【父】甲野義太郎 【母】甲野梅子 【続柄】長女
除　籍	
身分事項 　出　　生	（出生事項省略）
消　　除	【消除日】平成29年4月20日 【消除事項】親権事項 【消除事由】父母の離婚無効の裁判確定 【従前の記録】 　【親権者を定めた日】平成28年1月30日 　【親権者】母 　【届出人】父母
消　　除	【消除日】平成29年6月12日 【消除事項】入籍事項 【消除事由】母の氏を称する入籍届出無効につき戸籍訂正許可の裁判確定 【裁判確定日】平成29年6月3日 【申請日】平成29年6月12日 【申請人】母 【従前の記録】 　【届出日】平成28年5月12日 　【除籍事由】母の氏を称する入籍 　【届出人】親権者母 　【入籍戸籍】京都府京都市上京区小山初音町20番地　乙野梅子
戸籍に記録されている者	【名】英子 【生年月日】平成22年4月10日 【父】甲野義太郎 【母】甲野梅子 【続柄】長女
身分事項 　出　　生	（出生事項省略）

以下余白

発行番号000001

図143-1　戸籍法114条の戸籍訂正許可の裁判による子の戸籍訂正前の母の離婚による新戸籍

（1の1）	全 部 事 項 証 明

本　　　籍	京都府京都市上京区小山初音町２０番地
氏　　　名	乙野　梅子

戸籍事項	
戸籍編製	【編製日】平成２８年２月２日

~~~~~~

戸籍に記録されている者	【名】英子 【生年月日】平成２２年４月１０日 【父】甲野義太郎 【母】乙野梅子 【続柄】長女
身分事項 　出　　生	（出生事項省略）
入　　籍	【届出日】平成２８年５月１２日 【入籍事由】母の氏を称する入籍 【届出人】親権者母 【送付を受けた日】平成２８年５月１４日 【受理者】東京都千代田区長 【従前戸籍】東京都千代田区平河町一丁目４番地　甲野義太郎
消　　除	【消除日】平成２９年４月２３日 【消除事項】親権事項 【消除事由】父母の離婚無効の裁判確定 【従前の記録】 　【親権者を定めた日】平成２８年１月３０日 　【親権者】母 　【届出人】父母
	以下余白

発行番号０００００１

第5　具体的な処理例

図143-2　戸籍法114条の戸籍訂正許可の裁判による子の戸籍訂正後の母の離婚による新戸籍

除　　籍	（1の1）　全部事項証明
本　　籍	京都府京都市上京区小山初音町２０番地
氏　　名	乙野　梅子

戸籍事項	
戸籍編製	【編製日】平成２８年２月２日
戸籍消除	【消除日】平成２９年６月１５日

戸籍に記録されている者　　消　除	【名】英子 【生年月日】平成２２年４月１０日 【父】甲野義太郎 【母】乙野梅子 【続柄】長女
身分事項	
出　生	（出生事項省略）
消　除	【消除日】平成２９年４月２３日 【消除事項】親権事項 【消除事由】父母の離婚無効の裁判確定 【従前の記録】 　　【親権者を定めた日】平成２８年１月３０日 　　【親権者】母 　　【届出人】父母
消　除	【消除日】平成２９年６月１５日 【消除事項】入籍事項 【消除事由】母の氏を称する入籍届出無効につき戸籍訂正許可の裁判確定 【裁判確定日】平成２９年６月３日 【申請日】平成２９年６月１２日 【申請人】母 【送付を受けた日】平成２９年６月１５日 【受理者】東京都千代田区長 【従前の記録】 　　【届出日】平成２８年５月１２日 　　【入籍事由】母の氏を称する入籍 　　【届出人】親権者母 　　【送付を受けた日】平成２８年５月１４日 　　【受理者】東京都千代田区長 　　【従前戸籍】東京都千代田区平河町一丁目４番地　甲野義太郎
	以下余白

発行番号０００００１

4 婚姻・離婚に関する訂正

(イ) 母が実方戸籍に復籍し，子の入籍届により母子で新戸籍を編製しているとき

戸籍の流れを図で示すと次のようになります。

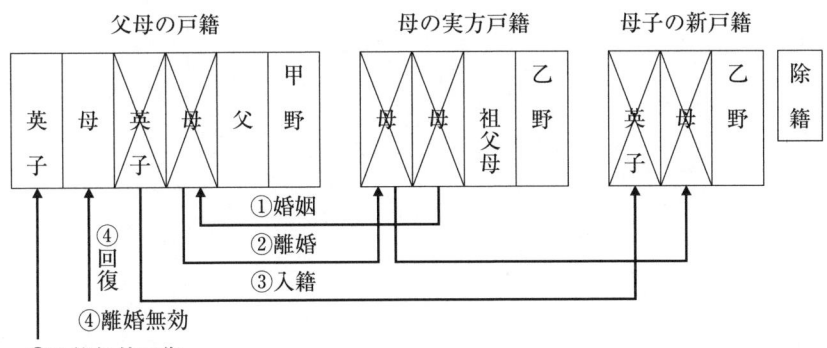

```
    父母の戸籍            母の実方戸籍         母子の新戸籍
 ┌─┬─┬─┬─┬─┐       ┌─┬─┬─┬─┐       ┌─┬─┬─┐ ┌─┐
 │英│母│英│母│甲│       │母│母│祖│乙│       │英│母│乙│ │除│
 │子│ │子│ │野│       │ │ │父│野│       │子│ │野│ │籍│
 │ │ │╳│╳│父│       │╳│╳│母│ │       │╳│╳│ │ │ │
 └─┴─┴─┴─┴─┘       └─┴─┴─┴─┘       └─┴─┴─┘ └─┘
  ↑  ↑  │  │              ↑                ↑
  │  │  │  └─①婚姻─────┘                │
  │  │  └────②離婚──────────────────┘
  │  │       └────③入籍──────────────┘
  │  └─④回復
  │  ④離婚無効
  └─⑤入籍無効回復
```

離婚無効の裁判による戸籍訂正申請では，前記のように，子の入籍による母子の新戸籍までには戸籍訂正の範囲は及びません。また，同新戸籍には離婚事項の記載もありませんので，別途，戸籍法114条の戸籍訂正許可の裁判を得て訂正することになります。

なお，子の従前戸籍（父母の戸籍）の訂正記載例については，前記**図**142-2を参照してください。

図144-1は，戸籍法114条の戸籍訂正許可の裁判による子の戸籍訂正前の母子の新戸籍です。

図144-2は，戸籍法114条の戸籍訂正許可の裁判による子の戸籍訂正後の母子の新戸籍です。

戸籍訂正の方法は，母については入籍事項を消除し，「戸籍に記録されている者」欄に「消除マーク」を表示します。子についても同様です。戸籍消除により左上に「除籍マーク」を表示します。

図145-1は，戸籍法114条の戸籍訂正許可の裁判による戸籍訂正前の母の実方戸籍です。

図145-2は，戸籍法114条の戸籍訂正許可の裁判による戸籍訂正後の母の実方戸籍です。

第5　具体的な処理例

　母については，既に「戸籍に記録されている者」欄に「消除マーク」が表示されていますが，これは，離婚無効の裁判による戸籍訂正申請により表示されているものです。子の入籍による除籍事項を消除します。

図144-1　戸籍法114条の戸籍訂正許可の裁判による子の戸籍訂正前の母子の新戸籍

（1の1）　　全部事項証明

本　　　籍	京都府京都市上京区小山初音町２０番地
氏　　　名	乙野　梅子
戸籍事項 　戸籍編製	【編製日】平成２８年１２月１８日
戸籍に記録されている者	【名】梅子 【生年月日】昭和５５年１月８日 【父】乙野忠治 【母】乙野春子 【続柄】長女
身分事項 　出　　生 　子の入籍	（出生事項省略） 【入籍日】平成２８年１２月１８日 【入籍事由】子の入籍届出 【従前戸籍】京都府京都市上京区小山初音町１８番地　乙野忠治
戸籍に記録されている者	【名】英子 【生年月日】平成２３年１０月１８日 【父】甲野義太郎 【母】乙野梅子 【続柄】長女
身分事項 　出　　生 　入　　籍 　消　　除	（出生事項省略） 【届出日】平成２８年１２月１８日 【入籍事由】母の氏を称する入籍 【届出人】親権者母 【従前戸籍】東京都千代田区平河町一丁目４番地　甲野義太郎 【消除日】平成２９年５月２２日 【消除事項】親権事項 【消除事由】父母の離婚無効の裁判確定 【従前の記録】 　【親権者を定めた日】平成２８年１１月３０日 　【親権者】母 　【届出人】父母
	以下余白

発行番号０００００１

第5　具体的な処理例

図144-2　戸籍法114条の戸籍訂正許可の裁判による子の戸籍訂正後の母子の新戸籍

除　　籍	（2の1）	全 部 事 項 証 明
本　　籍	京都府京都市上京区小山初音町20番地	
氏　　名	乙野　梅子	

戸籍事項	
戸籍編製	【編製日】平成28年12月18日
戸籍消除	【消除日】平成29年7月18日

戸籍に記録されている者	【名】梅子
消　　除	【生年月日】昭和55年1月8日 【父】乙野忠治 【母】乙野春子 【続柄】長女

身分事項	
出　　生	（出生事項省略）
消　　除	【消除日】平成29年7月18日 【消除事項】入籍事項 【消除事由】子の入籍届出無効につき戸籍訂正許可の裁判確定 【裁判確定日】平成29年7月8日 【申請日】平成29年7月18日 【従前の記録】 　　【入籍日】平成28年12月18日 　　【入籍事由】子の入籍届出 　　【従前戸籍】京都府京都市上京区小山初音町18番地　乙野忠治

戸籍に記録されている者	【名】英子
消　　除	【生年月日】平成23年10月18日 【父】甲野義太郎 【母】乙野梅子 【続柄】長女

身分事項	
出　　生	（出生事項省略）
消　　除	【消除日】平成29年5月22日 【消除事項】親権事項 【消除事由】父母の離婚無効の裁判確定 【従前の記録】 　　【親権者を定めた日】平成28年11月30日 　　【親権者】母 　　【届出人】父母

発行番号000001　　　　　　　　　　　　　　　　　　　　以下次頁

4 婚姻・離婚に関する訂正

	(2の2)	全部事項証明
消　除	【消除日】平成29年7月18日 【消除事項】入籍事項 【消除事由】母の氏を称する入籍届出無効につき戸籍訂正許可の裁判確定 【裁判確定日】平成29年7月8日 【申請日】平成29年7月18日 【申請人】母 【従前の記録】 　　【届出日】平成28年12月18日 　　【入籍事由】母の氏を称する入籍 　　【届出人】親権者母 　　【従前戸籍】東京都千代田区平河町一丁目4番地　甲野義太郎	
		以下余白

発行番号000001

545

第5　具体的な処理例

図145-1　戸籍法114条の戸籍訂正許可の裁判による戸籍訂正前の母の実方戸籍

	（1の1）	全 部 事 項 証 明
本　　籍	京都府京都市上京区小山初音町１８番地	
氏　　名	乙野　忠治	

戸籍に記録されている者 　　消　　除 　　除　　籍	【名】梅子 【生年月日】昭和５５年１月８日 【父】乙野忠治 【母】乙野春子 【続柄】長女
身分事項 　　出　　生	（出生事項省略）
子の入籍	【届出日】平成２８年１２月１８日 【除籍事由】子の入籍届出 【新本籍】京都府京都市上京区小山初音町２０番地
消　　除	【消除日】平成２９年５月２２日 【消除事項】離婚事項 【消除事由】夫義太郎との離婚無効の裁判確定 【裁判確定日】平成２９年５月８日 【申請日】平成２９年５月２０日 【申請人】夫 【送付を受けた日】平成２９年５月２２日 【受理者】東京都千代田区長 【従前の記録】 　　【離婚日】平成２８年１１月３０日 　　【配偶者氏名】甲野義太郎 　　【送付を受けた日】平成２８年１２月２日 　　【受理者】東京都千代田区長 　　【従前戸籍】東京都千代田区平河町一丁目４番地　甲野義太郎
	以下余白

発行番号０００００１

図145-2　戸籍法114条の戸籍訂正許可の裁判による戸籍訂正後の母の実方戸籍

		（1の1）	全 部 事 項 証 明
本　　籍	京都府京都市上京区小山初音町１８番地		
氏　　名	乙野　忠治		

戸籍に記録されている者 ☐消　除 ☐除　籍	【名】梅子 【生年月日】昭和５５年１月８日 【父】乙野忠治 【母】乙野春子 【続柄】長女
身分事項 　出　生 　消　除	（出生事項省略） 【消除日】平成２９年５月２２日 【消除事項】離婚事項 【消除事由】夫義太郎との離婚無効の裁判確定 【裁判確定日】平成２９年５月８日 【申請日】平成２９年５月２０日 【申請人】夫 【送付を受けた日】平成２９年５月２２日 【受理者】東京都千代田区長 【従前の記録】 　【離婚日】平成２８年１１月３０日 　【配偶者氏名】甲野義太郎 　【送付を受けた日】平成２８年１２月２日 　【受理者】東京都千代田区長 　【従前戸籍】東京都千代田区平河町一丁目４番地　甲野義太郎
消　除	【消除日】平成２９年７月１８日 【消除事項】入籍事項 【消除事由】子の入籍届出無効につき戸籍訂正許可の裁判確定 【裁判確定日】平成２９年７月８日 【申請日】平成２９年７月１８日 【従前の記録】 　【届出日】平成２８年１２月１８日 　【除籍事由】子の入籍届出 　【新本籍】京都府京都市上京区小山初音町２０番地
	以下余白

発行番号０００００１

第5　具体的な処理例

(ウ)　母の戸籍法77条の2の届出をした戸籍に子が入籍しているとき戸籍の流れを図で示すと次のようになります。

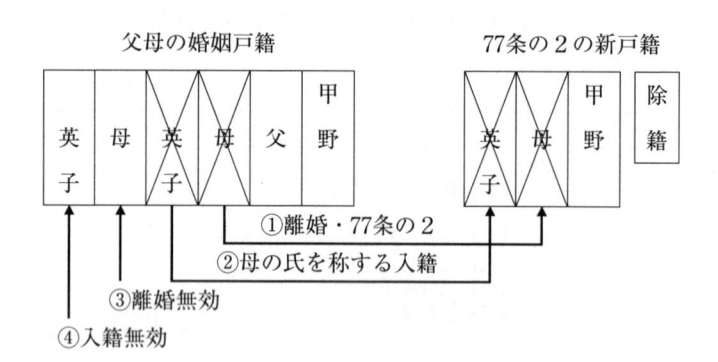

```
        父母の婚姻戸籍              77条の2の新戸籍
   ┌──┬──┬──┬──┬──┐      ┌──┬──┬──┬──┐
   │英│母│英│母│甲│      │英│母│甲│除│
   │ │ │ │ │野│      │ │ │野│籍│
   │子│ │子│ │父│      │子│ │ │ │
   └──┴──┴──┴──┴──┘      └──┴──┴──┴──┘
    ↑  ↑  ✕  ✕           ✕  ✕
    │  │  └──┴─ ①離婚・77条の2
    │  │     ②母の氏を称する入籍
    │  └─ ③離婚無効
    └─ ④入籍無効
```

　母の離婚事項と戸籍法77条の2の届出事項は，離婚無効の裁判による戸籍訂正申請により既に消除されています。本例は，子の入籍無効の戸籍法114条の戸籍訂正許可の裁判を得てする訂正です。
　なお，子の従前戸籍（父母の婚姻戸籍）の戸籍訂正記載例については，前記図142-2を参照してください。
　図146-1は，戸籍法114条の戸籍訂正許可の裁判による戸籍訂正前の戸籍法77条の2の届出による母の新戸籍です。
　図146-2は，戸籍法114条の戸籍訂正許可の裁判による戸籍訂正後の戸籍法77条の2の届出による母の新戸籍です。
　母は，離婚無効の裁判による戸籍訂正申請により，本戸籍から消除されていますので，母に関する訂正はありません。子については，入籍事項を消除し，「戸籍に記録されている者」欄に「消除マーク」を，左上に「除籍マーク」を表示し，戸籍を消除します。

4 婚姻・離婚に関する訂正

図146-1 戸籍法114条の戸籍訂正許可の裁判による戸籍訂正前の戸籍法77条の2の届出による母の新戸籍

	（1の1）	全 部 事 項 証 明
本　　　籍	京都府京都市上京区小山初音町２０番地	
氏　　　名	甲野　梅子	
戸籍事項 　　戸籍編製 　　消　　除	【編製日】平成２８年１１月２８日 【消除日】平成２９年５月２２日 【消除事項】氏の変更事項 【従前の記録】 　　【氏変更日】平成２８年１１月２６日 　　【氏変更の事由】戸籍法７７条の２の届出	
戸籍に記録されている者 　　消　　除	【名】梅子 【生年月日】昭和５５年１月８日 【父】乙野忠治 【母】乙野春子 【続柄】長女	
身分事項 　　出　　生 　　消　　除 　　消　　除	（出生事項省略） （離婚事項消除省略） （氏の変更事項消除省略）	
戸籍に記録されている者	【名】英子 【生年月日】平成２５年１０月１８日 【父】甲野義太郎 【母】甲野梅子 【続柄】長女	
身分事項 　　出　　生 　　入　　籍 　　消　　除	（出生事項省略） 【届出日】平成２８年１２月１８日 【入籍事由】母の氏を称する入籍 【届出人】親権者母 【従前戸籍】東京都千代田区平河町一丁目４番地　甲野義太郎 （親権事項消除省略）	
		以下余白

発行番号０００００１

第5　具体的な処理例

図146-2　戸籍法114条の戸籍訂正許可の裁判による戸籍訂正後の戸籍法77条の2の届出による母の新戸籍

除　　籍	（2の1）　全 部 事 項 証 明
本　　籍	京都府京都市上京区小山初音町２０番地
氏　　名	甲野　梅子

戸籍事項	
戸籍編製	【編製日】平成２８年１１月２８日
消　　除	【消除日】平成２９年５月２２日
	【消除事項】氏の変更事項
	【従前の記録】
	【氏変更日】平成２８年１１月２６日
	【氏変更の事由】戸籍法７７条の２の届出
戸籍消除	【消除日】平成２９年７月１８日

戸籍に記録されている者	
消　　除	【名】梅子
	【生年月日】昭和５５年１月８日
	【父】乙野忠治
	【母】乙野春子
	【続柄】長女

身分事項	
出　　生	（出生事項省略）
消　　除	（離婚事項消除省略）
消　　除	（氏の変更事項消除省略）

戸籍に記録されている者	
消　　除	【名】英子
	【生年月日】平成２５年１０月１８日
	【父】甲野義太郎
	【母】甲野梅子
	【続柄】長女

身分事項	
出　　生	（出生事項省略）
消　　除	（親権事項消除省略）
消　　除	【消除日】平成２９年７月１８日
	【消除事項】入籍事項
	【消除事由】母の氏を称する入籍届出無効につき戸籍訂正許可の裁判確定
	【裁判確定日】平成２９年７月８日
	【申請日】平成２９年７月１８日
	【申請人】母
	【従前の記録】

発行番号０００００１　　　　　　　　　　　　　　　　　　以下次頁

4 婚姻・離婚に関する訂正

	(2の2)	全 部 事 項 証 明
消　　除	【届出日】平成28年12月18日 【入籍事由】母の氏を称する入籍 【届出人】親権者母 【従前戸籍】東京都千代田区平河町一丁目4番地　甲野義太郎	
		以下余白

発行番号000001

第5　具体的な処理例

(11)　協議離婚により妻が新戸籍を編製し，夫が他の市区町村に転籍した後，離婚無効の裁判があった場合

　夫が他の市区町村に転籍した後に離婚無効の裁判があった場合は，夫の転籍戸籍に復籍させることになりますが，転籍の届出は，戸籍の筆頭に記載した者及びその配偶者が届出をしなければならない（戸籍法108条1項）とされています。本例は，離婚が無効となったので，配偶者と共に届出をしていないことから，転籍の届出は無効とはならないかとの問題があります。本例の場合は，転籍届の戸籍記載後ですが，配偶者から転籍についての追完の届出をしてもらうことになります（昭和31年7月12日民事甲1573号回答）。この追完の旨は戸籍に記録する必要はありません。現行の転籍届の記載例（法定記載例番号197・198）は，届出人の資格氏名を記載しないとしているからです。追完届の届書は，戸籍の記載を要しない届書類として保存することになります（戸規50条）。

　戸籍の流れを図で示すと次のようになります。

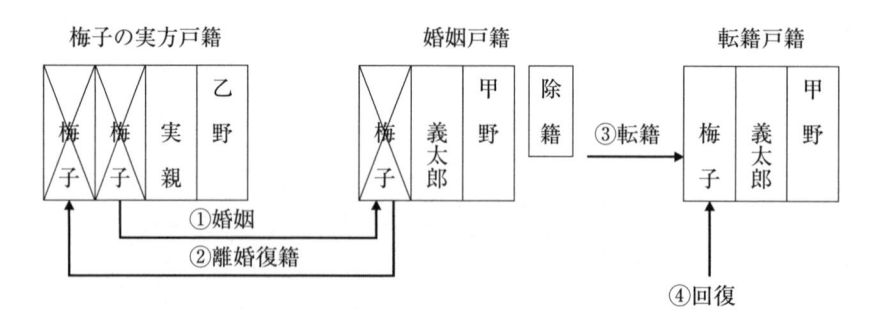

```
　梅子の実方戸籍　　　　　婚姻戸籍　　　　　　　　転籍戸籍
┌──┬──┬──┐　　┌──┬──┐┌──┐　　┌──┬──┬──┐
│梅 │梅 │実 │乙 │　│梅 │甲 ││除 │ ③転籍 │梅 │義太│甲 │
│╳ │╳ │親 │野 │　│╳ │義太││籍 │ ───→ │子 │郎 │野 │
│子 │子 │　 │　 │　│子 │郎 │└──┘　　└──┴──┴──┘
└──┴──┴──┴──┘　└──┴──┘　　　　　　　　　↑
　↑　　↑　　　　　　　　　　↑　　　　　　　　　　　④回復
　│　　①婚姻　　　　　　　　│
　│　　②離婚復籍　　　　　　│
　└────────────┘
```

　なお，梅子の実方戸籍の戸籍訂正記載例は，前例等を参照してください。

　図147-1は，離婚無効の裁判による戸籍訂正前の転籍前の戸籍です。

　図147-2は，離婚無効の裁判による戸籍訂正後の転籍前の戸籍です。

　夫及び妻の離婚事項を消除します。妻については，末尾に回復することなく，転籍後の戸籍に回復することになります。そのため，その旨を訂正事項中に「【回復後の戸籍】」として表示します。

　図148-1は，離婚無効の裁判による戸籍訂正前の転籍後の戸籍です。

　図148-2は，離婚無効の裁判による戸籍訂正後の転籍後の戸籍です。

552

夫については，婚姻事項を転籍前の戸籍から移記し，「【配偶者区分】夫」を表示します。妻については，出生事項及び婚姻事項を段落ちタイトル「記録」により記録します。

第5　具体的な処理例

図147-1　離婚無効の裁判による戸籍訂正前の転籍前の戸籍

除　　籍	（1の1）	全部事項証明
本　　籍	東京都千代田区平河町一丁目4番地	
氏　　名	甲野　義太郎	

戸籍事項 　戸籍編製 　転　　籍	【編製日】平成26年10月8日 【転籍日】平成29年1月20日 【新本籍】千葉県千葉市中央区千葉港5番地 【送付を受けた日】平成29年1月22日 【受理者】千葉県千葉市中央区長
戸籍に記録されている者	【名】義太郎 【生年月日】昭和60年6月26日 【父】甲野幸雄 【母】甲野松子 【続柄】長男
身分事項 　出　　生 　婚　　姻 　離　　婚	（出生事項省略） （婚姻事項省略） 【離婚日】平成28年12月25日 【配偶者氏名】甲野梅子
戸籍に記録されている者 　　除　　籍	【名】梅子 【生年月日】昭和61年1月8日 【父】乙野忠治 【母】乙野春子 【続柄】長女
身分事項 　出　　生 　婚　　姻 　離　　婚	（出生事項省略） （婚姻事項省略） 【離婚日】平成28年12月25日 【配偶者氏名】甲野義太郎 【新本籍】京都府京都市上京区小山初音町20番地
	以下余白

発行番号000001

図147-2　離婚無効の裁判による戸籍訂正後の転籍前の戸籍

除　　　籍	（2の1）	全 部 事 項 証 明
本　　籍	東京都千代田区平河町一丁目4番地	
氏　　名	甲野　義太郎	

戸籍事項 　　戸籍編製 　　転　　籍	【編製日】平成26年10月8日 【転籍日】平成29年1月20日 【新本籍】千葉県千葉市中央区千葉港5番地 【送付を受けた日】平成29年1月22日 【受理者】千葉県千葉市中央区長
戸籍に記録されている者	【名】義太郎 【生年月日】昭和60年6月26日 【父】甲野幸雄 【母】甲野松子 【続柄】長男
身分事項 　　出　　生 　　婚　　姻 　　消　　除	（出生事項省略） ------ （婚姻事項省略） ------ 【消除日】平成29年5月25日 【消除事項】離婚事項 【消除事由】妻梅子との離婚無効の裁判確定 【裁判確定日】平成29年5月19日 【申請日】平成29年5月25日 【申請人】妻 【従前の記録】 　　【離婚日】平成28年12月25日 　　【配偶者氏名】甲野梅子
戸籍に記録されている者 除　　籍	【名】梅子 【生年月日】昭和61年1月8日 【父】乙野忠治 【母】乙野春子 【続柄】長女
身分事項 　　出　　生 　　婚　　姻 　　消　　除	（出生事項省略） ------ （婚姻事項省略） ------ 【消除日】平成29年5月25日 【消除事項】離婚事項 【消除事由】夫義太郎との離婚無効の裁判確定 【裁判確定日】平成29年5月19日

発行番号000001　　　　　　　　　　　　　　　　　　　　　　　　　　　　以下次頁

第5　具体的な処理例

	(2の2)	全 部 事 項 証 明
	【申請日】平成29年5月25日 【回復後の戸籍】千葉県千葉市中央区千葉港5番地　甲野義太郎 【従前の記録】 　　【離婚日】平成28年12月25日 　　【配偶者氏名】甲野義太郎 　　【新本籍】京都府京都市上京区小山初音町20番地	
		以下余白

発行番号000001

図148-1　離婚無効の裁判による戸籍訂正前の転籍後の戸籍

		（1の1）　全部事項証明
本　　籍	千葉県千葉市中央区千葉港５番地	
氏　　名	甲野　義太郎	
戸籍事項 　　転　　籍	【転籍日】平成２９年１月２０日 【従前本籍】東京都千代田区平河町一丁目４番地	
戸籍に記録されている者	【名】義太郎 【生年月日】昭和６０年６月２６日 【父】甲野幸雄 【母】甲野松子 【続柄】長男	
身分事項 　　出　　生	（出生事項省略）	
		以下余白

発行番号０００００１

第5　具体的な処理例

図148-2　離婚無効の裁判による戸籍訂正後の転籍後の戸籍

	（2の1）　全　部　事　項　証　明
本　　　籍	千葉県千葉市中央区千葉港5番地
氏　　　名	甲野　義太郎
戸籍事項 　　転　　籍	【転籍日】平成29年1月20日 【従前本籍】東京都千代田区平河町一丁目4番地
戸籍に記録されている者	【名】義太郎 【生年月日】昭和60年6月26日　　【配偶者区分】夫 【父】甲野幸雄 【母】甲野松子 【続柄】長男
身分事項 　　出　　生 　　婚　　姻 　　移　　記	（出生事項省略） 【婚姻日】平成26年10月8日 【配偶者氏名】乙野梅子 【従前戸籍】東京都千代田区平河町一丁目4番地　甲野幸雄 【移記日】平成29年5月28日 【移記事由】妻梅子との離婚無効の裁判確定 【裁判確定日】平成29年5月19日 【申請日】平成29年5月25日 【申請人】妻 【送付を受けた日】平成29年5月28日 【受理者】東京都千代田区長 【移記前の戸籍】東京都千代田区平河町一丁目4番地　甲野義太郎
戸籍に記録されている者	【名】梅子 【生年月日】昭和61年1月8日　　【配偶者区分】妻 【父】乙野忠治 【母】乙野春子 【続柄】長女
身分事項 　　出　　生 　　記　　録 　　婚　　姻	（出生事項省略） 【記録日】平成29年5月28日 【記録事由】申請 【送付を受けた日】平成29年5月28日 【受理者】東京都千代田区長 【婚姻日】平成26年10月8日 【配偶者氏名】甲野義太郎

発行番号000001　　　　　　　　　　　　　　　　　　　　　　　　　以下次頁

558

4　婚姻・離婚に関する訂正

(2の2)　全部事項証明

記　　録	【従前戸籍】京都府京都市上京区小山初音町１８番地　乙野忠治 【記録日】平成２９年５月２８日 【記録事由】申請 【送付を受けた日】平成２９年５月２８日 【受理者】東京都千代田区長

以下余白

発行番号０００００１

559

第5　具体的な処理例

⑿　協議離婚をした夫が再婚後，離婚無効の裁判があった場合
　我が国の民法が規定している婚姻の無効原因は，第一に，「人違いその他の事由によって当事者間に婚姻をする意思がないとき」（民法742条1号），第二に，「当事者が婚姻の届出をしないとき」（同条2号）としています。本例は，離婚が無効となったことから，重婚になりますが，重婚は禁止とされているのみで（民法732条），無効ではなく，後婚についての取消し原因となります（同744条）。したがって，離婚無効の裁判による戸籍訂正申請により重婚となった場合，後婚については，離婚無効の裁判による戸籍訂正申請によっては消除することはできませんので，後婚を取り消したいときは，その取消請求を，各当事者，その親族又は検察官からすることになります（同744条1項）。戸籍の訂正に当たって注意すべき点は，離婚無効により重婚となる場合について，二とおりのケース，一つは，夫が自己の氏を称する婚姻をしているとき，もう一つは，夫が相手方の氏を称する婚姻をしているときがあります。この二つのケースで，訂正方法について違いがあります。

　ア　自己の氏を称する婚姻をしているとき

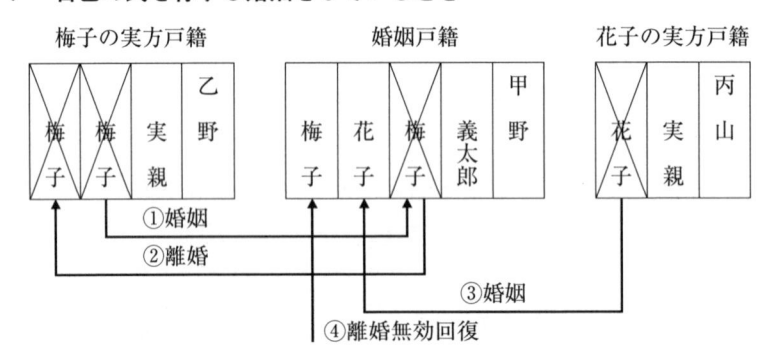

　　　梅子の実方戸籍　　　　婚姻戸籍　　　　花子の実方戸籍

（図：梅子の実方戸籍に乙野実親・梅子（抹消）・梅子（抹消）；婚姻戸籍に甲野義太郎・梅（抹消）・花子・梅（抹消）；花子の実方戸籍に丙山実親・花子（抹消））

①婚姻
②離婚
③婚姻
④離婚無効回復

　梅子の実方の戸籍訂正記載例は，前例等を参照してください。ここでは，婚姻戸籍の戸籍訂正記載例を示すことにします。
　図149-1は，離婚無効の裁判による戸籍訂正前の婚姻戸籍です。
　図149-2は，離婚無効の裁判による戸籍訂正後の婚姻戸籍です。
　義太郎及び梅子の離婚事項をそれぞれ消除し，梅子を末尾に回復することになります。回復に当たっては，重要な身分事項を移記し，「戸籍に記録されている者」欄に「【配偶者区分】妻」を表示します。

4　婚姻・離婚に関する訂正

図149-1　離婚無効の裁判による戸籍訂正前の婚姻戸籍

(1の1)	全 部 事 項 証 明

本　　　籍	東京都千代田区平河町一丁目4番地
氏　　　名	甲野　義太郎
戸籍事項 　　戸籍編製	（編製事項省略）
戸籍に記録されている者	【名】義太郎 【生年月日】昭和５５年６月２６日　　【配偶者区分】夫 【父】甲野幸雄 【母】甲野松子 【続柄】長男
身分事項 　　出　　生 　　婚　　姻 　　離　　婚 　　婚　　姻	（出生事項省略） （乙野梅子との婚姻事項省略） （妻梅子との離婚事項省略） （丙山花子との婚姻事項省略）
戸籍に記録されている者 除　　籍	【名】梅子 【生年月日】昭和５７年１月８日 【父】乙野忠治 【母】乙野春子 【続柄】長女
身分事項 　　出　　生 　　婚　　姻 　　離　　婚	（出生事項省略） （甲野義太郎との婚姻事項省略） （夫義太郎との離婚事項省略）
戸籍に記録されている者	【名】花子 【生年月日】平成２年１０月２２日　　【配偶者区分】妻 【父】丙山二郎 【母】丙山竹子 【続柄】長女
身分事項 　　出　　生 　　婚　　姻	（出生事項省略） （甲野義太郎との婚姻事項省略）
	以下余白

発行番号０００００１

第5　具体的な処理例

図149-2　離婚無効の裁判による戸籍訂正後の婚姻戸籍

	（2の1）　全 部 事 項 証 明
本　　　籍 氏　　　名	東京都千代田区平河町一丁目4番地 甲野　義太郎
戸籍事項 　戸籍編製	（編製事項省略）
戸籍に記録されている者	【名】義太郎 【生年月日】昭和55年6月26日　　　【配偶者区分】夫 【父】甲野幸雄 【母】甲野松子 【続柄】長男
身分事項 　出　　生 　婚　　姻 　婚　　姻 　消　　除	（出生事項省略） （乙野梅子との婚姻事項省略） （丙山花子との婚姻事項省略） 【消除日】平成29年7月18日 【消除事項】離婚事項 【消除事由】妻梅子との離婚無効の裁判確定 【裁判確定日】平成29年7月8日 【申請日】平成29年7月18日 【申請人】妻　甲野梅子 【従前の記録】 　　（妻梅子との離婚事項省略）
戸籍に記録されている者 　　除　　籍	【名】梅子 【生年月日】昭和57年1月8日 【父】乙野忠治 【母】乙野春子 【続柄】長女
身分事項 　出　　生 　婚　　姻 　消　　除	（出生事項省略） （甲野義太郎との婚姻事項省略） 【消除日】平成29年7月18日 【消除事項】離婚事項 【消除事由】夫義太郎との離婚無効の裁判確定 【裁判確定日】平成29年7月8日 【申請日】平成29年7月18日 【従前の記録】 　　（夫義太郎との離婚事項省略）

発行番号000001　　　　　　　　　　　　　　　　　　　　　　　以下次頁

4 婚姻・離婚に関する訂正

(2の2) | 全部事項証明

戸籍に記録されている者	【名】花子
	【生年月日】平成2年10月22日　【配偶者区分】妻 【父】丙山二郎 【母】丙山竹子 【続柄】長女
身分事項 　　出　　生	（出生事項省略）
婚　　姻	（甲野義太郎との婚姻事項省略）
戸籍に記録されている者	【名】梅子
	【生年月日】昭和57年1月8日　【配偶者区分】妻 【父】乙野忠治 【母】乙野春子 【続柄】長女
身分事項 　　出　　生	（出生事項省略）
婚　　姻	（甲野義太郎との婚姻事項省略）

以下余白

発行番号000001

第5 具体的な処理例

イ 相手方の氏を称する婚姻をしているとき

本例は，夫が相手方の氏を称する婚姻により戸籍が消除された後，離婚無効の裁判による戸籍訂正の場合です。この場合は，戸籍訂正申請により除籍となった戸籍を回復することになります。

また，後婚戸籍の義太郎の身分事項欄には，梅子との婚姻事項が記録されていませんが，この梅子との婚姻事項を記録するには，別途，戸籍法113条の戸籍訂正許可の裁判を得る必要があります。第三者（丙山昭子）との婚姻は，別途の身分行為ですから，離婚無効の戸籍訂正によっては，訂正することはできないということになります。

戸籍の流れを図で示すと次のようになります。

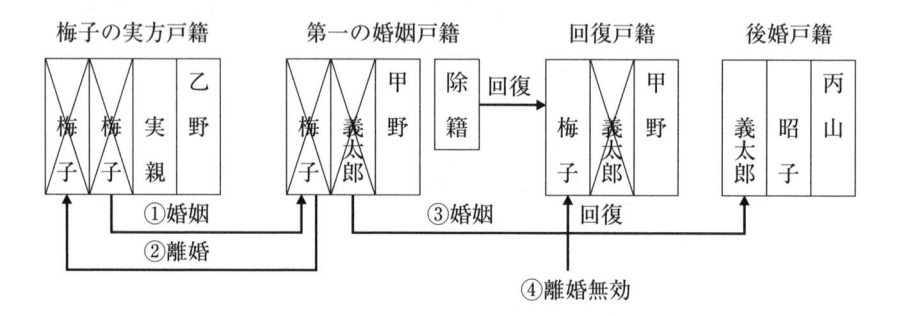

梅子の実方の戸籍訂正記載例は，前例等を参照してください。

ここでは，離婚無効前の第一の婚姻戸籍とその回復戸籍及び後婚戸籍の戸籍訂正記載例についてのみ示すことにし，具体的な説明は省略します。

図150-1は，離婚無効の裁判による戸籍訂正前の第一の婚姻戸籍です。

図150-2は，離婚無効の裁判による戸籍訂正後の第一の婚姻戸籍です。

図150-3は，離婚無効の裁判による戸籍訂正により回復した第一の婚姻戸籍です。

回復後の戸籍には，夫及び妻について【配偶者区分】をそれぞれ表示します。

図151-1は，戸籍法113条の戸籍訂正許可の裁判による戸籍訂正前の後婚戸籍です。

図151-2は，戸籍法113条の戸籍訂正許可の裁判による戸籍訂正後の後婚戸籍です。

4　婚姻・離婚に関する訂正

図150-1　離婚無効の裁判による戸籍訂正前の第一の婚姻戸籍

除　　籍	（1の1）　全部事項証明
本　　籍	東京都千代田区平河町一丁目4番地
氏　　名	甲野　義太郎

戸籍事項	
戸籍編製	（編製事項省略）
戸籍消除	【消除日】平成29年4月20日

戸籍に記録されている者	
除　　籍	【名】義太郎 【生年月日】昭和57年6月26日 【父】甲野幸雄 【母】甲野松子 【続柄】長男

身分事項	
出　　生	（出生事項省略）
婚　　姻	（乙野梅子との婚姻事項省略）
離　　婚	【離婚日】平成28年12月25日 【配偶者氏名】甲野梅子
婚　　姻	（丙山昭子と妻の氏を称する婚姻事項省略）

戸籍に記録されている者	
除　　籍	【名】梅子 【生年月日】昭和58年1月8日 【父】乙野忠治 【母】乙野春子 【続柄】長女

身分事項	
出　　生	（出生事項省略）
婚　　姻	（婚姻事項省略）
離　　婚	【離婚日】平成28年12月25日 【配偶者氏名】甲野義太郎 【新本籍】京都府京都市上京区小山初音町20番地
	以下余白

発行番号000001

第5　具体的な処理例

図150-2　離婚無効の裁判による戸籍訂正後の第一の婚姻戸籍

除　　　籍	（1の1）	全部事項証明
本　　　籍	東京都千代田区平河町一丁目4番地	
氏　　　名	甲野　義太郎	
戸籍事項 　戸籍編製 　消　　除	（編製事項省略） 【消除日】平成29年7月30日 【消除事項】戸籍消除の記録錯誤 【従前の記録】 　　【消除日】平成29年4月20日	
戸籍に記録されている者 　　　除　　籍	【名】義太郎 【生年月日】昭和57年6月26日 【父】甲野幸雄 【母】甲野松子 【続柄】長男	
身分事項 　出　　生 　婚　　姻 　婚　　姻 　消　　除	（出生事項省略） （乙野梅子との婚姻事項省略） （丙山昭子と妻の氏を称する婚姻事項省略） （妻梅子との離婚事項消除省略）	
戸籍に記録されている者 　　　除　　籍	【名】梅子 【生年月日】昭和58年1月8日 【父】乙野忠治 【母】乙野春子 【続柄】長女	
身分事項 　出　　生 　婚　　姻 　消　　除	（出生事項省略） （婚姻事項省略） （夫義太郎との離婚事項消除省略）	
		以下余白

発行番号000001

4 婚姻・離婚に関する訂正

図150-3 離婚無効の裁判による戸籍訂正により回復した第一の婚姻戸籍

	(1の1)	全部事項証明
本　　籍	東京都千代田区平河町一丁目4番地	
氏　　名	甲野　義太郎	
戸籍事項 　　戸籍編製 　　戸籍回復	（編製事項省略） 【回復日】平成29年7月30日 【回復事由】戸籍消除の記録錯誤	
戸籍に記録されている者 除　籍	【名】義太郎 【生年月日】昭和57年6月26日　【配偶者区分】夫 【父】甲野幸雄 【母】甲野松子 【続柄】長男	
身分事項 　　出　生 　　婚　姻 　　婚　姻	（出生事項省略） （乙野梅子との婚姻事項省略） （丙山昭子と妻の氏を称する婚姻事項省略）	
戸籍に記録されている者	【名】梅子 【生年月日】昭和58年1月8日　【配偶者区分】妻 【父】乙野忠治 【母】乙野春子 【続柄】長女	
身分事項 　　出　生 　　婚　姻	（出生事項省略） （婚姻事項省略）	
		以下余白

発行番号000001

第5 具体的な処理例

図151-1 戸籍法113条の戸籍訂正許可の裁判による戸籍訂正前の後婚戸籍

		（1の1）	全 部 事 項 証 明
本　　籍		大阪府大阪市北区老松町二丁目6番地	
氏　　名		丙山　昭子	
戸籍事項 　戸籍編製		（編製事項省略）	
戸籍に記録されている者		【名】昭子 【生年月日】昭和62年3月6日　　　【配偶者区分】妻 【父】丙山二郎 【母】丙山冬子 【続柄】二女	
身分事項 　出　　生 　婚　　姻		（出生事項省略） （甲野義太郎との婚姻事項省略）	
戸籍に記録されている者		【名】義太郎 【生年月日】昭和57年6月26日　　　【配偶者区分】夫 【父】甲野幸雄 【母】甲野松子 【続柄】長男	
身分事項 　出　　生 　婚　　姻		（出生事項省略） （丙山昭子との婚姻事項省略）	
			以下余白

発行番号000001

4 婚姻・離婚に関する訂正

図151-2　戸籍法113条の戸籍訂正許可の裁判による戸籍訂正後の後婚戸籍

(1の1)　全部事項証明

本　　籍	大阪府大阪市北区老松町二丁目6番地
氏　　名	丙山　昭子
戸籍事項 　　戸籍編製	（編製事項省略）
戸籍に記録されている者	【名】昭子 【生年月日】昭和62年3月6日　　　【配偶者区分】妻 【父】丙山二郎 【母】丙山冬子 【続柄】二女
身分事項 　　出　　生 　　婚　　姻	（出生事項省略） （甲野義太郎との婚姻事項省略）
戸籍に記録されている者	【名】義太郎 【生年月日】昭和57年6月26日　　　【配偶者区分】夫 【父】甲野幸雄 【母】甲野松子 【続柄】長男
身分事項 　　出　　生 　　婚　　姻 　　婚　　姻 　　記　　録	（出生事項省略） （丙山昭子との婚姻事項省略） 【婚姻日】平成24年4月10日 【配偶者氏名】乙野梅子 【従前戸籍】東京都千代田区平河町一丁目4番地　甲野幸雄 【記録日】平成29年9月28日 【記録事由】記録遺漏につき戸籍訂正許可の裁判確定 【裁判確定日】平成29年9月20日 【申請日】平成29年9月28日
	以下余白

発行番号000001

5. いくつかの身分関係（身分行為）が絡んだ訂正

(1) 養子縁組等の身分行為後に親子関係不存在確認等の裁判があった場合

　養子縁組等の身分行為後に親子関係不存在確認等の裁判があり，戸籍訂正を複雑にする場合があります。また，このような複雑にする戸籍訂正は，戸籍も多岐にわたり，さらに，複数の市区町村において戸籍訂正しなければならないことが多いのも現実です。

　いくつか事例を挙げて戸籍訂正の方法等について，説明することにします。

　ア　嫡出子出生届により表見上の父母の戸籍に入籍し，養子縁組により養親の戸籍に入籍後，表見上の父母との親子関係不存在確認の裁判があったとき

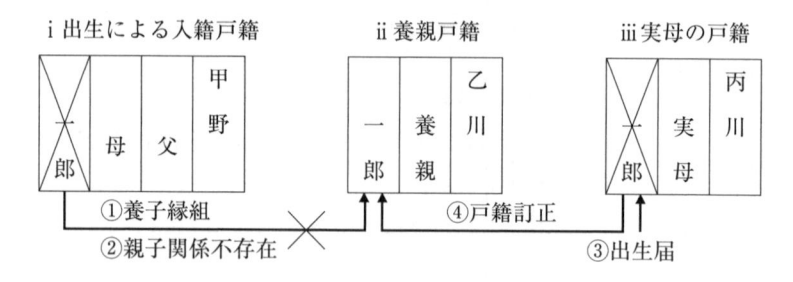

```
ⅰ 出生による入籍戸籍        ⅱ 養親戸籍         ⅲ 実母の戸籍
┌──┬──┬──┐         ┌──┬──┐        ┌──┬──┐
│ ✕ │母 │父 │甲        │一 │養 │乙      │ ✕ │実 │丙
│一 │  │  │野        │郎 │親 │川      │一 │母 │川
│郎 │  │  │         │  │  │        │郎 │  │
└──┴──┴──┘         └──┴──┘        └──┴──┘
   └①養子縁組─────────→↑       ④戸籍訂正←──↑
    ②親子関係不存在     ✕              ③出生届
```

　この図の説明をします。

　まず，出生子一郎は，甲野夫婦の子としてⅰ戸籍に入籍し，甲野夫婦の代諾縁組により，養親乙川のⅱ戸籍に入籍しました。その後，甲野夫婦と一郎との間の親子関係不存在確認の裁判による戸籍訂正申請によりⅰ戸籍から消除されました。父母双方との親子関係不存在確認の裁判による戸籍訂正は，ここまでの処理をすることになります。

　次は，一郎の出生の届出ですが，これは，実母が行うことになります。ここでは，実母がすることを前提として，次に進めることにします。実母の出生の届出により，一郎は，出生当時の実母の戸籍に入籍することになります。実母の戸籍の状態により，実母が在籍した戸籍の末尾にいったん子を入籍させた上，一郎の単独の新戸籍を編製することもあります。ここでは，出生当時の実母の現在戸籍があることを前提として，次に進めることにします。

5 いくつかの身分関係(身分行為)が絡んだ訂正

次は,ⅱ戸籍にある一郎の父母欄等(父母欄は,親子関係不存在確認の裁判による戸籍訂正により空欄となっています。また,父母との続柄は,この場合,単に「長男」と記録されています。)及び縁組による従前戸籍の表示等に錯誤がありますので,これを戸籍法113条の戸籍訂正許可の裁判を得て訂正することになります。父母欄は,前記のように,親子関係不存在確認の裁判による戸籍訂正申請により空欄となっていますので,母の氏名を記録することになります。また,養子縁組は,表見上の父母の代諾ですから,正当な代諾権者ではありませんので,正当な代諾権者(親権者母)又は養子が15歳以上であれば養子自身が縁組の追認をする必要があります。これらは,追完の届出であることになります(昭和29年8月20日民事甲1721号回答,昭和30年5月11日民事甲905号回答等)。さらに,縁組事項中,従前戸籍の表示が相違します。

それでは,どのような順にこれらの戸籍の届出等をしたらよいのかということになります。

まず,本例では,①正当な出生の届出資格がある者(一般的には,実母)からの出生届,次に,②縁組を有効とすべきときはその追完の届出(養子が15歳未満のときは正当な代諾資格のある者,養子が15歳以上のときは養子自身),最後に,③戸籍法113条の戸籍訂正許可の裁判を得て,母の氏名の記録及びⅰ戸籍の縁組事項を実母の戸籍に移記し,ⅱ戸籍の縁組事項中の従前戸籍の表示の訂正をすることになります。これで一連の戸籍訂正を終了することになります。

戸籍訂正記載例は,次のようになります。

図152-1は,戸籍上の父母との親子関係不存在確認の裁判による戸籍訂正後の出生による入籍戸籍(改製原戸籍)です。

丸数字①が,親子関係不存在確認の裁判による戸籍訂正申請により出生事項及び身分事項欄下部全欄を消除したものです(太線が朱線交差した線です。)。

図152-2は,養子自ら縁組の追完の届出をした後の出生による入籍戸籍(改製原戸籍)です。

丸数字③が,縁組の追完の届出による記載です。

図152-3は,戸籍法113条の戸籍訂正許可の裁判による戸籍訂正後の出生による入籍戸籍(改製原戸籍)です。

571

丸数字④が，戸籍法113条の戸籍訂正許可の裁判による戸籍訂正申請により縁組事項を出生による入籍戸籍に移記する記載です。この記載をし，縁組事項及び追完事項を朱線を縦に一本引く方法により消除します。

図153-1は，戸籍上の父母との親子関係不存在確認の裁判による戸籍訂正後の養親戸籍です。

丸数字①が，親子関係不存在確認の裁判による戸籍訂正申請により出生事項及び父母の記録等を消除した記録です。

図153-2は，養子自ら縁組の追完の届出をした後の養親戸籍です。

丸数字③が，追完の届出による記載です。

図153-3は，戸籍法113条の戸籍訂正許可の裁判による戸籍訂正後の養親戸籍です。

丸数字④が，戸籍法113条の戸籍訂正許可の裁判による戸籍訂正申請により養母及び養子の縁組事項の訂正，さらに，養子については，出生事項の記録及び母の氏名の記録です。

図154-1は，実母からの出生の届出により入籍した実母の戸籍です。

丸数字②は，実母から出生届がされ，戸籍に記録されたものです。

図154-2は，戸籍法113条の戸籍訂正許可の裁判による戸籍訂正後の実母の戸籍です。

丸数字④は，戸籍訂正許可の裁判による戸籍訂正申請により，縁組事項を移記した記録です。この記録をし，「戸籍に記録されている者」欄に「除籍マーク」を表示します。

参考図は，戸籍上の父母の戸籍がコンピュータ戸籍であった場合です。

戸籍訂正申請により縁組事項を移記しますが，身分事項欄の養子縁組のタイトル位置には変更がありません。左端処理タイトル「移記」は，一番下の位置になり，この場合は，「【従前の記録】」を表示しません。

5 いくつかの身分関係（身分行為）が絡んだ訂正

図152-1　戸籍上の父母との親子関係不存在確認の裁判による戸籍訂正後の出生による入籍戸籍（改製原戸籍）

改製原戸籍	平成六年法務省令第五十一号附則第二条第一項による改製につき平成拾四年参月弐拾五日消除㊞

本籍	東京都千代田区平河町一丁目四番地	氏名	甲野　義太郎

編製事項（省略）	

出生事項（省略）	父	甲野幸雄	長男
婚姻事項（省略）	母	松子	
	夫	義太郎	
	出生	昭和四拾壱年六月弐拾六日	

出生事項（省略）	父	乙野忠治	長女
婚姻事項（省略）	母	春子	
	妻	梅子	
	出生	昭和四拾四年壱月八日	

平成七年五月勇拾日東京都千代田区で出生同月拾八日父届出入籍㊞	父	甲野義太郎	長男
平成壱年六月拾日乙川竹子の養子となる縁組届出（代諾者親権者父母）東京都港区三田四丁目五番地乙川竹子戸籍に入籍につき除籍㊞	母	梅子	
①平成弐拾七年七月七日甲野義太郎同人妻梅子との親子関係不存在確認の裁判確定同月拾六日丙川夏子申請消除㊞		郎	
	出生	平成七年五月拾日	

573

第5　具体的な処理例

図152-2　養子自ら縁組の追完の届出をした後の出生による入籍戸籍（改製原戸籍）

改製原戸籍	平成六年法務省令第五十一号附則第二条第一項による改製につき平成拾四年参月弐拾五日消除㊞

本籍	東京都千代田区平河町一丁目四番地	氏名	甲野義太郎

編製事項（省略）		

出生事項（省略）		父	甲野幸雄	長男
婚姻事項（省略）		母	松子	
		夫	義太郎	
		生出	昭和四拾年六月弐拾六日	

出生事項（省略）		父	乙野忠治	長女
婚姻事項（省略）		母	春子	
		妻	梅子	
		生出	昭和四拾四年壱月八日	

籍㊞	平成七年五月拾日東京都千代田区で出生同月拾八日父届出入籍	父	甲野義太郎	長男
除籍㊞	平成拾壱年六月拾日乙川竹子の養子となる縁組届出（代諾者親権者父母）東京都港区三田四丁目五番地乙川竹子戸籍に入籍につき	母	梅子	
	①平成拾七年七月七日甲野義太郎同人妻梅子との親子関係不存在確認の裁判確定同月拾六日丙川夏子申請消除㊞ ③平成拾壱年六月拾日乙川竹子の養子となる縁組届出平成拾七年拾壱月弐拾弐日養子自ら届出する旨追完届出㊞		一郎	
		生出	平成七年五月拾日	

5　いくつかの身分関係（身分行為）が絡んだ訂正

図152-3　戸籍法113条の戸籍訂正許可の裁判による戸籍訂正後の出生による入籍戸籍（改製原戸籍）

| 改製原戸籍 | 平成六年法務省令第五十一号附則第二条第一項による改製につき平成拾四年参月弐拾五日消除㊞ |

| 本籍 | 東京都千代田区平河町一丁目四番地 | 氏名 | 甲野 義太郎 |

| 編製事項（省略） | | | |

出生事項（省略）	父	甲野 幸雄	長男
婚姻事項（省略）	母	松子	
	夫	義太郎	
	出生	昭和四拾壱年六月弐拾六日	

出生事項（省略）	父	乙野 忠治	長女
婚姻事項（省略）	母	春子	
	妻	梅子	
	出生	昭和四拾四年壱月八日	

①平成七年五月拾貳日東京都港区西麻布四丁目五番地乙川竹子の戸籍より入籍㊞
②平成七年七月七日甲野義太郎同人妻梅子との親子関係不存在確認の裁判確定同月拾六日丙川夏子申請消除㊞
③平成拾壱年六月拾貳日乙川竹子の養子となる縁組届出平成拾七年拾壱月弐拾貳日妻と共に届出弐年の養親権者父母㊞
④平成拾八年弐月六日戸籍訂正許可の裁判確定同月拾日申請縁組事項及び追完事項を消除東京都千代田区永田町三丁目四番地丙川夏子戸籍に移籍につき消除㊞

父	甲野 義太郎	長男
母	梅子	
	郎	
出生	平成七年五月拾日	

575

第5　具体的な処理例

図153-1　戸籍上の父母との親子関係不存在確認の裁判による戸籍訂正後の養親戸籍

		（2の1）	全 部 事 項 証 明
本　　　籍	東京都港区三田四丁目5番地		
氏　　　名	乙川　竹子		
戸籍事項 　戸籍編製	（編製事項省略）		
戸籍に記録されている者	【名】竹子 【生年月日】昭和47年5月2日 【父】乙川英吉 【母】乙川秋子 【続柄】長女		
身分事項 　出　　生 　養子縁組	（出生事項省略） 【縁組日】平成11年6月10日 【養子氏名】甲野一郎 【送付を受けた日】平成11年6月12日 【受理者】東京都千代田区長		
戸籍に記録されている者	【名】一郎 【生年月日】平成7年5月10日 【父】 【母】 【続柄】長男 【養母】乙川竹子 【続柄】養子		
身分事項 　養子縁組 　①消　　除	【縁組日】平成11年6月10日 【養母氏名】乙川竹子 【代諾者】親権者父母 【送付を受けた日】平成11年6月12日 【受理者】東京都千代田区長 【従前戸籍】東京都千代田区平河町一丁目4番地　甲野義太郎 【消除日】平成27年7月19日 【消除事項】出生事項 【消除事由】甲野義太郎同人妻梅子との親子関係不存在確認の裁判確定 【裁判確定日】平成27年7月7日 【申請日】平成27年7月16日 【申請人】丙川夏子 【送付を受けた日】平成27年7月19日 【受理者】東京都千代田区長		

発行番号000001　　　　　　　　　　　　　　　　　　　　　　　　　以下次頁

5　いくつかの身分関係（身分行為）が絡んだ訂正

(2の2)　全部事項証明

①消　　除	【従前の記録】 　　【出生日】平成7年5月10日 　　【出生地】東京都千代田区 　　【届出日】平成7年5月18日 　　【届出人】父
	【消除日】平成27年7月19日 【消除事項】父母の氏名，父母との続柄 【消除事由】甲野義太郎同人妻梅子との親子関係不存在確認の裁判確定 【裁判確定日】平成27年7月7日 【申請日】平成27年7月16日 【申請人】丙川夏子 【送付を受けた日】平成27年7月19日 【受理者】東京都千代田区長 【従前の記録】 　　【父】甲野義太郎 　　【母】甲野梅子 　　【父母との続柄】長男

以下余白

発行番号000001

第5　具体的な処理例

図153-2　養子自ら縁組の追完の届出をした後の養親戸籍

	（2の1）	全部事項証明

本　　籍	東京都港区三田四丁目5番地
氏　　名	乙川　竹子
戸籍事項 　戸籍編製	（編製事項省略）
戸籍に記録されている者	【名】竹子 【生年月日】昭和47年5月2日 【父】乙川英吉 【母】乙川秋子 【続柄】長女
身分事項 　出　　生	（出生事項省略）
養子縁組	【縁組日】平成11年6月10日 【養子氏名】甲野一郎 【送付を受けた日】平成11年6月12日 【受理者】東京都千代田区長
戸籍に記録されている者	【名】一郎 【生年月日】平成7年5月10日 【父】 【母】 【続柄】長男 【養母】乙川竹子 【続柄】養子
身分事項 　養子縁組	【縁組日】平成11年6月10日 【養母氏名】乙川竹子 【代諾者】親権者父母 【送付を受けた日】平成11年6月12日 【受理者】東京都千代田区長 【従前戸籍】東京都千代田区平河町一丁目4番地　甲野義太郎 【縁組追完日】平成27年11月22日 【追完届出人】養子
③追　　完	【追完日】平成27年11月22日 【追完の内容】養子自らが縁組届出 【届出人】養子 【送付を受けた日】平成27年11月25日 【受理者】東京都千代田区長 【記録の内容】 　　【縁組追完日】平成27年11月22日 　　【追完届出人】養子

発行番号000001　　　　　　　　　　　　　　　　　　　　　　　以下次頁

5 いくつかの身分関係(身分行為)が絡んだ訂正

(2の2) | 全 部 事 項 証 明

①消　　除	【消除日】平成27年7月19日 【消除事項】出生事項 【消除事由】甲野義太郎同人妻梅子との親子関係不存在確認の裁判確定 【裁判確定日】平成27年7月7日 【申請日】平成27年7月16日 【申請人】丙川夏子 【送付を受けた日】平成27年7月19日 【受理者】東京都千代田区長 【従前の記録】 　　【出生日】平成7年5月10日 　　【出生地】東京都千代田区 　　【届出日】平成7年5月18日 　　【届出人】父
①消　　除	【消除日】平成27年7月19日 【消除事項】父母の氏名，父母との続柄 【消除事由】甲野義太郎同人妻梅子との親子関係不存在確認の裁判確定 【裁判確定日】平成27年7月7日 【申請日】平成27年7月16日 【申請人】丙川夏子 【送付を受けた日】平成27年7月19日 【受理者】東京都千代田区長 【従前の記録】 　　【父】甲野義太郎 　　【母】甲野梅子 　　【父母との続柄】長男
	以下余白

発行番号000001

579

図153-3 戸籍法113条の戸籍訂正許可の裁判による戸籍訂正後の養親戸籍

（2の1） 全部事項証明

本　　　籍	東京都港区三田四丁目5番地
氏　　　名	乙川　竹子
戸籍事項 　　戸籍編製	（編製事項省略）
戸籍に記録されている者	【名】竹子 【生年月日】昭和47年5月2日 【父】乙川英吉 【母】乙川秋子 【続柄】長女
身分事項 　　出　　生	（出生事項省略）
養子縁組	【縁組日】平成11年6月10日 【養子氏名】丙川一郎 【送付を受けた日】平成11年6月12日 【受理者】東京都千代田区長
④訂　　正	【訂正日】平成28年2月15日 【訂正事由】戸籍訂正許可の裁判確定 【裁判確定日】平成28年2月6日 【申請日】平成28年2月10日 【申請人】養子　丙川一郎 【送付を受けた日】平成28年2月15日 【受理者】東京都千代田区長 【従前の記録】 　　【養子氏名】甲野一郎
戸籍に記録されている者	【名】一郎 【生年月日】平成7年5月10日 【父】 【母】丙川夏子 【続柄】長男 【養母】乙川竹子 【続柄】養子
身分事項 　　養子縁組	【縁組日】平成11年6月10日 【養母氏名】乙川竹子 【代諾者】甲野義太郎 【代諾者】甲野梅子 【送付を受けた日】平成11年6月12日 【受理者】東京都千代田区長 【従前戸籍】東京都港区三田四丁目5番地　丙川夏子 【縁組追完日】平成27年11月22日 【追完届出人】養子

発行番号000001　　　　　　　　　　　　　　　　　　　　　　　以下次頁

5 いくつかの身分関係（身分行為）が絡んだ訂正

(2の2) | 全 部 事 項 証 明

④訂　　正	【訂正日】平成28年2月15日 【訂正事由】戸籍訂正許可の裁判確定 【裁判確定日】平成28年2月6日 【申請日】平成28年2月10日 【送付を受けた日】平成28年2月15日 【受理者】東京都千代田区長 【従前の記録】 　　【代諾者】親権者父母 　　【従前戸籍】東京都千代田区平河町一丁目4番地　甲野義太郎
③追　　完	【追完日】平成27年11月22日 【追完の内容】養子自らが縁組届出 【届出人】養子 【送付を受けた日】平成27年11月25日 【受理者】東京都千代田区長 【記録の内容】 　　【縁組追完日】平成27年11月22日 　　【追完届出人】養子
①消　　除	（出生事項消除省略）
①消　　除	（父母の氏名，父母との続柄消除省略）
④出　　生	【出生日】平成7年5月10日 【出生地】東京都千代田区 【届出日】平成27年9月10日 【届出人】母
④記　　録	【記録日】平成28年2月15日 【記録事由】戸籍訂正許可の裁判確定 【裁判確定日】平成28年2月6日 【申請日】平成28年2月10日 【送付を受けた日】平成28年2月15日 【受理者】東京都千代田区長
④記　　録	【記録日】平成28年2月15日 【記録事項】母の氏名 【記録事由】戸籍訂正許可の裁判確定 【裁判確定日】平成28年2月6日 【申請日】平成28年2月10日 【送付を受けた日】平成28年2月15日 【受理者】東京都千代田区長 【関連訂正事項】父母との続柄 【従前の記録】 　　【父母との続柄】長男 【記録の内容】 　　【母】丙川夏子
	以下余白

発行番号000001

第5　具体的な処理例

図154-1　実母からの出生届により入籍した実母の戸籍

		（1の1）	全 部 事 項 証 明
本　　　籍	東京都千代田区永田町三丁目4番地		
氏　　　名	丙川　夏子		
戸籍事項 　戸籍編製	（編製事項省略）		
戸籍に記録されている者	【名】夏子 【生年月日】昭和47年7月25日 【父】丙川三郎 【母】丙川栄子 【続柄】長女		
身分事項 　出　　生	（出生事項省略）		
戸籍に記録されている者	【名】一郎 【生年月日】平成7年5月10日 【父】 【母】丙川夏子 【続柄】長男		
身分事項 　②出　　生	【出生日】平成7年5月10日 【出生地】東京都千代田区 【届出日】平成27年9月10日 【届出人】母		
			以下余白

発行番号000001

5 いくつかの身分関係（身分行為）が絡んだ訂正

図154-2　戸籍法113条の戸籍訂正許可の裁判による戸籍訂正後の実母の戸籍

（1の1）　全 部 事 項 証 明

本　　　籍	東京都千代田区永田町三丁目4番地
氏　　　名	丙川　夏子
戸籍事項 　　戸籍編製	（編製事項省略）
戸籍に記録されている者	【名】夏子 【生年月日】昭和47年7月25日 【父】丙川三郎 【母】丙川栄子 【続柄】長女
身分事項 　　出　　生	（出生事項省略）
戸籍に記録されている者 ④　除　　籍	【名】一郎 【生年月日】平成7年5月10日 【父】 【母】丙川夏子 【続柄】長男
身分事項 　②出　　生 　④養子縁組 　④移　　記	【出生日】平成7年5月10日 【出生地】東京都千代田区 【届出日】平成27年9月10日 【届出人】母 【縁組日】平成11年6月10日 【養母氏名】乙川竹子 【代諾者】甲野義太郎 【代諾者】甲野梅子 【送付を受けた日】平成11年6月12日 【受理者】東京都千代田区長 【入籍戸籍】東京都港区三田四丁目5番地　乙川竹子 【縁組追完日】平成27年11月22日 【追完届出人】養子 【移記日】平成28年2月11日 【移記事由】戸籍訂正許可の裁判確定 【裁判確定日】平成28年2月6日 【申請日】平成28年2月11日 【移記前の戸籍】東京都千代田区平河町一丁目4番地　甲野義太郎
	以下余白

発行番号000001

583

第5　具体的な処理例

参考図15　出生による入籍戸籍がコンピュータ戸籍の場合

(2の1)　　全部事項証明

本　　籍	東京都千代田区平河町一丁目4番地
氏　　名	甲野　義太郎

戸籍に記録されている者 　消　除 　除　籍	【名】一郎 【生年月日】平成7年5月10日 【父】 【母】 【続柄】長男
身分事項 　養子縁組	【縁組日】平成11年6月10日 【養母氏名】乙川竹子 【代諾者】親権者父母 【送付を受けた日】平成11年6月12日 【受理者】東京都千代田区長 【従前戸籍】東京都千代田区平河町一丁目4番地　甲野義太郎 【縁組追完日】平成27年11月22日 【追完届出人】養子
③追　　完	【追完日】平成27年11月22日 【追完の内容】養子自らが縁組届出 【届出人】養子 【送付を受けた日】平成27年11月25日 【受理者】東京都千代田区長 【記録の内容】 　　【縁組追完日】平成27年11月22日 　　【追完届出人】養子
①消　　除	【消除日】平成27年7月19日 【消除事項】出生事項 【消除事由】甲野義太郎同人妻梅子との親子関係不存在確認の裁判確定 【裁判確定日】平成27年7月7日 【申請日】平成27年7月16日 【申請人】丙川夏子 【従前の記録】 　　【出生日】平成7年5月10日 　　【出生地】東京都千代田区 　　【届出日】平成7年5月18日 　　【届出人】父
①消　　除	【消除日】平成27年7月19日 【消除事項】父母の氏名，父母との続柄 【消除事由】甲野義太郎同人妻梅子との親子関係不存在確認の裁判確定

発行番号000001　　　　　　　　　　　　　　　　　　　　以下次頁

5　いくつかの身分関係（身分行為）が絡んだ訂正

	(2の2)	全 部 事 項 証 明
④移　　記	【裁判確定日】平成27年7月7日 【申請日】平成27年7月16日 【申請人】丙川夏子 【従前の記録】 　　【父】甲野義太郎 　　【母】甲野梅子 　　【父母との続柄】長男	
	【移記日】平成28年2月10日 【移記事項】縁組事項 【移記事由】戸籍訂正許可の裁判確定 【裁判確定日】平成28年2月6日 【申請日】平成28年2月10日 【移記後の戸籍】東京都千代田区永田町三丁目4番地　丙川夏子	
		以下余白

発行番号000001

585

第5　具体的な処理例

　イ　アの縁組後，婚姻をし，その後表見上の父母との親子関係不存在確認の裁判があったとき
① 　自己の氏を称する婚姻の場合
② 　相手方の氏を称する婚姻の場合
　婚姻戸籍の戸籍訂正は，いずれの場合も，前記図153-3と同様です。縁組後の婚姻ですから，婚姻事項に訂正事項はありませんし，その配偶者についても訂正すべき事項はありません。
　ウ　イの婚姻後，離婚しているとき
① 　離婚により新戸籍を編製している場合
② 　離婚により戸籍法77条の2の届出をしている場合
　婚姻戸籍及び離婚後の戸籍の戸籍訂正は，いずれの場合も，前記図153-3と同様です。縁組後の婚姻・離婚ですから，婚姻事項及び離婚事項ともに訂正事項はありませんし，その配偶者についても訂正すべき事項はありません。

(2)　養子縁組無効の裁判があった場合
　ア　養子縁組により養親Aの戸籍に入籍後，転縁組により養親Bの戸籍に入籍し，更に転縁組により養親Cの戸籍に入籍した後，養親A及び養親Bとの縁組の無効が同時にあったとき
　養子縁組を数次重ねて行っている場合，いわゆる転縁組を行っている場合です。この場合は，どの縁組が無効となったかによって面倒な訂正になることがあります。
　戸籍の流れを図で示すと次のようになります。

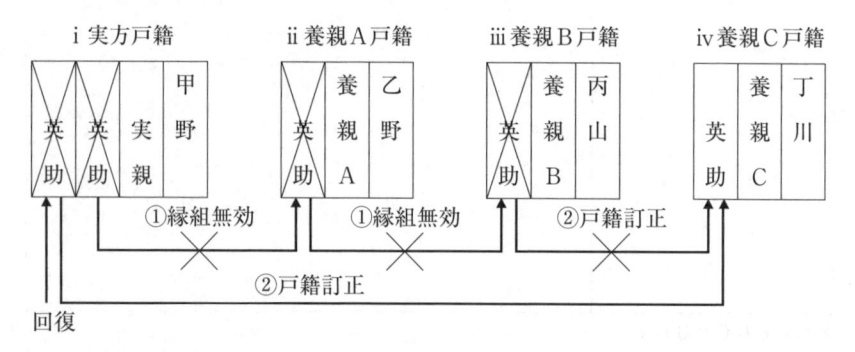

586

5 いくつかの身分関係(身分行為)が絡んだ訂正

養親A及び養親Bとの縁組が無効となりましたから，養子英助は，ⅰの実方戸籍からⅳの養親C戸籍に入籍することになります。また，現に継続している養子縁組は，養子については移記事項(戸規39条1項3号)とされています。したがって，この場合の戸籍訂正の方法は，ⅰ戸籍は養親Aとの縁組事項を消除し，同戸籍に英助を回復することになり，ⅱ戸籍は養親A及び養親Bとの縁組事項を消除し，ⅲ戸籍は養親A及び養親Bとの縁組事項を消除し，養親Cとの縁組事項をⅰの実方戸籍に移記し，ⅳ戸籍は養親A及び養親Bとの縁組事項を消除し，養親Cとの縁組事項をⅰの実方戸籍から入籍する訂正をすることになります。このうち，養親A及び養親Bとの縁組事項を消除し，ⅰ戸籍に英助を回復するまでの訂正は，縁組無効の裁判による戸籍訂正申請により処理をしますが，ⅲ戸籍の養親Cとの縁組事項及びⅳ戸籍の養親Cとの縁組事項中の従前戸籍の表示を訂正するには，戸籍法113条の戸籍訂正許可の裁判を得てすることになります。

図155-1は，縁組無効の裁判による戸籍訂正前の実方戸籍です。

図155-2は，縁組無効及び戸籍法113条の戸籍訂正許可の裁判による戸籍訂正後の実方戸籍です。

縁組無効の裁判による戸籍訂正申請により養父乙野一郎との縁組事項を消除し，末尾に英助を回復します(①消除としたものです。)。

次に，養親B戸籍から養親Cとの縁組事項を回復後の身分事項欄に記録しますが，これは，別途戸籍法113条の戸籍訂正許可の裁判を得てすることになります。縁組事項を記録し，段落ちタイトル「移記」により処理します(②移記としたものです。)。これにより「戸籍に記録されている者」欄に「除籍マーク」(②としたものです。)を表示します。

図156-1は，縁組無効の裁判による戸籍訂正前の養親A戸籍です。

図156-2は，縁組無効の裁判による戸籍訂正後の養親A戸籍です。

縁組無効の裁判による戸籍訂正申請により養父乙野一郎及び養父丙山三郎との縁組事項を消除し，「戸籍に記録されている者」欄に「消除マーク」(①としたものです。)を表示します。「【消除事項】養父乙野一郎との縁組事項」としたのは，複数の縁組事項がありますので，消除事項を特定することにより，戸籍訂正処理のミスを犯さないように，このような記録をすることとし

第5　具体的な処理例

たものです。以下も同様です。

　図157-1は，縁組無効及び戸籍法113条の戸籍訂正許可の裁判による戸籍訂正前の養親B戸籍です。

　図157-2は，縁組無効及び戸籍法113条の戸籍訂正許可の裁判による戸籍訂正後の養親B戸籍です。

　縁組無効の裁判による戸籍訂正申請により養父乙野一郎及び養父丙山三郎との縁組事項を消除し，「戸籍に記録されている者」欄に「消除マーク」（①としたものです。）を表示します。

　丁川長太郎との縁組事項は，戸籍法113条の戸籍訂正許可の裁判を得て，養子の実方戸籍に移記します（②移記としたものです。）。

　図158-1は，縁組無効及び戸籍法113条の戸籍訂正許可の裁判による戸籍訂正前の養親C戸籍です。

　図158-2は，縁組無効及び戸籍法113条の戸籍訂正許可の裁判による戸籍訂正後の養親C戸籍です。

　縁組無効の裁判による戸籍訂正申請により養父乙野一郎及び養父丙山三郎との縁組事項を消除し，「戸籍に記録されている者」欄に「消除マーク」（①としたものです。）を表示します。

　丁川長太郎との縁組事項は，戸籍法113条の戸籍訂正許可の裁判を得て，それぞれ訂正します（②訂正としたものです。）。

5 いくつかの身分関係（身分行為）が絡んだ訂正

図155-1　縁組無効の裁判による戸籍訂正前の実方戸籍

	（1の1）	全 部 事 項 証 明
本　　　籍	東京都千代田区平河町一丁目4番地	
氏　　　名	甲野　義太郎	

戸籍に記録されている者 除　　籍	【名】英助 【生年月日】昭和57年5月10日 【父】甲野義太郎 【母】甲野梅子 【続柄】二男
身分事項 　　出　　生 　　養子縁組	（出生事項省略） 【縁組日】平成26年12月13日 【養父氏名】乙野一郎 【入籍戸籍】東京都千代田区永田町三丁目4番地　乙野一郎 　　　　　　　　　　　　　　　　　　　　　　　　　　以下余白

発行番号000001

第5 具体的な処理例

図155-2　縁組無効及び戸籍法113条の戸籍訂正許可の裁判による戸籍訂正後の実方戸籍

		(1の1)	全 部 事 項 証 明
本　　籍	東京都千代田区平河町一丁目4番地		
氏　　名	甲野　義太郎		

戸籍に記録されている者 　　除　　籍	【名】英助 【生年月日】昭和57年5月10日 【父】甲野義太郎 【母】甲野梅子 【続柄】二男
身分事項 　　出　　生 　①消　　除	（出生事項省略） 【消除日】平成28年3月12日 【消除事項】縁組事項 【消除事由】養父乙野一郎との養子縁組無効の裁判確定 【裁判確定日】平成28年3月1日 【申請日】平成28年3月12日 【従前の記録】 　　【縁組日】平成26年12月13日 　　【養父氏名】乙野一郎 　　【入籍戸籍】東京都千代田区永田町三丁目4番地　乙野一郎
戸籍に記録されている者 ②　除　　籍	【名】英助 【生年月日】昭和57年5月10日 【父】甲野義太郎 【母】甲野梅子 【続柄】二男
身分事項 　　出　　生 　②養子縁組 　②移　　記	（出生事項省略） 【縁組日】平成27年9月29日 【養父氏名】丁川長太郎 【送付を受けた日】平成27年10月2日 【受理者】東京都葛飾区長 【入籍戸籍】東京都葛飾区高砂一丁目17番地　丁川長太郎 【移記日】平成28年5月8日 【移記事由】戸籍訂正許可の裁判確定 【裁判確定日】平成28年4月26日 【申請日】平成28年5月8日 【移記前の戸籍】東京都中央区築地六丁目7番地　丙山三郎
	以下余白

発行番号000001

5 いくつかの身分関係（身分行為）が絡んだ訂正

図156-1　縁組無効の裁判による戸籍訂正前の養親A戸籍

	（1の1）　全　部　事　項　証　明
本　　　籍	東京都千代田区永田町三丁目4番地
氏　　　名	乙野　一郎
戸籍事項 　　戸籍編製	（編製事項省略）
戸籍に記録されている者	【名】一郎 【生年月日】昭和47年7月25日 【父】乙野太郎 【母】乙野栄子 【続柄】長男
身分事項 　　出　　生 　　養子縁組	（出生事項省略） 【縁組日】平成26年12月13日 【養子氏名】甲野英助
戸籍に記録されている者 除　　籍	【名】英助 【生年月日】昭和57年5月10日 【父】甲野義太郎 【母】甲野梅子 【続柄】二男 【養父】乙野一郎 【続柄】養子
身分事項 　　出　　生 　　養子縁組 　　養子縁組	（出生事項省略） 【縁組日】平成26年12月13日 【養父氏名】乙野一郎 【従前戸籍】東京都千代田区平河町一丁目4番地　甲野義太郎 【縁組日】平成27年5月15日 【養父氏名】丙山三郎 【送付を受けた日】平成27年5月18日 【受理者】東京都中央区長 【入籍戸籍】東京都中央区築地六丁目7番地　丙山三郎
	以下余白

発行番号000001

第5　具体的な処理例

図156-2　縁組無効の裁判による戸籍訂正後の養親A戸籍

（2の1）　　全 部 事 項 証 明

本　　　籍	東京都千代田区永田町三丁目4番地
氏　　　名	乙野　一郎
戸籍事項 　戸籍編製	（編製事項省略）
戸籍に記録されている者	【名】一郎 【生年月日】昭和47年7月25日 【父】乙野太郎 【母】乙野栄子 【続柄】長男
身分事項 　出　　生 　①消　　除	（出生事項省略） 【消除日】平成28年3月12日 【消除事項】縁組事項 【消除事由】養子英助との養子縁組無効の裁判確定 【裁判確定日】平成28年3月1日 【申請日】平成28年3月12日 【申請人】養子　丁川英助 【従前の記録】 　【縁組日】平成26年12月13日 　【養子氏名】甲野英助
戸籍に記録されている者 ①　消　　除 　　除　　籍	【名】英助 【生年月日】昭和57年5月10日 【父】甲野義太郎 【母】甲野梅子 【続柄】二男 【養父】乙野一郎 【続柄】養子
身分事項 　出　　生 　①消　　除	（出生事項省略） 【消除日】平成28年3月12日 【消除事項】養父乙野一郎との縁組事項 【消除事由】養父乙野一郎との養子縁組無効の裁判確定 【裁判確定日】平成28年3月1日 【申請日】平成28年3月12日 【従前の記録】 　【縁組日】平成26年12月13日 　【養父氏名】乙野一郎 　【従前戸籍】東京都千代田区平河町一丁目4番地　甲野義太郎

発行番号000001　　　　　　　　　　　　　　　　　　　　　　　　以下次頁

5　いくつかの身分関係（身分行為）が絡んだ訂正

		（2の2）	全 部 事 項 証 明
①消　　除	【消除日】平成２８年３月１２日 【消除事項】養父丙山三郎との縁組事項 【消除事由】養父丙山三郎との養子縁組無効の裁判確定 【裁判確定日】平成２８年３月１日 【申請日】平成２８年３月１２日 【従前の記録】 　　【縁組日】平成２７年５月１５日 　　【養父氏名】丙山三郎 　　【送付を受けた日】平成２７年５月１８日 　　【受理者】東京都中央区長 　　【入籍戸籍】東京都中央区築地六丁目７番地　丙山三郎		
			以下余白

発行番号０００００１

第5 具体的な処理例

図157-1　縁組無効及び戸籍法113条の戸籍訂正許可の裁判による戸籍訂正前の養親B戸籍

（1の1）	全 部 事 項 証 明
本　　　籍	東京都中央区築地六丁目7番地
氏　　　名	丙山　三郎
戸籍事項 　戸籍編製	（編製事項省略）
戸籍に記録されている者	【名】三郎 【生年月日】昭和46年9月5日 【父】丙山啓太 【母】丙山竹子 【続柄】三男
身分事項 　出　　生 　養子縁組	（出生事項省略） 【縁組日】平成27年5月15日 【養子氏名】乙野英助
戸籍に記録されている者 　除　　籍	【名】英助 【生年月日】昭和57年5月10日 【父】甲野義太郎 【母】甲野梅子 【続柄】二男 【養父】丙山三郎 【続柄】養子
身分事項 　出　　生 　養子縁組 　養子縁組 　養子縁組	（出生事項省略） 【縁組日】平成26年12月13日 【養父氏名】乙野一郎 【従前戸籍】東京都千代田区平河町一丁目4番地　甲野義太郎 【縁組日】平成27年5月15日 【養父氏名】丙山三郎 【従前戸籍】東京都千代田区永田町三丁目4番地　乙野一郎 【縁組日】平成27年9月29日 【養父氏名】丁川長太郎 【送付を受けた日】平成27年10月2日 【受理者】東京都葛飾区長 【入籍戸籍】東京都葛飾区高砂一丁目17番地　丁川長太郎
	以下余白

発行番号000001

5 いくつかの身分関係（身分行為）が絡んだ訂正

図157-2　縁組無効及び戸籍法113条の戸籍訂正許可の裁判による戸籍訂正後の養親B戸籍

		（2の1）	全 部 事 項 証 明
本　　　籍	東京都中央区築地六丁目7番地		
氏　　　名	丙山　三郎		
戸籍事項 　戸籍編製	（編製事項省略）		
戸籍に記録されている者	【名】三郎 【生年月日】昭和46年9月5日 【父】丙山啓太 【母】丙山竹子 【続柄】三男		
身分事項 　出　　生 ①消　　除	（出生事項省略） 【消除日】平成28年3月15日 【消除事項】縁組事項 【消除事由】養子英助との養子縁組無効の裁判確定 【裁判確定日】平成28年3月1日 【申請日】平成28年3月12日 【申請人】養子　丁川英助 【送付を受けた日】平成28年3月15日 【受理者】東京都千代田区長 【従前の記録】 　　【縁組日】平成27年5月15日 　　【養子氏名】乙野英助		
戸籍に記録されている者 ①　消　　除 　　除　　籍	【名】英助 【生年月日】昭和57年5月10日 【父】甲野義太郎 【母】甲野梅子 【続柄】二男 【養父】丙山三郎 【続柄】養子		
身分事項 　出　　生 ①消　　除	（出生事項省略） 【消除日】平成28年3月15日 【消除事項】養父乙野一郎との縁組事項 【消除事由】養父乙野一郎との養子縁組無効の裁判確定 【裁判確定日】平成28年3月1日 【申請日】平成28年3月12日 【送付を受けた日】平成28年3月15日 【受理者】東京都千代田区長		
発行番号000001			以下次頁

第5　具体的な処理例

		（2の2）	全 部 事 項 証 明
①消　　除	【従前の記録】 　　【縁組日】平成26年12月13日 　　【養父氏名】乙野一郎 　　【従前戸籍】東京都千代田区平河町一丁目4番地　甲野 　　　義太郎		
	【消除日】平成28年3月15日 【消除事項】養父丙山三郎との縁組事項 【消除事由】養父丙山三郎との養子縁組無効の裁判確定 【裁判確定日】平成28年3月1日 【申請日】平成28年3月12日 【送付を受けた日】平成28年3月15日 【受理者】東京都千代田区長 【従前の記録】 　　【縁組日】平成27年5月15日 　　【養父氏名】丙山三郎 　　【従前戸籍】東京都千代田区永田町三丁目4番地　乙野 　　　一郎		
②移　　記	【移記日】平成28年5月10日 【移記事項】縁組事項 【移記事由】戸籍訂正許可の裁判確定 【裁判確定日】平成28年4月26日 【申請日】平成28年5月8日 【送付を受けた日】平成26年5月10日 【受理者】東京都千代田区長 【移記後の戸籍】東京都千代田区平河町一丁目4番地　甲野 　　義太郎 【従前の記録】 　　【縁組日】平成27年9月29日 　　【養父氏名】丁川長太郎 　　【送付を受けた日】平成27年10月2日 　　【受理者】東京都葛飾区長 　　【入籍戸籍】東京都葛飾区高砂一丁目17番地　丁川長 　　　太郎		
	以下余白		

発行番号000001

図158-1　縁組無効及び戸籍法113条の戸籍訂正許可の裁判による戸籍訂正前の養親C戸籍

	(1の1)	全 部 事 項 証 明
本　　　籍	東京都葛飾区高砂一丁目17番地	
氏　　　名	丁川　長太郎	
戸籍事項 　　戸籍編製	（編製事項省略）	
戸籍に記録されている者	【名】長太郎 【生年月日】昭和34年1月15日 【父】丁川長ェ門 【母】丁川ナツ 【続柄】長男	
身分事項 　　出　　生 　　養子縁組	（出生事項省略） 【縁組日】平成27年9月29日 【養子氏名】丙山英助	
戸籍に記録されている者	【名】英助 【生年月日】昭和57年5月10日 【父】甲野義太郎 【母】甲野梅子 【続柄】二男 【養父】丁川長太郎 【続柄】養子	
身分事項 　　出　　生 　　養子縁組	（出生事項省略） 【縁組日】平成26年12月13日 【養父氏名】乙野一郎 【従前戸籍】東京都千代田区平河町一丁目4番地　甲野義太郎	
養子縁組	【縁組日】平成27年5月15日 【養父氏名】丙山三郎 【従前戸籍】東京都千代田区永田町三丁目4番地　乙野一郎	
養子縁組	【縁組日】平成27年9月29日 【養父氏名】丁川長太郎 【従前戸籍】東京都中央区築地六丁目7番地　丙川三郎	
		以下余白

発行番号000001

図158-2 縁組無効及び戸籍法113条の戸籍訂正許可の裁判による戸籍訂正後の養親C戸籍

（2の1） 全部事項証明

本　　籍	東京都葛飾区高砂一丁目17番地
氏　　名	丁川　長太郎
戸籍事項 　戸籍編製	（編製事項省略）
戸籍に記録されている者	【名】長太郎 【生年月日】昭和34年1月15日 【父】丁川長ヱ門 【母】丁川ナツ 【続柄】長男
身分事項 　出　　生 　養子縁組 　②訂　　正	（出生事項省略） 【縁組日】平成27年9月29日 【養子氏名】甲野英助 【訂正日】平成28年5月10日 【訂正事由】戸籍訂正許可の裁判確定 【裁判確定日】平成28年4月26日 【申請日】平成28年5月8日 【申請人】養子　丁川英助 【送付を受けた日】平成28年5月10日 【受理者】東京都千代田区長 【従前の記録】 　　【養子氏名】丙山英助
戸籍に記録されている者	【名】英助 【生年月日】昭和57年5月10日 【父】甲野義太郎 【母】甲野梅子 【続柄】二男 【養父】丁川長太郎 【続柄】養子
身分事項 　出　　生 　養子縁組 　②訂　　正	（出生事項省略） 【縁組日】平成27年9月29日 【養父氏名】丁川長太郎 【従前戸籍】東京都千代田区平河町一丁目4番地　甲野義太郎 【訂正日】平成28年5月10日 【訂正事由】戸籍訂正許可の裁判確定

発行番号000001　　　　　　　　　　　　　　　　　　　　　　　　以下次頁

5 いくつかの身分関係（身分行為）が絡んだ訂正

	(2の2)	全 部 事 項 証 明
	【裁判確定日】平成28年4月26日 【申請日】平成28年5月8日 【送付を受けた日】平成28年5月10日 【受理者】東京都千代田区長 【従前の記録】 　【従前戸籍】東京都中央区築地六丁目7番地　丙川三郎	
①消　　除	【消除日】平成28年3月15日 【消除事項】養父乙野一郎との縁組事項 【消除事由】養父乙野一郎との養子縁組無効の裁判確定 【裁判確定日】平成28年3月1日 【申請日】平成28年3月12日 【送付を受けた日】平成28年3月15日 【受理者】東京都千代田区長 【従前の記録】 　【縁組日】平成26年12月13日 　【養父氏名】乙野一郎 　【従前戸籍】東京都千代田区平河町一丁目4番地　甲野義太郎	
①消　　除	【消除日】平成28年3月15日 【消除事項】養父丙山三郎との縁組事項 【消除事由】養父丙山三郎との養子縁組無効の裁判確定 【裁判確定日】平成28年3月1日 【申請日】平成28年3月12日 【送付を受けた日】平成28年3月15日 【受理者】東京都千代田区長 【従前の記録】 　【縁組日】平成27年5月15日 　【養父氏名】丙山三郎 　【従前戸籍】東京都千代田区永田町三丁目4番地　乙野一郎	
	以下余白	

発行番号000001

第5 具体的な処理例

イ　英助が養親Aと縁組後，B女と自己の氏を称する婚姻をし，次に養親Cと縁組し，Cの氏で新戸籍を編製後，養親Aとの縁組無効があったとき

養親Aとの縁組が無効となった場合は，縁組前の戸籍，本事例は，実方戸籍に回復しますので，婚姻は，実方の氏により婚姻したことになります。したがって，婚姻戸籍の氏は，実方の氏になりますので，婚姻の際に氏を改めた配偶者の婚姻事項及びその実方戸籍の婚姻事項を訂正することになります。また，養親Cとの縁組は，実方の氏での縁組ですから，養親Cの養子の氏等を訂正する必要があります。これらの戸籍訂正は，戸籍法113条の戸籍訂正許可の裁判を得てすることになります。

戸籍の流れを図で示すと次のようになります。

なお，婚姻の際に氏を改めた配偶者の従前戸籍は，省略しました。

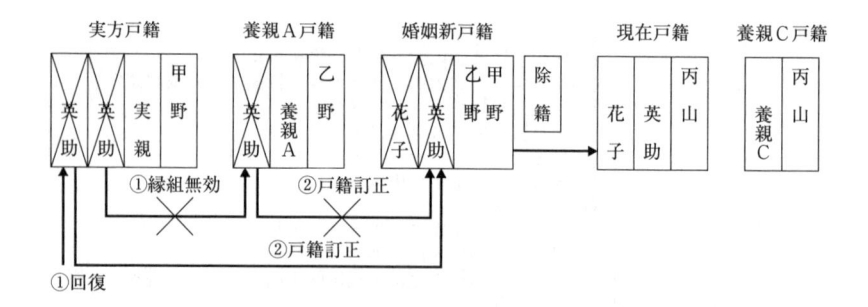

```
実方戸籍      養親A戸籍     婚姻新戸籍            現在戸籍      養親C戸籍
甲野          乙野          乙甲    除籍          丙山          丙山
英 英 実      英 養        花 英 野野             花 英        養
助 助 親      助 親         子 助                  子 助        親
         A                                                       C
    ①縁組無効    ②戸籍訂正
         ×           ×
              ②戸籍訂正
①回復
```

図159-1は，縁組無効の裁判による戸籍訂正後の実方戸籍です。

養親Aとの縁組無効の裁判による戸籍訂正申請により縁組事項を消除し，養子英助を実方戸籍の末尾に回復したものです。

図159-2は，戸籍法113条の戸籍訂正許可の裁判による戸籍訂正後の実方戸籍です。

養親A戸籍から婚姻事項を移記し，「戸籍に記録されている者」欄に「除籍マーク」を表示し，英助を除籍したものです。

図160-1は，縁組無効の裁判による戸籍訂正後の養親A戸籍です。

縁組無効の裁判による戸籍訂正申請により，養親A及び養子の縁組事項を消除し，養子の「戸籍に記録されている者」欄に「消除マーク」を表示した

ものです。

図160-2は，戸籍法113条の戸籍訂正許可の裁判による戸籍訂正後の養親A戸籍です。

戸籍法113条の戸籍訂正許可の裁判による戸籍訂正申請により，養子英助の婚姻事項を実方戸籍に移記し，婚姻事項を消除したものです。

図161-1は，縁組無効の裁判による戸籍訂正後の婚姻による新戸籍です。

養親Aとの縁組無効の裁判による戸籍訂正申請により養親Aとの縁組事項を消除したもです。

図161-2は，戸籍法113条の戸籍訂正許可の裁判による戸籍訂正後の婚姻による新戸籍です。

戸籍法113条の戸籍訂正許可の裁判による戸籍訂正申請により，養子英助の婚姻事項中の【従前戸籍】の表示を，実方戸籍から入籍したように訂正し，妻についての婚姻事項中【配偶者氏名】を訂正したものです。

図162-1は，縁組無効の裁判による戸籍訂正後の縁組による現在戸籍です。

養親Aとの縁組無効の裁判による戸籍訂正により養親Aとの縁組事項を消除したもです。

図162-2は，戸籍法113条の戸籍訂正許可の裁判による戸籍訂正後の縁組による現在戸籍です。

戸籍法113条の戸籍訂正許可の裁判による戸籍訂正申請により，養子英助の婚姻事項中の【従前戸籍】の表示を，実方戸籍から入籍したように訂正し，妻についての婚姻事項中【配偶者氏名】を訂正したものです。また，夫の縁組事項中及び妻の配偶者の縁組による入籍事項中，それぞれ【従前戸籍】の表示を訂正したものです。

図163-1は，戸籍法113条の戸籍訂正許可の裁判による戸籍訂正前の養親C戸籍です。

図163-2は，戸籍法113条の戸籍訂正許可の裁判による戸籍訂正後の養親C戸籍です。

戸籍法113条の戸籍訂正許可の裁判による戸籍訂正申請により，養子の【従前戸籍】の表示を訂正したものです。

第5　具体的な処理例

図159-1　縁組無効の裁判による戸籍訂正後の実方戸籍

	（1の1）	全 部 事 項 証 明

本　　　籍	東京都千代田区平河町一丁目4番地
氏　　　名	甲野　義太郎

戸籍に記録されている者	【名】英助
除　籍	【生年月日】昭和59年7月15日 【父】甲野義太郎 【母】甲野梅子 【続柄】二男
身分事項 　出　　生 　消　　除	（出生事項省略） （養親Aとの縁組消除事項省略）
戸籍に記録されている者	【名】英助
	【生年月日】昭和59年7月15日 【父】甲野義太郎 【母】甲野梅子 【続柄】二男
身分事項 　出　　生	（出生事項省略）
	以下余白

発行番号000001

602

図159-2　戸籍法113条の戸籍訂正許可の裁判による戸籍訂正後の実方戸籍

(1の1)　　全 部 事 項 証 明

本　　籍	東京都千代田区平河町一丁目4番地
氏　　名	甲野　義太郎

戸籍に記録されている者 除　籍	【名】英助 【生年月日】昭和59年7月15日 【父】甲野義太郎 【母】甲野梅子 【続柄】二男
身分事項 　出　生 　消　除	（出生事項省略） （養親Aとの縁組消除事項省略）
戸籍に記録されている者 除　籍	【名】英助 【生年月日】昭和59年7月15日 【父】甲野義太郎 【母】甲野梅子 【続柄】二男
身分事項 　出　生 　婚　姻 　移　記	（出生事項省略） 【婚姻日】平成27年4月10日 【配偶者氏名】丁川花子 【新本籍】東京都千代田区平河町二丁目10番地 【称する氏】夫の氏 【移記日】平成28年3月15日 【移記事由】戸籍訂正許可の裁判確定 【裁判確定日】平成28年3月5日 【申請日】平成28年3月15日 【移記前の戸籍】東京都千代田区永田町三丁目4番地　乙野一郎
	以下余白

発行番号000001

第5　具体的な処理例

図160-1　縁組無効の裁判による戸籍訂正後の養親A戸籍

	（1の1）	全 部 事 項 証 明
本　　　籍	東京都千代田区永田町三丁目4番地	
氏　　　名	乙野　一郎	

戸籍事項	
戸籍編製	（編製事項省略）

戸籍に記録されている者	【名】一郎
	【生年月日】昭和45年7月25日
	【父】乙野太郎
	【母】乙野栄子
	【続柄】長男

身分事項	
出　　生	（出生事項省略）
消　　除	（養子英助との縁組消除事項省略）

戸籍に記録されている者 ☐消　除☐ ☐除　籍☐	【名】英助
	【生年月日】昭和59年7月15日
	【父】甲野義太郎
	【母】甲野梅子
	【続柄】二男
	【養父】乙野一郎
	【続柄】養子

身分事項	
出　　生	（出生事項省略）
婚　　姻	【婚姻日】平成27年4月10日
	【配偶者氏名】丁川花子
	【新本籍】東京都千代田区平河町二丁目10番地
	【称する氏】夫の氏
消　　除	（養親Aとの縁組消除事項省略）

以下余白

発行番号000001

5　いくつかの身分関係（身分行為）が絡んだ訂正

図160-2　戸籍法113条の戸籍訂正許可の裁判による戸籍訂正後の養親A戸籍

	（1の1）	全 部 事 項 証 明

本　　　籍	東京都千代田区永田町三丁目4番地
氏　　　名	乙野　一郎

戸籍事項	
戸籍編製	（編製事項省略）

戸籍に記録されている者	【名】一郎 【生年月日】昭和45年7月25日 【父】乙野太郎 【母】乙野栄子 【続柄】長男

身分事項	
出　　生	（出生事項省略）
消　　除	（養子英助との縁組消除事項省略）

戸籍に記録されている者 消　除 除　籍	【名】英助 【生年月日】昭和59年7月15日 【父】甲野義太郎 【母】甲野梅子 【続柄】二男 【養父】乙野一郎 【続柄】養子

身分事項	
出　　生	（出生事項省略）
消　　除	（養親Aとの縁組消除事項省略）
移　　記	【移記日】平成28年3月15日 【移記事項】婚姻事項 【移記事由】戸籍訂正許可の裁判確定 【裁判確定日】平成28年3月5日 【申請日】平成28年3月15日 【移記後の戸籍】東京都千代田区平河町一丁目4番地　甲野義太郎 【従前の記録】 　　【婚姻日】平成27年4月10日 　　【配偶者氏名】丁川花子 　　【新本籍】東京都千代田区平河町二丁目10番地 　　【称する氏】夫の氏

以下余白

発行番号000001

605

第5　具体的な処理例

図161-1　縁組無効の裁判による戸籍訂正後の婚姻新戸籍

除　　籍	（1の1）　全　部　事　項　証　明
本　　籍	東京都千代田区平河町二丁目１０番地
氏　　名	乙野　英助
戸籍事項 　戸籍編製 　戸籍消除	【編製日】平成２７年４月１０日 【消除日】平成２７年６月８日
戸籍に記録されている者 　　除　　籍	【名】英助 【生年月日】昭和５９年７月１５日　　【配偶者区分】夫 【父】甲野義太郎 【母】甲野梅子 【続柄】二男
身分事項 　出　　生 　婚　　姻 　養子縁組 　消　　除	（出生事項省略） 【婚姻日】平成２７年４月１０日 【配偶者氏名】丁川花子 【従前戸籍】東京都千代田区永田町三丁目４番地　乙野一郎 【縁組日】平成２７年６月５日 【養父氏名】丙山太郎 【養親の戸籍】東京都葛飾区高砂一丁目７番地　丙山太郎 【送付を受けた日】平成２７年６月８日 【受理者】東京都中央区長 【新本籍】東京都中央区築地六丁目７番地 （養親Ａとの縁組消除事項省略）
戸籍に記録されている者 　　除　　籍	【名】花子 【生年月日】昭和５９年４月２０日　　【配偶者区分】妻 【父】丁川太郎 【母】丁川竹子 【続柄】二女
身分事項 　出　　生 　婚　　姻 　配偶者の縁組	（出生事項省略） 【婚姻日】平成２７年４月１０日 【配偶者氏名】乙野英助 【従前戸籍】東京都葛飾区高砂一丁目１７番地　丁川太郎 【除籍日】平成２７年６月８日 【除籍事由】夫の縁組 【新本籍】東京都中央区築地六丁目７番地
	以下余白

発行番号０００００１

5 いくつかの身分関係（身分行為）が絡んだ訂正

図161-2　戸籍法113条の戸籍訂正許可の裁判による戸籍訂正後の婚姻新戸籍

除　　　籍	（2の1）	全 部 事 項 証 明
本　　籍	東京都千代田区平河町二丁目１０番地	
氏　　名	甲野　英助	

戸籍事項	
戸籍編製 戸籍消除 訂　　正	【編製日】平成２７年４月１０日 【消除日】平成２７年６月８日 【訂正日】平成２８年３月１５日 【訂正事項】氏 【訂正事由】戸籍訂正許可の裁判確定 【裁判確定日】平成２８年３月５日 【申請日】平成２８年３月１５日 【申請人】夫 【従前の記録】 　　【氏】乙野

戸籍に記録されている者	【名】英助
除　　籍	【生年月日】昭和５９年７月１５日　　【配偶者区分】夫 【父】甲野義太郎 【母】甲野梅子 【続柄】二男

身分事項	
出　　生	（出生事項省略）
婚　　姻	【婚姻日】平成２７年４月１０日 【配偶者氏名】丁川花子 【従前戸籍】東京都千代田区平河町一丁目４番地　甲野義太郎
訂　　正	【訂正日】平成２８年３月１５日 【訂正事由】戸籍訂正許可の裁判確定 【裁判確定日】平成２８年３月５日 【申請日】平成２８年３月１５日 【従前の記録】 　　【従前戸籍】東京都千代田区永田町三丁目４番地　乙野一郎
養子縁組	【縁組日】平成２７年６月５日 【養父氏名】丙山太郎 【養親の戸籍】東京都葛飾区高砂一丁目７番地　丙山太郎 【送付を受けた日】平成２７年６月８日 【受理者】東京都中央区長 【新本籍】東京都中央区築地六丁目７番地
消　　除	（養親Ａとの縁組消除事項省略）

発行番号０００００１　　　　　　　　　　　　　　　　　　　　　　　以下次頁

第5　具体的な処理例

| | | （2の2） | 全部事項証明 |

戸籍に記録されている者	【名】花子
除　籍	【生年月日】昭和59年4月20日　　【配偶者区分】妻 【父】丁川太郎 【母】丁川竹子 【続柄】二女
身分事項 　　出　　生	（出生事項省略）
婚　　姻	【婚姻日】平成27年4月10日 【配偶者氏名】甲野英助 【従前戸籍】東京都葛飾区高砂一丁目17番地　丁川太郎
訂　　正	【訂正日】平成28年3月15日 【訂正事由】戸籍訂正許可の裁判確定 【裁判確定日】平成28年3月5日 【申請日】平成28年3月15日 【申請人】夫 【従前の記録】 　　　【配偶者氏名】乙野英助
配偶者の縁組	【除籍日】平成27年6月8日 【除籍事由】夫の縁組 【新本籍】東京都中央区築地六丁目7番地

以下余白

発行番号000001

5　いくつかの身分関係（身分行為）が絡んだ訂正

図162-1　縁組無効の裁判による戸籍訂正後の縁組による現在戸籍

	（1の1）	全部事項証明
本　　籍	東京都中央区築地六丁目7番地	
氏　　名	丙山　英助	
戸籍事項 　戸籍編製	【編製日】平成27年6月5日	
戸籍に記録されている者	【名】英助 【生年月日】昭和59年7月15日　　【配偶者区分】夫 【父】甲野義太郎 【母】甲野梅子 【続柄】二男 【養父】丙山太郎 【続柄】養子	
身分事項 　出　　生 　婚　　姻 　養子縁組 　消　　除	（出生事項省略） 【婚姻日】平成27年4月10日 【配偶者氏名】丁川花子 【従前戸籍】東京都千代田区永田町三丁目4番地　乙野一郎 【縁組日】平成27年6月5日 【養父氏名】丙山太郎 【養親の戸籍】東京都葛飾区高砂一丁目7番地　丙山太郎 【従前戸籍】東京都千代田区平河町二丁目10番地　乙野英助 （養親Aとの縁組消除事項省略）	
戸籍に記録されている者	【名】花子 【生年月日】昭和59年4月20日　　【配偶者区分】妻 【父】丁川太郎 【母】丁川竹子 【続柄】二女	
身分事項 　出　　生 　婚　　姻 　配偶者の縁組	（出生事項省略） 【婚姻日】平成27年4月10日 【配偶者氏名】乙野英助 【従前戸籍】東京都葛飾区高砂一丁目17番地　丁川太郎 【入籍日】平成27年6月5日 【入籍事由】夫の縁組 【従前戸籍】東京都千代田区平河町二丁目10番地　乙野英助	
		以下余白

発行番号000001

第5　具体的な処理例

図162-2　戸籍法113条の戸籍訂正許可の裁判による戸籍訂正後の縁組による現在戸籍

		（2の1）	全 部 事 項 証 明

本　　籍	東京都中央区築地六丁目7番地
氏　　名	丙山　英助

戸籍事項	
戸籍編製	【編製日】平成27年6月5日

戸籍に記録されている者	【名】英助 【生年月日】昭和59年7月15日　　【配偶者区分】夫 【父】甲野義太郎 【母】甲野梅子 【続柄】二男 【養父】丙山太郎 【続柄】養子

身分事項	
出　　生	（出生事項省略）
婚　　姻	【婚姻日】平成27年4月10日 【配偶者氏名】丁川花子 【従前戸籍】東京都千代田区平河町一丁目4番地　甲野義太郎
訂　　正	【訂正日】平成28年3月18日 【訂正事由】戸籍訂正許可の裁判確定 【裁判確定日】平成28年3月5日 【申請日】平成28年3月15日 【送付を受けた日】平成28年3月18日 【受理者】東京都千代田区長 【従前の記録】 　　【従前戸籍】東京都千代田区平河町二丁目10番地　乙野一郎
養子縁組	【縁組日】平成27年6月5日 【養父氏名】丙山太郎 【養親の戸籍】東京都葛飾区高砂一丁目7番地　丙山太郎 【従前戸籍】東京都千代田区平河町二丁目10番地　甲野英助
訂　　正	【訂正日】平成28年3月18日 【訂正事由】戸籍訂正許可の裁判確定 【裁判確定日】平成28年3月5日 【申請日】平成28年3月15日 【送付を受けた日】平成28年3月18日 【受理者】東京都千代田区長 【従前の記録】 　　【従前戸籍】東京都千代田区平河町二丁目10番地　乙野英助

発行番号000001　　　　　　　　　　　　　　　　　　　　　　以下次頁

5 いくつかの身分関係（身分行為）が絡んだ訂正

	(2の2)	全部事項証明
消　　除	（養親Ａとの縁組消除事項省略）	
戸籍に記録されている者	【名】花子 【生年月日】昭和５９年４月２０日　　【配偶者区分】妻 【父】丁川太郎 【母】丁川竹子 【続柄】二女	
身分事項 　　出　　生	（出生事項省略）	
婚　　姻	【婚姻日】平成２７年４月１０日 【配偶者氏名】甲野英助 【従前戸籍】東京都葛飾区高砂一丁目１７番地　丁川太郎	
訂　　正	【訂正日】平成２８年３月１８日 【訂正事由】戸籍訂正許可の裁判確定 【裁判確定日】平成２８年３月５日 【申請日】平成２８年３月１５日 【申請人】夫 【送付を受けた日】平成２８年３月１８日 【受理者】東京都千代田区長 【従前の記録】 　　　【配偶者氏名】乙野英助	
配偶者の縁組	【入籍日】平成２７年６月５日 【入籍事由】夫の縁組 【従前戸籍】東京都千代田区平河町二丁目１０番地　甲野英助	
訂　　正	【訂正日】平成２８年３月１８日 【訂正事由】戸籍訂正許可の裁判確定 【裁判確定日】平成２８年３月５日 【申請日】平成２８年３月１５日 【申請人】夫 【送付を受けた日】平成２８年３月１８日 【受理者】東京都千代田区長 【従前の記録】 　　　【従前戸籍】東京都千代田区平河町二丁目１０番地　乙野英助	
		以下余白

発行番号０００００１

第5　具体的な処理例

図163-1　戸籍法113条の戸籍訂正許可の裁判による戸籍訂正前の養親C戸籍

		（1の1）	全 部 事 項 証 明
本　　籍	東京都葛飾区高砂一丁目7番地		
氏　　名	丙山　太郎		
戸籍事項 　戸籍編製	（編製事項省略）		
戸籍に記録されている者	【名】太郎 【生年月日】昭和22年10月15日 【父】丙山長の助 【母】丙山フナ 【続柄】長男		
身分事項 　出　　生 　養子縁組	（出生事項省略） 【縁組日】平成27年6月5日 【養子氏名】乙野英助 【養子の従前戸籍】東京都千代田区平河町二丁目10番地 　　　　　　　　乙野英助 【養子の新本籍】東京都中央区築地六丁目7番地		
			以下余白

発行番号000001

612

figure 163-2　戸籍法113条の戸籍訂正許可の裁判による戸籍訂正後の養親C戸籍

		（1の1）	全 部 事 項 証 明
本　　　籍	東京都葛飾区高砂一丁目7番地			
氏　　　名	丙山　太郎			
戸籍事項 　　戸籍編製	（編製事項省略）			
戸籍に記録されている者	【名】太郎 【生年月日】昭和22年10月15日 【父】丙山長の助 【母】丙山フナ 【続柄】長男			
身分事項 　　出　　生	（出生事項省略）			
養子縁組	【縁組日】平成27年6月5日 【養子氏名】甲野英助 【養子の従前戸籍】東京都千代田区平河町二丁目10番地　甲野英助 【養子の新本籍】東京都中央区築地六丁目7番地			
訂　　正	【訂正日】平成28年3月18日 【訂正事由】戸籍訂正許可の裁判確定 【裁判確定日】平成28年3月5日 【申請日】平成28年3月15日 【申請人】養子　丙山英助 【送付を受けた日】平成28年3月18日 【受理者】東京都千代田区長 【従前の記録】 　　【養子氏名】乙野英助 　　【養子の従前戸籍】東京都千代田区平河町二丁目10番地　乙野英助			
	以下余白			

発行番号000001

第5　具体的な処理例

ウ　養親Aとの縁組により養親戸籍に入籍したB（英助）が，単身者Cを養子とする縁組によりBにつき新戸籍を編製し，その戸籍にCが入籍した後，BがD養親と縁組し，D戸籍に入籍後，BとAとの縁組が無効となったとき

戸籍の流れを図で示すと次のようになります。

なお，養子Cの従前戸籍は，省略しました。

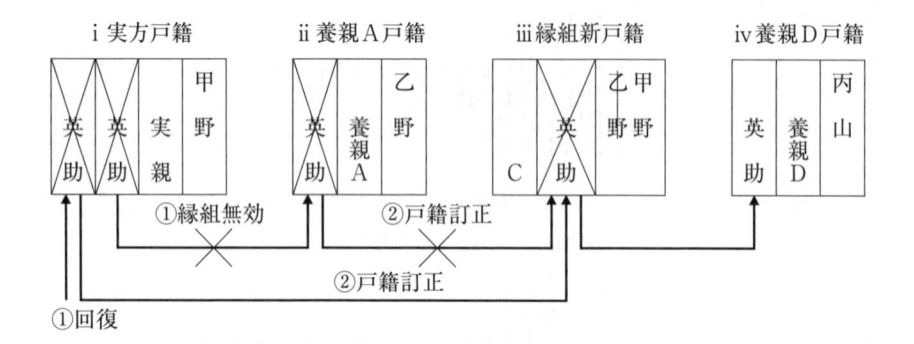

```
   ⅰ 実方戸籍        ⅱ 養親A戸籍       ⅲ 縁組新戸籍       ⅳ 養親D戸籍
  ┌─┬─┬──┐    ┌─┬──┐     ┌─┬─┬──┐    ┌─┬──┐
  │英│英│甲 │    │英│乙  │     │英│甲│乙  │    │英│丙  │
  │助│助│野 │    │助│野  │     │助│野│野  │    │助│山  │
  │ │ │実 │    │ │養  │     │ │ │    │    │ │養  │
  │×│×│親 │    │×│親A │     │C│×│    │    │ │親D │
  └─┴─┴──┘    └─┴──┘     └─┴─┴──┘    └─┴──┘
   ↑  ↑          ↑              ↑  ↑            ↑
   │  └──①縁組無効──┘              │  │            │
   │            ②戸籍訂正             │  │            │
   │                                  │  │            │
   │                  ②戸籍訂正       │  │            │
   └──────────────────────────────────┘  └────────────┘
  ①回復
```

図164-1は，縁組無効の裁判による戸籍訂正後の実方戸籍です。

養親Aとの縁組無効の裁判による戸籍訂正申請により縁組事項を消除し，養子英助を実方戸籍の末尾に回復したものです。

図164-2は，戸籍法113条の戸籍訂正許可の裁判による戸籍訂正後の実方戸籍です。

養親A戸籍から縁組事項を移記し，「戸籍に記録されている者」欄に「除籍マーク」を表示し，英助を除籍したものです。

図165-1は，縁組無効の裁判による戸籍訂正後の養親Aの戸籍です。

縁組無効の裁判による戸籍訂正申請により，養親A及び英助の縁組事項を消除し，養子の「戸籍に記録されている者」欄に「消除マーク」を表示したものです。

図165-2は，戸籍法113条の戸籍訂正許可の裁判による戸籍訂正後の養親Aの戸籍です。

戸籍法113条の戸籍訂正許可の裁判による戸籍訂正申請により，英助の縁組事項を実方戸籍に移記し，縁組事項を消除したものです。

図166-1は，縁組無効の裁判による戸籍訂正後の縁組による新戸籍です。

養親Aとの縁組無効の裁判による戸籍訂正申請により養親Aとの縁組事項を消除したものです。

図166-2は，戸籍法113条の戸籍訂正許可の裁判による戸籍訂正後の縁組による新戸籍です。

戸籍法113条の戸籍訂正許可の裁判による戸籍訂正申請により，英助の縁組事項中の【従前戸籍】の表示を，実方戸籍から入籍したように訂正し，養子Cについての縁組事項中【養父氏名】を訂正したものです。

図167-1は，養親Aとの縁組無効の裁判による戸籍訂正後の養親D戸籍です。

養親Aとの縁組無効の裁判による戸籍訂正申請により養親Aとの縁組事項を消除したものです。

図167-2は，戸籍法113条の戸籍訂正許可の裁判による戸籍訂正後の養親D戸籍です。

戸籍法113条の戸籍訂正許可の裁判による戸籍訂正申請により，英助の縁組事項中の【従前戸籍】の表示を，氏訂正後の戸籍（ⅲ縁組新戸籍）から入籍したように訂正し，養親Dについての縁組事項中【養子氏名】を訂正したものです。

第5　具体的な処理例

図164-1　縁組無効の裁判による戸籍訂正後の実方戸籍

	（1の1）	全 部 事 項 証 明
本　　籍	東京都千代田区平河町一丁目4番地	
氏　　名	甲野　義太郎	

戸籍に記録されている者 除　　籍	【名】英助 【生年月日】昭和54年5月25日 【父】甲野義太郎 【母】甲野梅子 【続柄】二男
身分事項 　出　　生 　消　　除	（出生事項省略） （養親Aとの縁組消除事項省略）
戸籍に記録されている者	【名】英助 【生年月日】昭和54年5月25日 【父】甲野義太郎 【母】甲野梅子 【続柄】二男
身分事項 　出　　生	（出生事項省略）
	以下余白

発行番号000001

616

図164-2　戸籍法113条の戸籍訂正許可の裁判による戸籍訂正後の実方戸籍

	（1の1）　全部事項証明
本　　籍	東京都千代田区平河町一丁目4番地
氏　　名	甲野　義太郎

戸籍に記録されている者 　除　籍	【名】英助 【生年月日】昭和54年5月25日 【父】甲野義太郎 【母】甲野梅子 【続柄】二男
身分事項 　出　生 　消　除	（出生事項省略） （養親Aとの縁組消除事項省略）
戸籍に記録されている者 　除　籍	【名】英助 【生年月日】昭和54年5月25日 【父】甲野義太郎 【母】甲野梅子 【続柄】二男
身分事項 　出　生 　養子縁組 　移　記	（出生事項省略） 【縁組日】平成27年9月9日 【養子氏名】丁川信夫 【新本籍】東京都千代田区平河町二丁目10番地 【移記日】平成28年5月20日 【移記事由】戸籍訂正許可の裁判確定 【裁判確定日】平成28年5月12日 【申請日】平成28年5月20日 【移記前の戸籍】東京都千代田区永田町三丁目4番地　乙野一郎
	以下余白

発行番号000001

第5　具体的な処理例

図165-1　縁組無効の裁判による戸籍訂正後の養親Aの戸籍

	（1の1）	全 部 事 項 証 明
本　　籍	東京都千代田区永田町三丁目4番地	
氏　　名	乙野　一郎	
戸籍事項 　戸籍編製	（編製事項省略）	
戸籍に記録されている者	【名】一郎 【生年月日】昭和47年7月25日 【父】乙野太郎 【母】乙野栄子 【続柄】長男	
身分事項 　出　　生 　消　　除	（出生事項省略） （養子英助との縁組消除事項省略）	
戸籍に記録されている者 消　除 除　籍	【名】英助 【生年月日】昭和54年5月25日 【父】甲野義太郎 【母】甲野梅子 【続柄】二男 【養父】乙野一郎 【続柄】養子	
身分事項 　出　　生 　養子縁組 　消　　除	（出生事項省略） 【縁組日】平成27年9月9日 【養子氏名】丁川信夫 【新本籍】東京都千代田区平河町二丁目10番地 （養親Aとの縁組消除事項省略）	
		以下余白

発行番号000001

5 いくつかの身分関係（身分行為）が絡んだ訂正

図165-2　戸籍法113条の戸籍訂正許可の裁判による戸籍訂正後の養親Aの戸籍

(1の1) | 全 部 事 項 証 明

本　　　籍	東京都千代田区永田町三丁目4番地
氏　　　名	乙野　一郎
戸籍事項 　戸籍編製	（編製事項省略）
戸籍に記録されている者	【名】一郎 【生年月日】昭和47年7月25日 【父】乙野太郎 【母】乙野栄子 【続柄】長男
身分事項 　出　　生 　消　　除	（出生事項省略） （養子英助との縁組消除事項省略）
戸籍に記録されている者 　消　　除 　除　　籍	【名】英助 【生年月日】昭和54年5月25日 【父】甲野義太郎 【母】甲野梅子 【続柄】二男 【養父】乙野一郎 【続柄】養子
身分事項 　出　　生 　消　　除 　移　　記	（出生事項省略） （養親Aとの縁組消除事項省略） 【移記日】平成28年5月20日 【移記事項】縁組事項 【移記事由】戸籍訂正許可の裁判確定 【裁判確定日】平成28年5月12日 【申請日】平成28年5月20日 【移記後の戸籍】東京都千代田区平河町一丁目4番地　甲野義太郎 【従前の記録】 　　【縁組日】平成27年9月9日 　　【養子氏名】丁川信夫 　　【新本籍】東京都千代田区平河町二丁目10番地
	以下余白

発行番号000001

619

第5　具体的な処理例

図166-1　縁組無効の裁判による戸籍訂正後の縁組による新戸籍

	（1の1）	全 部 事 項 証 明
本　　　籍	東京都千代田区平河町二丁目10番地	
氏　　　名	乙野　英助	
戸籍事項 　　戸籍編製	【編製日】平成27年9月9日	
戸籍に記録されている者 除　　籍	【名】英助 【生年月日】昭和54年5月25日 【父】甲野義太郎 【母】甲野梅子 【続柄】二男	
身分事項 　　出　　生 　　養子縁組 　　養子縁組 　　消　　除	（出生事項省略） 【縁組日】平成27年9月9日 【養子氏名】丁川信夫 【従前戸籍】東京都千代田区永田町三丁目4番地　乙野一郎 【縁組日】平成27年11月12日 【養父氏名】丙山三郎 【送付を受けた日】平成27年11月15日 【受理者】東京都中央区長 【入籍戸籍】東京都中央区築地六丁目7番地　丙山三郎 （養親Aとの縁組消除事項省略）	
戸籍に記録されている者	【名】信夫 【生年月日】平成3年1月25日 【父】丁川太郎 【母】丁川竹子 【続柄】二男 【養父】乙野英助 【続柄】養子	
身分事項 　　出　　生 　　養子縁組	（出生事項省略） 【縁組日】平成27年9月9日 【養父氏名】乙野英助 【従前戸籍】東京都葛飾区高砂一丁目17番地　丁川太郎	
		以下余白

発行番号000001

5 いくつかの身分関係（身分行為）が絡んだ訂正

図166-2　戸籍法113条の戸籍訂正許可の裁判による戸籍訂正後の縁組による新戸籍

（2の1）　全部事項証明

本　　　籍	東京都千代田区平河町二丁目１０番地
氏　　　名	甲野　英助
戸籍事項 　戸籍編製 　訂　　正	【編製日】平成２７年９月９日 【訂正日】平成２８年５月２０日 【訂正事項】氏 【訂正事由】戸籍訂正許可の裁判確定 【裁判確定日】平成２８年５月１２日 【申請日】平成２８年５月２０日 【従前の記録】 　　【氏】乙野
戸籍に記録されている者 　　除　　籍	【名】英助 【生年月日】昭和５４年５月２５日 【父】甲野義太郎 【母】甲野梅子 【続柄】二男
身分事項 　出　　生 　養子縁組 　訂　　正 　養子縁組 　消　　除	（出生事項省略） 【縁組日】平成２７年９月９日 【養子氏名】丁川信夫 【従前戸籍】東京都千代田区平河町一丁目４番地　甲野義太郎 【訂正日】平成２８年５月２０日 【訂正事由】戸籍訂正許可の裁判確定 【裁判確定日】平成２８年５月１２日 【申請日】平成２８年５月２０日 【従前の記録】 　　【従前戸籍】東京都千代田区永田町三丁目４番地　乙野一郎 【縁組日】平成２７年１１月１２日 【養父氏名】丙山三郎 【送付を受けた日】平成２７年１１月１５日 【受理者】東京都中央区長 【入籍戸籍】東京都中央区築地六丁目７番地　丙山三郎 （養親Ａとの縁組消除事項省略）
戸籍に記録されている者	【名】信夫 【生年月日】平成３年１月２５日 【父】丁川太郎

発行番号０００００１　　　　　　　　　　　　　　　　　　　　　　　　以下次頁

621

第5　具体的な処理例

		（2の2）	全部事項証明
	【母】丁川竹子 【続柄】二男 【養父】甲野英助 【続柄】養子		
身分事項 　　出　　生	（出生事項省略）		
養子縁組	【縁組日】平成27年9月9日 【養父氏名】甲野英助 【従前戸籍】東京都葛飾区高砂一丁目17番地　丁川太郎		
訂　　正	【訂正日】平成28年5月20日 【訂正事由】戸籍訂正許可の裁判確定 【裁判確定日】平成28年5月12日 【申請日】平成28年5月20日 【申請人】養父　丙山英助 【従前の記録】 　　【養父氏名】乙野英助		
訂　　正	【訂正日】平成28年5月20日 【訂正事項】養父氏名 【訂正事由】戸籍訂正許可の裁判確定 【裁判確定日】平成28年5月12日 【申請日】平成28年5月20日 【申請人】養父　丙山英助 【従前の記録】 　　【養父】乙野英助		
			以下余白

発行番号000001

622

5 いくつかの身分関係（身分行為）が絡んだ訂正

図167-1　養親Aとの縁組無効の裁判による戸籍訂正後の養親Dの戸籍

（1の1）	全 部 事 項 証 明

本　　籍	東京都中央区築地六丁目7番地
氏　　名	丙山　三郎

戸籍事項	
戸籍編製	（編製事項省略）

戸籍に記録されている者	【名】三郎 【生年月日】昭和26年12月2日 【父】丙山長の助 【母】丙山フナ 【続柄】長男
身分事項 　出　　生 　養子縁組	（出生事項省略） 【縁組日】平成27年11月12日 【養子氏名】乙野英助

戸籍に記録されている者	【名】英助 【生年月日】昭和54年5月25日 【父】甲野義太郎 【母】甲野梅子 【続柄】二男 【養父】丙山三郎 【続柄】養子
身分事項 　出　　生 　養子縁組 　消　　除	（出生事項省略） 【縁組日】平成27年11月12日 【養父氏名】丙山三郎 【従前戸籍】東京都千代田区平河町二丁目10番地　乙野英助 （養親Aとの縁組消除事項省略）
	以下余白

発行番号000001

623

第5　具体的な処理例

図167-2　戸籍法113条の戸籍訂正許可の裁判による戸籍訂正後の養親Dの戸籍

（2の1）　全 部 事 項 証 明

本　　　籍	東京都中央区築地六丁目7番地
氏　　　名	丙山　三郎
戸籍事項 　戸籍編製	（編製事項省略）
戸籍に記録されている者	【名】三郎 【生年月日】昭和26年12月2日 【父】丙山長の助 【母】丙山フナ 【続柄】長男
身分事項 　出　　生 　養子縁組 　　訂　　正	（出生事項省略） 【縁組日】平成27年11月12日 【養子氏名】甲野英助 【訂正日】平成28年5月22日 【訂正事由】戸籍訂正許可の裁判確定 【裁判確定日】平成28年5月12日 【申請日】平成28年5月20日 【申請人】養子　丙山英助 【送付を受けた日】平成28年5月22日 【受理者】東京都千代田区長 【従前の記録】 　　【養子氏名】乙野英助
戸籍に記録されている者	【名】英助 【生年月日】昭和54年5月25日 【父】甲野義太郎 【母】甲野梅子 【続柄】二男 【養父】丙山三郎 【続柄】養子
身分事項 　出　　生 　養子縁組 　　訂　　正	（出生事項省略） 【縁組日】平成27年11月12日 【養父氏名】丙山三郎 【従前戸籍】東京都千代田区平河町二丁目10番地　甲野英助 【訂正日】平成28年5月22日 【訂正事由】戸籍訂正許可の裁判確定

発行番号000001　　　　　　　　　　　　　　　　　　　　　　以下次頁

5 いくつかの身分関係（身分行為）が絡んだ訂正

	（2の2）	全 部 事 項 証 明
	【裁判確定日】平成２８年５月１２日 【申請日】平成２８年５月２０日 【申請人】養子　丙山英助 【送付を受けた日】平成２８年５月２２日 【受理者】東京都千代田区長 【従前の記録】 　　【従前戸籍】東京都千代田区平河町二丁目１０番地　乙野英助	
消　　除	（養親Ａとの縁組消除事項省略）	
		以下余白

発行番号０００００１

第5 具体的な処理例

(3) 婚姻・離婚の無効の裁判があった場合

ア 婚姻後，夫婦の一方又は夫婦が養子となる縁組をし，その後，婚姻無効の裁判があったとき

まず，婚姻によって新戸籍を編製した場合，既に戸籍の筆頭者となっている者の戸籍に入籍したのかどうか。また，婚姻前の戸籍が，婚姻により除籍となっているのかどうかなどいくつか考えられます。

ここでは，夫婦が実方戸籍から夫の氏を称して婚姻した場合で，以下の事例について説明することにします。

㋐ 婚姻の際に氏を改めなかった者のみが養子となる縁組をしている場合

養子が単身者の場合は，養子縁組により養子は養親の氏を称して養親の戸籍に入籍します。本事例は，夫婦の一方，婚姻の際に氏を改めなかった者のみが養子となるときです。この場合は，養子夫婦について新戸籍を編製することになります。

なお，妻の実方戸籍の戸籍訂正記載例等は，婚姻無効の戸籍訂正の項を参照してください。

戸籍の流れを図で示すと次のようになります。

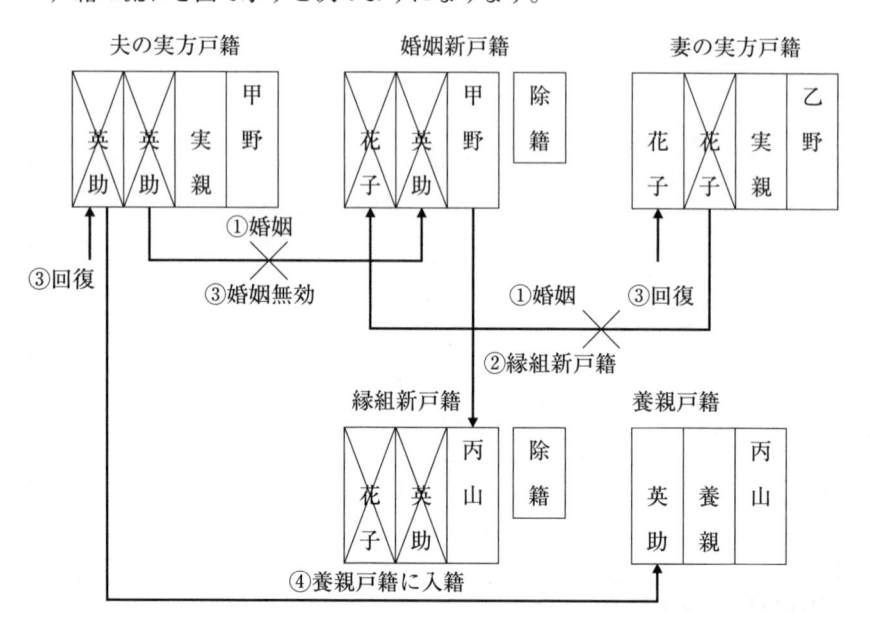

5 いくつかの身分関係（身分行為）が絡んだ訂正

図168-1は，婚姻無効の裁判による戸籍訂正前の婚姻新戸籍です。養子縁組により除籍となっているものです。

図168-2は，婚姻無効の裁判による戸籍訂正後の婚姻新戸籍です。

夫及び妻それぞれの婚姻事項を消除します。双方とも婚姻により入籍していますので，「戸籍に記録されている者」欄に「消除マーク」を表示します。英助の縁組事項は，別途，戸籍法113条の戸籍訂正許可の裁判による戸籍訂正申請により必要な戸籍訂正等を行います。また，花子の「配偶者の縁組」による除籍事項は誤りですが，これも戸籍法113条の戸籍訂正許可の裁判による戸籍訂正申請により消除します。

図168-3は，戸籍法113条の戸籍訂正許可の裁判による戸籍訂正後の婚姻新戸籍です。

戸籍訂正許可の裁判による戸籍訂正申請により，英助の縁組事項を養親戸籍に入籍した記録に訂正の上，実方戸籍に移記することになります。花子の配偶者の縁組による除籍事項を消除します。

図169-1は，婚姻無効の裁判による戸籍訂正後の英助の実方戸籍です。

婚姻無効の裁判による戸籍訂正申請により英助を戸籍の末尾に回復した状態を示したものです。

図169-2は，戸籍法113条の戸籍訂正許可の裁判による戸籍訂正後の英助の実方戸籍です。

戸籍訂正許可の裁判による戸籍訂正申請により，縁組事項を婚姻により編製した戸籍から移記し，「戸籍に記録されている者」欄に「除籍マーク」を表示します。

図170-1は，婚姻無効の裁判による戸籍訂正後の縁組新戸籍です。

婚姻無効の裁判による戸籍訂正申請により夫及び妻の婚姻事項を消除した状態を示したものです。

図170-2は，戸籍法113条の戸籍訂正許可の裁判による戸籍訂正後の縁組新戸籍です。

戸籍訂正許可の裁判による戸籍訂正申請により，英助の縁組事項を実方戸籍から養親戸籍に入籍する記録に訂正の上，養親戸籍に移記する記録をし，「戸籍に記録されている者」欄に「消除マーク」を表示します。これは，縁

第5 具体的な処理例

組により入籍したのは誤りですから，消除することになります。また，花子については，婚姻無効ですから配偶者の縁組事項は誤りですから，「戸籍に記録されている者」欄に，英助と同様に「消除マーク」を表示することになります。

　図171-1は，戸籍法113条の戸籍訂正許可の裁判による戸籍訂正前の養親戸籍です。

　図171-2は，戸籍法113条の戸籍訂正許可の裁判による戸籍訂正後の養親戸籍です。

　戸籍訂正許可の裁判による戸籍訂正申請により，養親についての縁組事項を単身者を養子とする縁組事項に訂正し，養子については縁組により編製した新戸籍から縁組事項を移記する記録になります。

5 いくつかの身分関係（身分行為）が絡んだ訂正

図168-1　婚姻無効の裁判による戸籍訂正前の婚姻新戸籍

除　　籍	（1の1）　　全 部 事 項 証 明
本　　　籍	東京都千代田区平河町二丁目１０番地
氏　　　名	甲野　英助
戸籍事項 　戸籍編製 　戸籍消除	【編製日】平成２７年４月２０日 【消除日】平成２７年１０月１９日
戸籍に記録されている者 　　除　　籍	【名】英助 【生年月日】昭和５９年７月１２日　　【配偶者区分】夫 【父】甲野義太郎 【母】甲野梅子 【続柄】二男
身分事項 　出　　生 　婚　　姻 　養子縁組	（出生事項省略） 【婚姻日】平成２７年４月２０日 【配偶者氏名】乙野花子 【従前戸籍】東京都千代田区平河町一丁目４番地　甲野義太郎 【縁組日】平成２７年１０月１９日 【養父氏名】丙山三郎 【養親の戸籍】東京都千代田区永田町三丁目４番地　丙山三郎 【新本籍】東京都千代田区平河町二丁目１０番地
戸籍に記録されている者 　　除　　籍	【名】花子 【生年月日】昭和６２年４月２０日　　【配偶者区分】妻 【父】乙野忠治 【母】乙野春子 【続柄】二女
身分事項 　出　　生 　婚　　姻 　配偶者の縁組	（出生事項省略） 【婚姻日】平成２７年４月２０日 【配偶者氏名】甲野英助 【従前戸籍】京都府京都市上京区小山初音町１８番地　乙野忠治 【除籍日】平成２７年１０月１９日 【除籍事由】夫の縁組 【新本籍】東京都千代田区平河町二丁目１０番地
	以下余白

発行番号０００００１

第5　具体的な処理例

図168-2　婚姻無効の裁判による戸籍訂正後の婚姻新戸籍

除　　　籍	（2の1）	全　部　事　項　証　明
本　　　籍	東京都千代田区平河町二丁目１０番地	
氏　　　名	甲野　英助	

戸籍事項	
戸籍編製 消　　除	【編製日】平成２７年４月２０日 【消除日】平成２８年３月２０日 【消除事由】戸籍消除の記録錯誤 【従前の記録】 　　【消除日】平成２７年１０月１９日
戸籍消除	【消除日】平成２８年３月２０日

戸籍に記録されている者 消　除 除　籍	【名】英助 【生年月日】昭和５９年７月１２日　　【配偶者区分】夫 【父】甲野義太郎 【母】甲野梅子 【続柄】二男
身分事項 　　出　　生	（出生事項省略）
養子縁組	【縁組日】平成２７年１０月１９日 【養父氏名】丙山三郎 【養親の戸籍】東京都千代田区永田町三丁目４番地　丙山三郎 【新本籍】東京都千代田区平河町二丁目１０番地
消　　除	【消除日】平成２８年３月２０日 【消除事項】婚姻事項 【消除事由】妻乙野花子との婚姻無効の裁判確定 【裁判確定日】平成２８年３月１１日 【申請日】平成２８年３月２０日 【申請人】妻 【従前の記録】 　　【婚姻日】平成２７年４月２０日 　　【配偶者氏名】乙野花子 　　【従前戸籍】東京都千代田区平河町一丁目４番地　甲野義太郎

戸籍に記録されている者 消　除 除　籍	【名】花子 【生年月日】昭和６２年４月２０日　　【配偶者区分】妻 【父】乙野忠治 【母】乙野春子 【続柄】二女
身分事項	

発行番号０００００１　　　　　　　　　　　　　　　　　　　　　以下次頁

5 いくつかの身分関係（身分行為）が絡んだ訂正

(2の2)　全部事項証明

出　　生	（出生事項省略）
配偶者の縁組	【除籍日】平成２７年１０月１９日 【除籍事由】夫の縁組 【新本籍】東京都千代田区平河町二丁目１０番地
消　　除	【消除日】平成２８年３月２０日 【消除事項】婚姻事項 【消除事由】夫甲野英助との婚姻無効の裁判確定 【裁判確定日】平成２８年３月１１日 【申請日】平成２８年３月２０日 【従前の記録】 　【婚姻日】平成２７年４月２０日 　【配偶者氏名】甲野英助 　【従前戸籍】京都府京都市上京区小山初音町１８番地　乙野忠治

以下余白

発行番号０００００１

第5　具体的な処理例

図168-3　戸籍法113条の戸籍訂正許可の裁判による戸籍訂正後の婚姻新戸籍

除　　　籍	（2の1）　　全　部　事　項　証　明
本　　籍	東京都千代田区平河町二丁目10番地
氏　　名	甲野　英助

戸籍事項	
戸籍編製 消　　除	【編製日】平成27年4月20日 【消除日】平成28年3月20日 【消除事由】戸籍消除の記録錯誤 【従前の記録】 　　【消除日】平成27年10月19日
戸籍消除	【消除日】平成28年3月20日

戸籍に記録されている者	
消　　除 除　　籍	【名】英助 【生年月日】昭和59年7月12日　　【配偶者区分】夫 【父】甲野義太郎 【母】甲野梅子 【続柄】二男

身分事項	
出　　生	（出生事項省略）
養子縁組	【縁組日】平成27年10月19日 【養父氏名】丙山三郎 【入籍戸籍】東京都千代田区永田町三丁目4番地　丙山三郎
訂　　正	【訂正日】平成28年5月25日 【訂正事由】戸籍訂正許可の裁判確定 【裁判確定日】平成28年5月18日 【申請日】平成28年5月25日 【従前の記録】 　　【養親の戸籍】東京都千代田区永田町三丁目4番地　丙山三郎 　　【新本籍】東京都千代田区平河町二丁目10番地
消　　除	【消除日】平成28年3月20日 【消除事項】婚姻事項 【消除事由】妻乙野花子との婚姻無効の裁判確定 【裁判確定日】平成28年3月11日 【申請日】平成28年3月20日 【申請人】妻 【従前の記録】 　　【婚姻日】平成27年4月20日 　　【配偶者氏名】乙野花子 　　【従前戸籍】東京都千代田区平河町一丁目4番地　甲野義太郎
移　　記	【移記日】平成28年5月25日 【移記事項】縁組事項

発行番号000001　　　　　　　　　　　　　　　　　　　　　以下次頁

5 いくつかの身分関係（身分行為）が絡んだ訂正

(2の2) 　全 部 事 項 証 明　

	【移記事由】戸籍訂正許可の裁判確定 【裁判確定日】平成２８年５月１８日 【申請日】平成２８年５月２５日 【移記後の戸籍】東京都千代田区平河町一丁目４番地　甲野義太郎
戸籍に記録されている者 　消　　除　 　除　　籍	【名】花子 【生年月日】昭和６２年４月２０日　　【配偶者区分】妻 【父】乙野忠治 【母】乙野春子 【続柄】二女
身分事項 　出　　生	（出生事項省略）
消　　除	【消除日】平成２８年３月２０日 【消除事項】婚姻事項 【消除事由】夫甲野英助との婚姻無効の裁判確定 【裁判確定日】平成２８年３月１１日 【申請日】平成２８年３月２０日 【従前の記録】 　　【婚姻日】平成２７年４月２０日 　　【配偶者氏名】甲野英助 　　【従前戸籍】京都府京都市上京区小山初音町１８番地　乙野忠治
消　　除	【消除日】平成２８年５月２５日 【消除事項】配偶者の縁組事項 【消除事由】戸籍訂正許可の裁判確定 【裁判確定日】平成２８年５月１８日 【申請日】平成２８年５月２５日 【申請人】夫 【従前の記録】 　　【除籍日】平成２７年１０月１９日 　　【除籍事由】夫の縁組 　　【新本籍】東京都千代田区平河町二丁目１０番地
	以下余白

発行番号０００００１

第5 具体的な処理例

図169-1　婚姻無効の裁判による戸籍訂正後の英助の実方戸籍

	（1の1）	全 部 事 項 証 明
本　　籍	東京都千代田区平河町一丁目4番地	
氏　　名	甲野　義太郎	

戸籍に記録されている者 除　籍	【名】英助 【生年月日】昭和59年7月12日 【父】甲野義太郎 【母】甲野梅子 【続柄】二男
身分事項 　出　　生 　消　　除	（出生事項省略） --- 【消除日】平成28年3月20日 【消除事項】婚姻事項 【消除事由】妻乙野花子との婚姻無効の裁判確定 【裁判確定日】平成28年3月11日 【申請日】平成28年3月20日 【申請人】妻 【従前の記録】 　【婚姻日】平成27年4月20日 　【配偶者氏名】乙野花子 　【新本籍】東京都千代田区平河町二丁目10番地 　【称する氏】夫の氏
戸籍に記録されている者	【名】英助 【生年月日】昭和59年7月12日 【父】甲野義太郎 【母】甲野梅子 【続柄】二男
身分事項 　出　　生	（出生事項省略）
	以下余白

発行番号000001

5 いくつかの身分関係（身分行為）が絡んだ訂正

図169-2　戸籍法113条の戸籍訂正許可の裁判による戸籍訂正後の英助の実方戸籍

	（1の1）　全部事項証明
本　　籍	東京都千代田区平河町一丁目4番地
氏　　名	甲野　義太郎

戸籍に記録されている者 除　籍	【名】英助 【生年月日】昭和59年7月12日 【父】甲野義太郎 【母】甲野梅子 【続柄】二男
身分事項 　出　生 　消　除	（出生事項省略） 【消除日】平成28年3月20日 【消除事項】婚姻事項 【消除事由】妻乙野花子との婚姻無効の裁判確定 【裁判確定日】平成28年3月11日 【申請日】平成28年3月20日 【申請人】妻 【従前の記録】 　【婚姻日】平成27年4月20日 　【配偶者氏名】乙野花子 　【新本籍】東京都千代田区平河町二丁目10番地 　【称する氏】夫の氏
戸籍に記録されている者 除　籍	【名】英助 【生年月日】昭和59年7月12日 【父】甲野義太郎 【母】甲野梅子 【続柄】二男
身分事項 　出　生 　養子縁組 　移　記	（出生事項省略） 【縁組日】平成27年10月19日 【養父氏名】丙山三郎 【入籍戸籍】東京都千代田区永田町三丁目4番地　丙山三郎 【移記日】平成28年5月25日 【移記事由】戸籍訂正許可の裁判確定 【裁判確定日】平成28年5月18日 【申請日】平成28年5月25日 【移記前の戸籍】東京都千代田区平河町二丁目10番地　甲野英助
	以下余白

発行番号000001

第5　具体的な処理例

図170-1　婚姻無効の裁判による戸籍訂正後の縁組新戸籍

		（2の1）　全 部 事 項 証 明
本　　籍		東京都千代田区平河町二丁目１０番地
氏　　名		丙山　英助
戸籍事項 　　戸籍編製		【編製日】平成２７年１０月１９日
戸籍に記録されている者		【名】英助 【生年月日】昭和５９年７月１２日 【父】甲野義太郎 【母】甲野梅子 【続柄】二男 【養父】丙山三郎 【続柄】養子
身分事項 　　出　　生 　　養子縁組 　　消　　除		（出生事項省略） 【縁組日】平成２７年１０月１９日 【養父氏名】丙山三郎 【養親の戸籍】東京都千代田区永田町三丁目４番地　丙山三郎 【従前戸籍】東京都千代田区平河町二丁目１０番地　甲野英助 【消除日】平成２８年３月２０日 【消除事項】婚姻事項 【消除事由】妻乙野花子との婚姻無効の裁判確定 【裁判確定日】平成２８年３月１１日 【申請日】平成２８年３月２０日 【申請人】妻 【従前の記録】 　【婚姻日】平成２７年４月２０日 　【配偶者氏名】乙野花子 　【従前戸籍】東京都千代田区平河町一丁目４番地　甲野義太郎
戸籍に記録されている者		【名】花子 【生年月日】昭和６２年４月２０日 【父】乙野忠治 【母】乙野春子 【続柄】二女
身分事項 　　出　　生		（出生事項省略）

発行番号０００００１　　　　　　　　　　　　　　　　　　　　　　　　以下次頁

5 いくつかの身分関係（身分行為）が絡んだ訂正

(2の2) | 全部事項証明

配偶者の縁組	【除籍日】平成27年10月19日 【除籍事由】夫の縁組 【従前戸籍】東京都千代田区平河町二丁目10番地　甲野英助
消　　除	【消除日】平成28年3月20日 【消除事項】婚姻事項 【消除事由】夫甲野英助との婚姻無効の裁判確定 【裁判確定日】平成28年3月11日 【申請日】平成28年3月20日 【従前の記録】 　　【婚姻日】平成27年4月20日 　　【配偶者氏名】甲野英助 　　【従前戸籍】京都府京都市上京区小山初音町18番地　乙野忠治

以下余白

発行番号000001

図170-2　戸籍法113条の戸籍訂正許可の裁判による戸籍訂正後の縁組新戸籍

除　　籍	（2の1）	全 部 事 項 証 明
本　　籍	東京都千代田区平河町二丁目１０番地	
氏　　名	丙山　英助	

戸籍事項	
戸籍編製	【編製日】平成２７年１０月１９日
戸籍消除	【消除日】平成２８年５月２５日

戸籍に記録されている者	【名】英助
消　　除	【生年月日】昭和５９年７月１２日 【父】甲野義太郎 【母】甲野梅子 【続柄】二男 【養父】丙山三郎 【続柄】養子

身分事項	
出　　生	（出生事項省略）
養子縁組	【縁組日】平成２７年１０月１９日 【養父氏名】丙山三郎 【従前戸籍】東京都千代田区平河町一丁目４番地　甲野義太郎
訂　　正	【訂正日】平成２８年５月２５日 【訂正事由】戸籍訂正許可の裁判確定 【裁判確定日】平成２８年５月１８日 【申請日】平成２８年５月２５日 【従前の記録】 　　【養親の戸籍】東京都千代田区永田町三丁目４番地　丙山三郎 　　【従前戸籍】東京都千代田区平河町二丁目１０番地　甲野英助
消　　除	【消除日】平成２８年３月２０日 【消除事項】婚姻事項 【消除事由】妻乙野花子との婚姻無効の裁判確定 【裁判確定日】平成２８年３月１１日 【申請日】平成２８年３月２０日 【申請人】妻 【従前の記録】 　　【婚姻日】平成２７年４月２０日 　　【配偶者氏名】乙野花子 　　【従前戸籍】東京都千代田区平河町一丁目４番地　甲野義太郎
移　　記	【移記日】平成２８年５月２５日 【移記事項】縁組事項

発行番号０００００１　　　　　　　　　　　　　　　　　　　　　　　以下次頁

5 いくつかの身分関係（身分行為）が絡んだ訂正

(2の2) 全部事項証明

	【移記事由】戸籍訂正許可の裁判確定 【裁判確定日】平成２８年５月１８日 【申請日】平成２８年５月２５日 【移記後の戸籍】東京都千代田区永田町三丁目４番地　丙山三郎
戸籍に記録されている者 　　消　　除	【名】花子 【生年月日】昭和６２年４月２０日 【父】乙野忠治 【母】乙野春子 【続柄】二女
身分事項 　　出　　生	（出生事項省略）
消　　除	【消除日】平成２８年３月２０日 【消除事項】婚姻事項 【消除事由】夫甲野英助との婚姻無効の裁判確定 【裁判確定日】平成２８年３月１１日 【申請日】平成２８年３月２０日 【従前の記録】 　【婚姻日】平成２７年４月２０日 　【配偶者氏名】甲野英助 　【従前戸籍】京都府京都市上京区小山初音町１８番地　乙野忠治
消　　除	【消除日】平成２８年５月２５日 【消除事項】配偶者の縁組事項 【消除事由】戸籍訂正許可の裁判確定 【裁判確定日】平成２８年５月１８日 【申請日】平成２８年５月２５日 【申請人】夫 【従前の記録】 　【除籍日】平成２７年１０月１９日 　【除籍事由】夫の縁組 　【従前戸籍】東京都千代田区平河町二丁目１０番地　甲野英助
	以下余白

発行番号０００００１

第5　具体的な処理例

図171-1　戸籍法113条の戸籍訂正許可の裁判による戸籍訂正前の養親戸籍

	（1の1）　全部事項証明
本　　籍	東京都千代田区永田町三丁目4番地
氏　　名	丙山　三郎
戸籍事項 　戸籍編製	（編製事項省略）
戸籍に記録されている者	【名】三郎 【生年月日】昭和24年12月2日 【父】丙山長の助 【母】丙山フナ 【続柄】長男
身分事項 　出　　生 　養子縁組	（出生事項省略） 【縁組日】平成27年10月19日 【養子氏名】甲野英助 【養子の従前戸籍】東京都千代田区平河町二丁目10番地　甲野英助 【養子の新本籍】東京都千代田区平河町二丁目10番地
	以下余白

発行番号000001

5 いくつかの身分関係（身分行為）が絡んだ訂正

図171-2　戸籍法113条の戸籍訂正許可の裁判による戸籍訂正後の養親戸籍

	（2の1）　全部事項証明
本　　籍	東京都千代田区永田町三丁目4番地
氏　　名	丙山　三郎
戸籍事項 　戸籍編製	（編製事項省略）
戸籍に記録されている者	【名】三郎 【生年月日】昭和24年12月2日 【父】丙山長の助 【母】丙山フナ 【続柄】長男
身分事項 　出　　生 　養子縁組 　訂　　正	（出生事項省略） 【縁組日】平成27年10月19日 【養子氏名】甲野英助 【訂正日】平成28年5月25日 【訂正事由】戸籍訂正許可の裁判確定 【裁判確定日】平成28年5月18日 【申請日】平成28年5月25日 【申請人】養子　丙山英助 【従前の記録】 　　　【養子の従前戸籍】東京都千代田区平河町二丁目10番 　　　　　　　　　　地　甲野英助 　　　【養子の新本籍】東京都千代田区平河町二丁目10番地
戸籍に記録されている者	【名】英助 【生年月日】昭和59年7月12日 【父】甲野義太郎 【母】甲野梅子 【続柄】二男 【養父】丙山三郎 【続柄】養子
身分事項 　出　　生 　養子縁組 　移　　記	（出生事項省略） 【縁組日】平成27年10月19日 【養父氏名】丙山三郎 【従前戸籍】東京都千代田区平河町一丁目4番地　甲野義太 　　　　　　郎 【移記日】平成28年5月25日 【移記事由】戸籍訂正許可の裁判確定

発行番号000001　　　　　　　　　　　　　　　　　　　　　　　　　　以下次頁

第5 具体的な処理例

	(2の2)	全 部 事 項 証 明
	【裁判確定日】平成28年5月18日 【申請日】平成28年5月25日 【移記前の戸籍】東京都千代田区平河町二丁目10番地　丙山英助	
	以下余白	

発行番号000001

5 いくつかの身分関係（身分行為）が絡んだ訂正

(イ) 婚姻の際に氏を改めた者のみが養子縁組をしているとき

婚姻の際に氏を改めた者のみが養子となる縁組をした場合は、養子は養親の氏を称しませんので（民法810条ただし書）、養子の戸籍に縁組事項を記録するに留めることになります。

なお、夫の実方戸籍の戸籍訂正記載例等は、婚姻無効の戸籍訂正の項を参照してください。

戸籍の流れを図で示すと次のようになります。

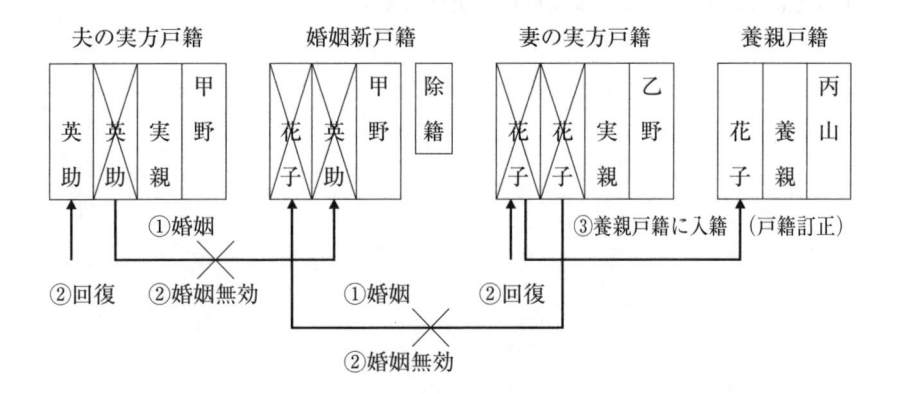

```
夫の実方戸籍    婚姻新戸籍       妻の実方戸籍     養親戸籍

 甲             甲      除       乙              丙
 野             野      籍       野              山
英 英 実        花 英            花 花 実        花 養
助 助 親        子 助            子 子 親        子 親
  ↑              ↑               ↑    ↑            ↑
  │ ①婚姻        │               │    │            │
  │              │               │    │ ③養親戸籍に入籍（戸籍訂正）
 ②回復 ②婚姻無効 ①婚姻 ②回復
                   ②婚姻無効
```

図172-1は、婚姻無効の裁判による戸籍訂正後の婚姻による新戸籍です。

婚姻無効の裁判による戸籍訂正申請により夫及び妻の婚姻事項が消除され、「戸籍に記録されている者」欄に「消除マーク」が表示されています。

図172-2は、戸籍法113条の戸籍訂正許可の裁判による戸籍訂正後の婚姻による新戸籍です。

戸籍訂正許可の裁判による戸籍訂正申請により、妻の縁組事項を養親戸籍に縁組により入籍する記録に訂正の上、実方戸籍に移記します。

図173-1は、婚姻無効の裁判による戸籍訂正後の妻の実方戸籍です。

婚姻無効の裁判による戸籍訂正申請により、婚姻事項を消除し、花子を戸籍の末尾に回復した状態です。

図173-2は、戸籍法113条の戸籍訂正許可の裁判による戸籍訂正後の妻の実方戸籍です。

戸籍訂正許可の裁判による戸籍訂正申請により、婚姻戸籍から縁組事項を

第5　具体的な処理例

移記し,「戸籍に記録されている者」欄に「除籍マーク」を表示します。

　図174-1は,戸籍法113条の戸籍訂正許可の裁判による戸籍訂正前の養親戸籍です。

　図174-2は,戸籍法113条の戸籍訂正許可の裁判による戸籍訂正後の養親戸籍です。

　戸籍訂正許可の裁判による戸籍訂正申請により,養親についての縁組事項を単身者を養子とする縁組事項に訂正し,養子については縁組による記録の遺漏を記録事由として,養親戸籍に記録します。

5 いくつかの身分関係（身分行為）が絡んだ訂正

図172-1　婚姻無効の裁判による戸籍訂正後の婚姻新戸籍

除　　籍	（2の1）　全　部　事　項　証　明
本　　籍	東京都千代田区平河町二丁目１０番地
氏　　名	甲野　英助
戸籍事項 　戸籍編製 　戸籍消除	【編製日】平成２７年１０月２日 【消除日】平成２８年６月２８日
戸籍に記録されている者 　　消　　除	【名】英助 【生年月日】昭和５８年１２月２３日　　【配偶者区分】夫 【父】甲野義太郎 【母】甲野梅子 【続柄】二男
身分事項 　出　　生 　消　　除	（出生事項省略） 【消除日】平成２８年６月２８日 【消除事項】婚姻事項 【消除事由】妻乙野花子との婚姻無効の裁判確定 【裁判確定日】平成２８年６月１８日 【申請日】平成２８年６月２８日 【申請人】妻 【従前の記録】 　　【婚姻日】平成２７年１０月２日 　　【配偶者氏名】乙野花子 　　【従前戸籍】東京都千代田区平河町一丁目４番地　甲野義太郎
戸籍に記録されている者 　　消　　除	【名】花子 【生年月日】昭和６０年４月２８日　　【配偶者区分】妻 【父】乙野忠治 【母】乙野春子 【続柄】二女 【養父】丙山三郎 【続柄】養女
身分事項 　出　　生 　養子縁組 　消　　除	（出生事項省略） 【縁組日】平成２８年１月２８日 【養父氏名】丙山三郎 【養親の戸籍】東京都千代田区永田町三丁目４番地　丙山三郎 【消除日】平成２８年６月２８日

発行番号０００００１　　　　　　　　　　　　　　　　　　　　　　　　　以下次頁

645

第5　具体的な処理例

	(2の2)	全 部 事 項 証 明
	【消除事項】婚姻事項 【消除事由】夫甲野英助との婚姻無効の裁判確定 【裁判確定日】平成28年6月18日 【申請日】平成28年6月28日 【従前の記録】 　　【婚姻日】平成27年10月2日 　　【配偶者氏名】甲野英助 　　【従前戸籍】京都府京都市上京区小山初音町18番地 　　　　　乙野忠治	
		以下余白

発行番号000001

5 いくつかの身分関係（身分行為）が絡んだ訂正

図172-2　戸籍法113条の戸籍訂正許可の裁判による戸籍訂正後の婚姻新戸籍

除　　籍	（2の1）	全部事項証明
本　　籍	東京都千代田区平河町二丁目１０番地	
氏　　名	甲野　英助	

戸籍事項	
戸籍編製	【編製日】平成２７年１０月２日
戸籍消除	【消除日】平成２８年６月２８日

戸籍に記録されている者 消　　除	【名】英助 【生年月日】昭和５８年１２月２３日　【配偶者区分】夫 【父】甲野義太郎 【母】甲野梅子 【続柄】二男
身分事項 　出　　生 　消　　除	（出生事項省略） 【消除日】平成２８年６月２８日 【消除事項】婚姻事項 【消除事由】妻乙野花子との婚姻無効の裁判確定 【裁判確定日】平成２８年６月１８日 【申請日】平成２８年６月２８日 【申請人】妻 【従前の記録】 　【婚姻日】平成２７年１０月２日 　【配偶者氏名】乙野花子 　【従前戸籍】東京都千代田区平河町一丁目４番地　甲野義太郎
戸籍に記録されている者 消　　除	【名】花子 【生年月日】昭和６０年４月２８日　【配偶者区分】妻 【父】乙野忠治 【母】乙野春子 【続柄】二女 【養父】丙山三郎 【続柄】養女
身分事項 　出　　生 　養子縁組 　訂　　正	（出生事項省略） 【縁組日】平成２８年１月２８日 【養父氏名】丙山三郎 【入籍戸籍】東京都千代田区永田町三丁目４番地　丙山三郎 【訂正日】平成２８年９月８日 【訂正事由】戸籍訂正許可の裁判確定

発行番号０００００１　　　　　　　　　　　　　　　　　　　　　　　　以下次頁

第5　具体的な処理例

		（2の2）	全 部 事 項 証 明
消　　除	【裁判確定日】平成28年8月28日 【申請日】平成28年9月8日 【従前の記録】 　　【養親の戸籍】東京都千代田区永田町三丁目4番地　丙山三郎		
	【消除日】平成28年6月28日 【消除事項】婚姻事項 【消除事由】夫甲野英助との婚姻無効の裁判確定 【裁判確定日】平成28年6月18日 【申請日】平成28年6月28日 【従前の記録】 　　【婚姻日】平成27年10月2日 　　【配偶者氏名】甲野英助 　　【従前戸籍】京都府京都市上京区小山初音町18番地　乙野忠治		
移　　記	【移記日】平成28年9月8日 【移記事項】縁組事項 【移記事由】戸籍訂正許可の裁判確定 【裁判確定日】平成28年8月28日 【申請日】平成28年9月8日 【移記後の戸籍】京都府京都市上京区小山初音町18番地　乙野忠治		
	以下余白		

発行番号000001

図173-1 婚姻無効の裁判による戸籍訂正後の妻の実方戸籍

		(1の1)	全 部 事 項 証 明
本　　籍	京都府京都市上京区小山初音町１８番地		
氏　　名	乙野　忠治		

戸籍に記録されている者	【名】花子
除　籍	【生年月日】昭和６０年４月２８日 【父】乙野忠治 【母】乙野春子 【続柄】二女
身分事項 　　出　　生 　　消　　除	（出生事項省略） 【消除日】平成２８年７月２日 【消除事項】婚姻事項 【消除事由】夫甲野英助との婚姻無効の裁判確定 【裁判確定日】平成２８年６月１８日 【申請日】平成２８年６月２８日 【送付を受けた日】平成２８年７月２日 【受理者】東京都千代田区長 【従前の記録】 　　【婚姻日】平成２７年１０月２日 　　【配偶者氏名】甲野英助 　　【送付を受けた日】平成２７年１０月５日 　　【受理者】東京都千代田区長 　　【新本籍】東京都千代田区平河町二丁目１０番地 　　【称する氏】夫の氏
戸籍に記録されている者	【名】花子
	【生年月日】昭和６０年４月２８日 【父】乙野忠治 【母】乙野春子 【続柄】二女
身分事項 　　出　　生	（出生事項省略）
	以下余白

発行番号０００００１

図173-2　戸籍法113条の戸籍訂正許可の裁判による戸籍訂正後の妻の実方戸籍

（2の1）　　全部事項証明

本　　籍	京都府京都市上京区小山初音町１８番地
氏　　名	乙野　忠治

戸籍に記録されている者	【名】花子
除　籍	【生年月日】昭和６０年４月２８日 【父】乙野忠治 【母】乙野春子 【続柄】二女
身分事項 　出　生 　消　除	（出生事項省略） 【消除日】平成２８年７月２日 【消除事項】婚姻事項 【消除事由】夫甲野英助との婚姻無効の裁判確定 【裁判確定日】平成２８年６月１８日 【申請日】平成２８年６月２８日 【送付を受けた日】平成２８年７月２日 【受理者】東京都千代田区長 【従前の記録】 　【婚姻日】平成２７年１０月２日 　【配偶者氏名】甲野英助 　【送付を受けた日】平成２７年１０月５日 　【受理者】東京都千代田区長 　【新本籍】東京都千代田区平河町二丁目１０番地 　【称する氏】夫の氏
戸籍に記録されている者	【名】花子
除　籍	【生年月日】昭和６０年４月２８日 【父】乙野忠治 【母】乙野春子 【続柄】二女
身分事項 　出　生 　養子縁組 　移　記	（出生事項省略） 【縁組日】平成２８年１月２８日 【養父氏名】丙山三郎 【入籍戸籍】東京都千代田区永田町三丁目４番地　丙山三郎 【移記日】平成２８年９月１１日 【移記事由】戸籍訂正許可の裁判確定 【裁判確定日】平成２８年８月２８日

発行番号０００００１　　　　　　　　　　　　　　　　　　　　以下次頁

5 いくつかの身分関係（身分行為）が絡んだ訂正

| | | (2の2) | 全 部 事 項 証 明 |

	【申請日】平成28年9月8日 【送付を受けた日】平成28年9月11日 【受理者】東京都千代田区長 【移記前の戸籍】東京都千代田区平河町二丁目10番地　甲野英助
	以下余白

発行番号000001

図174-1　戸籍法113条の戸籍訂正許可の裁判による戸籍訂正前の養親戸籍

	（1の1）	全 部 事 項 証 明
本　　籍	東京都千代田区永田町三丁目4番地	
氏　　名	丙山　三郎	
戸籍事項 　戸籍編製	（編製事項省略）	
戸籍に記録されている者	【名】三郎 【生年月日】昭和27年5月25日 【父】丙山長の助 【母】丙山フナ 【続柄】長男	
身分事項 　出　　生 　養子縁組	（出生事項省略） 【縁組日】平成28年1月28日 【養子氏名】甲野花子 【養子の戸籍】東京都千代田区平河町二丁目10番地　甲野英助	
	以下余白	

発行番号000001

5 いくつかの身分関係（身分行為）が絡んだ訂正

図174-2　戸籍法113条の戸籍訂正許可の裁判による戸籍訂正後の養親戸籍

（1の1）	全部事項証明

本　　　籍	東京都千代田区永田町三丁目4番地
氏　　　名	丙山　三郎
戸籍事項 　戸籍編製	（編製事項省略）
戸籍に記録されている者	【名】三郎 【生年月日】昭和27年5月25日 【父】丙山長の助 【母】丙山フナ 【続柄】長男
身分事項 　出　　生 　養子縁組 　訂　　正	（出生事項省略） 【縁組日】平成28年1月28日 【養子氏名】乙野花子 【訂正日】平成28年9月8日 【訂正事由】戸籍訂正許可の裁判確定 【裁判確定日】平成28年8月28日 【申請日】平成28年9月8日 【申請人】養女　丙山花子 【従前の記録】 　　【養子氏名】甲野花子 　　【養子の戸籍】東京都千代田区平河町二丁目10番地　甲野英助
戸籍に記録されている者	【名】花子 【生年月日】昭和60年4月28日 【父】乙野忠治 【母】乙野春子 【続柄】二女 【養父】丙山三郎 【続柄】養女
身分事項 　出　　生 　養子縁組 　記　　録	（出生事項省略） 【縁組日】平成28年1月28日 【養父氏名】丙山三郎 【従前戸籍】京都府京都市上京区小山初音町18番地　乙野忠治 【記録日】平成28年9月8日 【記録事由】記録遺漏につき戸籍訂正許可の裁判確定 【裁判確定日】平成28年8月28日 【申請日】平成28年9月8日
	以下余白

発行番号000001

第5 具体的な処理例

(ウ) 夫婦で養子となる縁組をしているとき

夫婦で養子となる縁組により夫婦について新戸籍を編製します。この縁組後，婚姻が無効となった場合は，縁組により新戸籍を編製したことが誤りとなり，養子は，それぞれ実方戸籍から養親戸籍に入籍することになりますから，その旨の訂正を要することになります。

なお，夫及び妻の実方戸籍の戸籍訂正記載例等は，前例の戸籍訂正記載例を参照してください。

戸籍の流れを図で示すと次のようになります。

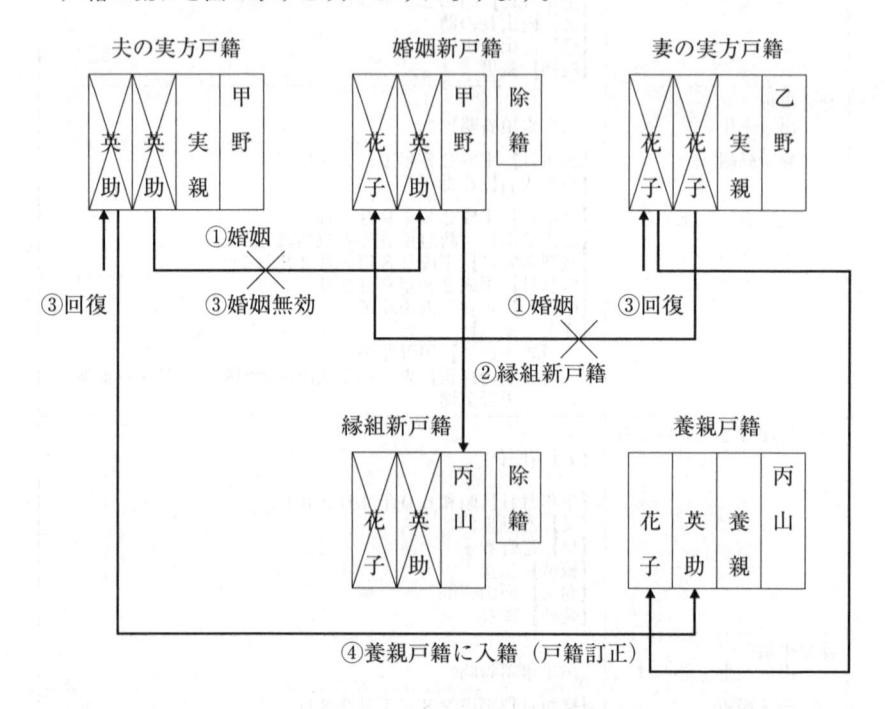

図175-1は，婚姻無効の裁判による戸籍訂正後の婚姻による新戸籍です。

図175-2は，戸籍法113条の戸籍訂正許可の裁判による戸籍訂正後の婚姻による新戸籍です。

英助及び花子の縁組事項を単身者が養子となる縁組により実方戸籍から養親戸籍に入籍する旨の記録に訂正の上，それぞれ実方戸籍に移記する旨の記録をします。

5　いくつかの身分関係（身分行為）が絡んだ訂正

　図176-1は，婚姻無効の裁判による戸籍訂正後の夫婦の縁組による新戸籍です。

　図176-2は，戸籍法113条の戸籍訂正許可の裁判による戸籍訂正後の夫婦の縁組による新戸籍です。

　英助及び花子の縁組事項を単身者が養子となる縁組により実方戸籍から養親戸籍に入籍した旨の記録に訂正の上，それぞれ養親戸籍に移記する旨の記録をします。

　図177-1は，戸籍法113条の戸籍訂正許可の裁判による戸籍訂正前の養親戸籍です。

　図177-2は，戸籍法113条の戸籍訂正許可の裁判による戸籍訂正後の養親戸籍です。

　養父の縁組事項は，夫婦を養子とする縁組の記録ですから，これを錯誤により消除し，改めて記録の遺漏により養子をする旨の記録に訂正します。養子については，それぞれ縁組事項を移記する旨の記録をします。

第5　具体的な処理例

図175-1　婚姻無効の裁判による戸籍訂正後の婚姻新戸籍

除　　　籍	（2の1）　全　部　事　項　証　明
本　　籍	東京都千代田区平河町二丁目１０番地
氏　　名	甲野　英助
戸籍事項 　戸籍編製 　消　　除 　戸籍消除	【編製日】平成２７年６月２３日 【消除日】平成２８年４月２６日 【消除事由】戸籍消除の記録錯誤 【従前の記録】 　　【消除日】平成２７年１１月２１日 【消除日】平成２８年４月２６日
戸籍に記録されている者 　消　　除 　除　　籍	【名】英助 【生年月日】昭和６０年１月２６日　　【配偶者区分】夫 【父】甲野義太郎 【母】甲野梅子 【続柄】二男
身分事項 　出　　生 　養子縁組 　消　　除	（出生事項省略） 【縁組日】平成２７年１１月２１日 【共同縁組者】妻 【養父氏名】丙山三郎 【養親の戸籍】東京都千代田区永田町三丁目４番地　丙山三郎 【新本籍】東京都千代田区平河町二丁目１０番地 【消除日】平成２８年４月２６日 【消除事項】婚姻事項 【消除事由】妻乙野花子との婚姻無効の裁判確定 【裁判確定日】平成２８年４月１４日 【申請日】平成２８年４月２６日 【申請人】妻 【従前の記録】 　　【婚姻日】平成２７年６月２３日 　　【配偶者氏名】乙野花子 　　【従前戸籍】東京都千代田区平河町一丁目４番地　甲野義太郎
戸籍に記録されている者 　消　　除 　除　　籍	【名】花子 【生年月日】昭和６３年３月１４日　　【配偶者区分】妻 【父】乙野忠治 【母】乙野春子 【続柄】二女

発行番号０００００１　　　　　　　　　　　　　　　　　　　　　　　以下次頁

5 いくつかの身分関係(身分行為)が絡んだ訂正

(2の2) | 全部事項証明

身分事項	
出　生	(出生事項省略)
養子縁組	【縁組日】平成27年11月21日 【共同縁組者】夫 【養父氏名】丙山三郎 【養親の戸籍】東京都千代田区永田町三丁目4番地　丙山三郎 【新本籍】東京都千代田区平河町二丁目10番地
消　除	【消除日】平成28年4月26日 【消除事項】婚姻事項 【消除事由】夫甲野英助との婚姻無効の裁判確定 【裁判確定日】平成28年4月14日 【申請日】平成28年4月26日 【従前の記録】 　【婚姻日】平成27年6月23日 　【配偶者氏名】甲野英助 　【従前戸籍】京都府京都市上京区小山初音町18番地　乙野忠治

以下余白

発行番号000001

第5　具体的な処理例

図175-2　戸籍法113条の戸籍訂正許可の裁判による戸籍訂正後の婚姻新戸籍

除　　籍	（3の1）	全 部 事 項 証 明
本　　籍	東京都千代田区平河町二丁目１０番地	
氏　　名	甲野　英助	

戸籍事項	
戸籍編製	【編製日】平成２７年６月２３日
消　　除	【消除日】平成２８年４月２６日 【消除事由】戸籍消除の記録錯誤 【従前の記録】 　【消除日】平成２７年１１月２１日
戸籍消除	【消除日】平成２８年４月２６日

戸籍に記録されている者	【名】英助
消　除 除　籍	【生年月日】昭和６０年１月２６日　　【配偶者区分】夫 【父】甲野義太郎 【母】甲野梅子 【続柄】二男

身分事項	
出　　生	（出生事項省略）
養子縁組	【縁組日】平成２７年１１月２１日 【養父氏名】丙山三郎 【入籍戸籍】東京都千代田区永田町三丁目４番地　丙山三郎
訂　　正	【訂正日】平成２８年５月２５日 【訂正事由】戸籍訂正許可の裁判確定 【裁判確定日】平成２８年５月１８日 【申請日】平成２８年５月２５日 【申請人】養父　丙山三郎 【従前の記録】 　【共同縁組者】妻 　【養親の戸籍】東京都千代田区永田町三丁目４番地　丙山三郎 　【新本籍】東京都千代田区平河町二丁目１０番地
消　　除	【消除日】平成２８年４月２６日 【消除事項】婚姻事項 【消除事由】妻乙野花子との婚姻無効の裁判確定 【裁判確定日】平成２８年４月１４日 【申請日】平成２８年４月２６日 【申請人】妻 【従前の記録】 　【婚姻日】平成２７年６月２３日 　【配偶者氏名】乙野花子 　【従前戸籍】東京都千代田区平河町一丁目４番地　甲野義太郎

発行番号０００００１　　　　　　　　　　　　　　　　　　　　　　以下次頁

5 いくつかの身分関係(身分行為)が絡んだ訂正

(3の2) | 全部事項証明

移　記	【移記日】平成28年5月25日 【移記事項】縁組事項 【移記事由】戸籍訂正許可の裁判確定 【裁判確定日】平成28年5月18日 【申請日】平成28年5月25日 【申請人】養父　丙山三郎 【移記後の戸籍】東京都千代田区平河町一丁目4番地　甲野義太郎
戸籍に記録されている者 消　除 除　籍	【名】花子 【生年月日】昭和63年3月14日　【配偶者区分】妻 【父】乙野忠治 【母】乙野春子 【続柄】二女
身分事項 　　出　生	(出生事項省略)
養子縁組	【縁組日】平成27年11月21日 【養父氏名】丙山三郎 【入籍戸籍】東京都千代田区永田町三丁目4番地　丙山三郎
訂　正	【訂正日】平成28年5月25日 【訂正事由】戸籍訂正許可の裁判確定 【裁判確定日】平成28年5月18日 【申請日】平成28年5月25日 【申請人】養父　丙山三郎 【従前の記録】 　　【共同縁組者】夫 　　【養親の戸籍】東京都千代田区永田町三丁目4番地　丙山三郎 　　【新本籍】東京都千代田区平河町二丁目10番地
消　除	【消除日】平成28年4月26日 【消除事項】婚姻事項 【消除事由】夫甲野英助との婚姻無効の裁判確定 【裁判確定日】平成28年4月14日 【申請日】平成28年4月26日 【従前の記録】 　　【婚姻日】平成27年6月23日 　　【配偶者氏名】甲野英助 　　【従前戸籍】京都府京都市上京区小山初音町18番地　乙野忠治
移　記	【移記日】平成28年5月25日 【移記事項】縁組事項 【移記事由】戸籍訂正許可の裁判確定 【裁判確定日】平成28年5月18日

発行番号000001　　　　　　　　　　　　　　　　　　　　　　　　以下次頁

第5　具体的な処理例

	(3の3)	全 部 事 項 証 明
	【申請日】平成28年5月25日 【申請人】養父　丙山三郎 【移記後の戸籍】京都府京都市上京区小山初音町18番地 　　　　　　　　乙野忠治	
		以下余白

発行番号000001

図176-1　婚姻無効の裁判による戸籍訂正後の縁組新戸籍

	（2の1）　全部事項証明
本　籍	東京都千代田区平河町二丁目１０番地
氏　名	丙山　英助
戸籍事項 　　戸籍編製	【編製日】平成２７年１１月２１日
戸籍に記録されている者	【名】英助 【生年月日】昭和６０年１月２６日 【父】甲野義太郎 【母】甲野梅子 【続柄】二男 【養父】丙山三郎 【続柄】養子
身分事項 　　出　生 　　養子縁組 　　消　除	（出生事項省略） 【縁組日】平成２７年１１月２１日 【共同縁組者】妻 【養父氏名】丙山三郎 【養親の戸籍】東京都千代田区永田町三丁目４番地　丙山三郎 【従前戸籍】東京都千代田区平河町二丁目１０番地　甲野英助 【消除日】平成２８年４月２６日 【消除事項】婚姻事項 【消除事由】妻乙野花子との婚姻無効の裁判確定 【裁判確定日】平成２８年４月１４日 【申請日】平成２８年４月２６日 【申請人】妻 【従前の記録】 　　【婚姻日】平成２７年６月２３日 　　【配偶者氏名】乙野花子 　　【従前戸籍】東京都千代田区平河町一丁目４番地　甲野義太郎
戸籍に記録されている者	【名】花子 【生年月日】昭和６３年３月１４日 【父】乙野忠治 【母】乙野春子 【続柄】二女 【養父】丙山三郎 【続柄】養女

発行番号０００００１　　　　　　　　　　　　　　　　　　　　　　　　　　　以下次頁

第5　具体的な処理例

	（2の2）	全 部 事 項 証 明
身分事項 　　出　　生	（出生事項省略）	
養子縁組	【縁組日】平成27年11月21日 【共同縁組者】夫 【養父氏名】丙山三郎 【養親の戸籍】東京都千代田区永田町三丁目4番地　丙山三郎 【従前戸籍】東京都千代田区平河町二丁目10番地　甲野英助	
消　　除	【消除日】平成28年4月26日 【消除事項】婚姻事項 【消除事由】夫甲野英助との婚姻無効の裁判確定 【裁判確定日】平成28年4月14日 【申請日】平成28年4月26日 【従前の記録】 　　【婚姻日】平成27年6月23日 　　【配偶者氏名】甲野英助 　　【従前戸籍】京都府京都市上京区小山初音町18番地　乙野忠治	
	以下余白	

発行番号000001

5 いくつかの身分関係（身分行為）が絡んだ訂正

図176-2　戸籍法113条の戸籍訂正許可の裁判による戸籍訂正後の縁組新戸籍

除　　籍	（3の1）	全部事項証明
本　　籍	東京都千代田区平河町二丁目１０番地	
氏　　名	丙山　英助	

戸籍事項	
戸籍編製	【編製日】平成２７年１１月２１日
戸籍消除	【消除日】平成２８年５月２５日

戸籍に記録されている者	【名】英助
消　　除	【生年月日】昭和６０年１月２６日 【父】甲野義太郎 【母】甲野梅子 【続柄】二男 【養父】丙山三郎 【続柄】養子

身分事項	
出　　生	（出生事項省略）
養子縁組	【縁組日】平成２７年１１月２１日 【養父氏名】丙山三郎 【従前戸籍】東京都千代田区平河町一丁目４番地　甲野義太郎
訂　　正	【訂正日】平成２８年５月２５日 【訂正事由】戸籍訂正許可の裁判確定 【裁判確定日】平成２８年５月１８日 【申請日】平成２８年５月２５日 【申請人】養父　丙山三郎 【従前の記録】 　【共同縁組者】妻 　【養親の戸籍】東京都千代田区永田町三丁目４番地　丙山三郎 　【従前戸籍】東京都千代田区平河町二丁目１０番地　甲野英助
消　　除	【消除日】平成２８年４月２６日 【消除事項】婚姻事項 【消除事由】妻乙野花子との婚姻無効の裁判確定 【裁判確定日】平成２８年４月１４日 【申請日】平成２８年４月２６日 【申請人】妻 【従前の記録】 　【婚姻日】平成２７年６月２３日 　【配偶者氏名】乙野花子 　【従前戸籍】東京都千代田区平河町一丁目４番地　甲野義太郎

発行番号０００００１　　　　　　　　　　　　　　　　　　　以下次頁

第5　具体的な処理例

		（3の2）	全部事項証明
移　　記	【移記日】平成28年5月25日 【移記事項】縁組事項 【移記事由】戸籍訂正許可の裁判確定 【裁判確定日】平成28年5月18日 【申請日】平成28年5月25日 【申請人】養父　丙山三郎 【移記後の戸籍】東京都千代田区永田町三丁目4番地　丙山三郎		
戸籍に記録されている者 　消　　除	【名】花子 【生年月日】昭和63年3月14日 【父】乙野忠治 【母】乙野春子 【続柄】二女 【養父】丙山三郎 【続柄】養女		
身分事項 　　出　　生	（出生事項省略）		
養子縁組	【縁組日】平成27年11月21日 【養父氏名】丙山三郎 【従前戸籍】京都府京都市上京区小山初音町18番地　乙野忠治		
訂　　正	【訂正日】平成28年5月25日 【訂正事由】戸籍訂正許可の裁判確定 【裁判確定日】平成28年5月18日 【申請日】平成28年5月25日 【申請人】養父　丙山三郎 【従前の記録】 　【共同縁組者】夫 　【養親の戸籍】東京都千代田区永田町三丁目4番地　丙山三郎 　【従前戸籍】東京都千代田区平河町二丁目10番地　甲野英助		
消　　除	【消除日】平成28年4月26日 【消除事項】婚姻事項 【消除事由】夫甲野英助との婚姻無効の裁判確定 【裁判確定日】平成28年4月14日 【申請日】平成28年4月26日 【従前の記録】 　【婚姻日】平成27年6月23日 　【配偶者氏名】甲野英助 　【従前戸籍】京都府京都市上京区小山初音町18番地　乙野忠治		

発行番号000001　　　　　　　　　　　　　　　　　　　　　　　　以下次頁

5　いくつかの身分関係（身分行為）が絡んだ訂正

	(3の3) ｜ 全 部 事 項 証 明
移　　記	【移記日】平成28年5月25日 【移記事項】縁組事項 【移記事由】戸籍訂正許可の裁判確定 【裁判確定日】平成28年5月18日 【申請日】平成28年5月25日 【申請人】養父　丙山三郎 【移記後の戸籍】東京都千代田区永田町三丁目4番地　丙山三郎
	以下余白

発行番号000001

第5　具体的な処理例

図177-1　戸籍法113条の戸籍訂正許可の裁判による戸籍訂正前の養親戸籍

		（1の1）	全 部 事 項 証 明
本　　　籍	東京都千代田区永田町三丁目4番地		
氏　　　名	丙山　三郎		

戸籍事項 　戸籍編製	（編製事項省略）
戸籍に記録されている者	【名】三郎 【生年月日】昭和26年12月2日 【父】丙山長の助 【母】丙山フナ 【続柄】長男
身分事項 　出　　生 　養子縁組	（出生事項省略） 【縁組日】平成27年11月21日 【養子氏名】甲野英助 【養子氏名】甲野花子 【養子の従前戸籍】東京都千代田区平河町二丁目10番地 　　甲野英助 【養子の新本籍】東京都千代田区平河町二丁目10番地
	以下余白

発行番号000001

5 いくつかの身分関係（身分行為）が絡んだ訂正

図177-2　戸籍法113条の戸籍訂正許可の裁判による戸籍訂正後の養親戸籍

（2の1）	全 部 事 項 証 明

本　　　籍	東京都千代田区永田町三丁目4番地
氏　　　名	丙山　三郎
戸籍事項 　　戸籍編製	（編製事項省略）
戸籍に記録されている者	【名】三郎 【生年月日】昭和26年12月2日 【父】丙山長の助 【母】丙山フナ 【続柄】長男
身分事項 　　出　　生	（出生事項省略）
消　　除	【消除日】平成28年5月25日 【消除事項】縁組事項 【消除事由】錯誤につき戸籍訂正許可の裁判確定 【裁判確定日】平成28年5月18日 【申請日】平成28年5月25日 【従前の記録】 　　【縁組日】平成27年11月21日 　　【養子氏名】甲野英助 　　【養子氏名】甲野花子 　　【養子の従前戸籍】東京都千代田区平河町二丁目10番地　甲野英助 　　【養子の新本籍】東京都千代田区平河町二丁目10番地
養子縁組	【縁組日】平成27年11月21日 【養子氏名】甲野英助
記　　録	【記録日】平成28年5月25日 【記録事由】記録遺漏につき戸籍訂正許可の裁判確定 【裁判確定日】平成28年5月18日 【申請日】平成28年5月25日
養子縁組	【縁組日】平成27年11月21日 【養子氏名】乙野花子
記　　録	【記録日】平成28年5月25日 【記録事由】記録遺漏につき戸籍訂正許可の裁判確定 【裁判確定日】平成28年5月18日 【申請日】平成28年5月25日
戸籍に記録されている者	【名】英助 【生年月日】昭和60年1月26日

発行番号000001　　　　　　　　　　　　　　　　　　　以下次頁

第5 具体的な処理例

(2の2) | 全部事項証明

	【父】甲野義太郎 【母】甲野梅子 【続柄】二男 【養父】丙山三郎 【続柄】養子
身分事項 　　出　　生	（出生事項省略）
養子縁組	【縁組日】平成27年11月21日 【養父氏名】丙山三郎 【従前戸籍】東京都千代田区平河町一丁目4番地　甲野義太郎
移　　記	【移記日】平成28年5月25日 【移記事由】戸籍訂正許可の裁判確定 【裁判確定日】平成28年5月18日 【申請日】平成28年5月25日 【申請人】養父　丙山三郎 【移記前の戸籍】東京都千代田区平河町二丁目10番地　丙山英助
戸籍に記録されている者	【名】花子 【生年月日】昭和63年3月14日 【父】乙野忠治 【母】乙野春子 【続柄】二女 【養父】丙山三郎 【続柄】養女
身分事項 　　出　　生	（出生事項省略）
養子縁組	【縁組日】平成27年11月21日 【養父氏名】丙山三郎 【従前戸籍】京都府京都市上京区小山初音町18番地　乙野忠治
移　　記	【移記日】平成28年5月25日 【移記事由】戸籍訂正許可の裁判確定 【裁判確定日】平成28年5月18日 【申請日】平成28年5月25日 【申請人】養父　丙山三郎 【移記前の戸籍】東京都千代田区平河町二丁目10番地　丙山英助
	以下余白

発行番号000001

5 いくつかの身分関係（身分行為）が絡んだ訂正

イ 離婚後，当事者の一方又は双方がそれぞれ再婚し，その後に離婚無効の裁判があったとき

(ア) 第一の婚姻において婚姻の際に氏を改めなかった者が第二の婚姻において相手方の氏を称して再婚しているとき

この事例は，4の(12)イの事例（564頁）と同じですので，それを参照してください。

(イ) 離婚により復氏した者が第二の婚姻において相手方の氏を称して再婚しているとき

戸籍の流れを図で示すと次のようになります。

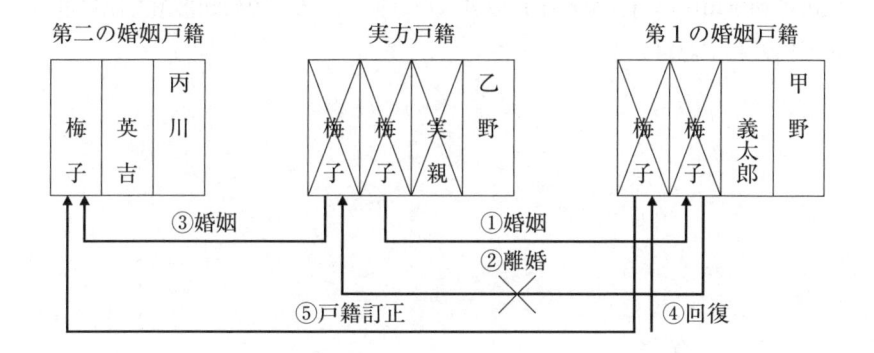

```
 第二の婚姻戸籍        実方戸籍            第1の婚姻戸籍
┌──┬──┬──┐  ┌──┬──┬──┬──┐  ┌──┬──┬──┬──┐
│丙 │英 │梅 │  │乙 │実 │梅 │梅 │  │甲 │義 │梅 │梅 │
│川 │吉 │子 │  │野 │親 │子 │子 │  │野 │太 │子 │子 │
│  │  │  │  │  │  │  │  │  │  │郎 │  │  │
└──┴──┴──┘  └──┴──┴──┴──┘  └──┴──┴──┴──┘
     ↑             ↑           ↑         ↑
     └──③婚姻─────┘           └──①婚姻──┘
                       ②離婚
                        ×
          ⑤戸籍訂正              ④回復
```

図178-1は，離婚無効の裁判による戸籍訂正後の第一の婚姻戸籍です。

夫については，離婚事項を消除し，「戸籍に記録されている者」欄に「【配偶者区分】夫」を表示します。妻については，末尾に回復します。

図178-2は，戸籍法113条の戸籍訂正許可の裁判による戸籍訂正後の第一の婚姻戸籍です。

夫については，訂正事項等はありません。妻については，実方戸籍から婚姻をしていますので，その婚姻事項を移記し，「戸籍に記録されている者」欄に「除籍マーク」を表示しますが，「【配偶者区分】妻」の表示は消除しません。

図179-1は，離婚無効の裁判による戸籍訂正後の実方戸籍です。

離婚事項を消除し，「戸籍に記録されている者」欄に「消除マーク」を表示します。第二の婚姻事項はそのままとしておきます。

第5　具体的な処理例

　図179-2は，戸籍法113条の戸籍訂正許可の裁判による戸籍訂正後の実方戸籍です。
　第二の婚姻事項を離婚無効の裁判により回復した第一の婚姻戸籍に移記する旨の記録をします。
　図180-1は，戸籍法113条の戸籍訂正許可の裁判による戸籍訂正前の第二の婚姻戸籍です。
　図180-2は，戸籍法113条の戸籍訂正許可の裁判による戸籍訂正後の第二の婚姻戸籍です。
　夫については，婚姻事項中の【配偶者氏名】を訂正し，妻については，第二の婚姻事項中の【従前戸籍】の表示を訂正し，第一の婚姻事項を記録遺漏を原因として記録します。

図178-1　離婚無効の裁判による戸籍訂正後の第一の婚姻戸籍

		（2の1）	全 部 事 項 証 明
本　　　籍	東京都千代田区平河町一丁目4番地		
氏　　　名	甲野　義太郎		

戸籍事項 　　戸籍編製	【編製日】平成27年10月2日
戸籍に記録されている者	【名】義太郎 【生年月日】昭和57年6月26日　　【配偶者区分】夫 【父】甲野幸雄 【母】甲野松子 【続柄】長男
身分事項 　　出　　生 　　婚　　姻 　　消　　除	（出生事項省略） 【婚姻日】平成27年10月2日 【配偶者氏名】乙野梅子 【従前戸籍】東京都千代田区平河町一丁目4番地　甲野義太郎 【消除日】平成28年11月27日 【消除事項】離婚事項 【消除事由】妻梅子との離婚無効の裁判確定 【裁判確定日】平成28年11月16日 【申請日】平成28年11月27日 【従前の記録】 　　【離婚日】平成28年4月19日 　　【配偶者氏名】甲野梅子
戸籍に記録されている者 除　　籍	【名】梅子 【生年月日】昭和60年1月8日 【父】乙野忠治 【母】乙野春子 【続柄】長女
身分事項 　　出　　生 　　婚　　姻 　　消　　除	（出生事項省略） 【婚姻日】平成27年10月2日 【配偶者氏名】甲野義太郎 【従前戸籍】京都府京都市上京区小山初音町18番地　乙野忠治 【消除日】平成28年11月27日 【消除事項】離婚事項 【消除事由】夫義太郎との離婚無効の裁判確定

発行番号000001　　　　　　　　　　　　　　　　　　　　　　　　　以下次頁

第5　具体的な処理例

	（2の2）	全 部 事 項 証 明
	【裁判確定日】平成28年11月16日 【申請日】平成28年11月27日 【申請人】夫 【従前の記録】 　　【離婚日】平成28年4月19日 　　【配偶者氏名】甲野義太郎 　　【入籍戸籍】京都府京都市上京区小山初音町18番地 　　　乙野忠治	
戸籍に記録されている者	【名】梅子 【生年月日】昭和60年1月8日　　　【配偶者区分】妻 【父】乙野忠治 【母】乙野春子 【続柄】長女	
身分事項 　出　　生 　婚　　姻	（出生事項省略） 【婚姻日】平成27年10月2日 【配偶者氏名】甲野義太郎 【従前戸籍】京都府京都市上京区小山初音町18番地　乙野忠治	
	以下余白	

発行番号000001

5 いくつかの身分関係（身分行為）が絡んだ訂正

図178-2　戸籍法113条の戸籍訂正許可の裁判による戸籍訂正後の第一の婚姻戸籍

	（2の1） 全 部 事 項 証 明
本　　　籍 氏　　　名	東京都千代田区平河町一丁目4番地 甲野　義太郎
戸籍事項 　戸籍編製	【編製日】平成27年10月2日
戸籍に記録されている者	【名】義太郎 【生年月日】昭和57年6月26日　　【配偶者区分】夫 【父】甲野幸雄 【母】甲野松子 【続柄】長男
身分事項 　出　　生 　婚　　姻 　消　　除	（出生事項省略） 【婚姻日】平成27年10月2日 【配偶者氏名】乙野梅子 【従前戸籍】東京都千代田区平河町一丁目4番地　甲野義太郎 【消除日】平成28年11月27日 【消除事項】離婚事項 【消除事由】妻梅子との離婚無効の裁判確定 【裁判確定日】平成28年11月16日 【申請日】平成28年11月27日 【従前の記録】 　　【離婚日】平成28年4月19日 　　【配偶者氏名】甲野梅子
戸籍に記録されている者 除　　籍	【名】梅子 【生年月日】昭和60年1月8日 【父】乙野忠治 【母】乙野春子 【続柄】長女
身分事項 　出　　生 　婚　　姻 　消　　除	（出生事項省略） 【婚姻日】平成27年10月2日 【配偶者氏名】甲野義太郎 【従前戸籍】京都府京都市上京区小山初音町18番地　乙野忠治 【消除日】平成28年11月27日 【消除事項】離婚事項 【消除事由】夫義太郎との離婚無効の裁判確定
発行番号000001	以下次頁

第5 具体的な処理例

(2の2) | 全 部 事 項 証 明

	【裁判確定日】平成28年11月16日 【申請日】平成28年11月27日 【申請人】夫 【従前の記録】 　　【離婚日】平成28年4月19日 　　【配偶者氏名】甲野義太郎 　　【入籍戸籍】京都府京都市上京区小山初音町18番地　乙野忠治
戸籍に記録されている者 除　　籍	【名】梅子 【生年月日】昭和60年1月8日　　【配偶者区分】妻 【父】乙野忠治 【母】乙野春子 【続柄】長女
身分事項 　出　　生	（出生事項省略）
婚　　姻	【婚姻日】平成27年10月2日 【配偶者氏名】甲野義太郎 【従前戸籍】京都府京都市上京区小山初音町18番地　乙野忠治
婚　　姻	【婚姻日】平成28年10月20日 【配偶者氏名】丙川英吉 【送付を受けた日】平成28年10月23日 【受理者】千葉県千葉市中央区長 【入籍戸籍】千葉県千葉市中央区千葉港5番地　丙川英吉
移　　記	【移記日】平成29年1月25日 【移記事由】錯誤につき戸籍訂正許可の裁判確定 【裁判確定日】平成29年1月15日 【申請日】平成29年1月25日 【移記前の戸籍】京都府京都市上京区小山初音町18番地　乙野忠治
	以下余白

発行番号000001

5 いくつかの身分関係（身分行為）が絡んだ訂正

図179-1　離婚無効の裁判による戸籍訂正後の実方戸籍

	（2の1）　全 部 事 項 証 明
本　　　籍	京都府京都市上京区小山初音町１８番地
氏　　　名	乙野　忠治

戸籍に記録されている者 除　籍	【名】梅子 【生年月日】昭和６０年１月８日 【父】乙野忠治 【母】乙野春子 【続柄】長女
身分事項 　出　　生 　婚　　姻	（出生事項省略） 【婚姻日】平成２７年１０月２日 【配偶者氏名】甲野義太郎 【送付を受けた日】平成２７年１０月５日 【受理者】東京都千代田区長 【新本籍】東京都千代田区平河町一丁目４番地 【称する氏】夫の氏
戸籍に記録されている者 消　　除 除　籍	【名】梅子 【生年月日】昭和６０年１月８日 【父】乙野忠治 【母】乙野春子 【続柄】長女
身分事項 　出　　生 　婚　　姻 　消　　除	（出生事項省略） 【婚姻日】平成２８年１０月２０日 【配偶者氏名】丙川英吉 【送付を受けた日】平成２８年１０月２３日 【受理者】千葉県千葉市中央区長 【入籍戸籍】千葉県千葉市中央区千葉港５番地　丙川英吉 【消除日】平成２８年１１月２９日 【消除事項】離婚事項 【消除事由】夫義太郎との離婚無効の裁判確定 【裁判確定日】平成２８年１１月１６日 【申請日】平成２８年１１月２７日 【申請人】夫 【送付を受けた日】平成２８年１１月２９日 【受理者】東京都千代田区長 【従前の記録】

発行番号０００００１　　　　　　　　　　　　　　　　　　　　　　以下次頁

第5　具体的な処理例

	(2の2)	全 部 事 項 証 明
	【離婚日】平成28年4月19日 【配偶者氏名】甲野義太郎 【送付を受けた日】平成28年4月22日 【受理者】東京都千代田区長 【従前戸籍】東京都千代田区平河町一丁目4番地　甲野義太郎	
	以下余白	

発行番号000001

5 いくつかの身分関係（身分行為）が絡んだ訂正

図179-2　戸籍法113条の戸籍訂正許可の裁判による戸籍訂正後の実方戸籍

（2の1）　全部事項証明

本　　籍	京都府京都市上京区小山初音町１８番地
氏　　名	乙野　忠治

戸籍に記録されている者 除　籍	【名】梅子 【生年月日】昭和６０年１月８日 【父】乙野忠治 【母】乙野春子 【続柄】長女
身分事項 　出　　生 　婚　　姻	（出生事項省略） 【婚姻日】平成２７年１０月２日 【配偶者氏名】甲野義太郎 【送付を受けた日】平成２７年１０月５日 【受理者】東京都千代田区長 【新本籍】東京都千代田区平河町一丁目４番地 【称する氏】夫の氏
戸籍に記録されている者 消　除 除　籍	【名】梅子 【生年月日】昭和６０年１月８日 【父】乙野忠治 【母】乙野春子 【続柄】長女
身分事項 　出　　生 　消　　除	（出生事項省略） 【消除日】平成２８年１１月２９日 【消除事項】離婚事項 【消除事由】夫義太郎との離婚無効の裁判確定 【裁判確定日】平成２８年１１月１６日 【申請日】平成２８年１１月２７日 【申請人】夫 【送付を受けた日】平成２８年１１月２９日 【受理者】東京都千代田区長 【従前の記録】 　【離婚日】平成２８年４月１９日 　【配偶者氏名】甲野義太郎 　【送付を受けた日】平成２８年４月２２日 　【受理者】東京都千代田区長 　【従前戸籍】東京都千代田区平河町一丁目４番地　甲野義太郎

発行番号０００００１　　　　　　　　　　　　　　　　　　　　　以下次頁

第5　具体的な処理例

	(2の2)　全 部 事 項 証 明

| 移　　記 | 【移記日】平成29年1月28日
【移記事項】婚姻事項
【移記事由】錯誤につき戸籍訂正許可の裁判確定
【裁判確定日】平成29年1月15日
【申請日】平成29年1月25日
【送付を受けた日】平成29年1月28日
【受理者】東京都千代田区長
【移記後の戸籍】東京都千代田区平河町一丁目4番地　甲野義太郎
【従前の記録】
　【婚姻日】平成28年10月20日
　【配偶者氏名】丙川英吉
　【送付を受けた日】平成28年10月23日
　【受理者】千葉県千葉市中央区長
　【入籍戸籍】千葉県千葉市中央区千葉港5番地　丙川英吉 |
| | 以下余白 |

発行番号000001

5 いくつかの身分関係（身分行為）が絡んだ訂正

図180-1　戸籍法113条の戸籍訂正許可の裁判による戸籍訂正前の第二の婚姻戸籍

		（1の1）	全 部 事 項 証 明
本　　　籍 氏　　　名	千葉県千葉市中央区千葉港5番地 丙川　英吉		
戸籍事項 　　戸籍編製	（編製事項省略）		
戸籍に記録されている者	【名】英吉 【生年月日】昭和57年3月16日　　【配偶者区分】夫 【父】丙川英太郎 【母】丙川夏子 【続柄】長男		
身分事項 　　出　　生 　　婚　　姻	（出生事項省略） 【婚姻日】平成28年10月20日 【配偶者氏名】乙野梅子		
戸籍に記録されている者	【名】梅子 【生年月日】昭和60年1月8日　　【配偶者区分】妻 【父】乙野忠治 【母】乙野春子 【続柄】長女		
身分事項 　　出　　生 　　婚　　姻	（出生事項省略） 【婚姻日】平成28年10月20日 【配偶者氏名】丙川英吉 【従前戸籍】京都府京都市上京区小山初音町18番地　乙野忠治		
			以下余白

発行番号000001

図180-2　戸籍法113条の戸籍訂正許可の裁判による戸籍訂正後の第二の婚姻戸籍

	（2の1）　全部事項証明
本　　籍	千葉県千葉市中央区千葉港5番地
氏　　名	丙川　英吉
戸籍事項 　戸籍編製	（編製事項省略）
戸籍に記録されている者	【名】英吉 【生年月日】昭和57年3月16日　　【配偶者区分】夫 【父】丙川英太郎 【母】丙川夏子 【続柄】長男
身分事項 　出　　生 　婚　　姻 　訂　　正	（出生事項省略） 【婚姻日】平成28年10月20日 【配偶者氏名】甲野梅子 【訂正日】平成29年1月28日 【訂正事由】錯誤につき戸籍訂正許可の裁判確定 【裁判確定日】平成29年1月15日 【申請日】平成29年1月25日 【申請人】妻 【送付を受けた日】平成29年1月28日 【受理者】東京都千代田区長 【従前の記録】 　　【配偶者氏名】乙野梅子
戸籍に記録されている者	【名】梅子 【生年月日】昭和60年1月8日　　【配偶者区分】妻 【父】乙野忠治 【母】乙野春子 【続柄】長女
身分事項 　出　　生 　婚　　姻 　訂　　正	（出生事項省略） 【婚姻日】平成28年10月20日 【配偶者氏名】丙川英吉 【従前戸籍】東京都千代田区平河町一丁目4番地　甲野義太郎 【訂正日】平成29年1月28日 【訂正事由】錯誤につき戸籍訂正許可の裁判確定 【裁判確定日】平成29年1月15日 【申請日】平成29年1月25日

発行番号000001　　　　　　　　　　　　　　　　　　　　　以下次頁

5 いくつかの身分関係(身分行為)が絡んだ訂正

	（2の2）	全 部 事 項 証 明
婚　　姻	【送付を受けた日】平成２９年１月２８日 【受理者】東京都千代田区長 【従前の記録】 　【従前戸籍】京都府京都市上京区小山初音町１８番地 　　乙野忠治 【婚姻日】平成２７年１０月２日 【配偶者氏名】甲野義太郎 【従前戸籍】京都府京都市上京区小山初音町１８番地　乙野忠治	
記　　録	【記録日】平成２９年１月２８日 【記録事由】記録遺漏につき戸籍訂正許可の裁判確定 【裁判確定日】平成２９年１月１５日 【申請日】平成２９年１月２５日 【送付を受けた日】平成２９年１月２８日 【受理者】東京都千代田区長	
		以下余白

発行番号０００００１

681

第5　具体的な処理例

　㈦　離婚により復氏した者が第二の婚姻において自己の氏を称して再婚
　　しているとき

戸籍の流れを図で示すと次のようになります。

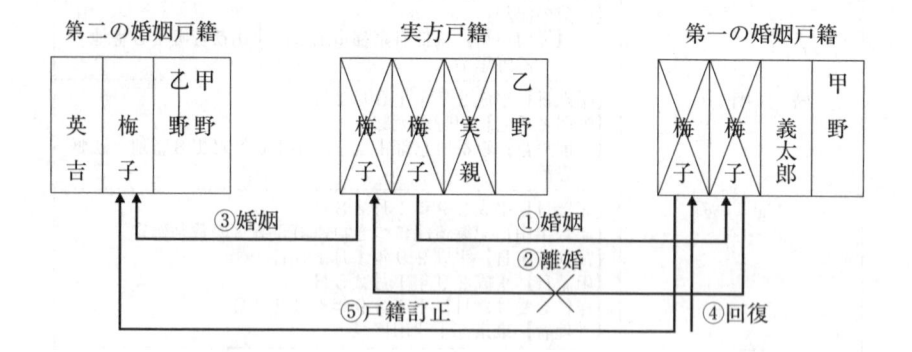

```
   第二の婚姻戸籍         実方戸籍              第一の婚姻戸籍

  ┌──┬──┬──┐   ┌──┬──┬──┬──┐    ┌──┬──┬──┐
  │英│梅│乙甲│   │梅│梅│実│乙│    │梅│梅│甲│
  │吉│子│野野│   │╳│╳│親│野│    │╳│╳│野│
  │  │  │    │   │子│子│  │  │    │子│子│義│
  │  │  │    │   │  │  │  │  │    │  │  │太│
  │  │  │    │   │  │  │  │  │    │  │  │郎│
  └──┴──┴──┘   └──┴──┴──┴──┘    └──┴──┴──┘
      ↑　　③婚姻　　　↑　　　　　①婚姻　　　↑
      │←──────│　　　　　│←──────│
                         ②離婚
                          ×
      ←──⑤戸籍訂正───→        ←④回復─
```

図181－1は，離婚無効の裁判による戸籍訂正後の第一の婚姻戸籍です。
　夫については，離婚事項を消除し，「戸籍に記録されている者」欄に「【配偶者区分】夫」を表示します。妻については，末尾に回復します。
　図181－2は，戸籍法113条の戸籍訂正許可の裁判による戸籍訂正後の第一の婚姻戸籍です。
　夫については，訂正事項はありません。妻については，実方戸籍から婚姻をしていますので，その婚姻事項を移記し，「戸籍に記録されている者」欄に「除籍マーク」を表示しますが，「【配偶者区分】妻」の表示は消除しません。
　図182－1は，離婚無効の裁判による戸籍訂正後の実方戸籍です。
　離婚事項を消除し，「戸籍に記録されている者」欄に「消除マーク」を表示します。第二の婚姻事項はそのままとしておきます。
　図182－2は，戸籍法113条の戸籍訂正許可の裁判による戸籍訂正後の実方戸籍です。
　第二の婚姻事項を離婚無効の裁判により回復した第一の婚姻戸籍に移記する旨の記録をします。
　図183－1は，戸籍法113条の戸籍訂正許可の裁判による戸籍訂正前の第二の婚姻戸籍です。

5 いくつかの身分関係（身分行為）が絡んだ訂正

図183-2は，戸籍法113条の戸籍訂正許可の裁判による戸籍訂正後の第二の婚姻戸籍です。

妻については，第二の婚姻事項中の【従前戸籍】の表示を訂正し，第一の婚姻事項を記録し，夫については，婚姻事項中の【配偶者氏名】を訂正します。また，筆頭者の氏を「乙野」から「甲野」に訂正します。

683

第5　具体的な処理例

図181-1　離婚無効の裁判による戸籍訂正後の第一の婚姻戸籍

	（2の1）	全 部 事 項 証 明
本　　籍	東京都千代田区平河町一丁目4番地	
氏　　名	甲野　義太郎	
戸籍事項 　戸籍編製	【編製日】平成27年5月20日	
戸籍に記録されている者	【名】義太郎 【生年月日】昭和58年6月26日　　【配偶者区分】夫 【父】甲野幸雄 【母】甲野松子 【続柄】長男	
身分事項 　出　　生 　婚　　姻 　消　　除	（出生事項省略） 【婚姻日】平成27年5月20日 【配偶者氏名】乙野梅子 【従前戸籍】東京都千代田区平河町一丁目4番地　甲野幸雄 【消除日】平成28年9月16日 【消除事項】離婚事項 【消除事由】妻梅子との離婚無効の裁判確定 【裁判確定日】平成28年9月6日 【申請日】平成28年9月16日 【従前の記録】 　　【離婚日】平成27年10月6日 　　【配偶者氏名】甲野梅子	
戸籍に記録されている者 除　　籍	【名】梅子 【生年月日】昭和60年1月8日 【父】乙野忠治 【母】乙野春子 【続柄】長女	
身分事項 　出　　生 　婚　　姻 　消　　除	（出生事項省略） 【婚姻日】平成27年5月20日 【配偶者氏名】甲野義太郎 【従前戸籍】京都府京都市上京区小山初音町18番地　乙野忠治 【消除日】平成28年9月16日 【消除事項】離婚事項 【消除事由】夫義太郎との離婚無効の裁判確定 【裁判確定日】平成28年9月6日	

発行番号000001　　　　　　　　　　　　　　　　　　　　　　　　以下次頁

5 いくつかの身分関係（身分行為）が絡んだ訂正

	（2の2）	全 部 事 項 証 明
	【申請日】平成28年9月16日 【申請人】夫 【従前の記録】 　　【離婚日】平成27年10月6日 　　【配偶者氏名】甲野義太郎 　　【入籍戸籍】京都府京都市上京区小山初音町18番地 　　　　乙野忠治	
戸籍に記録されている者	【名】梅子 【生年月日】昭和60年1月8日　　【配偶者区分】妻 【父】乙野忠治 【母】乙野春子 【続柄】長女	
身分事項 　出　　生 　婚　　姻	（出生事項省略） 【婚姻日】平成27年5月20日 【配偶者氏名】甲野義太郎 【従前戸籍】京都府京都市上京区小山初音町18番地　乙野忠治	
	以下余白	

発行番号000001

第5　具体的な処理例

図181-2　戸籍法113条の戸籍訂正許可の裁判による戸籍訂正後の第一の婚姻戸籍

（2の1）　全 部 事 項 証 明

本　　籍	東京都千代田区平河町一丁目4番地
氏　　名	甲野　義太郎
戸籍事項 　戸籍編製	【編製日】平成27年5月20日
戸籍に記録されている者	【名】義太郎 【生年月日】昭和58年6月26日　　【配偶者区分】夫 【父】甲野幸雄 【母】甲野松子 【続柄】長男
身分事項 　出　　生 　婚　　姻 　消　　除	（出生事項省略） 【婚姻日】平成27年5月20日 【配偶者氏名】乙野梅子 【従前戸籍】東京都千代田区平河町一丁目4番地　甲野幸雄 【消除日】平成28年9月16日 【消除事項】離婚事項 【消除事由】妻梅子との離婚無効の裁判確定 【裁判確定日】平成28年9月6日 【申請日】平成28年9月16日 【従前の記録】 　　【離婚日】平成27年10月6日 　　【配偶者氏名】甲野梅子
戸籍に記録されている者 除　　籍	【名】梅子 【生年月日】昭和60年1月8日 【父】乙野忠治 【母】乙野春子 【続柄】長女
身分事項 　出　　生 　婚　　姻 　消　　除	（出生事項省略） 【婚姻日】平成27年5月20日 【配偶者氏名】甲野義太郎 【従前戸籍】京都府京都市上京区小山初音町18番地　乙野 　忠治 【消除日】平成28年9月16日 【消除事項】離婚事項 【消除事由】夫義太郎との離婚無効の裁判確定 【裁判確定日】平成28年9月6日

発行番号000001　　　　　　　　　　　　　　　　　　　　　　　以下次頁

5　いくつかの身分関係（身分行為）が絡んだ訂正

（2の2）　全部事項証明

	【申請日】平成28年9月16日 【申請人】夫 【従前の記録】 　　【離婚日】平成27年10月6日 　　【配偶者氏名】甲野義太郎 　　【入籍戸籍】京都府京都市上京区小山初音町18番地 　　　乙野忠治
戸籍に記録されている者 除　　籍	【名】梅子 【生年月日】昭和60年1月8日　　　【配偶者区分】妻 【父】乙野忠治 【母】乙野春子 【続柄】長女
身分事項 　　出　　生 　　婚　　姻 　　婚　　姻 　　移　　記	（出生事項省略） 【婚姻日】平成27年5月20日 【配偶者氏名】甲野義太郎 【従前戸籍】京都府京都市上京区小山初音町18番地　乙野忠治 【婚姻日】平成28年5月16日 【配偶者氏名】丙川英吉 【新本籍】京都府京都市上京区小山初音町20番地 【称する氏】妻の氏 【移記日】平成28年12月28日 【移記事由】錯誤につき戸籍訂正許可の裁判確定 【裁判確定日】平成28年12月10日 【申請日】平成28年12月26日 【送付を受けた日】平成28年12月28日 【受理者】京都府京都市上京区長 【移記前の戸籍】京都府京都市上京区小山初音町18番地 　　乙野忠治
	以下余白

発行番号000001

第5 具体的な処理例

図182-1　離婚無効の裁判による戸籍訂正後の実方戸籍

	（2の1）	全 部 事 項 証 明
本　　籍	京都府京都市上京区小山初音町１８番地	
氏　　名	乙野　忠治	

戸籍に記録されている者 　　除　　籍	【名】梅子 【生年月日】昭和６０年１月８日 【父】乙野忠治 【母】乙野春子 【続柄】長女
身分事項 　出　　生 　婚　　姻	（出生事項省略） 【婚姻日】平成２７年５月２０日 【配偶者氏名】甲野義太郎 【送付を受けた日】平成２７年５月２３日 【受理者】東京都千代田区長 【新本籍】東京都千代田区平河町一丁目４番地 【称する氏】夫の氏
戸籍に記録されている者 　　消　　除 　　除　　籍	【名】梅子 【生年月日】昭和６０年１月８日 【父】乙野忠治 【母】乙野春子 【続柄】長女
身分事項 　出　　生 　婚　　姻 　消　　除	（出生事項省略） 【婚姻日】平成２８年５月１６日 【配偶者氏名】丙川英吉 【新本籍】京都府京都市上京区小山初音町２０番地 【称する氏】妻の氏 【消除日】平成２８年９月１９日 【消除事項】離婚事項 【消除事由】夫義太郎との離婚無効の裁判確定 【裁判確定日】平成２８年９月６日 【申請日】平成２８年９月１６日 【申請人】夫 【送付を受けた日】平成２８年９月１９日 【受理者】東京都千代田区長 【従前の記録】 　　【離婚日】平成２７年１０月６日

発行番号００００１　　　　　　　　　　　　　　　　　　　　　　　以下次頁

5 いくつかの身分関係（身分行為）が絡んだ訂正

	（2の2）	全 部 事 項 証 明
	【配偶者氏名】甲野義太郎 【送付を受けた日】平成27年10月8日 【受理者】東京都千代田区長 【従前戸籍】東京都千代田区平河町一丁目4番地　甲野義太郎	
		以下余白

発行番号000001

第5　具体的な処理例

図182-2　戸籍法113条の戸籍訂正許可の裁判による戸籍訂正後の実方戸籍

	（2の1）　全部事項証明
本　　籍	京都府京都市上京区小山初音町１８番地
氏　　名	乙野　忠治

戸籍に記録されている者 　除　籍	【名】梅子 【生年月日】昭和６０年１月８日 【父】乙野忠治 【母】乙野春子 【続柄】長女
身分事項 　出　生 　婚　姻	（出生事項省略） 【婚姻日】平成２７年５月２０日 【配偶者氏名】甲野義太郎 【送付を受けた日】平成２７年５月２３日 【受理者】東京都千代田区長 【新本籍】東京都千代田区平河町一丁目４番地 【称する氏】夫の氏
戸籍に記録されている者 　消　除 　除　籍	【名】梅子 【生年月日】昭和６０年１月８日 【父】乙野忠治 【母】乙野春子 【続柄】長女
身分事項 　出　生 　消　除	（出生事項省略） 【消除日】平成２８年９月１９日 【消除事項】離婚事項 【消除事由】夫義太郎との離婚無効の裁判確定 【裁判確定日】平成２８年９月６日 【申請日】平成２８年９月１６日 【申請人】夫 【送付を受けた日】平成２８年９月１９日 【受理者】東京都千代田区長 【従前の記録】 　【離婚日】平成２７年１０月６日 　【配偶者氏名】甲野義太郎 　【送付を受けた日】平成２７年１０月８日 　【受理者】東京都千代田区長 　【従前戸籍】東京都千代田区平河町一丁目４番地　甲野義太郎

発行番号０００００１　　　　　　　　　　　　　　　　　　以下次頁

5 いくつかの身分関係(身分行為)が絡んだ訂正

(2の2) 全部事項証明

移　記	【移記日】平成28年12月26日 【移記事項】婚姻事項 【移記事由】錯誤につき戸籍訂正許可の裁判確定 【裁判確定日】平成28年12月10日 【申請日】平成28年12月26日 【移記後の戸籍】東京都千代田区平河町一丁目4番地　甲野義太郎 【従前の記録】 　　【婚姻日】平成28年5月16日 　　【配偶者氏名】丙川英吉 　　【新本籍】京都府京都市上京区小山初音町20番地 　　【称する氏】妻の氏
	以下余白

発行番号000001

第5　具体的な処理例

図183-1　戸籍法113条の戸籍訂正許可の裁判による戸籍訂正前の第二の婚姻戸籍

	（1の1）	全 部 事 項 証 明
本　　籍	京都府京都市上京区小山初音町２０番地	
氏　　名	乙野　梅子	
戸籍事項 　戸籍編製	【編製日】平成２８年５月１６日	
戸籍に記録されている者	【名】梅子 【生年月日】昭和６０年１月８日　　　【配偶者区分】妻 【父】乙野忠治 【母】乙野春子 【続柄】長女	
身分事項 　出　　生 　婚　　姻	（出生事項省略） 【婚姻日】平成２８年５月１６日 【配偶者氏名】丙川英吉 【従前戸籍】京都府京都市上京区小山初音町１８番地　乙野忠治	
戸籍に記録されている者	【名】英吉 【生年月日】昭和５８年４月２８日　　　【配偶者区分】夫 【父】丙川英太郎 【母】丙川夏子 【続柄】長男	
身分事項 　出　　生 　婚　　姻	（出生事項省略） 【婚姻日】平成２８年５月１６日 【配偶者氏名】乙野梅子 【従前戸籍】大阪府大阪市北区老松町二丁目６番地　丙川英吉	
	以下余白	

発行番号０００００１

5 いくつかの身分関係（身分行為）が絡んだ訂正

図183-2　戸籍法113条の戸籍訂正許可の裁判による戸籍訂正後の第二の婚姻戸籍

	（2の1）　全　部　事　項　証　明
本　　籍	京都府京都市上京区小山初音町２０番地
氏　　名	甲野　梅子
戸籍事項 　　戸籍編製 　　訂　　正	【編製日】平成２８年５月１６日 【訂正日】平成２８年１２月２６日 【訂正事項】氏 【訂正事由】錯誤につき戸籍訂正許可の裁判確定 【裁判確定日】平成２８年１２月１０日 【申請日】平成２８年１２月２６日 【申請人】妻 【従前の記録】 　　【氏】乙野
戸籍に記録されている者	【名】梅子 【生年月日】昭和６０年１月８日　　【配偶者区分】妻 【父】乙野忠治 【母】乙野春子 【続柄】長女
身分事項 　　出　　生 　　婚　　姻 　　訂　　正 　　婚　　姻 　　記　　録	（出生事項省略） 【婚姻日】平成２８年５月１６日 【配偶者氏名】丙川英吉 【従前戸籍】東京都千代田区平河町一丁目４番地　甲野義太郎 【訂正日】平成２８年１２月２６日 【訂正事由】錯誤につき戸籍訂正許可の裁判確定 【裁判確定日】平成２８年１２月１０日 【申請日】平成２８年１２月２６日 【従前の記録】 　　【従前戸籍】京都府京都市上京区小山初音町１８番地　乙野忠治 【婚姻日】平成２７年５月２０日 【配偶者氏名】甲野義太郎 【従前戸籍】京都府京都市上京区小山初音町１８番地　乙野忠治 【記録日】平成２８年１２月２６日 【記録事由】記録遺漏につき戸籍訂正許可の裁判確定 【裁判確定日】平成２８年１２月１０日 【申請日】平成２８年１２月２６日
戸籍に記録されている者	

発行番号０００００１　　　　　　　　　　　　　　　　　　　　　　　　　　以下次頁

第5　具体的な処理例

	（2の2）	全 部 事 項 証 明
	【名】英吉 【生年月日】昭和58年4月28日　　【配偶者区分】夫 【父】丙川英太郎 【母】丙川夏子 【続柄】長男	
身分事項 　　出　　生	（出生事項省略）	
婚　　姻	【婚姻日】平成28年5月16日 【配偶者氏名】甲野梅子 【従前戸籍】大阪府大阪市北区老松町二丁目6番地　丙川英吉	
訂　　正	【訂正日】平成28年12月26日 【訂正事由】錯誤につき戸籍訂正許可の裁判確定 【裁判確定日】平成28年12月10日 【申請日】平成28年12月26日 【申請人】妻 【従前の記録】 　　【配偶者氏名】乙野梅子	
	以下余白	

発行番号000001

詳解　戸籍訂正の実務
――夫婦・親子関係の訂正を中心として――
定価：本体6,000円（税別）

平成25年9月24日　初版発行

編集代表　新　谷　雄　彦
発　行　者　尾　中　哲　夫

発行所	日本加除出版株式会社
本　　社	郵便番号 171-8516
	東京都豊島区南長崎3丁目16番6号
	ＴＥＬ　(03)3953-5757（代表）
	(03)3952-5759（編集）
	ＦＡＸ　(03)3951-8911
	ＵＲＬ　http://www.kajo.co.jp/
営業部	郵便番号 171-8516
	東京都豊島区南長崎3丁目16番6号
	ＴＥＬ　(03)3953-5642
	ＦＡＸ　(03)3953-2061

組版　㈱郁文　／　印刷・製本　㈱倉田印刷

落丁本・乱丁本は本社でお取替えいたします。
© 2013
Printed in Japan
ISBN978-4-8178-4117-9 C2032 ¥6000E

JCOPY 〈(社)出版者著作権管理機構　委託出版物〉

本書を無断で複写複製（電子化を含む）することは、著作権法上の例外を除き、禁じられています。複写される場合は、そのつど事前に(社)出版者著作権管理機構（JCOPY）の許諾を得てください。
また本書を代行業者等の第三者に依頼してスキャンやデジタル化することは、たとえ個人や家庭内での利用であっても一切認められておりません。

〈JCOPY〉 ＨＰ：http://www.jcopy.or.jp/，e-mail：info@jcopy.or.jp
電話：03-3513-6969，FAX：03-3513-6979

全訂
実務 戸籍記載の移記

新谷雄彦 著

2012年7月刊 A5判 248頁 定価2,625円(本体2,500円) ISBN978-4-8178-4008-0

商品番号：40198
略　　号：戸移

- ●移記の前後の記載例を併記。
- ●「移記を要しない事項」や「戸籍訂正と身分事項の移記」についても解説。
- ●旧戸籍法施行中から現行戸籍法施行後の移記事務の変遷について概説。

改訂
ひと目でわかる氏と戸籍の変動

新谷雄彦 著

2011年5月刊 B5判 240頁 定価2,730円(本体2,600円) ISBN978-4-8178-3918-3

商品番号：40265
略　　号：氏戸

- ●氏の変動を取りまとめた、唯一の書籍。
- ●図解や届書・戸籍記載例を多数収録。初任者にもひと目でわかる構成。
- ●渉外事例を含めた複雑な実務運用についての具体的事例も充実。

レジストラー・ブックス128
全訂
一目でわかる渉外戸籍の実務

新谷雄彦 著

2010年9月刊 B5判横型 468頁 定価5,040円(本体4,800円) ISBN978-4-8178-3889-6

商品番号：41128
略　　号：一目渉外

- ●渉外戸籍に関する戸籍実務の基本手引書。
- ●具体的要件については箇条書きで示し、図表・書式を豊富に掲載。
- ●渉外戸籍の事例・記載例を調べる際に欠かせない書籍。

ひと目でわかる
文字訂正・文字更正の実務
理論と戸籍システムでの処理

新谷雄彦・髙橋昌昭 著

2009年10月刊 B5判 296頁 定価2,940円(本体2,800円) ISBN978-4-8178-3838-4

商品番号：40337
略　　号：文実

- ●戸籍に記載する文字の取扱いについての悩みが解消できる一冊。
- ●具体的な記載例を提示しながら、処理方法などを詳細・丁寧に解説。
- ●役立つ参考資料として、縦・横の番号で文字を特定できる表を収録。

〒171-8516　東京都豊島区南長崎3丁目16番6号
日本加除出版　営業部　TEL(03)3953-5642　FAX(03)3953-2061
http://www.kajo.co.jp/